JN256563

復刻版
韓国併合史研究資料 ㉒

朝鮮刑務提要（下）

龍溪書舎

本復刻版製作に際しては、東京経済大学図書館のご好意により、同図書館所蔵本を影印台本とした。ここに深甚の謝意を表する次第である。

朝鮮總督府看守教習所編纂

朝鮮刑務提要（下）

朝鮮司法協會發行

凡例

一、本書ハ大正十二年三月一日現行ノ法令、訓達、通牒等ヲ輯錄シタリ

一、法令等ノ前文ハ之ヲ省略シ題號件名、日附及番號ノミヲ揚ク、其ノ總令トアルハ朝鮮總督府令、總訓トアルハ同訓令官通ハ官通牒ノ略語ナリ

一、本文中括【　】弧ヲ附シタルハ法令ノ改廢ニ由リ異動アリタルコトヲ示ス

刑務提要目次

第一編 憲法

第一章 憲法

第二章 皇室典範

第三章 詔書

四　李堈及李熹ヲ公ト爲ス件……四三、八　詔書　一四
五　王族及公族ノ稱呼……四三、八　宮廷錄事　一五

第二編　法例

第一章　法例

一　朝鮮ニ施行スヘキ法令ニ關スル件……四四、三　法律　三〇　一七
二　朝鮮ニ於ケル法令ノ效力ニ關スル件……四三、八　制令　一　一七
三　明治四十三年制令第一號ニ依ル命令ノ區分ニ關スル件……四三、一〇　制令　八　一七
四　制令ニ於テ法律ニ依ルノ規定アル場合ニ其ノ法律ノ改正アリタルトキノ效力ニ關スル件……四四、六　訓令　一一　一八
五　法例ヲ朝鮮ニ行施スルノ件……四五、三　勅令　二一　一八
六　法例……三一、六　法律　一〇　一八
七　法例第十三條ノ疑義ニ關スル件……四、九　官通　二六七　二〇
八　警務總長等ノ發スル命令ノ罰則ニ關スル件……四三、九　勅令　三七六　二一

第二章　共通法

一　共通法……七、四　法律　三九　二三
二　共通法ノ一部ヲ施行スルノ件……七、五　勅令　一四四　二四
三　共通法第三條等改正法律施行期日……一〇、六　令　二八三　二四

第三章　公布式

第三編　官規

第一章　官制

第二章　分掌規程

一	朝鮮總督府事務分掌規程	四、五	總訓	二六	三四
二	拓殖事務局分課規程	一一、一一	拓事局長		三八
三	朝鮮總督府委任事項規程	九、四	內訓	四	三九
四	朝鮮總督府所屬官署委任事項規程	一〇、一二	內訓	五	四九
五	所屬官署委任事項中署名ニ關スル件	四五、六	官通	二二七	五四
六	典獄委任事項ノ攝行ニ關スル件	九、四	法通		五四
七	朝鮮總督府監獄事務分掌及處務ニ關スル規程	五、一〇	總內訓	一七	五四
八	主任制度施行ニ關スル件	五、一〇	司秘	三五九	五六
九	監獄事務專決施行ニ關スル件	五、一〇	司秘	三八二	五六
一〇	事務簡捷ニ關スル件	一〇、	典會指示		五六
一一	處務ノ敏活適正ヲ圖ルノ件	六、	典會指示		五七
一二	朝鮮總督府及所屬官署ノ民事訴訟ニ關シ國ヲ代表スルノ件	三九、七	勅令	一八四	五七
一三	本府所屬官署ノ司掌事務ニ係ル民事訴訟ニ付國ヲ代表スル件	四三、一〇	總令	四二	五七
一四	民事訴訟提起ニ關シ認可申請方ノ件	四、二	官通	四六	五七

第三章　官等俸給

一	高等官官等俸給令	四三、三	勅令	一三四	五八
二	初敍官等ノ制限ヲ受ケサル高等文官他ノ高等文官ト爲ル場合ノ官等ニ關スル件	三六、一二	勅令	二八五	七九

三　文武判任官等級令…………四三、六　勅令　二六七　八〇
四　朝鮮總督府監獄醫敎誨師及敎師ノ官等等級配當ノ件…………八、二　勅令　二三　八一
五　奏任官又ハ判任官ノ待遇ヲ受クル監獄醫敎誨師及敎師ノ官等等級配等ノ件…………七、九　勅令　三四七　八一
六　判任官俸給令…………四三、三　勅令　一三五　八二
七　判任官待遇者俸給ニ關スル件…………四〇、六　勅令　二四四　八四
八　文官俸給支給細則…………二五、一二　大省令　一　八四
九　俸給受領ニ關スル件…………一一、一〇　庶通　八五
一〇　判任官以下定期昇級發令期ノ件…………元、一一　官通　一三五　八五
一一　陸海軍准士官以下ノ受恩給者文官ニ任用ノ場合俸給支給方…………三、三三　勅令　一三三　八五
一二　准士官以下受恩給者文官ニ任用ノ場合俸給計算方…………三三、四　大省令　一九　八五
一三　准士官以下ノ受恩給者文官ニ任用ノ合諸給與及納金計算方…………三三、六　勅令　三三七　八六
一四　文官ニシテ陸海軍ニ召集セラレタル者ノ俸給ニ關スル件…………三七、九　勅令　二〇六　八六
一五　朝鮮臺灣及樺太在勤文官加俸令…………四三、三　勅令　一三七　八六
一六　朝鮮總督府及所屬官署職員ノ加俸ニ關スル件…………二、三　總令　三六　八七
一七　加俸支給方ニ關スル件…………六、一　官通　一七　八八
一八　加俸支給ニ關スル件…………六、二　官通　二一　八八
一九　俸給支給ニ關スル通牒廢止ノ件…………一二、一　官通　四　八九
二〇　俸給日割計算方ノ件…………四、四　官通　一一　八九
二一　文官ニシテ陸海軍ニ召集中ノ者俸給支給方ノ件…………二、七　官通　二一一　八九

第四章　給與　諸手當

番號	件名	年月	種別	號數	頁
一一	各廳雇等日給ノ者休暇日ニモ給額支給	八、六	太達	一一四	九八
一二	傭員俸給ヲ傭員其ノ他ニ給スル諸手當支給方ノ件	二六、二	勅令	一七	九八
一三	日給者給料支給ニ關スル件	四四、二	官通	一	九八
一四	雇員以下月俸支給方ニ關スル件	四四、三	官通	四〇	九八
一五	傭人月俸給金額及支給方ニ關スル件	四四、四	官通	七七	九八
一六	雇員以下可成日給採用ノ件	二、七	官通	二〇三	九九
一七	雇員又ハ傭人ニシテ在郷陸海軍軍人タル者應召中給料支給ニ關スル件	七、七	官通	一一七	九九
一八	判任官以下ノ職員ニシテ朝鮮語ニ通スル者ニ特別手當ヲ給スル件	一〇、三	勅令	三四	九九
一九	朝鮮總督府及所屬官署職員朝鮮語奬勵規程	一〇、五	總訓	二八	九九
二〇	臨時朝鮮語奬勵手當支給取扱方ニ關スル件	一一、七	官通	六六	一〇一
二一	臨時朝鮮語奬勵手當支給方ニ關スル件	一一、九	官通	七七	一〇三
二二	特別手當支給ニ關スル件	一〇、四	法通		一〇三
二三	通譯兼掌者特別手當ニ關スル件	四四、四	官通	七五	一〇三
二四	朝鮮總督府看守及朝鮮總督府女監取締非番勤務手當及特別手當支給規則	八、一一	總訓	五四	一〇三
二五	監丁ニ對スル時間外勤務手當給與ニ關スル件	七、九	官秘	二三七	一〇四
二六	交通至難ノ場所ニ在勤スル職員ニ手當給與ノ件	九、九	勅令	四〇五	一〇四
二七	勤勉手當給與令	九、一一	勅令	五四五	一〇五

番號	件名	年月	種別	番號	頁
二八	朝鮮總督府及所屬官署勤勉手當支給規則	一一、八	總訓	四〇	一〇六
二九	勤勉手當支給方ニ關スル件	九、四	官通	三一	一〇七
三〇	勤勉手當ニ關スル件	一〇、九	官通	八一二	一〇七
三一	勤勉手當ニ關スル件	一一、二	庶通		一〇七
三二	朝鮮陸接國境地方ニ在勤スル朝鮮總督府及其ノ所屬官署職員ノ臨時特別手當給與ニ關スル件	九、九	勅令	四〇〇	一〇八
三三	年額又ハ月額ノ手當金支給方	三三、一	大省令	一	一〇八
三四	傳染病豫防救治ニ從事スル官吏准官吏及傭員月手當支給ノ件	二八、六	勅令	七一	一〇八
三五	政府ヨリ恩給ヲ受クル者召集中手當支給ノ件	三八、六	勅令	一七九	一〇八
三六	朝鮮總督府及所屬官署職員ノ宿舍料ニ關スル件	四三、九	勅令	三九二	一〇八
三七	宿舍料支給規程	四、一二	總訓	六三	一〇九
三八	宿舍料支給方ノ件	四四、五	官通	一〇四	一一一
三九	宿舍料支給方ノ件	四四、五	官通	一一九	一一一
四〇	宿舍料支給ニ關スル疑義件	四四、五	官通	一三四	一一一
四一	宿舍料支給ニ關スル件	元、一一	官通	一二六	一一一
四二	宿舍料支給規則ニ關スル件	二、五	官通	一五三	一一三
四三	宿舍料及賄料ノ給與ニ關スル件	二、五	官通	一六九	一一三
四四	宿舍料支給ニ關スル件	四、一二	官通	三五五	一一二
四五	宿舍料支給方ノ件	五、二	官通	二一	一一三

第五章　旅費

一	內國旅費規則	四三、六	勅令	二七四	一二三
二	內國旅費規則第二條ニ依リ鐵道賃船賃ニ關スル件	九、五	大省令	一六	一二四
三	大藏省所管旅費支給規則	四三、七	大省令	三三	一二五
四	大藏省所管經費支辨ニ屬スル各廳員朝鮮臺灣及樺太內旅費支給規則	四三、七	大省令	三五	一二七
五	朝鮮總督府旅費規則	四、三	府令	二四	一二八
六	朝鮮總督府減額旅費規程	三、八	訓令	四五	一三〇
七	間島琿春安東地方ヘ出張スル者ノ旅費ニ關スル件	九、一〇	總訓	四七	一三七
八	同上旅費支給上疑義ノ件	一一、二	官通	一九	一三八
九	出張命令申請書記載方ニ關スル件	六、一〇	官通	一七七	一三八
一〇	下關釜山間連絡船賃ニハ辨當代ノ實費ヲ含ム件	一〇、一	庶部決定		一三八
一一	家族移轉料支給上家族ノ順位及赴任手當ニ關スル件	九、九	官通	八八	一三八
一二	赴任旅費ニ關スル件	一〇、四	官通	三四	一三八
一三	旅費減額ノ件	一〇、三	官通	二三	一三八
一四	旅費支給ニ關スル件	一一、六	官通	五五	一四〇
一五	移轉料ノ件	四三、一〇	朝乙發	五八	一四〇
一六	旅費年度區分ノ件	元、一一	伺		一四〇
一七	支度料ヲ支給セサル件	四、一二	總長通		一四一
一八	赴任旅費及歸鄉旅費ニ關スル件	二、二	協定事項		一四一
一九	旅費支給ニ關スル件	四、五	總長決定		一四一

二〇 在勤廳所在地ニ關スル件……三、四 官通 一〇八 一四一
二一 旅費支給方ニ關スル件……六、 官通 一一六 一四二
二二 陸路旅行行程ノ件……四四、九 總 一三五八 一四三
二三 旅費支給上里程計算ニ關スル件……五、八 官通 一三一 一四三
二四 遞信地圖使用ニ關スル件……一一、三 官通 一八 一四三
二五 旅行證明ニ關スル件……四三、 協定事項 一四三
二六 京城海州間旅行順路追加ニ關スル件……七、三 官通 四一 一四三
二七 里程證明ニ關スル件……三、 伺指令 一四四
二八 歸國旅費支給ニ以スル件……四三、 協定事項 一四四
二九 朝鮮總督府旅費規則第十條ノ勤續二年ノ解釋ノ件……四四、三 會議決定 一四四
三〇 歸鄉旅費支給ニ關スル件……五、二 一四四
三一 歸鄉旅費支給ニ關スル件…… 一四四
三二 歸任旅費支給ニ關スル件……五、六 一四四
三三 汽車汽船ノ路程ニ關スル件……元一一 一四五
三四 旅費支給ニ關シ證明書省略ノ件…… 一四五
三五 出廷旅費支出ニ關スル件……二、三 官通 四一 一四五
三六 出廷旅費ニ關スル件……四、六 官通 二〇二 一四五
三七 女監取締旅費ノ件回答……四、八 總長回 一四五
三八 女監取締歸鄉旅費ノ件……六、六 伺指令 一四六

第六章　任免　休職　死亡

番號	件名	年月	種別	番號	頁
三	文官試補及見習ニ關スル件	四三、六	勅令	二七五	一五六
四	判任文官特別任用令	九、八	勅令	三五七	一五七
五	朝鮮人タル官吏ノ特別任用ニ關スル件	四三、九	勅令	三九六	一五八
六	海軍准士官及下士官ヲ判任官ニ任用ノ件	一一、一〇	勅令	四三二	一五九
七	陸軍准士官及下士ヲ判任文官ニ任用ノ件	一一、一〇	勅令	四三一	一五九
八	文官技倆證明書ヲ有スル者ノ採用ニ關スル件	一〇、一	法通		一五九
九	文官任用令上疑義ノ件	三、一〇	官通	三六三	一六〇
一〇	職員採用手續ノ件	四五、六	官通	二一八	一六〇
一一	高等官勤務指定報告ニ關スル件	九、四	官通	二七	一六〇
一二	官吏休職轉勤退官等ノ事由詳具方ノ件	四四、八	官通	二四七	一六〇
一三	大正八年勅令第三八六號施行ノ際別ニ辭令書ニ交付セラレサルモノ、勤務箇所ノ件	八、八	總訓	三三	一六〇
一四	給與令改正ニ伴フ履歷書整理ノ件	九、一〇	監	二、三五九	一六〇
一五	裁判所書記試驗合格者判任官見習ニ關スル件	四、四一	官通	一六	一六〇
一六	朝鮮總督府看守採用規則	四四、五	總令	五八	一六一
一七	朝鮮總督府看守採用手續	四四、六	總訓	一五	一六三
一八	朝鮮總督府看守採用規則施行細則	七、八	西監達	二二	一六三
一九	看守採用試驗ニ關スル件	七、六	監	八六六	一六七
二〇	朝鮮總督府看守ノ採用等ニ關スル件	七、四	司秘補	一三	一六八
二一	看守採用ニ關スル件	五、	典會		一六八

第七章　試驗敎習

一三　高等試驗令施行細則……七、二　閣令　一　一八六
一四　朝鮮人判任文官試驗規則……四四、六　總令　七九　一八七
一五　朝鮮總督府看守長特別任用學術試驗及實務考查規程……九、一一　總令　一六九　一八八
一六　看守成績表ニ關スル件……九、一〇　法秘　一、〇六七　一八九
一七　朝鮮總督府看守敎習規程……七、五　總訓　二三　一九〇
一八　看守採用試驗採點標準ノ件……四四、一二　司刑　一、二三七　一九一
一九　朝鮮總督府看守敎習所生徒心得……七、九　西監達示　二七　一九一
一〇　朝鮮總督府看守敎習細則……七七、　西監達　一九　一九三
一一　看守ノ復習訓練ニ關スル件……四、　典會訓示　一九五
一二　看守訓練ニ關スル件……五、　典會訓示　一九六
一三　看守學術試驗成績ニ關スル件……六、　典會注意　一九六
一四　看守敎習ニ關スル件……七、　典會指示　一九六
一五　職員ノ訓練敎養ニ關スル件……一〇、　典會指示　一九六
一六　朝鮮總督府及所屬官署職員朝鮮語奬勵規程……一〇、五　總訓　二八　一九六
一七　朝鮮語奬勵試驗執行ニ關スル件……一一、一　秘課長　一九八
一八　國語及朝鮮語奬勵ニ關スル件……三、　典會指示　一九九
一九　朝鮮語奬勵ニ關スル件……六、　典會注意　一九九

第八章　分限、服務、休暇、儀禮、服忌

一　文官分限令……三二、三　勅令　六二　二〇〇

番號	件名	年月	種別	號數	頁
二	官吏服務紀律	二〇、七	勅令	三九	二〇一
三	官紀振肅ニ關スル件	六、六	官通	一一四	二〇二
四	官吏服務紀律ニ關スル件	六、一〇	官通	一八四	二〇二
五	官吏職務外ニ公衆ニ對シ演説又ハ敍述スルヲ得	二二、一	內閣訓令		二〇二
六	不用品拂下ノトキ其ノ官廳所屬官吏ノ入札禁止	八、八六	政官達	一五二	二〇二
七	官吏服務心得書配布ノ件	四五、四	官通	一四八	二〇二
八	官吏服務心得書署名方ノ件	四五、五	官通	一八二	二〇三
九	服務心得書格納容器ノ件	四五、	人	四六七	二〇三
一〇	服務心得書名狀況報告方ノ件	四、五六	官通	二二〇	二〇三
一一	服務心得配付ノ件	元、一一	官通	一二三	二〇三
一二	服務規律及服務書心得讀聞セ方ノ件	元、一二	官通	一六八	二〇四
一三	職員ノ服務ニ關スル訓告ハ文書ヲ以テ之ヲ爲スヘキ件	二、一	官通	一〇	二〇四
一四	服務心得書末尾ノ總督名ハ誦讀ヲ省略ノ件	五、一二	人通	二、三五七	二〇四
一五	總督訓示	四三、一〇	總訓	四四	二〇四
一六	官吏ニ對スル訓諭	五、一二	總訓		二〇五
一七	官吏ニ對スル訓諭	六、五	內閣訓令	一	二〇五
一八	官吏ニ對スル訓諭	七、八	總訓		二〇七
一九	監獄醫敎誨師敎師藥劑師看守及女監取締職務規程	三、五	總訓	一一	二〇七
二〇	看守及女監取締勤務規程	三、五	總內訓	一〇	二一〇
二一	官紀振肅ニ關スル件	三、	典會訓示		二一一

二二	官紀振肅ニ關スル件	三、	典會注意		二一一
二三	監獄職員會議ニ關スル件	三、	典會指示		二一一
二四	監獄醫以下職員ノ執務ニ關スル件	三、	典會指示		二一一
二五	內外勤職員配置ニ關スル件	三、	典會指示		二一一
二六	職員ハ上訴ヲ慫慂シ又ハ投書密告ヲ戒ムル件	三、	典會注意		二一二
二七	分監ニ於ケル事務簡便ヲ計ルヘキ件	四、	典會指示		二一二
二八	看守及女監取締ノ職務上携帶セル物品使用保管ニ關スル件	四、	典會注意		二一二
二九	訓示及指示ノ勵行ニ關スル件	五、	典會訓示		二一二
三〇	訓示指示事項ノ勵行ニ關スル件	六、	典會指示		二一二
三一	監獄ノ事務ハ裁判所警察官署ト連絡ニ關スル件	六、	典會指示		二一三
三二	內勤看守配置按排ニ關スル件	六、	典會注意		二一三
三三	勤務演習召集演習召集及簡閱點呼ノ免除ニ付餘人ヲ以テ代フヘカラサル職務ヲ奉スル者ニ關スル件	八、二	勅令	二一	二一三
三四	大正八年勅令第二十一號ニ依ル職務ヲ奉スル者指定	八、三	內閣告示	二	二一三
三五	官吏召集免除ノ件	八、三	人	六七四	二一三
三六	召集免除ニ關スル件	七、五	司秘	三九八	二一三
三七	召集免除ノ具申書式ニ關スル件	七、六	司長通		二一三
三八	勤務演習簡閱點呼免除內申書類ニ關スル件	一一、七	秘補	一、九八七	二一四
三九	官廳奉職又ハ雇傭中ノ在鄉軍人召集等ノ場合ニ關スル件	六、八	官通	二一五	二一四
四〇	召集免除認可通報方ノ件	七、九	人	二一八四	二一五

番號	件名	年月	種別	號數	頁
四一	召集及點呼免除者取扱方ノ件	七、九	官通	一五三	二一五
四二	官吏召集及點呼免除ニ關スル件	七、一二	人	二、八二〇	二一五
四三	官吏召集及點呼免除ニ關スル件	八、六	人	一、五六	二一六
四四	官吏演習召集及簡閲點呼免除具狀方ニ關スル件	八、二	官通	一六	二一六
四五	官吏勤務演習及點呼免除ニ關スル件	八、三	人	六九四	二一六
四六	召集及點呼免除者通報廢止ニ關スル件	一〇、一一	秘補	二、三五三	二一七
四七	應召者通報方ノ件	七、八	官通	一三三	二一七
四八	應召者通報方ノ件	七、九	監	一、一八五	二一七
四九	官廳執務時間	一一、七	閣令	六	二一八
五〇	朝鮮總督府及其所屬廳ノ執務時間ニ關スル件	四三、一二	閣令	一六	二一八
五一	朝鮮總督府及所屬官署執務時間	一一、七	府令	一〇三	二一八
五二	執務時間ノ勵行ニ關スル件	一一、七	文	四九	二一九
五三	休暇報告ニ關スル件	一一、七	法長通		二二〇
五四	休暇報告ニ關スル件	一一、八	法長通		二二〇
五五	休暇日	六、一	太政告示	二	二二〇
五六	日曜日休暇	九、三	太政達	二七	二二〇
五七	官員父母祭日休暇	六、九	太政達	三一八	二二〇
五八	休日ニ關スル件	元、九	勅令	一九	二二〇
五九	朝鮮總督府始政記念日	四、六	總告	一五一	二二一
六〇	始政記念日ノ件	四、六	官通	二〇一	二二一

第九章　服制、點檢、禮式

第十章　檢閲、監督

第四編 位勳、褒章、救恤、恩給、賞罰

第一章 位勳、褒章

一四	勳章記章佩用心得	二三、二	賞勳告示	一	二六六
一五	功六級勳七等以下ノ勳章及記章褒賞ノ佩用ニ關スル件	八、二	閣告示	一	二六七
一六	外國勳章佩用願規則	一八、一	太政布告	三五	二六七
一七	略章略綬佩用心得	二三、二	賞勳告示	二	二六七
一八	勳章記章褒章ノ佩用取締ニ關スル件	四一、一二	勅令	二九二	二六八
一九	舊韓國勳章及記章ノ佩用ニ關スル件	四三、八	勅令	三三四	二六八
二〇	勳章褫奪令	四一、一二	勅令	二九一	二六八
二一	勳章褫奪令施行細則	四一、一二	閣令	二	二六九
二二	勳章還納手續	二三、三	閣令	九	二七二
二三	帶勳者犯罪ニ關スル往復文書經由ノ件	四五、二	官通	三六	二七二
二四	褒章條例	一四、一二	太政布告	六三	二七二
二五	褒章條例取扱手續	二七、一	閣令	一	二七四
二六	褒章條例取扱手續等ニ依リ府縣知事及主務大臣ノ職務ヲ行フ官吏	四四、一一	閣令	一三	二七四
二七	褒賞ニ關スル件	四五、一	官通	三	二七四
二八	褒賞ニ關スル件	四五、七	官通	二七二	二七五
二九	金銀木杯金圓賜與手續第二條ニ依ル褒賞取扱方ニ關スル件	二、一二	官通	四一二	二七五
三〇	褒賞ニ關スル件	四五、七	官通	二四九	二七五
三一	敍勳者等族籍氏名變更屆出方	三、一二	閣告示	六	二七五
三二	勳等進敍ノ節同種下級ノ勳章還納方	二三、三	勅令	三八	二七六

番號	件名	年月	種別	號	頁
三三	寄附者行賞ニ關スル件	九、五	官通	四一	二七六
三四	勳章記章褒章等受領者諸届出手續	三一、一〇	賞勳告示	一	二七六
三五	舊韓國勳章受領ノ朝鮮人犯罪申牒ノ件	四四、七	官通	二〇六	二七六
三六	勳章勳記功記年金證書又ハ外國勳章佩用免許證沒收ノ場合ニ行テ犯人ノ本籍戸籍吏ニ通知ノ件	四三、三	統訓	一	二七六
三七	朝鮮警察賞與規程	四四、六	總令	七六	二七七

第二章 救恤

番號	件名	年月	種別	號	頁
一	官吏療治料給與ノ件	二五、九	勅令	八〇	二七八
二	朝鮮總督府看守及朝鮮總督府女監取締ノ療治料給助料及弔祭料給與ニ關スル件	四四、七	勅令	二〇二	二七八
三	巡査看守療治料給助料及弔祭料給與令	三四、七	勅令	一四九	二七八
四	巡査看守弔祭料計算方ノ件	二、七	官通	三一	二七九
五	巡査看守療治料給助料及弔祭料給與令ノ解釋ニ關スル件	六、三	會第	八一三	二七九
六	明治三十三年法律第十五號及同年法律第三十號ノ一部ヲ朝鮮ニ施行スルノ件	四四、一〇	勅令	二七二	二八〇
七	傳染病豫防救治ニ從事スル者ノ手當金ニ關スル件	三三、三	法律	三〇	二八〇
八	明治三十三年法律第三十號第五條ノ療治料ノ件	五、一二	總令	一〇四	二八一
九	傳染病豫防救治ニ從事スル者ノ療治料ニ關スル件	五、一二	官通	二二九	二八一
一〇	各廳技術工藝ノ者就業上死場ノ手當內規	一二、二	大政官達	四	二八一

第三章　恩給、退隱料、扶助料

一	官吏恩給法	二三、六	法律	四三	二八三
二	官吏恩給法施行規則	二三、七	閣令	三	二八五
三	文官傷痍疾病等差例	一八、三	太政達	一六	二八七
四	官吏遺族扶助法	二三、六	法律	四四	二八九
五	官吏遺族扶助法施行規則	二三、七	閣令	四	二九〇
六	官吏恩給法及官吏遺族扶助法補則	二九、三	法律	三六	二九一
七	官吏恩給法及官吏遺族扶助法補則施行規則	二九、三	閣令	二	二九二
八	恩給扶助料等ノ增額ニ關スル件	九、七	法律	一〇	二九二
九	大正九年法律第十號ニ依ル恩給扶助料等ノ增額及明治二十三年勅令第二五四號ニ依ル休職給ノ增額ニ關スル件	九、八	勅令	二七八	二九四
一〇	大正九年法律第十號施行手續	九、九	總令	一四八	二九六
一一	大正九年法律第十號施行手續	九、八	閣令	八	二九六
一二	大正九年法律第十號ニ依リ更正ニ係ル恩給等支給規則	九、九	遞省令	八〇	二九七
一三	增加恩給等ノ增額ニ關スル件	一一、三	法律	一八	二九七
一四	大正十一年法律第十八號施行手續	一一、七	府令	一〇一	二九八
一五	大正十一年法律第十八號施行手續	一一、五	閣令	五	二九八
一六	大正十一年法律第十八號ニ依ル增加恩給等ノ增額ニ關スル件	一一、五	勅令	二八四	二九九

番號	件名	年月	種別	番號	頁
一七	増加恩給等ノ増加金額支給規則	一一、六	遞省令	四二	三〇一
一八	朝鮮總督府及關東(都督府)等在勤官吏ノ恩給及遺族扶助料ニ關スル件	四〇、五	法律	四八	三〇二
一九	明治四十年法律第四八號ヲ適用セサル官吏ニ關スル件	四〇、五	勅令	一八八	三〇二
二〇	朝鮮人官吏ノ恩給退隱料及遺族扶助料等ニ關スル件	七、四	法律	三〇	三〇二
二一	恩給退隱料及扶助料等請求書式其ノ他ニ關スル件	一一、五	官通	三七	三〇三
二二	看守女監取締退隱料扶助料等請求ニ關シ關係官署ヘ附箋照會事項ノ概要	自一〇、四 至一一、四	調		三一五
二三	戸籍謄本提出ニ關スル件	八、三	官通	三六	三一六
二四	恩給退隱料證書等郵送ニ關スル件	七、八	官通	一三三	三一六
二五	巡査看守死亡者履歴書下付ニ關スル件	九、五	秘	一三一四	三一七
二六	傭人扶助令	七、一一	勅令	三八二	三一八
二七	巡査看守退隱料及遺族扶助料法	三四、七	法律	三八	三一九
二八	巡査看守退隱料及遺族扶助料法施行令	三四、七	勅令	一四八	三二二
二九	朝鮮總督府等在勤ノ內地人タル警部補巡査看守及女監取締ノ退隱料及遺族扶助料ニ關スル件	四〇、五	法律	四九	三二三
三〇	朝鮮總督府巡査、看守退隱料及遺族扶助料取扱ニ關スル件	四四、六	總令	七一	三二四
三一	內閣恩給局長管掌ニ屬スル巡査、看守退隱料及遺族扶助料取扱規程	三四、六	閣令	一	三二四

三二　明治四十年法律第四十九號ヲ適用セサル巡查、看守及女監取締ニ關スル件……　四〇、五　勅令　一八九　三二六
三三　文官判任以上ノ者退官賜金ノ件……　二三、六　勅令　九八　三二六
三四　朝鮮人官吏ノ文官退官賜金ニ關スル件……　七、四　勅令　六二　三二六
三五　文官退官賜金年數計算方ノ件……　元、一　官通　一一七　三二七
三六　退官賜金及死亡賜金支出關係書類提出方ノ件……　二、七　官通　二三〇　三二七
三七　郵便官署ヲシテ年金、恩給等ノ支給事務ヲ取扱ハシムル件……　四三、三　勅令　二五　三二八
三八　年金恩給支給規則……　四三、三　遞省令　六　三二八
三九　郵便局ニ於テ取扱フ年金、恩給、遺族扶助料及退隱料等ノ支給期日……　四三、三　遞省告　三四一　三三一
四〇　退官賜金及死亡賜金ニ關スル件……　元、九　人　二四五　三三一
四一　退官賜金支拂ニ關スル件……　二、一　官通　一二　三三一
四二　朝鮮人官吏ノ文官退官賜金ニ關スル件……　七、四　人　八八一　三三一
四三　退官賜金死亡賜金ニ關スル件……　八、五　官通　六八　三三一
四四　行政整理又ハ軍備制限整理ニ際シ職ヲ離レシメラレタル者ノ特別賜金等ニ關スル件……　一一、一一　勅　四七九　三三二
四五　大正十一年勅令第四百七十九號ニ依リ特別ノ賜金又ハ手當ヲ國債ヲ以テ付交スル場合ニ於ケル交付價格ニ關スル件……　一一、一一　大藏省　五六　三三三

第四章　賞與、懲戒

一	朝鮮總督府看守及朝鮮總督府女監取締精勤證書授與規則	四四、六	總訓	五一	三三四
二	看守及女監取締精勤證書雛形ニ關スル件	二、五	官通	一六六	三三五
三	看守及女監取締精勤證書雛形ニ關スル件	四四、六	官通	一七五	三三五
四	看守精勤證書ニ關スル件	四四、六	司刑發	四〇二	三三五
五	看守等精勤證書授與規則ニ依ル勤續期間ニ關スル件	四四、六	司刑發	三七六	三三五
六	看守及女監取締精勤證書授與又ハ無効ニ歸シタル場合ニ報告ヲ要スル件	五、一	監	八七	三三六
七	年末賞與辭令書式ノ件	六一、一	人	二、五八九	三三六
八	文官懲戒令	三二、三	勅令	六三	三三六
九	朝鮮總督府監獄所屬職員中奏任待遇者ノ懲戒ニ關スル件	四四、五	總令	六三	三三九
一〇	臺灣總督府朝鮮總督府及關東廳ノ巡査及判任待遇監獄職員ノ懲戒ニ關スル件	九、八	勅令	三六二	三三九
一一	判任待遇(統監府)監獄職員ノ懲戒ニ關スル件	四二、一一	統令	四九	三三九
一二	監獄判任待遇職員懲戒規程	三六、三	司法省令	七	三三九
一三	免官免職及停職者免除ノ件	三〇、一二	勅令	一四	三四〇
一四	懲戒又ハ懲罰ノ免除ニ關スル件	元、一〇	勅令	三〇	三四〇

第五編　文書、統計、報告、指紋

第一章　文書、官印

一〇	信書ノ宛名表記方ニ關スル件	九、一〇	民	五〇	三五三
一一	檢事長經由ノ文書ニ關スル件	九、一〇	監通	二、三九六	三五三
一二	文書ノ取扱ニ關スル件	一〇、一〇	法通牒		三五三
一三	人事ニ關スル文書取扱方ノ件	四三、一二	朝乙發	二、一三五	三五四
一四	人事ニ關スル文書提出方ノ件	四四、七	官通	二二六	三五四
一五	朝鮮總督府官報編纂規程	九、二	總訓	一〇	三五四
一六	官報通牒ニ同文通牒掲載ニ關スル件	四四、二	總訓	一三	三五七
一七	官報通牒ニ關スル件	四四、一〇	文	二一七	三五七
一八	朝鮮司法協會雜誌ノ掲載ヲ以テ一般通牒ニ代フル件	一一、一	法通牒		三五七
一九	朝鮮司法協會雜誌掲載ノ一般通牒ニ關スル件	一一、三	法通牒		三五八
二〇	官報原稿送付方ノ件	元、七	官通	二八三	三五八
二一	官報等ニ關スル文書發送方	二、六	印刷局		三五八
二二	內地官報ニ廣告掲載方ノ件	四四、一	官通	一九	三五八
二三	出張辭令ノ官報原稿送付方ノ件	三、二	官通	五一	三五八
二四	職員出張ニ關スル官報報告方ノ件	九、三	官通	一九	三五八
二五	所屬官署ヘ印刷物發送ノ件	四五、五	官通	一八四	三五九
二六	往復用紙使用方ノ件	四、五	官通	一六六	三五九
二七	寫眞送付ノ件	九、一一	文通	四九三	三五九
二八	外國ニ提出スル爲發給スル證明書取扱方ノ件	六、九	官通	一五一	三五九
二九	書類綴方ノ件	四四、一	朝乙發	四七六	三六〇

三〇	文書取扱方ニ關スル件	五、三	官通	三四	三六〇
三一	提出書類ノ編綴方ノ件	三、	典會注意		三六〇
三二	文書進行番號ノ件	元、八	總	一	三六〇
三三	成案ノ記號ニ關スル件	一一、七	文書課長		三六〇
三四	用字例及文例ニ關スル件	四四、三	官通	一八	三六〇
三五	電信略符號ノ使用等ニ關スル件	三、二	官通	四四	三七一
三六	公文書ニ學位ヲ記載セサルノ件	九、七	政秘	一、七一〇	三七一
三七	外國ニ歸化シタル朝鮮人ノ取扱ニ關スル件	四、一〇	總內訓	二〇	三七一
三八	內勤職員ニ關スル件	一〇、六	法通牒		三七一
三九	事務整理ニ關スル件	一一、八	文	五二	三七一
四〇	文書事務簡捷ノ件	二、	典會指示		三七四
四一	帳簿事務ノ簡捷ヲ圖ル件	五、	典會注意		三七五
四二	朝鮮ノ標準時	四四、一一	府告	三三八	三七五
四三	文書誤記、脫字等注意ノ件	四、	典會注意		三七五
四四	宿直員ノ用紙取締ノ件	四、	典會注意		三七五
四五	改正例規ノ整理ニ關スル件	四、	典會注意		三七五
四六	收受ノ文書ノ查閱ニ關スル件	五、	典會注意		三七五
四七	文書、帳簿ノ整理保存ノ件	六、	典會注意		三七五
四八	監獄ノ沿革吏編纂ノ件	七、	典會注意		三七六
四九	簿冊ノ整理ノ件	一〇、	典會指示		三七六

五〇　新年用門松ニ關スル件……五、一二　總　四三二　三七六
五一　官印寸法……三一、八　閣令　五　三七六
五二　公文書ニ用フル印章ニ關スル件……四、三　官通　七三　三七六
五三　公文書ニ用井ル印鑑屆出ニ關スル件……一一、三　法通牒　三七六
五四　典獄補ノ印章ニ關スル件……一〇、一〇　法通牒　三七七
五五　元號ノ稱呼……元、七　內閣告示　一　三七七

第二章　統計、報告

一　朝鮮總督府統計事務取扱方……七、九　總訓　四七　三七八
二　朝鮮總督府報告例……元、一一　訓令　二〇　三七八
三　報告例ノ電報報告中略符號使用ノ件……二、一一　官通　三九二　三七九
四　監獄統計中央集査實施ニ關スル件……一一、五　法通牒　四八〇
五　監獄統計小票取扱ニ關スル件……一一、一〇　法通牒　四一七
六　統計ノ進步改善ニ關スル件……五、五　內閣訓令　一　四一七
七　監獄統計報告ノ調製及提出……四、　典會注意　四一七
八　監獄統計ノ注意……六、　典會注意　四一八
九　書類ノ淨書校合等ノ件……三、　典會注意　四一八
一〇　監獄統計從事者ノ養成ニ關スル件……一一、五　監　二一　四一八
一一　統計主任ニ關スル件……五、三　官通　三八　四一八
一二　統計主任ニ關スル件……七、九　官通　一四九　四一九

一三　統計主任ニ關スル件……一〇、七　庶務部長　四一九
一四　統計ニ關スル件……七、四　監　三五三　四一九
一五　統計ニ關スル件……七、三　監　三五三　四二〇
一六　監獄統計ニ關スル件……九、一　法　通　一四七　四二四
一七　統計ニ關スル件……一〇、五　法通牒　四二四
一八　看守轉勤ノ報告方ニ關スル件……一一、一〇　法通牒　四二五
一九　職員死亡報告ニ關スル件……九、一　官　通　四　四二五
二〇　職員死亡報告ニ關スル件……一〇、四　法通牒　四二五
二一　職員勤務指定報告ニ關スル件……九、一　法　三四　四二五
二二　監獄事務報告ニ關スル件……一〇、一　法通牒　四二六
二三　月報提出ニ關スル件……一一、五　法通牒　四二六
二四　死刑ノ執行ニ依リ出監シタル者ノ小票記入方ニ關スル件……一一、五　法通牒　四二六
二五　期限內ニ事務報告提出ノ件……三、　典會注意　四二六
二六　統計事務ノ整備ニ關スル件……五、五　官　通　七五　四二七
二七　監獄統計報告ノ調製……五、　典會注意　四二七
二八　職員定員及現員配置對照表提出ノ件……一〇、二　秘書課長　四二七
二九　監獄醫以下現員現給ノ件……一〇、四　法通牒　四二七
三〇　資格者ノ履歷等提出ノ件……三、　典會注意　四二八
三一　朝鮮語奬勵手當ヲ受クル者ニ關スル件……一一、五　鮮語試　一〇七　四二八
三二　監獄事務報告書ノ調製……二、　典會指示　四二八

三三 作業科程、工錢ノ増減ノ報告……六、 典會注意 四一八
三四 事變報告ノ件……四三、一二 刑 八九九 四一八
三五 在監人ニ關スル電報報告ニ日鮮人等ノ區別記載ノ件……四四、一〇 司刑 八五四 四一九
三六 在監者ニ關スル報告文書ノ件……四三、一一 檢發 一、四〇八 四一九
三七 施政上ノ參考ニ資スヘキ事項報告ノ件……五、 典會注意 四一九
三八 本府ニ定期報告期日勵行ノ件……五、 典會注意 四一九
三九 例規ノ設定改廢報告ノ件……五、 典會注意 四一九
四〇 監獄ニ關連スル事項ニ付テノ報告ノ件……六、 典會注意 四一九
四一 事務報告ノ調製ニ關スル件……六、 典會注意 四一九
四二 復命書ノ寫ヲ提出スヘキ件……六、 典會注意 四二〇
四三 朝鮮總督府月報材料報告ニ關スル件……四四、五 司庶 四五一 四二〇
四四 朝鮮彙報ニ關スル規程……六、九 總訓 三九 四二〇

第三章 指紋

一 指紋取扱規程……一〇、一二 訓令 七一 四三二
二 指紋原紙取扱心得及記載例ノ件……一一、一 法通牒 四三九
三 指紋押捺ニ關スル件……一一、一 法通牒 四四二
四 指紋原紙編綴ニ關スル件……一一、一 法通牒 四四二
五 指紋取扱ニ關スル件……一一、五 法通牒 四四二
六 受刑者指紋對照ノ件……七、一〇 監 一、二九三 四四二

七　內地受刑者ノ指紋對照ノ件……七、九　監　一、二九三　四四三
八　受刑者指紋原紙作成ノ件通知……七、一一　司省監丙　六七二　四四四
九　指紋利用ニ關スル件……八、二　監　二六六　四四四
一〇　指紋原紙記載事項異動報告ニ關スル件……六、三　監　四一〇　四四五
一一　指紋原紙記載事項異動報告ニ關スル件……五、三　監　三四四　四四五
一二　指紋分類番號ニ關スル件……一〇、三　法通牒　四四五
一三　指紋原紙提出ノ件……三、　典會注意　四四五
一四　指紋取扱及習熟ニ關スル件……三、　典會指示　四四五
一五　指紋ノ對照ニ關スル件……二、　典會指示　四四五
一六　指紋ノ研究ニ關スル件……六、　典會指示　四四六
一七　指紋再捺ニ關スル件……三、　典會注意　四四六
一八　指紋ノ改捺ニ關スル件……三、　典會注意　四四六
一九　指紋印象徵取方ニ關スル件……三、　典會注意　四四六
二〇　指紋原紙印象鮮明ナルヘキ件……三、　典會注意　四四六
二一　指紋原紙ニ記載事項ニ關スル件……三、　典會注意　四四六
二二　指紋原紙上ノ自署ニ關スル件……三、　典會注意　四四六
二三　指紋ノ確實ナルヘキ件……三、　典會注意　四四七
二四　指紋原紙特徵欄ノ記載方ノ件……三、　典會注意　四四七
二五　指紋取扱上注意ヲ要スル件……四、　典會注意　四四七
二六　指紋疑義アル場合照會ニ於ケル符箋使用ノ件……三、　典會注意　四五七

二七	指紋取扱上注意ヲ要スル件	五、	典會注意		四四七
二八	内地人受刑者ノ指紋原紙作製ノ件	九、三	監	五七四	四四八

第六編　會計

第一章　通則

一	朝鮮ニ施行スル法律ニ關スル件	四三、九	勅	四一二	四四九
二	朝鮮總督府特別會計ニ關スル件	四三、九	勅	四〇六	四四九
三	朝鮮總督府特別會計規則	四、三九	勅	四〇七	四五〇
四	會計法	一〇、四	法律	四二	四五一
五	會計法施行期日ノ件	一〇、一二	勅	四八六	四五五
六	會計規則	一一、一	勅	一	四五五
七	會計規則及特別會計規則ノ規定ニ依リ調製スルコトヲ要スル帳簿ノ樣式及記入方ニ關スル件	一一、三	大省令	二〇	七四三
八	朝鮮總督府及所屬官署會計事務章程	三、八	總訓	四二	五〇三
九	會計事務章程中取扱方ニ關スル件	三、九	官通	三二四	六〇二
一〇	國庫出納金端數計算法ヲ朝鮮、臺灣、樺太ニ施行ノ件	五、三	勅	五七	六〇二
一一	國庫出納金端數計算法	五、一	法律	二	六〇二
一二	國庫出納金端數計算法ヲ適用セサル種目	五、三	勅令	五六	六〇三

一三　共公團體ノ收入及仕拂ニ關シ國庫出納金端數計算法準用ノ件……五、八　勅令　二〇九　六〇三
一四　國庫出納金端數計算法ニ關スル件……五、四　官通　五七　六〇四
一五　國庫金ノ收支上厘位切捨ニ關スル取扱方ノ件……四四、一　會局長通朝會發　一　六〇四
一六　政府ト私人トノ債務ノ相殺ニ關スル件……一一、四　大省訓　一五　六〇四
一七　朝鮮總督府官報ノ發行及發賣ニ關スル件……四三、八　統告　一九七　六〇四
一八　朝鮮總督府官報廣告掲載ノ件……元、一〇　總告　七三　六〇五
一九　豫定經費算出概則……三三、六　閣令　一九　六〇五
二〇　歳入歳出豫算概定順序……三三、三　閣令　一二　六〇六
二一　豫算編成順序竝第二豫備金支出要求手續……一一、五　總訓　二五　六〇六
二二　豫算概算ニ關スル件……四、三　監五三法長通　六〇七
二三　監獄經費實費調ノ件……一〇、四　法長通　六一五
二四　一般會計所屬歳入豫算資料報告方ノ件……七、六　司　四九九　六一八
二五　大正十一年度歳出豫算中第一豫備金ヲ以テ補充シ得ヘキ費途ノ件……一一、六　勅令　三三二　六一九
二六　大正十一年度歳入歳出科目解疏……六一九

第二章　歳入

一　歳入事務ニ關スル法令ノ効力ニ關スル件……四四、三　朝乙發　二、三二五　六二七
二　在監者遺留物品賣却代金歳入科目整理方ノ件……三、八　官通　二八九　六二七

番號	件名	日付	種別	番號	頁
三	分監ノ收入事務ニ關スル件	一〇、四	法長通		六二七
四	囚徒工錢製作收入調ノ件	一〇、四	法長通		六二七
五	囚徒工錢製作收入調ノ件	一〇、七	法長通		六二八
六	證券ヲ以テスル歲入納付ニ關スル法律ヲ朝鮮、臺灣及樺太ニ施行スルノ件	五、一二	勅	二五五	六二八
七	證券ヲ以テスル歲入納付ニ關スル件	五、三	法律	一〇	六二八
八	證券ヲ以テスル歲入納付ニ關スル法律施行期日	五、一二	勅令	二五四	六二八
九	證券ヲ以テスル歲入納付ニ關スル法律施行細則	五、一二	大省令	三三	六二九
一〇	證券ヲ以テ納付シ得ル歲入ノ科目及其ノ納付ニ關スル制限	六、三	總令	二二	六三一
一一	證券ヲ以テスル歲入納付ニ關スル件	六、四	官通	七九	六三二
一二	歲入納付ニ使用スル證券ニ關スル件	五、一二	勅令	二五六	六三三
一三	證券ノ納付ニ關スル制限	五、一二	大省令	三〇	六三四
一四	證券ヲ以テスル歲入納付ニ關スル件	六、五	官通	九四	六三五
一五	渡切經費出納擔任者及物品取扱主任死亡ノ場合ニ關スル件	六、五	官通	九七	六三六
一六	印紙ヲ以テスル歲入金納付ニ關スル件	九、六	勅令	一九〇	六三六
一七	歲入歲出國庫內移換收支取扱手續ノ件	四、四	官通	一三一	六三七
一八	諸收入收納取扱規程	三三、四	大省令	二七	六四〇
一九	告知書類ノ刷色、寸法等ノ件	二、三	官通	五二	六四三
二〇	歲入金年度記載方注意ノ件	四五、二	官通	五五	六四四

番號	件名	年月	種別	號數	頁
二一	物件賣拂代金延納規則	一一、一	府令	一	六四四
二二	朝鮮臺灣及樺太ニ施行スル法律ニ關スル件	四四、四	勅令	二〇	六四五
二三	租稅外諸收入金整理ニ關スル件	四四、三	法律	五八	六四五
二四	明治四十四年法律第五十八號施行規則	四四、四	勅令	一二一	六四六
二五	貸付金取扱規程	四四、四	大省令	一七	六四六
二六	租稅外諸收入金ヲ貸付金ニ編入方ノ件	四、九	官通	二五八	六四八
二七	貸付金ニ編入稟申ノ際添附スヘキ書類ノ件	四四、六	官通	一六七	六四八
二八	租稅外未收入金ヲ貸付金ニ編入ノ件	六、三	官通	五四	六四九
二九	歲入繰越整理ニ關スル件	四四、三	官通	二四	六四九
三〇	三月三十一日繰越額計算表提出方ノ件	九、四	官通	三八	六四九
三一	歲入調定濟額ニシテ翌年六月末日マテニ收入整理ヲ了セサルモノ取扱方	二四、八	大省訓	六八	六四九
三二	收入金繰越手續	二五、五	大省訓	二五	六五一
三三	歲入年度等誤謬ノ場合訂正手續	一一、四	大省令	三八	六五一
三四	襲用豫算歲入ノ收入濟額ト(金庫)ノ收入額ト不突合ノ事由調查ニ關スル件	四四、一〇	官通	三〇九	六五三
三五	歲入金月計對照表ニ關スル件	四四、一一	官通	三一七	六五四
三六	告知書類ニ記載ノ納人住所又ハ氏名誤謬ノ場合措置方ノ件	四五、一	官通	二五	六五四
三七	歲入金額收高月計通知書ニ關スル件	四五、六	官通	二二三	六五四

第三章　歳出

三　（支拂命令及金額氏名表）記載方ニ關スル件……四二、二　大省通往　二、〇一〇　六六七

四　諸支出金仕拂ニ關スル件……四五、六　會　二、〇〇三　六六七

五　會計事務章程第三十九條ノ二ニ依リ支出官ヨリ提出スヘキ補充費途ニ屬スル經費經理ノ實蹟報告ニ關スル件……一一、八　官通　七二　六六七

六　國庫納金ニ關スル小切手振出ノ件……一一、七　官通　六五　六六八

七　繰替拂ニ關シ注意ノ件……四四、二　通朝乙　八七二　六六八

八　資金前渡官吏隔地ノ債主ニ對シ支拂ヲ爲ス場合ニ於ケル取扱手續ノ件……一一、九　官通　八四　六六八

九　現金前渡官吏遠隔ノ地ノ債主ニ對シ仕拂ヲ爲ス場合ニ關スル件……四四、三　官通　二八　六六八

一〇　現金前渡官吏送金方ノ件……四四、一〇　官通　三〇三　六六九

一一　送金拂ノ正當領收證保存ニ關スル件……八、六　官通　八四　六六九

一二　豫算ニ關スル現在員比較調ノ件……四四、三　官通　四一　六六九

一三　豫算ニ對スル現在員比較調作成方ニ關スル件……四四、一〇　官通　三〇七　六七〇

一四　水道其ノ他設備ニ關スル經費區分ノ件……四四、一二　官通　三七八　六七〇

一五　歲出金繰替拂通知書ニ關スル件……二、一　官通　二三　六七一

一六　印刷所ニ對スル注文及代金支拂ニ關スル件……四五、四　官通　一一六　六七一

一七　支出濟額報告書調製方等ニ關スル注意事項……一一、五　財務司通　六七一

一八　經費節約ニ關スル件……二、　典會指示　六七三

一九　經費節約ニ關スル件……五、　典會訓示　六七三

第四章 物品

第五章　契約

第六章　供託、預金、保管

番號	件名	年月	種別	號數	頁
	件……	一一、二	勅令	二八	七〇〇
五	供託法第三條ニ依ル供託金利息……	一一、三	府令	三六	七〇〇
六	供託物ノ還付又ハ取戻ヲ請求スル場合ニ關スル件……	一一、三	勅令	七五	七〇〇
七	朝鮮總督府供託局供託物取扱規則……	一一、三	總令	三四	七〇〇
八	指定供託所供託物取扱規則……	元、一一	總令	三八	七一〇
九	入札保證金寄託ノ件……	七、八	官通	一三八	七一九
一〇	期滿失效期日通知書樣式及寄託通知書、送付書、拂渡證書等用紙寸法竝制色制限ニ關スル件……	八、二	官通	二五	七二〇
一一	保管金拂出方ノ件……	一一、五	官通	四二	七二二
一二	寄託金ノ權利移轉又ハ其ノ他ノ事故ノ爲期滿失效期日ニ變更ヲ生シタル場合(金庫)ニ通知方ノ件……	四五、六	官進	二〇五	七二二
一三	保管金規則ヲ朝鮮ニ施行スルノ件……	四四、四	勅令	六三	七二二
一四	保管金規則……	二三、一	法律	一	七二三
一五	保管金取扱規程……	一一、二	大省令	五	七二三
一六	預金部貯金取扱規程……	一一、二	大省令	六	七二七
一七	政府所有有價證券取扱規程……	一一、二	大省令	七	七四〇
一八	政府保管有價證券取扱規程……	一一、二	大省令	八	七四三
一九	供託有價證券取扱規程……	一一、二	大省令	九	七四九

第七章　出納官吏

第八章　國庫

第九章　計算證明

一五	諸計算書及証憑書保存年限ノ件	五、三	官通	四〇	八四七
一六	歳入證明ニ關スル件	明四四、七	官通	二三二	八八五
一七	歳入徴收額証明方注意事項	七、六	官通	九一	八八八
一八	一般會計歳入徴收報告書提出方ノ件	七、八	官通	一二九	八八八
一九	會計檢查院ニ對スル証明書類提出方ニ關スル件	明四五、六	官通	二三一	八八八
二〇	收入計算及檢定書調製方ノ件	一〇、六	官通	五〇	八八九
二一	歳入証憑書枚數記載ニ關スル件	明四四、三	官通	一九	八八九
二二	証明書類調理上注意事項ノ件	明四四、四	官通	九三	八九〇
二三	証明書類調理上注意事項追加ノ件	明四四、六	官通	一七三	八九五
二四	証明書類調理上注意ノ件	一〇、八	官通	七七	八九六
二五	証明書類調理ニ關スル件	明四四、四	官通	六一	八九七
二六	仕拂計算書提出方ノ件	三、七	官通	二五五	八九七
二七	最終支出計算書副本提出方ノ件	六、四	官通	八三	八九七
二八	仕拂計算書ニ檢定書添付ノ件	明二五、五	大藏訓	三〇	八九七
二九	出納官吏檢查規程	明四五、五	官通	一九五	八九八
三〇	物品出納計算委託檢查成績報告書ニ關スル件	六、五	官通	九九	八九九
三一	物品檢查書提出方ノ件	明四四、一一	總	一、九九三	八四七

第七編 官有財産

第一章 管理

一	朝鮮官有財産管理規則	明四四、七	勅令	二〇〇	九〇一
二	官有財産ノ整理區分、臺帳其ノ他ノ樣式竝圖面調製標準	四、一	總訓	二	九〇三
三	各省管理官有財産ノ管理ニ關スル件	一一、一〇	官通	九二	九〇三
四	官廳ノ所管ニ係ル不動産登記ノ囑託ニ關スル件	一〇、八	府令	一二三	九〇三
五	官有財産第一回目錄調製ニ關スル件	七、四	官通	五九	九〇四
六	官有財産ニ關スル件	明四五、四	官通	九〇	九〇四
七	官有財産保存竝取毀ニ關スル件	明四四、一〇	官通	二九七	九〇四
八	火災豫防ニ關シ改善及注意ノ件	四、一二	官通	三三一	九〇四
九	火災豫防ニ關シ注意ノ件	五、一一	官通	一九二	九〇八
一〇	火災豫防ニ關シ注意ノ件	六、一一	官通	一九六	九〇九
一一	火ノ元取締巡視ノ件	六、一一	會 第	四、一一〇	九一〇

第二章 土地 建物 營繕

一	朝鮮總督府建築標準	大五、一一	總訓	四三	九一一
二	工事竣功ノ場合報告通知ニ關スル件	大四、一〇	營	二六七五	九一七
三	監獄營繕工事施行ニ付注意スヘキ件	大四、七	司監通牒		九一七

第八編　監獄

第一章　監獄令及監獄令施行規則

第二章　收監　名籍

第三章 參觀 情願

第四章 領置

四 交付洩領置品處分ニ關スル件 …… 四、一 官通 八 一〇〇二
五 領置金交付洩ニ關スル件 …… 四、六 海發 五四九 一〇〇二
六 沒入品廢棄品ノ利用ニ關スル件 …… 二、 典會指示 一〇〇二
七 期間ヲ經過シタル遺留品ハ速カニ處分スヘキ件 …… 四、 典會注意 一〇〇三
八 煙草器械卷紙ノ引繼ニ關スル件 …… 一〇、八 專庶 五八七 一〇〇三
九 沒入廢棄簿ニ關スル件 …… 八、三 監 四七二 一〇〇三

第五章 戒護 處遇 押送

一 監獄職員銃器携帶ニ關スル件 …… 明四二、一〇 統令 四八 一〇〇四
二 豫審廷ニ於テ看守退廷ノ件 …… 明四五、一 司刑 一七五 一〇〇四
三 豫審廷ニ於テ看守退廷ノ件 …… 四、一一 監 六六六 一〇〇四
四 監房別異ニ關スル件 …… 二、 典會訓示 一〇〇四
五 在監人文身取締方ノ件 …… 二、一一 京覆檢事長三ノ二六八 一〇〇四
六 拘禁ニ關スル件 …… 三、 典會指示 一〇〇五
七 工場其ノ他ノ建物ヲ監房ニ代用スル場合ハ報告ヲ要スル件 …… 四、 典會注意 一〇〇五
八 入監釋放時ノ獨居拘禁ニ關スル件 …… 四、 典會指示 一〇〇五
九 刑事被告人ヲ既決監ニ移ストキノ措置處遇ニ關スル件 …… 四、 典會指示 一〇〇五
一〇 監房工場ニ於ケル在監者ノ座席ニ關スル件 …… 四、 典會指示 一〇〇六
一一 監獄ニ於ケル事故ハ卽報ヲ要スル件 …… 五、 典會注意 一〇〇六

一二 非常時ニ處スル演習ニ關スル件 …… 五、典會注意 一〇〇六
一三 非常時ニ處スル設備及訓練演習ニ關スル件 …… 七、典會指示 一〇〇六
一四 監房工場ノ取締ヲ嚴ニスヘキ件 …… 五、典會指示 一〇〇六
一五 經費節約及戒護上ニ關スル件 …… 七、監 二〇九 一〇〇六
一六 監獄事務ノ改善ニ關スル件 …… 七、典會訓示 一〇〇七
一七 監獄構內出入者ノ檢査監督ヲ嚴ニスヘキ件 …… 七、典會注意 一〇〇七
一八 在監者衣類檢査監房及工場ノ捜檢ニ關スル件 …… 七、典會指示 一〇〇七
一九 戒議職員士氣ノ振作及戒具ニ關スル件 …… 一〇、典會指示 一〇〇七
二〇 支那人在監者斷髮ニ關スル件 …… 六、九 監 一〇六一 一〇〇八
二一 累犯者處遇ニ關スル件 …… 二、典會指示 一〇〇八
二二 紀律アル慣習養成ニ關スル件 …… 二、典會指示 一〇〇八
二三 過四ニ付注意ノ件 …… 三、典會指示 一〇〇八
二四 遇四ニ付注意ノ件 …… 三、典會訓示 一〇〇八
二五 在監者處遇ニ關スル件 …… 四、總督訓示 一〇〇九
二六 未成年者ノ特別處遇ニ關スル件 …… 四、典會指示 一〇〇九
二七 獄務ノ改善ニ關スル件 …… 五、典會指示 一〇〇九
二八 行刑內容充實シ其效果發揚スベキ件 …… 六、典會訓示 一〇〇九
二九 累犯入監者ノ處遇ニ關スル件 …… 七、典會指示 一〇一〇
三〇 長期囚ニ對スル保護監督ニ關スル件 …… 七、典會指示 一〇一〇

三一 政治的犯罪囚ニ對スル處遇ノ件……一〇、典會指示 〇一〇一
三二 刑事被告人ニ對スル處遇ノ件……一〇、典會局長指示 一〇一〇
三三 囚人及被告人護送規則……明四三、一〇 統令 五一 一〇一一
三四 護送中ノ在監者逃走ニ關スル件……五八、官通 一三九 一〇一三
三五 鐵道乘車賃割引ニ關スル件……七三、官通 三八 一〇一三
三六 鐵道乘車賃割引ニ關スル件……七七、司法部長 一、〇五三 一〇一四
三七 護送者取扱方ニ關スル件……八五、官通 六六 一〇一四
三八 在監者移監ノ場合添付スヘキ書類ノ件……五、六 司法部長通牒 一〇一四
三九 受刑者移監ニ關スル件……九、九 監 一九七六 一〇一四
四〇 護送中ノ囚人ニ關スル件……六、典會注意 一〇一五
四一 在監者民事訴訟ニ關シ出廷ノ件……明四四、六 京監照 一〇一五
四二 民事訴訟ニ關シ裁判所ノ呼出ニ對シ在監者出廷ノ件……明四四、八 司民 七 一〇一六
四三 自動車取締規則……一〇、七 府令 一一三 一〇二六

第六章 作業

一 作業規程設定ノ件……五、八 監 八五九 一〇二四
二 試行ニ係ル作業報告ニ關スル件……一二、七 法務長通牒 一〇二四
三 日曜日ノ作業ニ關スル件……一一、六 監 三三 一〇二四
四 日曜日ノ作業ニ關スル件……三、七 刑 七四四 一〇二四

五　日曜日ノ作業ニ關スル件……一一、六　監　三三　一〇二四

六　委託業ニ關スル件……七、七　監　一、一六九　一〇二五

七　作業新設又ハ受負作業ニ關スル認可申請書ニ關スル件……二、　典會指示　一〇二五

八　監獄傭夫ノ使用人員減少ニ關スル件……三、　典會指示　一〇二五

九　監傭夫ノ選擇ニ注意ヲ票スヘキ件……七、　典會注意　一〇二六

一〇　理髮工新設ニ關スル件……七、一二　監　一、六八一　一〇二六

一一　理髮工新設ニ關スル件……七、一　監　六五回答　一〇二六

一二　理髮工新設ニ關スル件……七、一　檢　發　一五五照　一〇二六

一三　在監者ノ請負工事出役ニ關スル件……二、　典會指示　一〇二六

一四　共進會出品物ニ關スル件……四、五　法　發　一二回答　一〇二六

一五　監獄作業中危險豫防ニ關スル件……二、　典會指示　一〇二七

一六　監獄作業ノ指導督勵ニ關スル件……四、　典會訓示　一〇二七

一七　作業ノ施設ニ關スル件……四、　典會指示　一〇二七

一八　監獄作業ノ種類目的ニ關スル件……二、　典會訓示　一〇二七

一九　作業ノ選擇ニ關スル件……五、　典會注意　一〇二八

二〇　作業ノ督勵及發展ニ關スル件……六、　典會指示　一〇二八

二一　作業ノ新設就役費ヲ有利ニ運用スヘ件……六、　典會注意　一〇二八

二二　作業ノ成績向上ヲ計ルヘキ件……六、　典會注意　一〇二八

二三　業種ノ選擇工錢ノ科定施業及督勵ノ方法ニ關スル件……七、　典會注意　一〇二八

二四	工場増築ニ關スル件	七、	典會注意		一〇二九
二五	豚ノ飼養奬勵ニ關スル件	七、	典會注意		一〇二九
二六	作業ノ新設及請負作業ノ契約ニ關スル件	一〇、	典會指示		一〇二九
二七	製作品委託販賣ノ件	六、一〇	會	三、一三四	一〇三〇
二八	在監者主食物及作業素品産出ニ關スル件	四、	典會指示		一〇三〇
二九	製産品價格算定ニ關スル件	二、一	會	六、〇〇一	一〇三〇
三〇	製品賣價算定ニ關スル件	六、一〇	監	一、三三九	一〇三一
三一	作業收支表ニ關スル件	六、六	監	八一八	一〇三一
三二	監獄作業收入額調ノ件	一〇、四	法長通牒		一〇三一
三三	作業月表及全年表作成ニ關スル件	四、七	官　通	二九〇	一〇三二
三四	作業工錢引上ニ關スル件	二、	典會指示		一〇三二
三五	各監獄ニ於ケル見積工錢權衡ヲ保ツヘキ件	二、	典會指示		一〇三二
三六	受負人ノ工錢滯納ノ措置ニ關スル件	四、	典會指示		一〇三二
三七	作業工錢ノ改廢ニ關スル報告ニ關スル件	五、	典會注意		一〇三二
三八	監獄傭夫ノ就業者ノ監督ニ關スル件	五、	典會指示		一〇三二
三九	在監人作業科程ノ了否査定ニ關スル件	四、二	刑	一三九	一〇三二
四〇	看病夫科程良否ニ關スル件	四、	監	二九一	一〇三三
四一	即決官署ノ囑託ニ係ル留置者ノ作業ニ關スル件	四、一二	監	八二五	一〇三三
四二	作業賞與金不計算日ニ關スル件	明四四、一一	司刑發	七四	一〇三三

四三	作業賞與金不計算ニ關スル件……	五、	典會注意		一〇三三
四四	假出獄ノ取消又ハ刑執行停止者再入ノ場合作業賞與金ノ計算ニ關スル件……	五、六	司長通牒		一〇三四
四五	刑ノ執行停止ニ依ル出監者ノ作業賞與金等ニ關スル件……	七、九	監	一、一六八	一〇三四
四六	作業賞與金ノ計算ニ際シ行狀査定適正ヲ要スル件……	二、	典會指示		一〇三四
四七	刑事被告人中ノ就業日數ハ受刑後ニ通算スヘキ件……	四、七	官通	二九一	一〇三四
四八	累犯者ノ作業賞與金計算方ニ關スル件……	四、八	監	二九一	一〇三四
四九	累犯者タルコト發見ノ場合ニ於ケル作業賞與金計算方ノ件……	四、七	官通	二九一	一〇三五
五〇	作業賞與金計算高ノ減削ニ關スル件……	四、七	官通監	二九一	一〇三五
五一	作業賞與金給與洩ノ場合ニ於ケル取扱方ノ件……	明四四、七	司刑發	四六三	一〇三五

第七章 教誨 教育

一	教誨ノ方法ニ關スル件……	五、	典會訓示		一〇三六
二	鮮語及國語ノ習熟ニ關スル件……	二、	典會指示		一〇三六
三	教師教誨師ハ鮮語ノ修習ヲ要スヘキ件……	一〇、	典會指示		一〇三六
四	個人教誨ノ周到ヲ期スヘキ件……	五、	典會指示		一〇三六
五	教誨原簿ノ記載方ノ件……	二、	典會指示		一〇三七
六	受刑者ノ教育ニ關スル件……	七、一二	監	一、六五七	一〇三七
七	十八歳未滿ノ受刑者ノ教育ノ監督ニ關スル件……	三、	典會指示		一〇三七

第八章　給與

一四　在監人ノ使用ニ供スル團扇使用ノ件……明四四、八　司　刑　二四　一〇四七
一五　在監者雜具品目增加ノ件……明四五、二　京城監伺　一〇四八
一六　在監者使用雜具增加ノ件……五、八　總　督　一〇四八
一七　在監者使用雜具增加ノ件……五、八　釜山監　一〇四八

第九章　衛生　醫療

一　傳染病豫防令……四、六　制　令　二　一〇四九
二　傳染病豫防令施行規則……四、七　總　令　六九　一〇五一
三　傳染病豫防手續……四、七　警訓甲　三六　一〇五三
四　清潔方法及消毒方法……四、七　總　令　七一　一〇五八
五　肺結核豫防ニ關スル件……七、一　總　令　四　一〇六二
六　種痘規則……開五〇四、七〇　內　令　八　一〇六三
七　朝鮮總督府痘苗賣下規則……明四三、一二　總　令　六八　一〇六五
八　受刑者ノ定期健康診斷ノ時期ニ關スル件……七、五　監　六一〇　一〇六五
九　慈惠醫院長會議注意事項ニ關スル件……明四五、七　刑　六二六　一〇六五
一〇　中毒患者施療ニ關スル件……明四五、四　刑　五三　一〇六六
一一　傳染病者ノ隔離消毒ニ關スル件……二、　典會指示　一〇六六
一二　在監者健康狀態及保健的施設ニ關スル件……三、　典會指示　一〇六六
一三　在監者保健的施設ヲ周到ナラシムヘキ件……四、　典會指示　一〇六六

一四 監獄衛生上ノ施設ニ關スル件 …… 七、 典會注意 一〇六六
一五 診療ニ偏セズ一般衛生ノ周到ヲモ期スヘキ件 …… 五、 典會指示 一〇六七
一六 監獄醫ノ診察ニハ懇切ナル取扱ヲ爲スヘキ件 …… 一〇、 典會指示 一〇六七
一七 壞血病者ニ關スル件 …… 五、 典會注意 一〇六七
一八 患者月報記載方ノ件 …… 明四五、一 司刑 三九三 一〇六七
一九 監獄醫ノ帳簿整理ニ關スル件 …… 五、 典會注意 一〇六七
二〇 死刑ノ執行濟報告ニ關スル件 …… 五、五 官通 六二 一〇六七
二一 刑死者ノ墳墓祭祀肖像等ノ取締ニ關スル件 …… 九、一〇 府令 一六〇 一〇六八
二二 流行性感冒豫防救治ニ從事シ感染又ハ死亡シタル者ニ對スル手當給與ニ關スル件 …… 九、六 官通 五三 一〇六八
二三 死刑執行又ハ拘禁中ノ死亡ニ因ル民籍ノ取扱等ニ關スル件 …… 六、二 官通 二九 一〇六八
二四 墓地火葬場埋葬及火葬取締規則 …… 明四五、六 總令 一二三 一〇六九
二五 遺骸取扱埋葬方法ニ關スル件 …… 五、 典會注意 一〇七一
二六 醫務主任會同協議事項ニ關スル件 …… 六、八 監 九八八 一〇七一

第十章 接見 書信

一 刑事被告人ノ發受スル信書ニ關スル件 …… 九、一〇 監 二二八三 一〇七三
二 書信及接見ノ制限期間ニ關スル件 …… 四、七 官通 二九一 一〇七三
三 廢棄スヘキ信書ニ關スル件 …… 五、六 司長通牒 一〇七三

第十一章 賞罰

第十二章 恩赦 假出獄 釋放

八 減刑ニ關スル件…… 三、五 勅令 一〇四 一〇八二
九 減刑ニ關スル件…… 四、一一 勅令 二〇五 一〇八三
一〇 在監人員表ニ恩赦出獄者數掲記方ノ件…… 四、一一 官通 三一五 一〇八四
一一 王世子李垠ト方子女王トノ結婚ニ丁リ惠澤ヲ施サムカ爲朝鮮人ニ對シ特ニ恩赦ヲ行フノ件…… 九、四 勅令 一二〇 一〇八四
一二 李王世子殿下ト梨本宮方子女王殿下トノ御婚儀ニ關スル件…… 九、四 總訓 二〇 一〇八五
一三 無期刑ノ恩赦減刑ヲ得タル者ニ係ル他ノ有期刑ノ執行ニ關スル件…… 五、六 司秘 二七〇 一〇八五
一四 恩赦出獄人員ニ關スル件…… 九、七 法秘 八六三 一〇八六
一五 假出獄取締規則…… 明四五、三 總令 三三 一〇八六
一六 假出獄及假出場ニ關スル取扱手續…… 明四五、 總訓 一六 一〇九〇
一七 假出獄取締規則ニ關スル件…… 七、三 官通 四四 一〇九二
一八 刑期三分ノ一應答日算出方ニ關スル件…… 明四三、一〇 刑 二八九 一〇九三
一九 朝鮮人タル受刑者ニ對スル刑期三分ノ一應答日算出方…… 明四三、一一 刑 四六二 一〇九三
二〇 二個以上ノ刑ノ言渡ヲ受ケタル者ノ刑期三分ノ一算出ニ關スル件…… 五、一一 司秘 三九六 一〇九三
二一 行狀査定ノ標準ニ關スル件…… 二、 典會訓示 一〇九四
二二 假出獄具申書ノ記載方ノ件…… 三、 典會注意 一〇九四
二三 假出獄具申書記載方ノ件…… 五、 典會注意 一〇九四

二四	假出獄及假出場ノ具申書作成ノ件	七、	典會注意		一〇九四
二五	假出獄具申書樣式設定ノ件	一〇、四	法長通		一〇九四
二六	短期受刑者ニ對スル假出獄具申ノ件	七、	指示		一〇九五
二七	分監ノ假出獄具申ハ典獄ヲ經由シテ分監長爲スモ妨ナキ件	六、	典會注意		一〇九五
二八	假出獄ノ言渡ニ注意スヘキ件	七、一	監	六六	一〇九五
二九	假出獄者官報掲載ニ關スル件	七、四	監	五〇五	一〇九五
三〇	假出獄及假出場執行報告ニ關スル件	七、一	監	三五	一〇九五
三一	出獄後ノ視察及保護ニ關スル件	三、	典會指示		一〇九六
三二	假出獄出監者再入監ノ場合通報方ノ件	六、六	司秘	一一二	一〇九六
三三	假出獄處分取消ニ關スル件	九、三	法局長	六二一	一〇九六
三四	假出獄具申書ニ添付スヘキ行狀錄ニ關スル件	四、七	監	二九一	一〇九六
三五	假出獄具申書ニ添付スヘキ判決書ノ件	五、八	監	八五九	一〇九七
三六	假出獄具申書ニ添付スヘキ行狀表ニ關スル件	一一、四	法長通牒		一〇九七
三七	假出獄許可者釋放時通報ニ關スル件	六、一〇	監	一、二四九	一〇九七
三八	受刑者釋放ノ際所轄警察官署ヘ通知方ノ件	明四四、五	司刑發	三二七	一〇九八
三九	受刑者釋放ノ際所轄警察署ヘ通知ノ件	四、一一	監	七七五	一〇九八
四〇	出獄者通報ニ關スル件	四、一一	警務總長		一〇九八
四一	受刑者釋放ノ際所轄警察官署ヘ通知ノ件	六、三	監	二〇六	一〇九八
四二	通知ノ場合ハ面洞里名ヲ記載スル件	三、	典會注意		一〇九八

四三 出獄者通報ニ關スル件…………九、六 監 一、九三一 一〇九九
四四 癩病者及精神病者ノ釋放時ニ於ケル取扱方ニ關スル件…………一〇、一〇 通牒 一〇九九
四五 出獄後ニ於ケル保護監督…………七、 典會指示 一〇九九

第十三章 保護

一 免囚保護事業補助金下付手續…………二、五 總內訓 五 一一〇一
二 免囚保護會收支計算書ノ件…………五、 典會注意 一一〇八
三 免囚保護事業成績表ニ關スル件…………五、 典會注意 一一〇九
四 免囚保護事業援助ニ關スル件…………三、 典會指示 一一〇九
五 免囚保護事業補助金下付手續ニ關スル件…………三、 典會注意 一一〇九
六 免囚保護事業創始發展ニ關スル件…………四、 典會訓示 一一〇九
七 免囚保護方針ニ關スル件…………四、 典會指示 一一〇九
八 免囚保護會ノ監督ニ關スル件…………四、 典會指示 一一一〇
九 免囚保護會ノ名稱ニ關スル件…………四、 典會注意 一一一〇
一〇 免囚保護範圍ニ關スル件…………七、 典會注意 一一一〇
一一 免囚保護事務ニ付雙互連絡ヲ計ルヘキ件…………一〇、 典會指示 一一一〇
一二 恩赦出獄人保護ニ關スル件…………四、一二 監 七三一 一一一〇
一三 釋放者保護ニ關スル件…………三、 典會指示 一一一一

第九編 裁判執行 刑期計算

第一章 裁判執行

第二章 刑期計算

一	逃走又ハ釋放當日ノ刑期算入ニ關スル件	明四四、三	司刑發	一六七	一三〇
二	刑法第二十一條ノ未決勾留ノ解釋ニ關スル件	二、二	刑	一一	一三〇
三	加重刑ノ刑期計算ニ關スル件	二、六	高檢發	八七五	一三〇
四	刑期計算ニ關スル件	三、一〇	刑	八六三	一三一
五	殘刑期計算ニ關スル件	九、九	刑	八	一三三
六	殘刑起算日ニ關スル件	八、九	高檢	六、一四三	一三四
七	恩赦ニ浴シタル者ノ刑期計算方ニ關スル件	九、一〇	官通	九六	一三四
八	勞役場留置執行中ニ於ケル殘日數ノ計算方ニ關スル件	一〇、五	法長通		一三四
九	刑事令施行前刑法大全ノ刑ニ處セラレタル者ノ刑期計算ニ關スル件	明四五、五	高檢發	七九八	一三五

第二章 歳入

一 歳入事務ニ關スル法令ノ效力ニ關スル件

明治四十四年三月
朝乙發第二三二五號

政務總監

平安南道長官宛

問 歳入事務ノ執行又ハ整理ニ關スル勅令又ハ大藏省令同訓令會計檢査院達等ニシテ是ヲ朝鮮ニ施行スヘキ旨勅令其ノ他朝鮮總督府又ハ大藏省等ノ命令ヲ以テ規定セラレサルモノハ渾テ朝鮮ニ於テ施行セラレサルモノト思量シ可然哉念ノタメ至急承知致度此段及照會候也

答 平南稅發第六〇八號歳入事務ニ關スル法令ノ效力ニ關スル件ハ朝鮮ニ施行セラルル法令ニ附屬シテ發セラレタル命令ハ該法律ト共ニ當然朝鮮ニ於テ施行セラルルモノト心得ラルヘク右及通牒候也

二 在監者遺留物品賣却代金歳入科目整理方ノ件

大正三年八月
官通第二八九號

度支部長官

各歳入徵收官宛

在監者遺留物品賣却代金歳入科目ノ義ニ關スル左記問答爲念及通牒候

問 監獄法第五十七條ニ依ル在監者遺留物品賣却代金ハ雜收入ノ項官有物拂下代ノ目ニテ整理スヘキヤ

答 然リ

三 分監ノ收入事務ニ關スル件

大正十年四月
法務局長通牒

京城、西大門、公州、咸興、平壤、海州、大邱、釜山、木浦 監獄典獄宛

分監ニ於ケル囚徒工錢及製作收入其他諸收入金ハ從來主トシテ歳入徵收官ノ納入告知書ニ依リ納付セシムルノ取扱ナリシモ本分監ノ連絡充分ナラサリシ爲分監ニ於テハ其納入ノ有無ヲ知悉スルヲ得サルヲ以テ納付ヲ遲延スルモノアルモ督促ヲ爲スコト能ハサル場合アルノミナラス納入告知書ニ依リ納付セシムル爲往々收入ノ時機ヲ失シ納付ヲ遲延セシムモノアルニ付特別ノ事情アルモノヲ除ク外可成分監ノ收入官吏ヲシテ現金收入ノ取扱ヲ爲サシメ納入告知書ニ依リ納入セシムルモノニ對シテハ未收入額ハ毎月之ヲ分監ニ通知シ又ハ納入ノ告知書ハ分監所在地ノ分ハ分監ニ送付シ各納人ニ交付セシメ金庫ノ領收濟通知書ハ金庫ト交渉ノ上分監ニ送付ヲ受ケ關係帳簿整理ノ上本監ニ送付セシムルカ二者其ノ一ヲ撰ヒ以テ本分監ノ連絡ヲ保チ且收入官吏ノ事務ニ關シテハ愼密ナル注意ヲ加エ以テ徵收ノ迅速ト確實ヲ期セラルル樣致度及通牒候也

四 囚徒工錢製作收入調ノ件

大正十年四月十三日

法務局長

各監獄典獄宛

經理上必要有之候條囚徒工錢製作收入ヲ別紙樣式ニ依リ毎年三月、七月、十一月、各末日現在ヲ調査シ翌月十日迄ニ報告相成度及通牒候也

（樣式）省略

五 囚徒工錢製作收入調ノ件

大正十年七月十九日

法務局長

各監獄典獄宛

大正十年四月十三日附ヲ以テ通牒致置候首題ノ件中樣式「豫算額ト調定濟額トノ差」ノ欄ノ下ニ「前年度同期間ニ比シ調定濟額ノ增減」ノ一欄ヲ追加致候條及通牒候也

六 證券ヲ以テスル歳入納付ニ關スル法律ヲ朝鮮、臺灣及樺太ニ施行スルノ件

大正五年十二月
勅令第二五五號

朕大正五年法律第十號ヲ朝鮮、臺灣及樺太ニ施行スルノ件ヲ裁可シ茲ニ之ヲ公布セシム

附則

大正五年法律第十號ハ之ヲ朝鮮、臺灣及樺太ニ施行ス

本令ハ大正六年一月一日ヨリ之ヲ施行ス

七 證券ヲ以テスル歳入納付ニ關スル件

大正五年三月
法律第一〇號

第一條 租税其ノ他ノ政府ノ歳入ハ命令ノ定ムル所ニ依リ證券ヲ以テ之ヲ納付スルコトヲ得但シ印紙又ハ郵便切手ヲ以テ納付スヘキモノニ付テハ此ノ限ニ在ラス

第二條 前條ノ規定ニ依リ納付シタル證券ニ付支拂ナカリシトキハ命令ヲ以テ定メタル場合ニ限リ初ヨリ納付ナカリシモノト看做ス此ノ場合ニ於ケル證券ノ處分ニ付テハ命令ヲ以テ之ヲ定ム

前項ノ規定ニ依リ關税又ハ噸税ヲ初ヨリ納付ナカリシモノト看做シテ徴收スル場合ニ於テ之ヲ納付セサルトキハ内國税徴收ニ關スル規定ヲ準用ス

第三條 本法ニ依リ證券ヲ受領シタル市町村ハ證券ニ屬スル權利ヲ行使シ現金ヲ國庫ニ送付スル責任アルモノトス但シ命令ノ定ムル所ニ依リ證券ヲ國庫ニ送付スルコトヲ得

市町村其ノ責ニ歸スヘカラサル事由ニ因リ證券金額ノ支拂又ハ償還ヲ受クルコトヲ得サルトキハ其ノ事實ヲ具シ政府ニ責任ノ免除ヲ請フコトヲ得

前項ノ申出アリタルトキハ政府ハ事實ヲ審査シ市町村ノ責任ヲ免除スルコトヲ得

第四條 本法中市町村ニ關スル規定ハ法令ニ依リ租税其ノ他ノ政府ノ歳入ヲ徴收シ其ノ徴收金ヲ國庫ニ送付スヘキ責任アル者ニ之ヲ準用ス

附則

本法施行ノ期日ハ勅令ヲ以テ之ヲ定ム

八 證券ヲ以テスル歳入納付ニ關スル法

律施行期日

大正五年十二月
勅令第二五四號

朕大正五年法律第十號證券ヲ以テスル歳入納付ニ關スル法律施行期日ノ件ヲ裁可シ茲ニ之ヲ公布セシム

大正五年法律第十號ハ大正六年一月一日ヨリ之ヲ施行ス

九　證券ヲ以テスル歳入納付ニ關スル法律施行細則

大正五年十二月
大藏省令第三二號

改正　一一年四省三六號

證券ヲ以テスル歳入納付ニ關スル法律施行細則左ノ通定メ大正六年一月一日ヨリ之ヲ施行ス

第一條　證券ヲ以テ租税其ノ他ノ歳入金ヲ納付セムトスル者ハ其ノ證券ノ裏面ニ記名捺印シ指定ノ場所ニ之ヲ納付スヘシ納税告知書、納入告知書、納付書又ハ拂込通知書ノ交付ヲ受ケタル者ニ在リテハ之ヲ添附スルコトヲ要ス

第二條　出納官吏（出納員ヲ含ム以下同シ）、日本銀行又ハ市町村（北海道及沖縄縣ノ區、朝鮮ノ府面、臺灣ノ區長ヲ含ム以下同シ）ニ於テ證券ヲ受領シタルトキハ歳入金ノ領收證書、歳入徴收官ニ對スル領收濟報告書又ハ領收濟通知書ニ「證券受領」ノ印章ヲ押捺スヘシ歳入金ノ一部分ヲ證券ヲ以テ受領シタル場合ニ於テハ其ノ證券金額ヲ附記スルコトヲ要ス

第三條　受領シタル證券ハ遲滯ナク其ノ支拂人ニ呈示シ支拂ノ請求ヲ爲スヘシ但シ出納官吏又ハ市町村ノ受領シタル證券ニシテ左記各號ノ要件ヲ具フルモノハ其ノ裏面ニ第一號書式ノ朱印ヲ押捺シ第二號樣式ノ仕譯書ヲ添附シテ之ヲ金庫ニ拂込又ハ送付スルコトヲ得

一　持參人ニ支拂ハルヘキモノニシテ其ノ支拂場所カ日本銀行本店、支店又ハ代理店所在地ニ在ルモノ

二　日本銀行ニ到達後呈示期間又ハ有效期間ノ滿了迄ニ三日以上ノ餘裕アルモノ

出納官吏支拂保證ヲ要セサル旨ノ承認ヲ得タル納人ヨリ支拂保證ナキ小切手ヲ受領シタル場合ニ於テ之ヲ金庫ニ拂込マムトスルトキハ其ノ裏面ニ「無保證承認」ノ朱印ヲ押捺スヘシ

第四條　出納官吏ノ拂込又ハ市町村ノ送付ニ係ル證券中前號規定ノ印章ヲ押捺セサルモノアルトキハ日本銀行ハ之カ受領ヲ拒絶スヘシ

第五條　大正五年勅令第二百五十六號第二條ノ規定ニ該當スル場合ニ於テハ出納官吏、日本銀行又ハ市町村ハ直ニ其ノ支拂ナカリシ金額ニ相當スル領收濟額ヲ取消スヘシ領收濟額ヲ取消シタル出納官吏又ハ日本銀行ハ遲滯ナク其ノ旨ヲ歳入徴收官（分掌官經由）ニ報告スルコトヲ要ス

出納官吏ノ拂込又ハ市町村ノ送付ニ係ルモノニ付領收濟額ヲ取消シタルトキハ日本銀行ハ直ニ其ノ旨ヲ出納官吏又ハ市町村ニ通知シ該證券ヲ返付スヘシ

出納官吏又ハ市町村前項ニ依リ證券ノ返付ヲ受ケタルトキハ直ニ其ノ受領證書ヲ日本銀行ニ送付スヘシ

第六條　歳入徴收官（分掌官ヲ含ム以下同シ）ニ於テ出納官吏又ハ日本銀行ヨリ領收濟額取消ノ報告ヲ受ケタルトキハ直ニ收入濟額ヲ取消スヘシ

歳入徴收官收入濟額ヲ取消シタルトキハ納人ニ對シ前ニ發付又ハ交付シタルモノト同一期日ノ納税告知書、納入告知書、納付書又ハ拂込通知

書ヲ送付スヘシ但シ領收濟額取消ノ報告ヲ受ケタル日カ歲入金ノ納期日又ハ督促狀若ハ督促書ノ指定期日後ニ屬スルトキハ此ノ限ニ在ラス

前項ノ規定ハ市町村ニ於テ領收濟額ヲ取消シタル場合ニ之ヲ準用ス

第七條　大正五年勅令第二百五十六號第三條ノ通知書ハ納人ヨリ證券ヲ受領シタル出納官吏、日本銀行又ハ市町村之ヲ發スヘシ

前項通知書ノ送達ヲ爲スコト能ハサル場合ニ於ケル公告ハ官報ニ掲載シテ之ヲ爲スヘシ但シ出納官吏在勤官署、日本銀行又ハ市町村ノ掲示場ニ七日間掲示シテ之ニ代フルコトヲ得

第八條　支拂ナカリシ證券ノ還付ヲ受ケムトスル納人ハ其ノ證券ヲ納付シタル官署、日本銀行又ハ市町村役場ニ就キ之カ請求ヲ爲スヘシ

出納官吏、日本銀行又ハ市町村ハ領收證書ヲ徵シ之ト引換ニ證券ヲ還付スヘシ

第九條　郵便ニ依リ納付シタル證券ニシテ受領スヘカラサルモノ又ハ受領シタル證券ニシテ僞造、變造若ハ違式ナルモノニ付テハ第五條乃至第八條ノ規定ヲ準用ス

第十條　證券ノ呈示期間若ハ有效期間ヲ經過シタルカ爲支拂ヲ受クルコトヲ得サルトキ又ハ證券ヲ亡失シタルトキハ出納官吏在勤官署、日本銀行又ハ市町村ハ證券ノ種類ニ從ヒ直ニ當該法規ノ定ムル所ニ依リ必要ナル手續ヲ爲シ支拂又ハ償還ノ請求ヲ爲スヘシ

前項ノ場合ニ於テ裁判上ノ行爲ヲ必要トスルトキハ出納官吏在勤官署ニ在リテハ民事訴訟ニ付國ヲ代表スル所屬官廳ニ、金庫ニ在リテハ大藏大臣ニ遲滯ナク其ノ事由ヲ具シテ之カ處理ヲ申請スヘシ

市町村ハ第一項ニ依リ支拂又ハ償還ヲ受クルニ先タチ之ニ相當スル金額ヲ日本銀行ニ送付スルコトヲ得

第十一條　亡失シタル證券又ハ呈示期間若ハ有效期間ヲ經過シタル證券ニシテ支拂又ハ償還ヲ受クルコトヲ得サリシモノノ金額ニ付テハ出納官吏、日本銀行又ハ市町村ハ避クヘカラサル事由ヲ證明スルニアラサレハ其ノ責任ヲ免カルルコトヲ得ス

第十二條　歲入徵收官ニ於テ大正五年大藏省令第三十號第二條ニ依リ承認ヲ爲ストキハ納稅告知書、納入告知書、納付書、拂込通知書又ハ即納通知書ヲ用ヰルモノニ在リテハ其ノ餘白ニ第三號樣式ノ印章ヲ押捺スヘシ

第十三條　出納官吏、日本銀行又ハ市町村ニ於テ證券ヲ受領シタルトキハ現金ニ準シテ之ヲ取扱フヘシ

市町村ハ受領證券仕譯簿ヲ備ヘ納人別ニ之カ整理ヲ爲スヘシ

第十四條　鐵道、郵便電信電話官署ノ出納官吏ニ於テ受領シタル證券ニシテ第三條第一項但書ニ該當スルモノハ之ヲ日本銀行ニ預託シ又ハ郵便局過超金ノ振換拂込ニ充用スルコトヲ得

前項ノ規定ニ依リ拂込マレタル預託金又ハ郵便局過超金ニ付テハ日本銀行ハ其ノ證券ヲ現金ニ引換ヘタル後ニ非サレハ預託金領收證書又ハ郵便局過超金領收證書ヲ交付スルコトヲ得ス

第二號樣式ヲ別表ノ如ク改ム

附　則

本令ハ公布ノ日ヨリ之ヲ施行ス

（別　表）

第一號樣式

「何官署」「何市町村」扱

字體　楷書
寸法　曲尺縱一寸横五分

第二號樣式　用紙適宜輪廓寸法縱四寸五分横三寸三分

第　　號

證券仕譯書

種類	枚數	券面金額
小切手		円
國債證券ノ利札		
宮內省ノ仕拂命令		
〃保管金引出切符		
郵便爲替證書		
合計		

年　月　日

何官署出納官吏官氏名印
又ハ
何市町村長氏名印

備考

一　本書記載事項ニ訂正ヲ加ヘタルトキハ出納官吏又ハ市町村長其ノ認印ヲ押捺スルモノトス

二　本書ハ正副二通ヲ作リ副本ハ拂込、預託又ハ送付金額ニ對スル日本銀行ノ領收證書ヲ添附シ置クモノトス

第三號樣式

小切手ヲ以テ納付スル場合ニハ支拂銀行ノ支拂保證ヲ要セス

「何官署」

字體　楷書
寸法　適宜

一〇　證券ヲ以テ納付シ得ル歲入ノ種目及其ノ納付ニ關スル制限

大正六年三月總令第二二號

改正　一二年八總一一八號

大正五年勅令第二百五十六號第五條及第六條第二項ニ依リ證券ヲ以テ納付シ得ル歲入ノ種目及其ノ納付ニ關スル制限左ノ通定ム

第一條　朝鮮總督府及其ノ所屬官署ニ於テ取扱フ歲入ハ總テ證券ヲ以テ之ヲ納付スルコトヲ得

第二條　小切手又ハ爲替手形ハ左ニ掲クル歲入ノ納付ニ之ヲ使用スルコトヲ得ス

一　罰金、科料、過料、刑事追徵金、訴訟費用及非訟事件ノ費用

二　關稅法第九十四條ノ規定ニ依ル納金竝朝鮮噸稅令、朝鮮出港稅及大正九年制令第十九號ニ基ク關稅法第九十四條ノ規定ニ依ル納金

三　朝鮮間接國稅犯則者納金及朝鮮間接國稅犯則者處分費辨納金

四　朝鮮煙草專賣令及紅蔘專賣令犯則者納金及朝鮮煙草專賣令及紅蔘專賣令犯罪者辨納金

第三條　（削除）

第四條　（削除）

第五條　郵便局又ハ郵便所ニ於テ取扱フ歳入ハ左ニ掲クル證券ヲ以テ之ヲ納付スルコトヲ得ス

一　小切手ニシテ納付スヘキ郵便局又ハ郵便所所在地ノ手形交換所ニ加入セサル銀行ニ宛テタルモノ　但シ其ノ手形交換所ニ加入セル銀行ノ所在地ニ在ル同一銀行ノ支店ニ宛テタルモノヲ除ク

二　郵便爲替證書ニシテ納付スヘキ郵便局又ハ郵便所以外ノ郵便局又ハ郵便所ヲ拂渡局、所トシテ指定シタルモノ

三　小切手又ハ郵便爲替證書以外ノ證券ニシテ其ノ支拂場所カ納付スヘキ郵便局又ハ郵便所ノ所在地ニ在ラサルモノ

第六條　面ニ於テ徴收スル歳入ハ小切手ヲ以テ之ヲ納付スルコトヲ得ス

附　則

本令ハ發布ノ日ヨリ之ヲ施行ス

一一　證券ヲ以テスル歳入納付ニ關スル件

大正六年四月
官通第七九號

政務總監

歳入徴收官、出納官吏、府、面宛

今般朝鮮總督府令第三十二號發布セラレ候ニ付テハ證券ヲ以テスル歳入納付ニ關シテハ同府令及大正五年法律第十號、同年勅令第二百五十六號、同年大藏省令第三十號、第三十二號ノ規定スル所ニ依リ取扱上遺憾ナキヲ期スルハ勿論ニ候得共尚左記各項御承知可相成此段及通牒候也

記

一　大正六年朝鮮總督府令第二十二號第二條ニ掲ケタル各號ノ事項ニ該當スル歳入ニ付納入告知書、納付書拂込通知書又ハ即納通知書ヲ發スルトキハ其ノ適當ノ箇所ニ「此ノ納金ハ小切手又ハ爲替手形ヲ以テ納付スルコトヲ得ス」ト記載スヘシ

二　盗難其ノ他ニ因リ證券ヲ亡失シタルトキハ其ノ旨直ニ支拂人ニ通知シ其ノ他支拂ヲ防止スルニ適當ナル手續ヲ爲シ且現金ニ關スル規定ニ準シ本府ニ報告スヘシ

三　亡失シタル證券又ハ呈示期間若ハ有效期間ヲ經過シタル證券ニシテ支拂又ハ償還ヲ受クルコトヲ得サリシ場合ハ詳細ノ事由ヲ具シ本府ニ報告スヘシ

四　受領タシル證券ハ大正六年朝鮮總督府令第二十二號第五條ニ掲ケタル各號ニ該當スルモノヲ除クノ外之ヲ郵便局所ニ拂込又ハ送付ヲ爲スコトヲ得此ノ場合ニ於テハ大正五年大藏省令第三十二號第三條ノ規定ニ準據スヘシ

五　前項ニ依リ拂込又ハ送付ヲ爲シタル證券ニシテ支拂ナカリシトキハ郵便局所ハ其ノ領收濟額ヲ取消シ直ニ其ノ旨拂込又ハ送付ヲ爲シタル出納官吏又ハ府、面ニ通知シ該證券ヲ返付シ、返付ヲ受ケタル出納官吏又ハ府、面ハ其ノ受領證書ヲ郵便局所ニ送付スヘシ

六　證券ノ受拂ニ關スル現金出納簿ノ記載方ハ左記各號ニ依ルヘシ

イ　證券ヲ納人ヨリ受領シタルトキ又ハ其ノ證券ヲ金庫若ハ郵便局所ニ拂込タルトキハ之カ受拂ヲ登記スヘシ　但シ摘要欄ニ「證券」ノ文字ヲ附記シテ現金ト區分スルコトヲ要ス

ロ　大正五年大藏省令第三十二號第五條ニ依リ領收濟額ヲ取消シタル

トキハ其ノ日ニ於テ受ノ欄ニ當該金額ヲ朱書登記スヘシ但シ金庫又ハ郵便局所ヨリ領收濟額取消ノ通知ヲ受ケタルモノナルトキハ受拂ノ各欄ニ登記スルコトヲ要ス

七 府、面ニ於テ大正五年大藏省令第三十二號第五條ニ依リ領收濟額ヲ取消シタルトキハ收納簿當該納人ノ欄ニ其ノ金額、事由及年月日ヲ朱書登記シ合計及面計ヲ相當整理スヘシ

八 歳入徴收官ニ對スル出納官吏ノ領收濟額取消報告書ニハ年度、科目、金額、事由其ノ他必要ナル事項ヲ記載スヘシ

九 出納官吏ハ證券ニ關スル仕譯簿ヲ備ヘ納人別ニ證券ノ種類、記號、番號、金額、振出人及支拂人ノ氏名其ノ他必要ナル事項ヲ記載シ其ノ受人、支拂請求、拂込又ハ還付ノ年月日ヲ記入整理シ證券ニ關スル一切ノ受拂ノ顛末ヲ明瞭ナラシムヘシ

府、面ニ於ケル證券仕譯簿ノ記帳整理方ハ前項ニ準據スヘシ

出納官吏又ハ府、面ヨリ拂込又ハ送付ヲ受ケタルモノニ付テハ郵便局所ノ出納官吏ハ第一項ノ記入整理ヲ省略スルコトヲ得

一二 歳入納付ニ使用スル證券ニ關スル件

大正五年十二月勅令第二五六號

改正 一一年三第一六五號

第一條 大正五年法律第十號ニ依リ租税其ノ他ノ歳入ノ納付ニ使用スルコトヲ得ル證券ハ左ニ掲クルモノニシテ其ノ金額ノ納付金額ヲ超過セサルモノニ限ル

一 小切手又ハ一覽拂ノ爲替手形ニシテ無記名式又ハ記名持參人拂ノモノ

二 無記名國債證券ノ利札ニシテ支拂期ノ到達シタルモノ

三 宮内省ノ仕拂命令又ハ保管金引出切符ニシテ納入ノ爲發行シタルモノ

四 郵便通常爲替證書ニシテ歳入ヲ納付スヘキ官署、金庫ル、市町村ヲ受取人ト爲シタルモノ又ハ郵便小爲替證書ニシテ歳入ヲ納付スヘキ官署、日本銀行、市町村ヲ受取人ト指定シ若ハ受取人ヲ指定セサルモノ

前項ノ證券ニシテ呈示期間若ハ有效期間ノ滿了ニ近ツキタルモノ又ハ支拂不確實ナリト認ムルモノハ出納官吏、日本銀行又ハ市町村其ノ受領ヲ拒絶スルコトヲ得

證券ノ支拂場所カ受領者ノ所在地ニ在ラサルモノニ付亦前項ニ同シ但シ支拂場所カ受領者ノ拂込又ハ送付ヲ爲ス日本銀行ノ本店、支店又ハ代理店ノ所在地ニ在ルモノハ此ノ限ニ在ラス

第二條 證券ヲ呈示期間内又ハ有效期間内ニ呈示シ支拂ヲ請求シタル場合ニ於テ支拂ノ拒絶アリタルトキハ歳入ハ初ヨリ納付ナカリシモノト看做ス

第三條 前條ノ場合ニ於テハ出納官吏、日本銀行又ハ市町村ハ納人ニ對シ遲滯ナク書面ヲ以テ證券ノ支拂ナカリシ旨及其ノ證券ノ還付ヲ請求スヘキ旨ヲ通知スヘシ

前項ノ通知書ヲ受クヘキ者其ノ受取ヲ拒ミタルトキ又ハ住所、居所不明ナルトキハ通知書記載ノ要旨ヲ公告スヘシ

第一項ノ通知書ヲ發シタル日又ハ第二項ノ公告ヲ爲シタル日ヨリ一年

ヲ經過シタルトキハ納人ハ證券ノ還付ヲ請求スルコトヲ得ス

第四條 出納官吏、日本銀行又ハ市町村ノ受領シタル證券ノ取扱ニ關シテハ大藏大臣ノ定ムル所ニ依ル

第五條 證券ヲ以テ納付シ得ル歲入ノ種目ハ主管大臣之ヲ定ム

第六條 大藏大臣ハ證券ノ金額、種類又ハ納付場所ニ依リ其ノ納付ニ關シ制限ヲ加フルコトヲ得

主管大臣ハ前項ノ規定ニ依リ大藏大臣ノ定メタルモノノ外主管歲入ノ納付ニ付更ニ制限ヲ加フルノ必要アリト認ムルトキハ大藏大臣ト協議シテ之ヲ定ムルコトヲ得

第七條 市町村ニ於テ大正五年法律第十號第三條第二項ノ規定ニ依リ責任ノ免除ヲ請ハムトスルトキハ地方長官ヲ經由シテ主管大臣ニ申請書ヲ提出スヘシ

地方長官前項ノ申請書ヲ受ケタルトキハ事實ヲ調査シ意見ヲ具シテ主管大臣ニ送付スヘシ

第八條 本令中市町村ニ關スル規定ハ法令ニ依リ租稅其ノ他ノ歲入ヲ徵收シ其ノ徵收金ヲ國庫ニ送付スヘキ責任アル者ニ之ヲ準用ス

第九條 本令中主管大臣ノ職務ハ朝鮮ニ在リテハ朝鮮總督、臺灣ニ在リテハ臺灣總督、樺太ニ在リテハ樺太廳長官、關東州ニ在リテハ關東長官、南洋群島ニ在リテハ南洋廳長官之ヲ行フ 但シ第六條第二項ノ場合ニ於テハ主管大臣ヲ經由スルコトヲ要ス

本令中地方長官職務ハ朝鮮ニ在リテハ道知事、臺灣ニ在リテハ州知事又ハ廳長、樺太ニ在リテハ樺太廳支廳長之ヲ行フ

附 則

本令ハ大正六年一月一日ヨリ之ヲ施行ス

明治三十八年勅令第三十四號ハ之ヲ廢止ス

附 則

本令ハ大正十一年四月一日ヨリ之ヲ施行ス

本令施行前政府ノ發シタル仕拂命令仕拂請求書又ハ保管金引出切符ハ本令施行後一年間仍從前ノ例ニ準シ租稅其ノ他ノ歲入ノ納付ニ之ヲ使用スルコトヲ得

一三 證券ノ納付ニ關スル制限

大正五年十二月
大藏省令第三〇號

改正 一一年四第三四號

大正五年勅令第二百五十六號第六條第一項ニ依リ證券ノ納付ニ關スル制限左ノ通相定ム

第一條 政府ノ振出シタル小切手ハ其ノ振出日付ヨリ一年ヲ經過セサルモノニシテ且裏書禁止ノ旨ノ記載ナキモノナルコトヲ要ス

前項以外ノ小切手ハ左ニ掲クル銀行ニ宛テタルモノニシテ且振出人ニ於テ支拂拒絕證書ノ作成ヲ免除シタルモノナルコトヲ要ス

一 特別ノ法律ニ依リ設立セラレタル銀行（本店及支店）

二 手形交換所ニ加入シタル銀行（當該本店若ハ支店ニ限ル第三號乃至第五號之ニ倣フ）

三 國庫金出納事務ノ取扱ニ付日本銀行ノ代理店タル銀行

四 道府縣本金庫ノ事務ヲ取扱フ銀行

五 朝鮮ノ道金庫、臺灣ノ州金庫、廳地方費金取扱所又ハ關東州ノ地方費現金取扱所ノ事務ヲ取扱フ銀行

六　第二號乃至第五號ニ該當スル銀行ノ所在地ニ在ル同一銀行ノ支店

第二條　第一條第二項ノ規定ニ依ル小切手ハ左記各號ノ一ニ該當スル場合ヲ除クノ外其ノ一通ノ金額又ハ一口ノ歳入納付ニ使用スル其ノ合計金額百圓以上ナルトキハ支拂銀行ノ支拂保證アルモノナルコトヲ要ス

一　日本銀行本支店又ハ國庫金出納事務ノ取扱ニ付日本銀行ノ代理店タル銀行ニ宛テタルモノニシテ之ヲ日本銀行ニ納付スルトキ

二　歳入納付ノ告知ヲ爲ス官署ニ於テ支拂保證アルコトヲ要セサル旨ノ承認ヲ與ヘタルトキ

歳入納付ノ告知ヲ爲ス官署ハ保證人又ハ擔保物アル歳入ニシテ其ノ告知額ヲ納付スルモ直ニ保證書又ハ擔保物ノ返還ヲ要セサルモノニ限リ前項第二號ノ承認ヲ與フルコトヲ得

第三條　爲替手形ハ日本銀行本支店又ハ金庫事務ノ取扱ニ付日本銀行ノ代理店タル銀行（當該本店若ハ支店ニ限ル）ニ宛テタルモノニシテ振出人ニ於テ支拂拒絶證書ノ作成ヲ免除シタルモノナルコトヲ要ス

第四條　爲替手形ハ金庫ニ歳入ヲ納付スル場合ノ外之ヲ使用スルコトヲ得ス

附　則

本令ハ大正六年一月一日ヨリ之ヲ施行ス

一四　證券ヲ以テスル歳入納付ニ關スル件

大正六年五月
官通第五四號

總務局長

出納官吏、府、面宛

首題ノ件ニ關シ左記甲號照會ニ對シ乙號ノ通回答相成候趣内務省ヨリ通牒有之候條御承知可相成此段及通牒候也

記

（甲　號）

司法省會甲第七七九號

大正五年十二月貴省令第三十二號第一條ニ證券ヲ以テ租稅其ノ他ノ歳入金ヲ納付セントスル者ハ其ノ證券ノ裏面ニ記名捺印シ指定ノ箇所ニ納付スヘク規定相成居候處當省部内ニ於ケル歳入金ニシテ爲替券等ヲ以テ納付シ來ルモノハ概ネ記名捺印無之ヲ一一返戻シ記名且捺印セシムル如キハ煩ニ堪ヘスシテ實行上頗ル困難事ニ有之候就テハ右規定ハ是等記名捺印無キ爲替券ノ如キモ納付ヲ認メサル趣旨ニ候哉否至急御意見承知致度此段及照會候也

大正六年三月二十四日

司法大臣官房會計課長

大藏省主計局長宛

（乙　號）

三月二十四日附會甲第七七九號ヲ以テ客年當省令第三十二號第一條ノ規定ニ關シ御照會ノ趣了承右ハ納人ヲシテ證券ノ裏面ニ記名捺印セシムルヲ本則トスルハ勿論ニ候ヘ共其ノ趣旨トスル所納付證券ニ對シ支拂拒絶等アリタルカ爲之ヲ還付スル場合ニ於テ其ノ證券カ果シテ納人ノ納付ニ係ルモノナルヤ否ニ關シ紛爭ヲ生スルノ虞アルヘキヲ顧慮シ豫メ之ヲ防止スルノ精神ニ外ナラサル次第ニ付其ノ虞ナシト認メラルル場合ニ於テ

ハ必スシモ還付スルヲ要セス其ノ儘之ヲ領收シ當該出納官吏ニ於テ便宜其ノ氏名ヲ記入シ取扱差支ナキ儀ト御承知相成度省議ヲ經此段及御回答候也

大正六年四月六日

大藏省主計局長

司法大臣官房會計課長宛

一五　渡切經費出納擔任者及物品取扱主任死亡ノ場合ニ關スル件

大正六年五月
官通第九七號

政務總監

所屬官署長宛

首題ニ關シ光州地方法院長ヨリ伺出ノ件ハ左記ノ通御了知相成度此段及通牒候也

記

問　地方法院出張所ヘ職務代理トシテ出張シタル書記又ハ出張所雇員ニ渡切經費出納擔任者及物品取扱主任ヲ命スルコトハ法規上許サレサルモノト思料スルモ書記雇員各一人ノ出張所ニ於テ書記死亡シ數日ノ後後任者ノ任命アリタルトキハ其ノ期間之ヲ缺クコトトナリ支障ヲ生ス如何ニ之ヲ取扱フヘキヤ

答　渡切經費及物品取扱主任ノ事務ニ付テハ職務代理トシテ出張シタル職員ヲ其ノ官署員ト看做シ後任者著任迄之ニ其ノ職務ヲ命セラレ度若シ職務代理トシテ出張シタル職員ニ之ヲ命シ難キ事由アルトキハ其ノ官署在勤ノ雇員又ハ兼務者ニ其ノ職務ヲ命セラレ差支ヘナシ

一六　印紙ヲ以テスル歲入金納付ニ關スル件

大正九年六月
勅令第一九〇號

第一條　政府ニ納ムヘキ手數料、罰金、科料、過料、刑事追徵金、訴訟費用及非訟事件ノ費用ハ印紙ヲ以テ之ヲ納メシムルコトヲ得　但シ印紙ヲ以テ納メシムルコトヲ得ヘキ手數料ノ種目ハ主務大臣朝鮮ニ在リテハ朝鮮總督臺灣ニ在リテハ臺灣總督關東州ニ在リテハ關東長官之ヲ定ム

第二條　法令ニ依リ印紙ヲ以テ租稅其ノ他ノ政府ノ歲入金ヲ納ムルトキハ收入印紙ヲ用ウヘシ

收入印紙ノ形式ハ大藏大臣之ヲ定ム

第三條　收入印紙ハ郵便局所、郵便切手賣捌所又ハ收入印紙賣捌所ニ於テ之ヲ賣捌ク賣捌ニ關スル規程ハ遞信大臣、朝鮮ニ在リテハ朝鮮總督、臺灣ニ在リテハ臺灣總督、關東州ニ在リテハ關東長官之ヲ定ム

附　則

本令ハ公布ノ日ヨリ之ヲ施行ス

左ノ勅令ハ之ヲ廢止ス

明治三十年勅令第四百五十二號
明治三十一年勅令第百四十號
明治三十二年勅令第二十六號
明治三十二年勅令第五十六號
明治三十八年勅令第二百二十七號

明治四十年勅令第三百四十二號
明治四十二年勅令第四十一號
【參照】省略

一七　歳入歳出國庫内移換收支取扱手續ノ件

大正四年四月官通第一三一號
改正　九年三第二五號

政務總監

歳入徴收官
仕拂命令官　宛

首題ノ件別册ノ通リ定メラレタル旨内務大臣ヨリ通牒有之候條大正四年度分ヨリ該手續ニ依リ取扱相成度及通牒候也

（別册）

歳入歳出國庫内移換收支取扱手續

第一條　國庫内移換ノ手續ヲ以テ歳入歳出ノ收支ヲ要スルトキハ所管大臣ヨリ（所管大臣ヲ經由シテ當該官ヨリ請求スヘキ特別ノ規定アルモノハ當該官ヨリ）第一號書式ノ請求書ヲ大藏大臣ニ送付スヘシ但シ從來所管大臣ノ請求ヲ待タス國庫ニ於テ直ニ移換ノ手續ヲ爲シタルモノ（時效トナリタル歳出仕拂未濟金保管金供託金ヲ歳入ニ編入スル場合又ハ歳計剩餘金ヲ翌年度ノ歳入ニ繰入ルル場合ノ類）ハ第二條金庫出納役ヘノ移換命令案ヲ所管大臣ニ合議シ本條ノ請求書ヲ省略ス

第二條　大藏大臣ハ前條ノ請求書ニ依リ第二號書式ノ國庫内移換命令ヲ金庫出納役ニ送付スヘシ

第三條　金庫出納役ハ大藏大臣ノ命令ニ依リ當該金庫ヲシテ國庫内ニ於テ歳入歳出ノ移換收支ヲ執行セシメ直ニ別紙第三號書式ノ通知書ヲ歳入徴收官又ハ仕拂命令官ニ送付スヘシ

第四條　國庫内移換ノ手續ヲ以テ支出スル歳出ノ仕拂命令豫算ニ關シテハ會計規則第十一條乃至第十三條ノ規定ニ依ル

第五條　國庫内移換歳入額ハ歳入徴收官ノ徴收簿歳入事務管理廳ノ歳入簿及金庫出納役ノ歳入金各廳内譯簿ニ於テハ其ノ「摘要」欄ニ移換ノ事由ヲ附記シテ登記スヘシ　但シ徴收報告書及徴收總報告書ニ於テハ調定濟額及收入濟額ニ併算シ歳入金月計對照表ニ於テハ收入額ニ併算スヘシ

第六條　國庫内移換歳出額ハ金庫出納役ノ支出簿歳出金各廳内譯簿及歳出仕拂元受高差引簿ニ於テハ其ノ「摘要」欄ニ移換ノ事由ヲ附記シテ登記スヘシ但シ仕拂命令受領濟額報告書ニ於テハ仕拂命令受領濟額ニ併算シ歳出金月計對照表ニ於テハ普通ノ歳出額ニ併算スヘシ

第七條　特別ノ規定ニ依リ國庫内移換ノ請求書命令書及通知書樣式ノ定メアルモノハ各其規定ノ樣式ニ此手續ニ依リ要スル事項ヲ記載スヘシ

第八條　此手續ハ歳出外ニテ拂出シ歳入外ヘ受入ルル國庫内移換收支ニ適用セス

第九條　此手續ニ規定セルモノノ外ハ凡テ一般歳入歳出ノ取扱手續ニ依ル

第一號書式

歳入歳出國庫内移換請求書

何地金庫（又ハ何地金庫ヨリ拂出何地金庫ヘ受入）

一金何程

但何何

大正何年度何何會計歳出(經常/臨時)部「何何」ノ款「何何」ノ項ヨリ支出何省主管仕拂命令官何官（歳出外ニテ拂出スモノナルトキハ歳出外拂出金ノ要項ヲ記載スルモノトス）

大正何年度何何會計歳入(經常/臨時)部「何何」ノ款「何何」ノ項「何何」ノ目ヘ收入何省主管取扱廳何廳歳入徵收官何官何某（歳入外ヘ受ケ入ルルモノナルトキハ歳入外受入金ノ要項ヲ掲ルモノトス）

年　月　日

所管大臣　印

大藏大臣宛

第二號書式甲

往第　號

歳出國庫內移換令達

大正何年度　何何　會計

經營（臨時）（款）何何（項）何何

何省主管　仕拂命令官　何官何某

何地金庫　金庫出納役

一金何程

但何何（何何會計歳入ヘ移換等 移換ノ事由）

右歳出國庫內移換仕拂取計フヘシ

大正何年何月何日

大藏大臣　氏　名　印

用紙寸法縱四寸四分橫五寸四分左側ニ一寸ノ綴代ヲ設ク

第二號書式乙

往第　號

歳出外拂出國庫內移換令達

現金出納原簿科目　何何

何地金庫　金庫出納役

一金何程

但何何（何何會計歳入ヘ移換等 歳出外拂出ノ事由）

大正何年何月何日

大藏大臣　印

用紙寸法縱四寸四分橫五寸四分左側ニ一寸ノ綴代ヲ設ク

第二號書式丙

往第　號

歳入國庫內移換令達

大正何年度　何何　會計

經常（臨時）（款）何何（項）何何（目）何何

何省主管　取扱廳何廳　歳入徵收官　何官

何地金庫
一金何程
但何何（何何會計歳出ヨリ移換等／移換ノ事由）
大正何年何月何日
大藏大臣印
金庫出納役

第二號書式丁
用紙寸法縱五寸七分橫四寸二分上部一寸ノ綴代ヲ設ク

往第　　號
歳入外受入國庫內移換命達
現金出納原簿科目　何何
何地金庫
一金何程
但（何何會計歳出ヨリ移換等／歳入外受入ノ事由）
大正何年何月何日
大藏大臣印
金庫出納役

用紙寸法縱五寸七分橫四寸二分上部ニ一寸ノ綴代ヲ設ク

第三號書式甲
用紙寸法縱五寸橫五寸右側ニ一寸ノ綴代ヲ設ク

歳出國庫內移換濟通知
大正何年度　何何　會計
經常（臨時）（款）　何何（項）　何何
何省主管　仕拂命令官　何官
一金何程
但何何
大正何年何月何日
何地金庫印

第三號書式乙
用紙寸法縱五寸橫五寸右側ニ一寸ノ綴代ヲ設ク

歳出外拂出國庫內移換濟通知
一金何程
但何何

大正何年何月何日

何地金庫印

備考

移換令達ニ仕拂命令官又ハ某官ヘ移換濟ヲ通知スヘキ旨記載アル場合ニ限リ同官ヘ本文通知書ヲ送付スルモノトス

第三號書式丙

用紙寸法縦五寸横五寸右側ニ一寸ノ綴代ヲ設ク

歳入國庫移換濟通知

大正何年度	何何	會計
經常(臨時)	(款)何何	(項)何何	(目)何何
何省主管	取扱廳何廳	歳入徴收官　何官

一金何程

但何何

大正何年何月何日

何地金庫印

第三號書式丁

用紙寸法縦五寸横五寸右側ニ一寸ノ綴代ヲ設ク

歳入外受入國庫内移換濟通知

一金何程

但何何

大正何年何月何日

何地金庫印

備考

移換令達ニ仕拂命令官又ハ某官ヘ移換濟ヲ通知スヘキ旨記載アル場合ニ限リ同官ヘ本文通知書ヲ送付スルモノトス

一八　諸收入收納取扱規程

明治三十三年四月
大藏省訓令第二七號

改正　三三年第六二號　三四年第一一號　三四年第二〇號
三五年第四六號　四一年第一三號　四三年第一七號
一一年第一〇號

警視廳　北海道廳
府縣稅關〔稅務管理局〕

明治二十六年大藏省訓令第四十二號諸收入收納取扱規程左ノ通改正シ明治三十三年度ヨリ施行ス

第一條 警視廳、北海道廳、府縣、稅關、稅務監督局及稅務署ニ於テ收納スル國稅外ノ諸收入ハ大藏省主管トシテ特別ノ規定アルモノヲ除クノ外此ノ規程ニ依リ取扱フヘシ　但シ監獄ノ收入ハ此限ニ在ラス

第二條 歲入徴收官ハ諸收入ヲ徴收セムトスルトキハ特別ノ規定アルモノヲ除クノ外十五日以內ニ於テ適宜納期日ヲ定メ各納人ニ對シ別記書式ノ納入告知書ヲ發スヘシ　但シ納人ヲシテ收入官吏ニ卽納セシムル場合ニ於テハ納入告知書ヲ發スルコトヲ要セス

第三條 歲入徴收官ハ其所屬部署長、官立學校長〔及北海道廳所管鐵道各驛主席官吏〕ニ委任シテ諸收入收納事務ヲ分掌セシムルコトヲ得

第四條 納入告知書ハ納人ヲシテ納金ヲ納付スルトキ之ヲ添付セシムヘシ

第五條 歲入徴收官ハ納金ヲ其ノ期限內ニ納付セサル者アルトキハ直ニ督促シ尙ホ完納ニ至ラサルトキハ速ニ相當ノ手續ヲ爲スヘシ

第六條 削除

第七條 歲入徴收官ハ徴收簿ニ據リ徴收報告書ヲ調製シ歲入金月計突合表ヲ添ヘ稅務署長ハ翌月五日マテニ其他ハ翌月十五日マテニ大藏省ニ送付スヘシ

稅務署長ノ提出スル徴收報告書ハ稅務監督局ヲ經由スヘシ

稅務監督局長前項ノ報告書ヲ受ケタルトキハ徴收報告書ニ準シタル集計算書ヲ添付シ其ノ月十五日マテニ大藏省ニ送付スヘシ

第八條 諸收入ノ徴收事務ニ關スル取扱手續及帳簿報告等ノ書式ハ適宜之レヲ定ムヘシ

第九條 本規程中歲入徴收官ニ關スル規程ハ北海道支廳長及北海道營林區署長ニ準用ス

北海道支廳長及北海道營林區署長ノ提出スル徴收報告書ハ北海道廳ヲ經由スヘシ

北海道廳長官前項ノ報告書ヲ受ケタルトキハ徴收報告書ニ準シタル集計書ヲ添付シ大藏省ニ送付スヘシ

（別記）

備考

一、領收證書及報告書（通知書）用紙ノ納入金額納入年度種類等ハ總テ納入告知書發行廳ニ於テ記入スルモノトス

二、歲入徴收官ト同一官廳內ニ在ル收入官吏ノ領收濟報告ハ納入告知書ニ領收濟年月日ヲ記入捺印シテ之ニ代用シ報告書ヲ省略スルコトヲ得

用紙適宜（縱四寸五分 橫三寸三分）ノモノ二枚（縱四寸五分 橫二寸五分）ノモノ一枚接續

	第「何」號	「某」年度	「何」郡市「何」町村「何某」納	
納	經常（臨時）	「何々（款）」	「何々（項）」	「何々（目）」

入告知書

大藏省主管「取扱廳名」	歳入徴收官「官氏名」

一金何程

「但何々」（收入ノ目的ヲ記載ス）

右「何」年「何」月「何」日限リ收入官吏官氏名又ハ（何々）日本銀行何店又ハ日本銀行本店支店又ハ代理店ヘ納付スヘシ

明治「何」年「何」月「何」日

納入告知書發行者 官 氏 名 印

報告書

（日本銀行ハ通知書）

第「何」號	「某」年度	「何」郡市「何」町村「何某」納
經常（臨時）	「何々（款）」	「何々（項）」	「何々（目）」	大藏省主管 取扱廳名

一金何程

右領收濟ニ付報告（日本銀行ハ通知）候也

明治「何」年「何」月「何」日

「歳入徴收官氏名宛」

「收入官吏官氏名」印

又ハ「日本銀行何店」印

領收證書

第「何」號　「某」年度　「何」郡市「何」町村「何「某」納

「取」扱廳名

一金何程

「但何々」

右領收候也

明治「何」年「何」月「何」日

「收入官吏官氏名」印

又ハ「日本銀行何店」印

一九　告知書類ノ刷色、寸法等ノ件

大正二年三月
官通第五二號

政務總監

各歲入徵收官宛

告知書類ノ刷色、寸法等區區ニシテ取扱上不便不尠候條大正二年度分ヨリ左記ノ通一定可相成及通牒候也

記

一　納稅告知書

（イ）明治四十四年十二月朝鮮總督府令第百五十七號國稅徵收令施行規則第一號樣式

刷色　黑色

紙質　模造紙

寸法　規定ノ通

（ロ）明治四十三年十月大藏省令第四十四號朝鮮總督府遞信官署現金受拂規則第一號樣式

刷色　淡紅色

紙質、寸法　國稅徵收令施行規則第一號樣式ノ納告知書ニ同シ

但シ報告書寸法ハ左ノ如シ

用紙 縱六寸五分 横三寸五分

輪畫 縱五寸 横三寸

二 納付書

（イ）明治四十四年十二月朝鮮總督府令第百五十七號國稅徵收令施行規則第六號樣式及第九號樣式

刷色 黑色

紙質 模造紙

寸法 規定ノ通

（ロ）明治四十三年十月大藏省令第四十四號朝鮮總督府遞信官署現金受拂規則第四號樣式

刷色 淡紅色

紙質、寸法

國稅徵收令施行規則第六號樣式ノ納付書ニ同シ

但シ報告書寸法ハ左ノ如シ

用紙 縱六寸五分 横三寸五分

輪畫 縱五寸 横三寸

三 納入告知書

（イ）明治三十三年四月大藏省令第二十七號證收入印紙取扱規程ノ樣式

刷色 黑色

紙質 模造紙

寸法

輪畫ハ規定ノ通

但シ用紙寸法ハ左ノ如シ

縱六寸五分横四寸八分ノモノ二枚

縱六寸五分横三寸五分ノモノ一枚

（ロ）明治四十三年十月大藏省令第四十四號朝鮮總督府遞信官署現金受拂規則第二號樣式

刷色 淡紅色

紙質、寸法

國稅徵收令施行規則第一號樣式ノ納稅告知書ニ同シ

但シ報告書ノ寸法ハ左ノ如シ

用紙 縱六寸五分 横三寸五分

輪畫 縱五寸 横三寸

二〇 歲入金年度記載方注意ノ件

明治四十五年二月
官通第五五號

納稅告知書、納入告知書、納付書及現金拂込書等從來ノ實蹟ニ徵スルニ所屬年度ノ誤記及年度記載洩レノモノ多ク整理上支障不尠趣聞及候ニ付年度ノ記載方ニ付テハ特ニ注意相成度及通牒候也

二一 物件賣拂代金延納規則

大正十一年一月
府令第一號

改正 大正一二年一府第一〇號

第一條 朝鮮總督府及其ノ所屬官署ニ於テ物件賣拂代金ノ延納ヲ許可スル場合及其ノ延納期間ハ左ノ各號ニ依ル

一 度量衡器、教科書、鹽及試驗ノ爲醸造スル酒類ヲ賣拂フ場合ニ於

テハ一口ノ賣拂代金三百圓以上ナルトキハ六月以內、百圓以上三百圓未滿ナルトキハ三月以內之ヲ許可ス

二　無煙炭、煉炭、森林產物、木材及製品ヲ賣拂フ場合ニ於テハ一口ノ賣拂代金一千圓以上ナルトキハ一年以內、五百圓以上一千圓未滿ナルトキハ六月以內之ヲ許可ス

三　煙草ヲ賣拂フ場合ニ於テハ一口ノ賣拂代金輸出ニ供スル煙草ニシテ三千圓ナルトキハ六月以內、其ノ他ニ在リテハ五百圓以上ナルトキニ限リ四月以內之ヲ許可ス　但シ江原道、平安南道、平安北道、咸鏡南道及咸鏡北道ニ於ケル僻遠ノ地方ニ限リ特ニ六月以內之ヲ許可スルコトヲ得

四　紅蔘ヲ賣拂フ場合ニ於テハ一口ノ賣拂代金參百圓以上ナルトキニ限リ三月以內之ヲ許可ス

第二條　延納ノ許可ヲ受クル者ニハ擔保物トシテ延納スヘキ賣拂代金ト同額以上ノ國債證券ヲ提供セシムルモノトス　但シ分割引渡ヲ約シタル物件ノ賣拂ニ付テハ其ノ引渡物件ノ代金ト同額以上ヲ引渡ノ都度提供セシムルコトヲ得

第三條　代金延納ヲ許可シタル物件ノ引渡ハ其ノ擔保物提供ノ後之ヲ爲スモノトス

第四條　常時第一條各號ニ揭クル物件ノ賣拂ヲ受クル者代金納付ノ擔保物ヲ豫メ提供シ置クトキハ之ニ對シ其ノ擔保物ノ價額ニ達スル迄延納ヲ許可スルコトヲ得

第五條　擔保物タル國債證券ハ當該官署ニ之ヲ提供スヘシ　但シ提供者之ヲ供託シ其ノ供託受領證ヲ提出スルコトヲ得

第六條　木材及製品ノ賣拂ヲ受クル公共團體ニ對シテハ擔保物ノ提供ヲ免除スルコトアルヘシ

附　則

明治四十四年朝鮮總督府令第百四十七號物品賣拂代金延納規則ハ之ヲ廢止ス

二二二　朝鮮、臺灣及樺太ニ施行スル法律ニ關スル件

明治四十四年四月
勅令第一二〇號

明治四十四年法律第五十八號ハ之ヲ朝鮮、臺灣及樺太ニ施行ス

附　則

本令ハ明治四十四年法律第五十八號施行ノ日ヨリ之ヲ施行ス

二二三　租稅外諸收入金整理ニ關スル件

明治四十四年三月
法律第五八號

第一條　政府ノ貸付金ヲ除クノ外租稅外諸收入金ニシテ納人無資力ノ爲一時ニ收納スルコト困難ナル場合ニ於テハ之ヲ分賦辨濟ノ方法ニ依ル定期貸ト爲シ又ハ資力回復ノ時ヲ辨濟ノ期限トスル据置貸ト爲スコトヲ得

第二條　前條ノ定期貸ニ付テハ最後ノ辨濟期ヨリ据置貸ニ付テハ貸付ノ日ヨリ二十年ヲ經過シタル場合ニ於テ債務者無資力ニシテ資力回復ノ見込ナシト認ムルトキハ其ノ債務ヲ免除スルコトヲ得

附　則

第二條ノ規定ハ本法施行ノ際現存スル雜種貸及据置貸ニ之ヲ準用ス

二四 明治四十四年法律第五十八號施行規則

明治四十四年四月
勅令第一二一號

第一條 明治四十四年法律第五十八號第一條ノ規定ニ依リ定期貸又ハ据置貸ト爲ス場合ニ於テハ所管大臣之カ編入ヲ爲スヘシ 但シ鐵道院ニ在リテハ鐵道院總裁、朝鮮總督府ニ在リテハ朝鮮總督、臺灣總督府ニ在リテハ臺灣總督、關東都督府ニ在リテハ關東都督、樺太廳ニ在リテハ樺太廳長官之ヲ爲スヘシ

第二條 前條ノ規定ニ依リ編入シタル定期貸又ハ据置貸ニシテ一般會計ニ屬スルモノハ之ヲ大藏大臣ニ引繼クヘシ其ノ特別會計ニ屬スルモノハ之ヲ大藏大臣ニ引繼キ一般會計ニ移屬セシムルコトヲ得

前項ノ引繼ヲ爲スニハ債務者ノ住所地ヲ管轄スル地方長官ニ關係書類ヲ送付シ必要ノ事項ヲ大藏大臣ニ報告スヘシ

第三條 大藏大臣ニ引繼キタル定期貸及据置貸ハ大藏大臣ノ定ムル所ニ依リ地方長官之ヲ管理スヘシ

第四條 債務者ノ住所カ朝鮮、臺灣、關東州又ハ樺太ニ在ル場合ニ於テハ地方長官ニ關スル規定ハ朝鮮總督、臺灣總督、關東都督又ハ樺太廳長官ニ之ヲ準用ス

附 則

本令ハ明治四十四年法律第五十八號施行ノ日ヨリ之ヲ施行ス

二五 貸付金取扱規程

明治四十四年四月
大藏省令第一七號

明治四十四年勅令第百二十一號第三條ニ依リ貸付金取扱規程左ノ通相定ム

第一條 明治四十四年勅令第百二十一號第二條ノ規定ニ依リ大藏大臣ニ引繼キタル貸付金及本令施行ノ際現存スル雜種貸竝据置貸ハ本令ニ依リ之ヲ取扱フヘシ

第二條 貸付金ハ定期貸及据置貸ニ區別シテ之ヲ整理スヘシ

本令施行ノ際現存スル雜種貸ハ定期貸トシテ之ヲ整理スヘシ

第三條 貸付金ハ前條ノ區別ニ依リ甲號書式ノ臺帳ヲ備ヘ債務ノ原因、編入年月日、金額、辨濟期限及債務者保證人ノ住所氏名等ヲ之ニ登記スヘシ

前項ノ登記事項ニ異動ヲ生シタルトキハ其ノ都度之ヲ訂正スヘシ

第四條 定期貸ニ付テハ其ノ期限ノ到來シタルトキ收納ノ手續ヲ爲シ据置貸ニ付テハ每年度ノ終ニ於テ債務者ノ所在及資産ノ實況ヲ調査シ債務ノ全部又ハ一部ヲ返納シ得ヘキ資力ヲ生シタリト認ムルトキ收納ノ手續ヲ爲スヘシ

第五條 貸付金ノ辨濟期限又ハ分賦額其ノ他契約ノ內容ノ變更ヲ要スルモノアルトキハ其ノ事實ヲ具申シ大藏大臣ノ認可ヲ得ヘシ 但シ辨濟期ヲ短縮スル場合ニ於テハ此ノ限ニ在ラス

第六條 明治四十四年法律第五十八號第二條ニ該當スルモノト認ムルトキハ其ノ事實ヲ具申シ大藏大臣ノ認可ヲ得テ臺帳ヨリ削除スヘシ

時效其ノ他ノ事由ニ因リ債務消滅シタル場合亦前項ニ同シ

第七條 債務者他管內ニ住所ヲ移シタルトキハ其ノ所轄廳ヘ關係書類ト共ニ貸付金管理ノ引繼ヲ爲スヘシ

第八條 左ニ揭クル場合ニ於テハ乙號書式ニ依リ三箇月每ニ異動報告書

ヲ調製シ翌月（四月、七月、十月、一月）十五日限大藏省ニ送付スヘシ

一　新規編入、收納又ハ削除アリタルトキ

二　第五條ニ依リ契約ノ內容ニ變更アリタルトキ

三　相續又ハ債務者氏名ノ變更アリタルトキ

四　第七條ニ依リ引繼又ハ引受ヲ爲シタルトキ

第九條　貸付金ニ關スル證書類ハ明治二十六年八月大藏省訓令第千百九十八號預金局保管證書保管規則ニ準據シ之ヲ保管スヘシ

第十條　第三條ノ臺帳ニ基キ每年度末ノ現在額ヲ取調丙號書式ノ報告書ヲ調製シ翌年度四月十五日限大藏省ニ送付スヘシ

附　則

本令ハ明治四十四年勅令第百二十一號施行ノ日ヨリ之ヲ施行ス

明治二十六年十二月大藏省訓令第七十七號諸貸付金取扱規程ハ之ヲ廢止ス

甲號書式（本簿ハ種目別ニ調製シ末尾ノ合計ノ口座ヲ設クルモノトス但シ便宜合冊トナスコトヲ妨ケス）

債務原因		住所　債務者　氏名
編入年月日		
金額		住所　保證人　氏名
辨濟期限		

年月日	摘要	收納金額	削除金額	未收入金額
		圓	圓	圓

（第　號）

備考

一、他官廳ヨリ引受ヲ爲シタルトキハ未收入金額欄ニ記入スヘシ

二、他官廳ニ引繼ヲ爲シタルモノハ其ノ引受ノ通知アリタルトキ削除金額欄ニ朱書ヲ以テ記入スヘシ

乙號書式

明治何年自何月至何月貸付金異動報告書

種目	金額	事由	債務者（保證人）住所	氏名
定期貸	圓			
据置貸				

右及報告候也

年月日

道廳長官又ハ府縣知事　氏　名　印

大藏大臣宛

丙號書式

明治何年度末貸付金現在額報告書

種目	前年度繰越額	新規編入額	計	收入額	削除額	計	殘額
定期貸	圓	圓	圓	圓	圓	圓	圓
据置貸							

右及報告候也

年月日

道廳長官又ハ府縣知事 氏 名 印

大藏大臣宛

備考

一、本表新規編入額ニハ新ニ編入シタルモノ其ノ他引繼ヲ受ケタルモノヲ合算シ又削除額ニハ免除處分ヲ爲シタルモノ時效又ハ絶家等ニ因リ消滅シタルモノ及引繼ヲ爲シタルモノヲ合算スルモノトス

二六 租稅外諸收入金ヲ貸付金ニ編入方ノ件

大正四年九月
官通第二五八號

政務總監

各所屬官署長宛

租稅外諸收入金ニシテ納人所在不明ノ爲未收入ニ屬スルモノハ整理上ノ便宜トシテ從來之ヲ貸付金ニ編入シタル事例モ有之候處明治四十四年法律第五十八號ノ趣旨ニ依リ爾後所在不明ノモノハ勿論納人ノ意思ニ基カサルモノハ貸付金ニ編入セサルコトニ致候條右ニ御了知可相成及通牒候也

二七 貸附金ニ編入稟申ノ際添附スヘキ書類ノ件

明治四十四年六月
官通牒第一六七號

明治四十四年三月法律第五十八號第一條ニ依リ貸付金ニ編入セムトスル場合ハ納人無資力ノ爲一時ニ收納スルコト困難ナル事實ヲ確認スルニ足

ルヘキ書類（例ヘハ市區町村長其他相當官公吏ノ證明セル財產調書及戶籍本等）ヲ添附稟申請相成度候也

二八　租稅外未收入金ヲ貸付金ニ編入ノ件

大正六年三月
官通第五四號

政務總監

所屬官署長宛

明治四十四年法律第五十八號ニ依リ租稅外未收金ヲ貸付金ニ編入スル場合ニ於テ納人ヨリ徵スヘキ編入願書及債務證書ハ今後左記樣式ニ據リ御取扱相成度此段及通牒候也

記

据置（定期）編入願

一金何程

但シ何何（債務ノ原因ヲ記載スルコト）

右ハ拙者無資力ニシテ生計困難ノ爲直ニ納付難致候間資力回復ノ時期ニ辨濟スヘキ据置貸（左記ノ通分賦辨濟スヘキ定期貸）ニ御編入相成度此段願上候也

年　月　日

住所

何　某　印

總督宛

備考

定期貸ニ付テハ分賦辨濟金額及期限ヲ左ニ記載セシムルコト

記

一金何程

但シ何何（債務原因ヲ記載セシムルコト）

右債務金額何年何月何日据置（定期）貸ニ御編入相成候ニ付テハ資力回復ノ上ニ無相違（左記ノ通無相違分賦）辨濟可致候也

年　月　日

住所

何　某　印

總督宛

備考

定期貸ニ付テハ分賦辨濟額及期限ヲ左ニ記載セシムルコト

二九　歲入繰越整理ニ關スル件

明治四十四年三月九日
官　通　第　一二四　號

度支部長官

各歲入徵收官宛（慶尚北道長官ヲ除リ）

明治四十三年度所屬歲入調定濟額收入未濟翌年度繰越額計算表調理方ニ關シ慶尚北道長官ト左記ノ通照覆セリ爲御參考此段及通牒候也

左記

度稅發第四八八號

年　月　日

度支部長官

慶尚北道長官宛

二月二十四日稅第四四七號御照會ノ件右ハ二月二十二日官通牒第一五號ニ依リ御了知相成度此ノ結果明治四十三年度以前ノ調定元年度ノ區分掲

記ヲ要セサル義ニ有之此段及回答候也

慶北第四四七號

年　月　日　慶北道長官

度支部長官宛

九月三十日以前ノ收入未濟額繰越整理ニ關スル件

甲年度歲入金ヲ乙年度調定濟額ニ繰越シタルモノニシテ乙年度三月三十一日迄ニ收入ヲ了セサルモノハ二十五年四月大藏省訓令第二十五號ニ依リ更ニ丙年度ニ繰越ノ手續ヲ要シ候處襲用豫算ニ屬スル九月三十日未收入額ニシテ本年度特別會計調定濟額ニ繰越シタルモノハ之ヲ以テ年度ノ更新ト見做シ四十四年三月三十一日迄ニ收入ヲ了セサルモノハ全部之ヲ四十四年度調定濟額ニ繰越スヘキヤ又繰越額計算書ニ記載スル調定元年度ノ表示ハ「隆熙三年度、隆熙四年度、明治四十三年度(自八月二十九日至九月三十日)ノ如ク當時ノ整理年度ヲ以テスヘキヤ將タ明治四十二年度、明治四十三年度(隆熙四年度及四十三年度九月三十日迄)」ノ如ク現時ノ整理年度ヲ以テスヘキヤ豫メ解釋及整理方法ヲ一定致置度候條御審議ノ上可成便宜ノ方法御回示相成度此段及照會候也

三〇　三月三十一日繰越額計算表提出方ノ件

大正九年四月三十日
官通第三八號　財務局長

各歲入徵收官宛

會計事務章程第六十九條ニ依リ提出スヘキ歲入繰越額計算表ハ前年度以前ノ繰越ニシテ本年度中ニ於テ收入濟トナリ又ハ缺損處分ヲ爲シ次年度ニ繰越スヘキ額無之場合ト雖モ提出スヘキ義ト御了知相成度此段及通牒候也

三一　歲入調定濟額ニシテ翌年六月末日マテニ收入整理ヲ了セサルモノノ取扱方

明治二十四年八月
大藏省訓令第六八號

改正　二五年第二九號　二六年第七二號　三六年第三號

收入官吏　金庫出納役

各年度歲入調定濟額ニシテ翌年度六月三十日マテニ收入整理ヲ了セサルモノ取扱方左ノ通リ心得ヘシ

第一　甲年度ニ調定シタル歲入金ニシテ乙年度六月三十日迄ニ收入ヲ了セサルモノハ之レヲ甲年度ノ收入未濟トシテ其金額ヲ乙年度ノ調定濟額ニ繰越スヘシ

第二　甲年度ト記載シタル納額告知書ヲ以テ乙年度七月一日以後現金ヲ金庫ニ納入スルモノアルトキハ金庫ハ之レヲ乙年度歲入トシテ受領シ其納額告知書及ヒ之レニ接續セル領收證及ヒ通知書ニ乙年度ノ押印ヲ爲スヘシ

第三　歲入徵收官ニ於テ金庫ヨリ乙年度七月一日以後甲年度納額告知書ニ依リ納付シタル歲入金領收濟ノ通知ヲ受ケタルトキハ之レヲ乙年度所屬トシテ取扱フヘシ

收入官吏ニ於テ乙年度七月一日以後甲年度納額告知書ニ依リ歲入金ヲ領收シタルトキハ之レヲ乙年度所屬トシテ取扱フヘシ

第四　歲入徵收官第一項ノ繰越ヲ爲シタルトキハ左ノ書式ニヨリ各年度

歳入調定濟額收入未濟翌年度繰越額計算表ヲ製シ之レヲ歳入ノ事務管理廳ヘ差出スヘシ

第五　歳入徴收官ニ於テ前項ノ計算書ヲ歳入ノ事務管理廳ニ送付スルトキハ同時ニ甲年度所屬徴收簿ノ締切ヲナシ而シテ乙年度徴收簿當該科目調定濟額ノ欄ヘ前年度ヨリ繰越トシテ其員額ヲ記載スヘシ　但シ收入官ニ於テ甲年度所屬ノ歳入金ヲ乙年度六月三十日以前ニ受領シ之ヲ七月一日以後金庫ヘ拂込ミタルモノアルトキハ金庫ハ之ヲ乙年度所屬トシテ取扱フヘシ

第六　出納官吏現金取扱規則第十七條ニ依リ收入官吏ヨリ送付セル甲年度收入金ノ監守證ニ對シ二十二年大藏省訓令第七十三號第二項ニ依リ金庫ヨリ派出シ乙年度七月一日以後取付ヲ爲シタル現金及ヒ前項但書ノ收入金ハ金庫ニ於テ之レヲ乙年度ノ歳入ニ組込ミ歳入金各廳内譯簿ハ別ニ口座ヲ設ケ冒頭主管廳ノ次ヘ「甲年度所屬」ト記入シ又歳入金月計對照表ハ別紙ニ調製シ廳名欄内主管廳ノ次ヘ「甲年度所屬」ト記載スヘシ　但シ本項ノ收入金ハ各金庫毎月出納内譯書各金庫毎月出納計算書及毎年度出納計算書ニ於テモ「甲年度所屬」トシ別項ニ掲載スヘシ

第七　前項ノ場合ニ於テ金庫ヨリ派出スル受取人ノ携帶スヘキ領收證書年度欄内ニハ乙年度トシ該證書適宜ノ場所ヘ甲年度所屬ノ分ト記入スヘシ　但シ本項ノ領收證書ヲ收入官吏ヘ交付スルハ乙年度七月一日以後ニ於テ現金ヲ領收スル場合ニ限ルモノトス

（印ハ朱）

某年度歳入經常部（臨時部）
某省所管　調定濟額收入未濟翌年度繰越額計算表
明治何年六月三十日

科目			繰越額	事由
款	項	目	円 錢 厘	
何	何	何	0	何何ノ事由ニ因リ收入未濟ニ付繰越
		何	0	何何ノ事由ニ因リ同上
		小計	0	
	何	何	0	何何
			0	
		合計		

明治何年何月何日

何廳歳入徴收官氏名㊞

三二　收入金繰越手續

改正　二六年第七三號　三六年第一三號

明治二十五年四月
大藏省訓令第二五號

收入官吏　〔金庫〕出納役

明治三十四年大藏省令第六十八號第一項ニ依リ乙年度ノ調定濟額ニ繰越

シタル歳入金ニシテ乙年度三月三十一日迄ニ收入ヲ了セサルモノハ之ヲ丙年度ニ繰越シ丙年度中猶收入ヲ了セサルモノハ之ヲ丁年度ヨリ以下順次ニ繰越スヘシ

前項繰越ヲナシタルトキハ同訓令第四項ニ準シ計算表ヲ製シ歳入事務管理廳ニ差出スト同時ニ前年度所屬徵收簿當該科目適要欄內ヘ翌年度繰越トシ其員額ヲ調定濟額ノ欄ヘ朱記スヘシ

乙年度三月分徵收報告書ニ於テハ調定濟額本月分欄內ヘ丙年度ヘ繰越スヘキ員額ヲ朱書シ備考欄內ヘ其事由ヲ詳記スヘシ　但本年三月分收入報告書調製濟ノモノハ四月分報告書ニ於テ本項ノ通調製スヘシ

同訓令第二項甲年度ト記載セル納額告知書ニ依リ乙年度經過後（金庫）又ハ收入官吏ニ於テ入金ヲ收入シタルトキハ其收入シタル日ノ屬スル年度ノ歳入トシ（金庫）ハ納額告知書領收證書及通知書ニ相當年度ノ押印ヲナスヘシ

同訓令第六項監守證ニ對シ乙年度經過後現金取付ヲナシタルトキハ其取付ヲナシタル日ノ屬スル年度ノ歳入ニ組込ミ第六項ニ規定スル手續ヲ以テ整理スヘシ

明治三十一年二月
大藏省訓令第一二號

繰越計算表

改正 三六年第三號

收入官吏

明治二十五年大藏省令第二十五號ニ依リ調製スル繰越計算表ハ左ノ樣式ニ據ルヘシ

某年度歳入經常部（臨時部）
明治何年三月三十一日繰越額計算表

科目 款	項	目	元年度	繰越額 円	錢	厘	收入濟額 円	錢	厘	缺損額 円	錢	厘	翌年度ヘ繰越未濟收入年度 金額 円	錢	厘	事由
租稅	地租	田租	何年度	50	00	0	30	00	0	10	00	0	10	00	0	何何ニヨリ收入未濟
		何何	,,	20	00	0	20	00	0	0			0			
			地租計	70	00	0	50	00	0	10	00	0	10	00	0	何何ニヨリ收入未濟
	何何	何何	何年度	30	00	0	0			0			30	00	0	
			合計	100	00	0	50	00	0	10	00	0	40	00	0	

明治何年何月何日
何廳歳入徵收官官氏名 印

三三 歳入年度等誤謬ノ場合訂正手續

大正十一年四月
大藏省令第三八號

第一條　歳入徵收官ハ出納官吏、郵便局又ハ日本銀行ニ於テ現金收納後納税告知書、納入告知書、拂込通知書、納付書又ハ送付書ニ記載セル年度、所管、會計名、經常臨時部別又ハ款項ニ誤謬アルコトヲ發見シタルトキハ當該年度所屬歳入金ノ受入ヲ爲シ得ル期間出納官吏、取纏郵便局又ハ日本銀行ニ之カ訂正ヲ請求スルコトヲ得

第二條　前條ノ場合ニ於テ其ノ歳入金ニシテ郵便局ノ取扱ニ係リ其ノ誤謬ヲ發見シタルトキ既ニ日本銀行ニ振替拂込ヲ了シタル後ナルトキハ歳入徵收官ハ直ニ日本銀行當該店ニ對シ前條ノ手續ヲ爲スヘシ

第三條　歳入徵收官出納官吏取纏郵便局又ハ日本銀行ヨリ誤謬訂正濟ノ報告ヲ受ケタルトキハ該報告書ニ依リ其ノ訂正シタル月ニ於テ徵收簿ヲ訂正シ其ノ事由ヲ領收濟ノ報告書又ハ通知書ニ記載スヘシ

前項ノ記入ヲ爲シタルトキ既ニ其ノ月ノ計算締切後ナルトキハ訂正ヲ爲シタル月ノ徵收報告書ニ其ノ事由ヲ附記スヘシ

第四條　甲廳歳入徵收官誤テ乙廳所管歳入金ヲ徵收シタル場合ニ於テハ甲乙兩廳歳入徵收官連署ノ上關係出納官吏、取纏郵便局又ハ日本銀行ニ對シ之カ更正ヲ請求スヘシ

前三條ノ規定ハ前項ノ場合ニ之ヲ準用ス

第五條　歳入徵收官當該年度出納閉鎖前歳入年度誤謬ノ訂正ヲ了セサル場合又ハ出納閉鎖後歳入年度ノ誤謬ヲ發見シタルトキハ誤謬ノ儘据置整理シ其ノ事由及金額ヲ記載シ歳入事務管理廳ヲ經由シテ之ヲ大藏大臣ニ報告スヘシ

附　則

本令ハ大正十一年四月一日ヨリ之ヲ適用ス

明治二十四年大藏省令第十一號ハ之ヲ廢止ス

〔參照〕

明治二十四年五月二十五日大藏省令第十一號ハ金庫ニテ現金領收後納額告知書現金拂込書及納付書記載年度ノ誤謬發見ノトキ訂正手續ノ件ナリ

三四　襲用豫算歳入ノ收入濟額ト〔金庫〕ノ收額ト不突合ノ事由調査ニ關スル件

明治四十四年十月
官通第三〇九號

總務部長官

襲用豫算ニ屬スル歳入ニ關シテハ歳入徵收官ノ收入濟額ト〔金庫〕ノ收入額ト不突合ノモノ頗ル多ク會計檢査院ノ審理ニ對シ〔支金庫〕及郵便官署ノ月計對照表ト吻合スルノ故ヲ以テ計算書ニ誤リナキ旨答辯ノ向モ有之候得共右不突合ノ生セシ重ナル原因ハ左記ノ通ナルヲ以テ之レカ調査ハ歳入徵收官ノ保存ニ係ル領收彙通知書ト本金庫當時ノ〔中央金庫〕ニ於テ保存スル納入告知書及現金給付書ト箇箇ノ照合對査ニ待ツノ外無之今般〔本金庫〕ニ交渉ヲ遂ケ置候條右ニ關シ對査ノ必要アル場合ハ別紙樣式ノ明細書ヲ添ヘ道府郡財務署ハ道ニ於テ取纏メ京城〔本金庫〕ニ對照方御照會相成度此段及通牒候也

記

一　併合當時明治四十三年八月二十八日ニ於ケル歳入ノ整理區分（明治四十三年八月度支部次官通牒同九月三日官報掲載）ニ據リ同日以後ニ於テ金庫ノ收入シタル金額ハ總テ帝國政府（一般會計）ノ收入ニ屬スル事ト爲リタル結果同日迄ニ納

入告知書又ハ現金給付書ヲ以テ郵便官署ニ納付シタルモノモ同日以後〔金庫〕ニ納入セラレタルモノハ帝國政府ノ收入タルニ不拘（本金庫〕ト歲入徵收官ノ連絡ナキカ爲メ（光武十年九月度支部令第十七號國庫金委託出納事務處理順序參照）歲入徵收官ニ於テハ舊韓國政府ノ收入トナシタルニ因ル

二 朝鮮總督府特別會計設置ノ際乃チ明治四十三年九月三十日ノ歲入整理區分（明治四十三年九月度支部次官通牒同年十月三日官報掲載）ニ依レハ同日迄ノ收入濟ニ係ル收入官吏ノ保管スル現金ハ其ノ旨ヲ附記シテ拂込ミ金庫ニ於テ同日以後ニ納入スルモ一般會計ノ收入トスルモノナルニ收入官吏カ此附記ヲ脫落セシカ爲メ金庫ニ於テ朝鮮特別會計ノ收入ト爲シタルニ因ル

襲用豫算明治四十三年歲入收入濟額內譯明細書

番號	納入局名若ハ〔金庫名〕	納入年月日	科目	金額	納人	備考
				圓		

備考

一、納入告知書現金給付書番號記入アルモノハ記入ノコト

二、科目欄ハ單ニ地稅又ハ戶稅等名目ノミ記入ノコト

三、納入月日順ニ記入ノコト

四、收入官吏ニ於テ九月三十日以前收入シタル分ヲ十月一日以後拂込タルモノハ其ノ旨備考欄ニ掲記スルコト

三五 歲入金月計對照表ニ關スル件

明治四十四年十一月
官通第三一七號

徵收報告書ニ添付提出相成候歲入金月計對照表中〔金庫〕ノ再製ニ係ルモノヲ提出セラルル向往往有之候處右ニ對シテハ相當事由書ヲ添付相成度及通牒候也

三六 告知書類ニ記載ノ納人住所又ハ氏名誤謬ノ場合措置方ノ件

明治四十五年一月
官通第二五號

納稅告知書乃至納付書ヲ以テ金庫又ハ通信官署ニ現金拂込後之ニ記載ノ納人住所若ハ氏名ニ誤謬アリシコトヲ發見セシ場合ハ歲入徵收官保管ノ領收濟通知書及納人所持ノ領收證書ノミ相當更正シ金庫ニ對シテハ更正方請求ヲ要セサル義ニ有之爲念右申進候

三七 歲入金領收高月計通知書ニ關スル件

明治四十五年六月
官通第二二三號

右ニ關スル左記遞信局照覆要領及通知候條若右ニ據ラサルモノアルトキハ證明前相當是正セシメラルヘク及通牒候也

左記

歲入金領收通知書ノ件（明治四十五年六月十一日遞信局郵第四十二號所報）永川郵便局照會（五月二十七日）通信課回答（六月四日）要領

歲入所屬年度每ニ一般會計ト特別會計トニ區別シ作成セラレ度候

三八 歲入金誤謬訂正ニ關スル件

大正七年六月
官通第一〇八號

政務總監

歳入徴收官收入官吏宛

遞回大藏省令第十三號ヲ以テ朝鮮總督府遞信官署現金受拂規則改正相成候ニ付テハ爾今〔金庫〕又ハ遞信官署ヘ納入又ハ拂込タル歳入金ノ誤謬訂正手續等左ノ通取扱相成度此段通牒候也

追テ右ニ依リ歳入ノ誤謬訂正ニ關スル明治四十四年官通牒第一〇九號第三七七號四十四年十二月秘第一、六二一號度支部長官發通信局長官宛通牒及四十五年官通牒第二三七號ハ遲由ノ要ナキニ至リタル儀ニ有之尚會計事務章程第五十八條乃至第六十條ノ規定ニ拘ラス本通牒ニ依リ御取扱相成儀ト御了知有之度

記

一　遞信官署ニ納入又ハ拂込タル歳入金ニシテ會計ノ種別、年度及所管廳ニ誤謬アルコトヲ發見シタルトキハ歳入徴收官又ハ收入官吏ハ郵便爲替貯金管理所宛ノ訂正請求書ヲ作リ當初納入又ハ拂込タル遞信官署ヲ經由シ之ヲ郵便爲替貯金管理所ニ送付スヘシ

二　前項ノ歳入金ニシテ取扱廳名又ハ歳入徴收官名誤謬ノ爲口座更正ヲ要スル場合ニ於テハ會計事務章程第六十條ニ準シ郵便爲替貯金管理所宛ノ口座更正請求書ヲ作リ當初納入又ハ拂込タル遞信官署ヲ經由シ之ヲ郵便爲替貯金管理所ニ送付スヘシ

三　郵便爲替貯金管理所主任出納官吏ハ前二項ノ訂正請求書ニ依リ本金庫ニ對シ之カ訂正ヲ請求シ其ノ訂正ヲ了シタルトキハ京城〔本金庫〕ヨリ郵便爲替貯金管理所ヲ經テ之ヲ關係歳入徴收官ニ通知スヘキニ付歳入徴收官ハ其ノ訂正濟ノ通知ヲ受ケタル日ニ於テ徴收簿其ノ他關係帳簿及書類ヲ訂正スヘシ

四　〔金庫〕ニ納入又ハ拂込タル歳入金ノ誤謬訂正手續ハ科目ヲ除クノ外從前ノ通會計事務章程第五十九條及第六十條ノ規定ニ依リ之ヲ取扱フヘシ

五　〔金庫〕又ハ遞信官署ニ納入又ハ拂込タル歳入金ニシテ歳入ノ科目ニ誤謬アルモノニ付テハ今後〔金庫〕ニ於テハ科目ノ整理ヲ行ハサルニ依リ納人ノ住所氏名ニ誤謬アリシ場合ト同樣歳入徴收官限リ相當更正シ金庫ニ對シテハ訂正ノ請求ヲ爲スヲ要セス　但シ會計事務章程第六十一條ノ科目誤謬ノ儘据置整理ニ付テハ從前通取扱フヘシ

六　毎月遞信官署ヨリ歳入徴收官ニ送付スヘキ歳入金領收高月計通知書ハ今後一通ニ改メタルヲ以テ歳入徴收官ハ遞信官署出納官吏ノ領收濟通知書ニ對査シ其ノ符合ヲ認メタル上該通知書左方欄外ニ對査ヲ爲シタル者捺印ヲ爲シ之ヲ保存スヘシ

七　遞信官署ニ納入又ハ拂込タル歳入金ニ對シ京城本金庫ヨリ歳入徴收官ニ送付スル領收濟通知書ニハ郵便局所ノ領收月ヲ表示スルコトニ改正セラレタルヲ以テ歳入徴收官ハ自今該通知書ノ月計ヲ前項ノ領收濟通知書ノ月計ニ對照シ其ノ吻合ヲ確ムヘシ　但シ不符合ノ場合ハ直接郵便爲替貯金管理所ニ照合シ相當處理スルコト

三九　歳入年度所管廳等誤記訂正請求方ノ件

大正九年五月
官通第四四號

庶務部長

各歳入徴收官、收入官吏宛

郵便局所ヲ經由シテ拂込タル歲入金ノ年度所管廳等ノ誤謬訂正請求書ハ會計事務章程第五十九條ノ二ニ依リ當初取扱ヒタル郵便局所ヲ經由シ郵便爲替貯金管理所ヘ提出ス可キモノナルニ直接（金庫）ヘ送付セラルル向往往有之支障不尠趣ニ付爾今御注意相成度此段及通牒候也

四〇 歲入金領收濟通知書ニ關スル件

大正九年五月三十一日
官通第七八號
度支部長官

各歲入徵收官宛

首題ノ件ニ關シ遞信局長官ト左記ノ通照覆致候ニ付爲參考及通牒候也

記

照會（大正五年五月十一日稅第四九二號遞信局長官宛度支部長官）

遞信官署ニ納付シタル稅金ノ領收濟通知書ヲ納人ニ託シ歲入徵收官ニ送付スルモノ有之哉ニ及聞候處右ハ啻ニ正當ナル取扱ニ在ラサルノミナラス偶偶其ノ間ニ於テ不正事件ヲ誘發セシムル虞ナキヲ保シ難ク被存候ニ就テハ貴管下國庫金ヲ取扱フ郵便局所一般ニ向テ自今如斯取扱ヲ絕體ニ廢スル樣御通達相成度及照會候也

回答（大正五年五月十七日遞通乙第四九九號度支部長官宛遞信局長官）

本月十一日附稅第四九二號ヲ以テ御照會ノ件左記ノ通郵便局所ニ對シ通牒致候條御了知相成度此段及回答候也

記

朝鮮歲入金納入義務者ヨリ納付書ヲ以テ郵便局所ニ對シ歲入金ノ拂込アリタル場合之ニ關スル領收濟通知書ハ當該局所ニ於テ直接歲入徵收

官ニ送付スヘキ規定ナルニ往往ニシテ右規定ニ依ラス納人ニ託送スルモノ有之哉ニ聞及候處右ハ啻ニ不當ナルノミナラス其ノ間ニ於テ事故發生ノ虞モ有之候條爾後如右違法ノ手續ヲ爲サス必ス成規ニ依リ處理可相成候依命

四一 徵收報告書提出方ニ關スル件

大正九年八月十二日
官通第六四號
財務局長

各歲入徵收官宛

徵收報告書ハ會計事務章程第六十四條ニ依リ徵收簿ニ基キ每月提出スヘキ筈ニ有之候處徵收報告書ニ記載スヘキ事項ナキ月ニ於テハ之カ報告ヲ爲ササル向モ有之整理上支障不尠候ニ付取扱事項ナキ月ト雖提出スヘキ義ト御了知相成度及通牒候也

四二 歲入金月計對照表ニ關スル件

大正九年九月二十七日
官通第八九號
財務局長

各歲入徵收官宛

（金庫）ヨリ送付スル歲入金月計對照表ニハ從來官職氏名記載ノ處爾今氏名ヲ省略スルコトニ相成候旨大藏省ヨリ通知有之候條爲念及通牒候也

四三 徵收報告書ト金庫月計對照表トノ差額整理方ノ件

大正十年六月二十三日
官通第五八號
財務局長

各歳入徴收官宛

大正九年度本府特別會計及一般會計若ハ醫院會計歳入金ニシテ徴收報告書ト〔金庫〕月計對照表トノ差額（年度ノ誤謬、徴收官口座ノ入違ヒ、所屬會計ノ誤謬等）ノ生シ居ル向ハ左ニ依リ相當御處理相成度及通牒候也

記

一 徴收報告書ト金庫月計對照表トノ差額ニシテ其ノ事由不明ノモノハ直ニ調査シ會計事務章程第五十九條又ハ第六十條ニ依リ（金庫）出納閉鎖期（六月三十日）迄ニ全部更正ヲ了セラルル樣相當手續セラルヘシ事由判明セリト雖今ニ更正ニ至ラサルモノ亦同シ

一 前項ノ手續ヲナスモ（金庫）出納閉鎖期迄更正ニ至ラス又ハ出納閉鎖後之ヲ發見シ訂正ノ途ナキモノニ付テハ會計事務章程第六十一條ニ依リ（又ハ之ニ準シ）申請書ヲ七月二十日迄必ス本府ニ到著スル樣提出セラルヘシ　但シ道、府、郡、島及警察署ノ申請書ハ道ノ歳入徴收官之ヲ取纏メ提出ノコト

四四　歳入金月計對照表ニ關スル件

大正十一年三月
官通第一九號
財務局長

歳入徴收官宛

徴收報告書ニ添府提出相成候月計對照表面金額又ハ備考欄等ニ〔本金庫〕ニ於テ記入セシ金額以外ニ直接納入又ハ〔支金庫〕納等トシテ金額記載シアル向有之之カ爲計算ノ誤謬ヲ來ス處有之候ニ付爾今月計對照表面ニハ歳入徴收官ニ於テハ何等ノ記載ヲモ爲サヽル樣致度及通牒候也

四五　徴收報告書ニ關スル件

大正十一年五月十二日
官通第四一號
政務總監

各歳入徴收官宛

大正十年度本府特別會計十一年六月分（六月一日ヨリ同十五日ニ至ル）歳入金月計突合表ハ處理急速ヲ要スル爲日本銀行京城代理店ヨリ直接本府ニ送付ヲ受クヘキヲ以テ同月分徴收報告書ニハ月計突合表ヲ添附セス提出相成度及通牒候也

追テ本文月計突合表ハ之カ寫ヲ調製シ送付可致候條爲念申添候

四六　歳入金月計突合表取扱方ノ件

大正十一年五月二十二日
官通第四四號
政務總監

各歳入徴收官宛

日本銀行歳入金月計突合表ハ一通ナルヲ以テ會計事務章程第六十四條ニ依リ徴收報告書ニ添附スヘキモノハ其ノ正本ヲ計算證明規程第七條ニ依リ歳入徴收額計算書ニ添府スヘキモノハ其ノ謄本ヲ調製シ便宜餘白ニ左

記ノ通記載捺印ノ上添附スヘキ義ト御了知可相成及通牒候也

記

右謄本也

年　月　日　　歳入徴收官　官氏名印

四七　徴收報告書及徴收總報告書記載方ノ件

大正十一年六月
官通第五三號

政務總監

各道知事
各歳入徴收官　宛

徴收報告書及徴收總報告書ノ記載方ハ明治四十四年三月官通牒第二十三號徴收報告書記載方ノ件ニ依リ御取扱可相成義ト御了知可相成爲念及通牒候也

四八　徴收報告書整理方ノ件

大正十一年七月
官通第七〇號

財務局長

各歳入徴收官宛

徴收報告書中收入濟額ト歳入金月計突合表ト不突合ニシテ差額ヲ生シタル場合ニハ急速ニ之カ更正方取計ラヒ翌月中ニハ必ス完了相成度此段及通牒候也

四九　徴收報告書整理ニ關スル件

大正十一年八月
官通第七一號

政務總監

各歳入徴收官宛

徴收報告書ト日本銀行歳入金月計突合表トノ差額ヲ生シタルトキ又ハ之ヲ更正シタルトキハ其ノ事由別金額ヲ當該徴收報告書中現金拂込濟仕譯欄ノ下部餘白ニ記載可相成及通牒候也

五〇　歳入徴收額計算書ニ添附スル證憑書ノ件

大正十一年九月
官通第八一號

庶務部長

歳入徴收官宛

月證明ニ係ル歳入徴收額計算書ニハ本年五月官通牒第四十六號第六項及第七項ニ代用又ハ提出省略ヲ承認セラレタルモノノ外總テ證憑書ヲ添附スル儀ト御承知相成度及通牒候也

追テ既ニ提出シタル計算書ニ證憑書ヲ添附セサルモノハ今後提出スル計算書ニ取纒メ添附相成度候

五一　歳入徴收官交替ノトキ通知方

明治三十三年五月
大藏省訓令第四十五號

大藏省所管歳入徴收官
〔金庫〕出納役

一　歳入徴收官交替ノトキハ直ニ關係ノ各〔金庫〕ヘ其旨ヲ通知スヘシ

一　〔金庫〕ニ於テ前項ノ通知ヲ受ケタルトキハ帳簿上前任歳入徴收官官氏名ノ上ニ　何年何月何日交替ニ據リ後任何官何某ニ改ムト記入スヘシ（前任官官氏名ハ塗抹スヘカラス）

一　歳入金月計對照表ハ歳入徴收官ノ前任後任ヲ區別セス總テ後任官ノ計算ニ組込調製スヘシ

五二　國庫納金徴收方ノ件

大正二年五月二日
官通第一一七號
政務總監

各所屬官署官長宛

休職者事務引繼殘務調理ヲ命セラレタル期間ノ官吏遺族扶助料法納金ハ從前ノ俸給ニ對シ徴收スヘキ義ニ有之候條爲念及通牒候也

五三　囚徒工錢製作收入調ノ件

大正十年四月
法務局長通牒

改正　大正一〇年七月

各監獄典獄宛

經理上必要有之候條囚徒工錢製作收入ヲ別紙樣式ニ依リ毎年三月、七月十一月各末日現在ヲ調査シ翌月十日迄ニ報告相成度及通牒候也

追テ大正十年三月末現在ハ四月二十日迄ニ報告相成度申添候

大正　年度囚徒工錢製作收入調

款項目	事由	歳入 調査濟額	歳入 收入濟額	歳入 不納缺損額	歳入 收入未濟額	豫算額ト調定濟額トノ差	前年度同期間ニ比シ増減

注意

一　本表ハ三月、七月、十一月各末日現在ヲ以テ調製シ翌月十日迄ニ報告スルコト

二　調定後不納三ケ月以上ニ渉ルモノニ對シテハ其事由ヲ附記スルコト

三　收入未濟額ニ對シテハ左ノ例ニ依リ其ノ譯ヲ備考欄ニ記載スルコト

何月中ノ調定　圓
何月中ノ調定　圓

四　他ノ年度ニ跨ル場合ハ區別シテ記載スルコト

五　前記報告書ニ比シ著シキ増減アルトキハ其ノ事由ヲ附記スルコト

第三章 歲出

一 官廳ニ於テ印刷局製造品買入ニ關スル件

明治四十年二月
法律第五號

官廳ニ於テ印刷局製造ノ物件ヲ買入ルル場合ニ於テハ前金拂ヲ爲スコトヲ得

二 支出官事務章程

大正十一年一月
大藏省令第一號

第一章 總則

第一條 支出官ハ本令ノ定ムル所ニ依リ支出ニ關スル事務ヲ處理スヘシ

第二條 支出官ハ支拂豫算ニ依リ定メラレタル日本銀行（本店支店又ハ代理店ヲ謂フ以下亦同シ）ヲ以テ其ノ振出ス小切手ノ支拂店ト爲スヘシ

第三條 支出官ノ更迭アリタルトキハ各省大臣ハ直ニ大藏大臣及小切手ノ支拂店ニ其ノ旨ヲ通知スヘシ

各廳長官又ハ部局長ヲ支出官トスル場合ニ於テ其ノ更迭ヲ官報ニ掲載シタルトキハ前項ノ通知ヲ要セス　但シ至急支拂ヲ要スル場合又ハ特ニ各廳長官若ハ部局長以外ノ者ヲ以テ支出官トスル場合ニ於テハ此ノ限ニ在ラス

第四條 會計規則第四十二條ノ規定ニ依ル代理官ノ任免アルトキハ前條第一項ノ規定ニ準シ之カ通知ノ手續ヲ爲スヘシ

第五條 支出官及其ノ代理官ハ照校ノ用ニ供スル爲其ノ印鑑ヲ小切手ノ支拂店ニ送付スヘシ

第六條 支出官特別會計支拂元受高ノ內ヲ翌年會計支拂元受高ニ組入ヲ要スルトキハ其ノ旨ヲ小切手ノ支拂店ニ請求スヘシ

第七條 支出官特別會計支拂元受高ノ內ヲ當該會計ノ他ノ支出官ノ支拂元受高ニ轉換ヲ要スルトキハ其ノ旨ヲ小切手ノ支拂店ニ請求シ振換受拂ノ手續ヲ爲サシムヘシ

第八條 本令中各省大臣ノ職務ハ朝鮮ニ在リテハ朝鮮總督、臺灣ニ在リテハ臺灣總督、樺太ニ在リテハ樺太廳長官、關東州ニ在リテハ關東廳長官之ヲ行フ

第二章 小切手ノ振出

第一節 總則

第九條 支出官ハ其ノ振出ス小切手ニ支拂金額、支拂店名、受取人ノ氏名ト共ニ其ノ小切手ノ持參人カ支拂ヲ受クルコトヲ得ヘキコト、振出ノ年月日及支拂地ヲ記載スルノ外年度、所管、會計名、經常臨時部別、款項及番號ヲ附記スヘシ

第十條 官廳、出納官吏又ハ日本銀行ヲ受取人トシテ振出ス小切手ハ之ヲ記名式トシ之ニ裏書禁止ノ旨ヲ記載スヘシ

前項ノ小切手金額ニシテ振替拂込ヲ要スルモノナルトキハ表面餘白ニ「要振替」ノ印ヲ押捺スヘシ

第十一條 支出官受取人ニ小切手ヲ交付シ支拂ヲ了シタルトキハ之カ領收證書ヲ徵スヘシ

第十二條 支出官本章ノ規定ニ依リ小切手ヲ振出シタルトキハ其ノ都度

第一號書式ノ小切手振出濟通知書ヲ小切手ノ支拂店ニ送付スヘシ

第二節　隔地者ニ支拂ヲ爲サシムル爲振出ス小切手

第十三條　支出官小切手ノ支拂店所在地外ニ在ル債主ニ支拂ヲ爲サムトスルトキハ其ノ振出ス小切手ノ裏面ニ第二號書式ニ依リ債主ノ住所氏名及支拂場所等ヲ記載シ之ヲ小切手ノ支拂店ニ交付スヘシ

第十四條　前條ノ場合ニ於テ數人ノ債主ニ對シ同一支出科目ヨリ支拂ヲ爲サムトスルトキハ其ノ合計額ヲ券面金額トスル小切手ヲ振出スルコトヲ得

前項ノ場合ニ於テハ其ノ小切手ノ裏面ニ第二號書式ニ依リ記入ヲ爲シ第三號書式ノ金額氏名各表ヲ添附スヘシ

第十五條　前二條ノ場合ニ於テ支出官ハ債主ノ爲最便利ナリト認ムル日本銀行ヲ支拂場所ト爲スヘシ　但シ運輸交通不便ナル地方ニ在ル債主ノ請求ニ依リ其ノ住所又ハ居所ニ送金ヲ爲スノ必要アリト認ムルトキハ其ノ住所又ハ居所ヲ支拂場所ニ指定スルコトヲ得

第十六條　支出官第十三條又ハ第十四條ノ手續ヲ爲シタルトキハ第四號書式ノ歳出金支拂通知書ヲ債主ニ送付スヘシ　但シ前條但書ノ規定ニ依リ支拂場所ヲ指定シタル場合ニ於テハ歳出金支拂通知書ニ代ヘ適宜ノ通知書ヲ債主ニ送付シ電信送金ノ場合ニ於テハ電信ヲ以テ其ノ旨ヲ通知スルモノトス

第十七條　支出官歳出金支拂通知書ノ送付ヲ爲シタル後債主ヨリ該通知書ヲ添ヘ支拂場所變更ノ請求ヲ受ケタル場合ニ於テ相當ノ事由アリト認メタルトキハ歳出金支拂通知書ニ記載セル支拂場所ヲ訂正シ之ヲ債主ニ返付シ直ニ其ノ旨ヲ小切手ノ支拂店ニ通知スヘシ

第十八條　支出官電信送金ノ通知ヲ爲シタル後債主ヨリ支拂場所變更ノ請求ヲ受ケタル場合ニ於テ支拂未濟ナルコトヲ確メタルトキハ前條ノ規定ニ準シ電信ヲ以テ之カ變更ノ手續ヲ爲スヘシ

第十九條　支出官外國ニ在ル債主ニ對シ邦貨ヲ基礎トスル金額ノ支拂ヲ爲サムトスルトキハ其ノ振出ス小切手ノ裏面ニ第五號書式ノ記入ヲ爲シ之ヲ小切手ノ支拂店ニ交付シ直ニ其ノ旨ヲ債主ニ通知スヘシ但シ電信送金ノ場合ニ於テ必要アリト認メタルトキハ電信ヲ以テ其ノ旨ヲ通知スルモノトス

第二十條　支出官外國ニ在ル債主ニ對シ外國貨幣ヲ基礎トスル金額ノ支拂ヲ爲サムトスルトキハ別ニ定ムル外國貨幣換算價格ニ依リ換算シタル邦貨額ヲ券面金額トスル小切手ヲ振出シ其ノ裏面ニ第六號書式ノ記入ヲ爲シ之ヲ小切手ノ支拂店ニ交付シ前條ノ規定ニ準シ債主ニ通知ノ手續ヲ爲スヘシ

第二十一條　本節ノ規定ハ別段ノ定アル場合ヲ除クノ外支出官小切手ノ支拂店所在地外ニ在ル出納官吏ニ資金ヲ交付スル場合ニ之ヲ準用ス

第三節　國庫內移換ノ爲ニ振出ス小切手

第二十二條　支出官他ノ會計ニ資金繰入ノ爲歳出ヲ支出セムトスル場合ニ振出ス小切手ハ之カ繰入ヲ要求スル當該官廳ヲ受取人トシ其ノ裏面ニ歳入年度、所管、會計名及取扱廳名其ノ他必要ナル事項ヲ記載シ之ヲ小切手ノ支拂店ニ交付シ振替拂込ノ手續ヲ爲サシムヘシ

第二十三條　前條ノ場合ニ於テ其ノ振替ニ依ル受入濟ノ旨ヲ當該官廳及當該支拂元受高ノ計算ヲ爲ス日本銀行ニ至急通知スルノ必要アルトキハ其ノ旨ヲ記載シ別ニ「要電信通知」ノ印ヲ押捺スヘシ

第四節　俸給支拂、國庫納金及相殺ノ爲ニ振出ス小切手

第二十四條　支出官文官判任以上ノ者ニ俸給支拂ヲ爲ス爲振出ス小切手ハ其ノ俸給額ヨリ國庫納金額ヲ控除シタル殘額ヲ劵面金額トスヘシ

支出官ハ前項ノ小切手ノ振出ト同時ニ國庫納金額ヲ劵面金額トシ當該官廳ヲ受取人トスル小切手ヲ振出シ且表面餘白ニ「國庫納金」ノ印ヲ押捺シ其ノ裏面ニ歳入年度、所管、會計名及取扱廳名ヲ記載シ之ヲ小切手ノ支拂店ニ交付シ振替拂込ノ手續ヲ爲サシムヘシ

第二十五條　支出官民法ノ規定ニ依リ政府ノ債務ノ一部ニ付私人ノ債務ト相殺アリタル場合ニ振出ス小切手ハ政府ノ支拂金額ヨリ相殺額ヲ控除シタル殘額ヲ劵面金額トスヘシ

支出官ハ前項ノ小切手ノ振出ト同時ニ相殺額ニ相當スル金額ヲ劵面金額トシ歳入所屬ノ當該官廳ヲ受取人トスル小切手ヲ振出シ且表面餘白ニ「相殺額」ノ印ヲ押捺シ之ヲ當該相殺額ニ對スル納入告知書ニ添附シ小切手ノ支拂店ニ交付シ振替拂込ノ手續ヲ爲サシムヘシ

第二十六條　政府ノ收納スヘキ金額カ相殺額ト同額ナルトキ又ハ之ヲ超過スルトキハ支出官ハ其ノ相殺額ニ付前條第二項ノ手續ニ準シ小切手ヲ振出シ其ノ收納スヘキ金額ノ相殺額ヲ超過シタルモノニ付テハ其ノ超過額及相殺ノ相手方氏名ヲ歳入徴收官ニ報告スヘシ

第三章　定額戻入

第二十七條　支計官會計規則第八十二條ノ規定ニ依リ經費ノ定額ニ戻入ヲ爲サムトスルトキハ返納人ニ對シ第七號書式ノ返納告知書ヲ發スヘシ

第四章　證明

第二十八條　支出官小切手ノ支拂店ヨリ支拂濟小切手其ノ他ノ證憑書類ヲ添ヘ歳出金月計突合表又ハ歳出支拂未濟繰越金月計突合表ノ送付ヲ受ケタルトキハ之ヲ調査シ證明ノ上五日内ニ之ヲ小切手ノ支拂店ニ返付スヘシ但シ相違アル點ニ付テハ其ノ事由ヲ附記スルモノトス

第五章　雜則

第二十九條　支出官其ノ振出シタル小切手又ハ第二十七條ニ規定スル返納告知書ニ記載セル年度、所管、會計名、經常臨時部別又ハ款項ニ誤謬アルコトヲ發見シタルトキハ翌年度五月三十一日迄ニ小切手ノ支拂店ニ對シ之カ訂正ヲ請求スルコトヲ得

第三十條　支出官第十三條、第十九條乃至第二十二條及第二十四條ノ小切手裏面ノ記載事項ニ誤謬アルトキヲ發見シタルトキハ小切手ノ支拂店ニ對シ之カ訂正ノ請求ヲ爲スヘシ

前項ノ規定ハ第十四條ニ規定スル金額氏名表中金額以外ノ誤謬訂正ノ場合ニ之ヲ準用ス

第三十一條　支出官歳出金支拂通知書ノ記載事項中金額以外ノモノニ付誤謬アルコトヲ發見シタルトキハ之カ訂正ヲ爲スコトヲ得

支出官前項ノ訂正ヲ爲サムトスルトキハ受取人ヲシテ該歳出金支拂通知書ヲ提出セシメ相當ノ訂正ヲ爲シ之ヲ受取人ニ返付スヘシ

第三十二條　支出官第十六條ノ規定ニ依リ受取人ニ送付シタル歳出金支拂通知書ニシテ受取人ノ受領前亡失シ日本銀行ニ於テ其ノ支拂未濟ナルコトヲ確メタルトキハ之カ支拂ヲ停止セシメ更ニ歳出金支拂通知書ヲ調製シ表面ノ餘白ニ「再發行」ノ印ヲ押捺シ之ヲ受取人ニ送付シ其ノ旨ヲ小切手ノ支拂店ヘ通知スヘシ

第三十三條　支出官受取人ノ受領前亡失シタル歳出金支拂通知書ニ依リ日本銀行既ニ支拂ヲ爲シタルコトヲ確メタルトキハ事情ヲ詳具シタル書面ヲ所管大臣ヲ經由シ大藏大臣ニ送付スヘシ

支出官大藏大臣ヨリ支拂ヲ爲スヘキ旨ノ通知ヲ受ケタルトキハ前條ノ規定ニ準シ之カ支拂ニ必要ナル手續ヲ爲スヘシ

第三十四條　受取人支出官ヨリ送付ヲ受ケタル歳出金支拂通知書ヲ亡失シタルトキハ直ニ支拂場所タル日本銀行ニ支拂停止ノ請求ヲ爲シ且支拂未濟ナルトキハ當該日本銀行ヲ經由シ支出官ニ届出スヘシ

前項ノ届書ニハ歳出金支拂通知書ニ記載シタル金額番號年度發行官廳及支拂場所ヲ記載スヘシ

前二項ノ規定ハ歳出金支拂通知書ヲ毀損シタル場合ニ之ヲ準用ス

第三十五條　支出官前條ノ届書ヲ受ケタルトキハ之ヲ調査シ支拂ヲ要スルモノト認メタルトキハ第三十二條ノ規定ニ準シ之カ支拂ニ必要ナル手續ヲ爲スヘシ

第三十六條　第三十三條ノ規定ハ受取人ノ亡失シタル歳出金支拂通知書ニ依リ既ニ支拂ヲ受ケタル者アル場合ニ付之ヲ準用ス

第三十七條　支出官歳出金月計突合表又ハ歳出支拂未濟繰越金月計突合表ニ證明ヲ爲シタル後其ノ證明ニ誤謬アルコトヲ發見シタルトキハ其ノ事由ヲ記載シテ證明ヲ爲シ之ヲ小切手ノ支拂店ニ送付スヘ

附　則

第三十八條　本令ハ大正十一年四月一日ヨリ之ヲ施行ス

第三十九條　左ノ大藏省令ハ之ヲ廢止ス

前金渡概算渡ノ返納金ヲ定額ニ戻入ルル取扱規程

明治二十三年大藏省令第十七號

明治二十三年大藏省令第二十七號

明治三十四年大藏省令第十二號

仕拂命令等盜難又ハ亡失ノ場合ニ關スル取扱手續

第四十條　歳出金仕拂通知書ニシテ本令施行前其ノ支拂ヲ了セサルモノハ従前ノ手續ニ依リ日本銀行ニ於テ本令施行後一年間之カ支拂ヲ取扱ハシム

第四十一條　前條ニ規定スル支拂期間經過後仍時效ノ完成セサル債務ノ支拂ニ付テハ會計規則第百六十九條第二項ノ規定ニ依ル

第一號書式

小切手振出濟通知書

No.

「大正何」年度歳出
「何」省所管
「何」會計
「何」部
（款）
（項）

「何　某」渡

金

大正「何」年「何」月「何」日

「支出官官氏名」㊞

日本銀行「何」店御中

第二號書式 （内國送金ノ場合ニ於ケル小切手裏面記載例）

表面ノ金額ハ何府縣郡市町村何番何地某ヘ日本銀行本店（何地支店又ハ代理店）ニ於テ拂渡（電信送金）ヲ要ス 支出官印

又ハ

表面ノ金額ハ何府縣郡市町村何番地何某ニ送金ヲ要ス 支出官印

又ハ

表面ノ金額ハ金額氏名表ニ記載ノ通拂渡（送金）ヲ要ス 支出官印

第三號書式

大正「何」年「何」月「何」日　　「支出官官氏名」印

金額氏名表

小切手第「何」號

大正「何」年度　「何」省所管　「何」會計　歳出「何」部　（　）款　（　）項

番號	受取人		金額		渡拂店又ハ送金先		備考
	氏名	住所					
			円				

備考　用紙ハ礬砂引美濃判ノ半截トシ左方ニ一寸以上ノ綴代ヲ存スヘシ表裏ヲ使用スヘカラス若二葉以上ニ亙ルトキハ追次計ヲ附スヘシ

一　用紙寸法縱横 五寸二分 六寸三分　輪廓寸法縱横 四寸七分 六寸五分トシテ左方ニ八分ノ綴代ヲ設ク可シ

二　用紙ハ印刷局紙若ハ永保存ニ耐ル用紙ヲ使用スヘシ

三　官廳又ハ市町村若ハ公共團體等ノ收入ト爲ルヘキモノハ宛名ニ官廳名又ハ市町村若ハ公共團體名等ヲ記入シテ發行スヘシ

四　領收證ニ收入印紙ノ貼用ヲ要スルモノハ其ノ貼用場所ニ「要印紙」ノ印ヲ押捺スヘシ

第四號書式（表面）

領收證

歳出金支拂通知書

第「何」號	大正「何」年度歳出	（何）省所管

「何」會計	小切手第「何」號
小切手振出日附	大正「何」年「何」月「何」日
小切手ヲ宛テタル日本銀行名	日本銀行本店（何地支店又ハ代理店）
金額氏名表番號	第「何」號

金

前記ノ金額日本銀行本店（何地支店又ハ代理店）ニ於テ受領セラルヘシ

「何廳支出官官氏名」㊞

大正「何」年「何」月「何」日

「何某」宛

前記ノ金額領收候也

大正「何」年「何」月「何」日

受取人　「住所

何某」㊞

收入印紙　㊞

（注意）取受人ハ裏面ノ注意事項ヲ熟覽スヘシ

（裏面）

注意事項

一　受取人ハ表面領收證ノ部ニ年月日及住所ヲ記入シ記名捺印スヘシ但シ官吏公吏ニ在リテハ官廳名又ハ公共團體等ヲ肩書シ官廳名ヲ記シ記名捺印スヘシ

二　受取人ノ印章ハ請求書ニ押捺シタルモノト同一ノモノニ限ル

三　受取人カ代理人ヲ以テ現金支拂ノ請求ヲ爲サムトスルトキハ本人ニ於テ本書委任欄内ニ相當ノ事項ヲ記載シ記名捺印スルカ又ハ別ニ委任狀ヲ差出スヘシ此ノ場合ニ於テハ代理人ハ本書ニ代理人タルノ肩書ヲ附シ記名捺印スヘシ

四　受領金額五圓以上ノモノハ規定ノ收入印紙ヲ貼附消印スヘシ但シ營業ニ關セサルモノハ此ノ限ニ在ラス

五　小切手振出ノ日附ヨリ一箇年ヲ過クルトキハ日本銀行ハ本書ニ對シ之カ支拂ヲ爲ササルモノトス

六　本書亡失シタルトキハ直ニ其ノ旨ヲ拂渡ヲ受クヘキ日本銀行ニ通知シ支拂ノ停止ヲ請求スヘシ

委任狀

表面金額ノ受取方ヲ　　　　ニ委任致候也

「住所

大正「何」年「何」月「何」日　何　某」㊞

第五號書式（邦貨ヲ基礎トスル外國送金ノ場合ニ於ケル小切手裏面記載例）

表面ノ金額ハ何貨ニ換ヘ何國何地何某ヘ送金（電信）ヲ要ス

支出官印

備考

外國人ノ氏名及外國ノ地名ハ成ルヘク其ノ他ノ原語ヲ記入スヘシ

第六號書式（外國貨幣ヲ基礎トスル外國送金ノ場合ニ於ケル小切手裏面記載例）

表面ノ金額ハ何貨何程ニ換ヘ何國何地何某ヘ送金（電信）ヲ要ス

支出官印

備考

外國人ノ氏名及外國ノ地名ハ成ルヘク其ノ地ノ原語ヲ記入スヘシ

第七號書式

返納告知書

第「何」號　　大正「何」年度

「何」省所管	「何」會計	出歳「何」部
（款）	（項）	

金

上記ノ金額大正「何」年「何」月「何」日迄ニ日本銀行本店支店又ハ代理店ニ拂込マルヘシ

大正「何」年「何」月「何」日

「支出官官氏名」㊞

「何　某」宛	額定戻入店 日本銀行「何」店

通知書

第「何」號　　大正「何」年度

「何」省所管	「何」會計	歳出「何」部
（款）	（項）	

金

上記ノ金額定額ニ定定戻入濟

大正「何」年「何」月「何」日

日本銀行「何」店㊞

「支出官官氏名」宛

返納人「何　某」	領收店 日本銀行「何」店

領收證書

第「何」　　大正「何」年度

「何」省 所 管

金

上記ノ金額領收候也

大正「何」年度「何」月「何」日

日本銀行「何」店㊞

返納人

「何　某」宛

備考

一　用紙寸法縱五寸六分横三寸八分　輪廓寸法縱四寸五分横三寸三分ノモノ三枚接續トシ左方ニ一寸ノ綴代ヲ設クヘシ

二　金額、番號、年度、所管廳名及科目ハ支出官ニ於テ記入スルモノトス

三　返納金ニシテ外國貨幣拂爲替券又ハ邦貨拂爲替券ニ係ルモノナルトキ又既ニ之ヲ本邦貨幣ニ交換シタルモノナルトキハ返納金額ノ傍ニ「此何貨何程」ト記載スヘシ

（參照）

明治二十三年七月十七日大藏省令第十七號ハ文官判任以上ノ者俸給支給ニ係ル仕拂請求書及金額氏名表仕拂命令官ヨリ交付スル通知書書式ノ件同同第二十七號ハ會計主務官ヨリ金庫ニ送付セル仕拂命令同請求書ニシテ受取人ニ現金交付前誤拂過渡發見ノトキ整理手續ノ件、同三十四年六月二十二日同第十二號ハ政府ト私人トノ債務ヲ相殺シタル場合ニ於テ發スル仕拂命令書式ノ件ナリ

三 （仕拂命令及金額氏名表）記載ニ關スル件

明治四十二年二月
大藏省通牒往第二一〇號

大藏大臣官房會計課長

（統監府總務長官）宛

今般左記ノ事項ニ關シ大藏省ヨリ通牒有之候ニ付之ニ依リ御取扱相成度依命此段及御通知候也

一 官廳又ハ市町村若クハ公共團體等ノ爲メニ發行スル（仕拂命令）及（金額氏名表）ニハ官廳名又ハ市町村名若クハ公共團體名ヲ記載スルコト

二 明治四十年十一月九日往第一六七七五號ヲ以テ當省大臣ヨリ御通牒致候甲乙官廳間ニ於ケル歳入金取扱手續中前項ニ關スル廉ハ自然變更セラレタルコト

四 諸支出金仕拂ニ關スル件

明治四十五年六月
會第二〇〇三號

總務局長

本年四月一日內訓第八號委任事項第三條第四項ニ依リ死傷及退官ニ關スル賜金、手當及諸給與ニ關シテハ貴官限リ專決施行ノコトト相成候處右施行ニ伴フ經費ハ本府ニ於テ直接支出可致ニ付事件發生ノ際ハ直ニ關係書類（退官賜金ハ裁定計算書寫、辭令寫、死亡賜金ハ辭令寫、戶籍謄本寫其ノ他以上ニ準ス）御送付相成度此段及通牒候也

追テ前記關係書類送付ノ際送金宛名併テ御通知相成度申添候

五 會計事務章程第三十九條ノ二ニ依リ支出官ヨリ提出スヘキ補充費途ニ屬スル經費經理ノ實蹟報告ニ關スル件

大正十一年八月
官通第七二號

財務局長

各支出官宛

會計事務章程第三十九條ノ二ニ依リ支出官ヨリ提出スヘキ補充費途ニ屬スル經費經理ノ實蹟報告ハ左記ニヨリ御取扱相成度

一 大正十年度及十一年度分ニ付テハ大體左記例示ニ依ルコトトシ後年度ニ於テ增加スヘキ費目ニ付テハ右ニ準シ調製ノコト

一 本調書ハ各目每ニ別紙ニ調製ノコト

但シ傳染病豫防費、同補助、檢疫及患者費ノ如キ同一原因ニ基クモノニ付テハ之ヲ併合スルモ妨ケナシ

記

留置人費
在監人費 } 留置人及在監人毎月末現在、年度内延人員

（外省略ス）

六 國庫納金ニ關スル小切手振出ノ件

大正十一年七月
官通第六五號
政務總監

各支出官及資金前渡官吏宛

支出官事務規程第二十四條ニ依リ國庫納金額ヲ券面金額トシ當該官廳ヲ受取人トスル小切手ハ必スシモ俸給支拂ノ爲振出ス小切手一口毎ニ之ヲ發行スルノ要ナキニ付適宜取纏メ合計金額ヲ券面金額トシ一日中一回又ハ數回ニ振出相成度尙資金前渡官吏ノ振出ス小切手ニ付テモ之ニ準シ御取扱相成度及通牒候也

七 繰替拂ニ關シ注意ノ件

明治四十四年二月
通牒朝乙第八七二號

歳出金仕拂及歳入歳出外現金ノ受拂ハ明治四十三年大藏省訓令第四四號ニ依リ通信官署ニ就キ振替繰替ノ方法ヲ以テ取扱相成義ニ候處記載事項ニ往々誤謬脱漏相見ヘ不便不尠候趣通信局長官ヨリ通牒ノ次第モ有之候ニ付爾後別紙事項注意候樣御部下會計官吏ニ御通達相成度及御照會候也

一 歳出金繰替拂通知書ト同證票ト債主氏名不符合ノモノアル趣爾後注意アルヘシ

一 歳出繰替拂證憑書中債主氏名及拂渡指定局所名其他訂正ノ個所ニ捺印セサルモノアリ又私印ヲ押捺セルモノアル趣爾後仕拂命令官印ヲ押捺アルヘシ

一 歳出繰替拂證憑書寄託金拂渡證書ハ金額ノ訂正ヲ爲ササル義ニ付爾後注意アルヘシ

一 寄託金送付書及拂渡證書ニ廳印ヲ押捺セサルモノアル趣爾後注意アルヘシ

一 寄託金拂渡證書ニ金庫領收證書ノ番號ヲ記入セサルモノアル趣爾後注意アルヘシ

一 數人ノ權利者ニ屬スル寄託金ノ送付書ニ添付スヘキ仕譯書ノ保管物取扱規程第五號ノ書式ニ相違セルモノアル趣爾後注意アルヘシ

一 インキ粗製ノ爲メ文字消滅ニ歸シタルモノアル趣爾後可成精撰アルヘシ

八 資金前渡官吏隔地ノ債主ニ對シ支拂ヲ爲ス場合ニ於ケル取扱手續ノ件

大正十一年九月
官通第八四號

隔地ノ債主ニ對シ支拂ヲ爲ス場合ノ取扱手續竝其ノ證明ノ方法ニ付テハ明治四十四年三月官通牒第二十八號ノ通、送金ハ郵便爲替證書送達ノ方法ニ依リ證明ハ債主ノ請求書ニ郵便局ノ發シタル爲替金ノ領收證書ヲ添附シ證書未到達ノ證明手續ヲ省略スヘキ筈ナルニ近來右手續ヲ勵行セス證書未到達トシテ證明スル向アリ整理上支障不少候條自今特ニ御注意相

成度及通牒候也

九　現金前渡官吏遠隔ノ地ノ債主ニ對シ仕拂ヲ爲ス場合ニ關スル件

明治四十四年三月
官通第二八號

會計局長

所屬官署現金前渡官吏宛

現金前渡官吏遠隔ノ地ノ債主ニ對シ仕拂ヲ爲ス場合ニ於テハ左ノ通リ取扱可相成此段及通牒候也

一　送金ハ郵便爲替證書送達ノ方法ニ依ルコト（郵便爲替規則第十五條）

（第十五條）第十八條　通常爲替ノ差出人ハ爲替振出ノ際通常爲替證書ノ送達ヲ請求スルコトヲ得、此ノ場合ニ於テハ其ノ料金トシテ通常爲替證書一枚每ニ金（五錢）十錢ヲ納付スヘシ

前項ノ請求ヲ爲シタル差出人ハ通常爲替振出請求書餘白ニ爲替金送付ノ目的ヲ記載シ自己ノ宿所氏名ト共ニ受取人之レカ通知ヲ請求スルコトヲ得

前項爲替金送付ノ目的ハ通常爲替證書送達ノ際其ノ餘白ニ記入スルモノトス

二　證明ハ債主ノ請求書ニ郵便局ノ發シタル爲替金ノ領收證書ヲ添付シ證書未到達ノ證明手續ヲ省略スルコト

三　債主ノ領收證書ハ提出ヲ要セス

一〇　現金前渡官吏送金方ノ件

明治四十四年十月
官通第三〇三號

會計局長

各官廳所在地外ノ債主ニ仕拂ヲ爲シタル場合ニ於テ領收印ヲ徵スル爲決議濟仕拂傳票ヲ債主ニ郵送スル向有之候處右ハ本年三月十三日官通牒第二十八號第一項ニ依リ證書送達ノ方法ニ依ル郵便爲替ヲ以テ送金シ第二項第三項ニ依リ證明可相成筈ニ付爲念及通牒候也

一一　送金拂ノ正當領收證保存ニ關スル件

大正八年六月
官通第八四號

政務總監

出納官吏宛

郵便爲替證書送達ニ依ル送金拂ニ付テハ明治四十四年三月官通牒第二十八號ヲ以テ通牒ノ次第モ有之候處郵便爲替規則第六十四條ニ依リ送金振出シノ際豫メ郵便局所ニ郵便爲替渡濟通知ノ請求ヲ爲シ其ノ通知書ヲ以テ正當領收證ニ代ヘ保存相成差支無之候條右御了知相成度此段及通牒候也

追テ送金ハ振替貯金ヲ利用シ得ルモノハ總テ振出貯金ニ依リ否ラサルモノハ郵便爲替證書送達ノ方法ニ依ルコトニ御取扱相成度申添候

一二　豫算ニ對スル現在員比較調ノ件

明治四十四年三月
官通第四一號

改正　四四年一〇第三〇六號

會計局長

印刷局　會計局營繕課　鐵道局
通信局　警務總監部　税關
觀測所　航路標識所　控訴院（京城ヲ除ク）
地方裁判所（控訴院所在地ヲ除ク）　監獄（京城ヲ除ク）　專賣局支局
勸業模範場及支場　道（京畿道ヲ除ク）　平壤鑛業所
營林廠　地方局土木課派出所　度支部税關工事課出張所
臨時土地調査局

豫テ大藏省ヨリ通牒ノ次第モ有之候ニ付貴廳仕拂ニ屬スル職員現在員調査表左記様式ニ依リ毎年四月十月ノ各一日現在ニ依リ御調製毎期十日以内ニ當局ニ御提出相成度此段依命及通牒候也

追テ左記事項御注意相成度候

一 營繕課ハ事業費支辨ニ屬スル分
一 通信局ハ其ノ所屬官署ヲ含ム
一 警務總監部ハ警務部、警察署ヲ含ム
一 度支部税關工事課出張所ハ海關工事費支辨ニ係ル雇員傭人
一 日給者ハ三百六十五日分ヲ計上ス
一 金額ハ年額ヲ以テ計算ス
一 雇員以下ハ月給別タルヲ要セス
一 款別ニ作成ノコト
一 臨時雇員及寫字生ハ人員ヲ雇員給欄ニ合算ス

（様式ハ省略）

一三 豫算ニ對スル現在員比較調作成方ニ關スル件

明治四十四年十月
官通第三〇七號
會計局長

本年三月官通第四十一號ヲ以テ豫算ニ對スル現在員比較調作成方及御通牒置候處調製方區々ニ渉リ取扱上差支候條左記事項御留意相成度爲念及通牒候也

一 道、府、郡各別ニ調製セス一括スヘシ
二 名稱欄高等官ハ本俸何圓ト記スヘシ
三 名稱欄判任官ノ加俸ハ月額ヲ掲クルコト
四 囑託員、雇員及傭人ハ備考欄ニ「鮮人幾人ト」記入ノコト
五 地方廳雇員給ハ節ニ依リ區分スルコト
六 臨時人夫等ニシテ延ヲ以テ計算スルモノハ人員ノ掲上ヲ要セス金額ノミヲ掲クヘシ
　但シ金額ハ九月三十日迄ノ仕拂濟額ヲ現在額トシテ豫算額ニ對照スヘシ

一四 水道其ノ他設備ニ關スル經費區分ノ件

明治四十四年十二月
官通第三七八號

官費支辨ニ屬スル水道、電燈、瓦斯、私設電話、電鈴ノ設備ニ關スル費用ハ爾今左表ノ通リ決定候條此段及通牒候也

（左表）

水道其ノ他設備ニ關スル經費區分表

水道	新設ノ場合 新營費	在來ノモノニ増減變更ヲナス場合 修繕費	附屬器具 廳費	消火栓用ホース等水道栓ヨリ取離シ得ヘキモノヲ附屬器具トス
電燈	右同	右同	右同	電球、笠、サンデリヤ及此ノ種ニ屬スルモノヲ附屬器具トス
瓦斯	右同	右同	右同	釜、七輪、ストープ等瓦斯管ヨリ取離シ得ヘキモノヲ附屬器具トス
私設電話	右同	廳費	右同	電話器交換機等電話線ヨリ取離シ得ヘキモノヲ附屬器具トス
電鈴	右同	右同	右同	標示器、電鈴、押釦等電鈴線ヨリ取離シ得ヘキモノヲ附屬器具トス

備考 新設ノ場合ニ於ケル附屬器具ハ一切新營費ヲ以テ設備スルモノトス

一五 歲出金繰替拂通知書ニ關スル件

大正二年一月二十三日
官通第二二號

度支部

現金前渡官吏宛

從來現金前渡官吏ヲ指定債主トスル歲出金繰替拂通知書ニ委任ノ手續ヲ爲セルモノニ對シ遞信官署ニ於テ便宜拂渡ヲ爲シタルモ自今右委任ノ手續ヲ爲セルモノニ對シテハ絕對ニ之カ拂渡ヲ爲サヽル旨遞信局長官ノ通牒ニ接シ候條右御了知相成度候也

一六 印刷所ニ對スル注文及代金仕拂ニ關スル件

明治四十五年四月
官通第一一六號

總務局長

【仕拂命令官】若ハ現金前渡官吏ノ配置ナキ官署ニ於テ其ノ所在地外ノ【仕拂命令官】若ハ現金前渡官吏ノ仕拂ヲナスヘキ物品ノ購買其ノ他ノ注文ヲ印刷所ニ申込ム場合從來其ノ代價ノ仕拂ニ關シ何等ノ申込ヲナササリシ爲印刷所ハ直接ニ物品ヲ納付シタル官署ニ宛其ノ地ノ通信官署ヲ納入場所ト指定シタル納入告知書ヲ發行シ仕拂上不都合ヲ來タセシヲ以テ自今右ノ場合ニ於テハ注文ノ際豫メ代價仕拂ノ場所ヲ指定シ（部經費ハ道仕拂命令官地方法院支廳ノ經費ハ所管仕拂命令官若ハ前渡官吏ノ類）之カ申込ヲナシ印刷所ハ之ニ依リ（郡廳若ハ地方法院支廳ヲ納入トシ道廳若ハ前渡官吏所在地金庫ニ拂込ヲ要スル）納入告知書ヲ發行シ之ヲ現ニ物品ヲ納付シタル官署ニ送附シ其ノ廳ハ之ヲ所管【仕拂命令官】若ハ現金前渡官吏ニ送附シテ仕拂ヲ執行スルコトニ御取扱相成度此段及通牒候也

追テ渡切經費支辨ノモノハ出納擔任者ヲ指定スル義ニ有之

一七 支出濟報告書調製方等ニ關スル注意事項

大正一一年五月十二日
財務局司計課通牒

支出濟額報告書ハ四月分以降ハ別紙注意事項ニ依リ調製相成度候本書到着ノ時既ニ提出濟ニシテ注意事項ニ該當セサルモノ有之候ハヾ調製替ノ上折返提出相成度候也

一　支出ノ有無ニ拘ハラス引續翌年度五月分（十年度ハ六月分）迄提出スルコト（會計事務章程第百三條）

二　毎月正副二通提出スルコト（同上）

三　提出ノ際ハ必ス檢算及前月迄累計ノ照合ヲナシ二通共違算誤謬ナカラシムルコト（會計事務章程第十八條）

四　所定ノ期限（翌月十日）迄ニ提出スルコト能ハサルトキハ其ノ事由及期日ヲ豫メ其ノ都度報告スルコト（會計事務章程第二十條）

五　經常部ト臨時部トハ之ヲ別紙ニ調製スルコト

六　定額戻入及誤謬更正等ハ總テ支出濟額本月分欄ニテ處理スルコト

七　科目ノ順序ハ本府科目表（毎年訓令ニテ公布サル）ニ依ルコト

八　科目ノ「目」ノ記載ハ必要ナキコト

九　項ノ合計タル欵計ハ之ヲ記載セス經常部計臨時部計ヲ記載スルコト

十　用紙ハ厚質襟砂引美濃半截トシ左方ニ相當ノ綴代ヲ存置スルコト

十一　欄格ヲ示ス從來ノ朱線ハ之ヲ墨朱線トスルコト

十二　用紙及記載例別紙ノ通リ

支出濟額報告書

大正　　年度朝鮮總督府特別會計歲出　　部

大藏省所管　　大正　　年　　月分

款	項	支出濟額			備考
		本月分	前月迄累計	合計	

大正　年　　月　　日

支出官　　何　　何

朝鮮總督　　　殿

一八　經費節約ニ關スル件

大正二年
典獄會議指示

政費ハ如何ナル場合ニ於テモ之レヲ節約セサルヘカラス殊ニ目下中央政府ニ於テ財政整理ヲ實行スル際ナルヲ以テ監獄ニ關スル經費モ亦務メテ之ヲ節約セサルヘカラス近年穀價ノ騰貴ニ因リ食費常ニ豫算ニ超過スルヲ免レス朝鮮ニ於テハ一般生計ノ程度低ク良民ト雖穀價欠乏ノ時期ニ在リテハ菜食ノミニテ飢ヲ凌ク者少カラサル有樣ナルヲ以テ在監者ノ食物ニ付テハ一般生計ノ程度ヲ考ヘ良民トノ權衡ヲ失セシメサルコトニ注意セサルヘカラス

一九　經費節約ニ關スル件

大正五年
典獄會議訓示

歐州戰亂ノ影響ニ依リ監獄需用品ノ價格暴騰シ經理上支障尠カラサルカ故ニ高價ナル藥品ノ如キハ成ルヘク其ノ代用品ヲ選定シ且適當ニ使用ノ程度ヲ定ムル等勗メテ節約ヲ守リ以テ遺算ナキヲ期スヘシ

二〇　官報法令全書等代價納付方ノ件

大正二年十月廿五日
官通第三三七號

總務局

各所屬官署宛

印刷局發賣ノ官報法令全書等代價納付ニ關シテハ從來同局ヨリ代價納付通知書ノ發送アリタルモ自今該通知書ノ發送ヲ廢止スヘキニ付購讀廳ハ三箇月ヲ越エサル範圍内ニ於テ隨時左記樣式ノ仕譯書ニ仕拂命令又ハ其他ノ金券相添ヘ印刷局ニ代價納付相成度旨內閣書記官長ノ照會有之候條此段及通牒候也

記

仕譯書

一金

內譯

品名	金額	月別	部數	摘要
官報		自　月 至　月		
法令全書		自　月 至　月		

職員錄ハ倣之

右納付ス

年月日

官廳名

宛

二一　（仕拂命令官）署名ニ關スル件

大正九年四月八日
官通第一二八號

庶務部長

【仕拂命令官】宛

【仕拂命令】支出計算書其ノ他【仕拂命令官】ニ於テ署名ヲ要スル場合ノ記載方ハ爾今左記ノ例ニ依ル儀ト御了知相成度此段及通牒候也

記

【仕拂命令官】

何道知事　何某
何稅關長　何某
何地方法院長　何某
何監獄典獄　何某
何學校長　何某
朝鮮總督官房土木部何出張所長　何某
朝鮮總督府醫院長　何某
何慈惠醫院長　何某
高等法院長　何某
何覆審法院長　何某
中央試驗所長　何某
警察官講習所長　何某

一二二　電報送金ニ關スル件

大正九年十月九日
會第五九九一號　庶務部長

監獄典獄宛

【仕拂命令官】ニ於テ【金庫】所在地外ニ在ル債主ニ對シ電報送金ヲ爲ス場合ノ爲替手數料ハ【金庫】事務ヲ取扱フ朝鮮銀行ニ於テ負擔シ政府ヨリハ之ニ相當スル辨償ヲ爲ササルニ付自今萬已ムヲ得サルモノノ外可成電報送金ヲ爲ササル樣常ニ御注意相成度朝鮮銀行ヨリ申出ノ次第モ有之候ニ付此段及通牒候也

一二三　歲出金繰替拂證票發行ニ付遞信局ヘ通牒方ノ件

大正十年一月十四日
官通第三號　庶務部長

各【仕拂命令官】宛

郵便局所ニ於テ拂渡ヲ爲スヘキ一萬圓以上ノ歲出金繰替拂證票發行ノ際ハ會計事務章程第八十三條ニ依リ其ノ拂渡局所名及金額ヲ遞信局ヘ通報スヘキノ處昨今之カ勵行ナキ向多多有之各郵便局所ニ於ケル拂渡資金準備上差支フル趣ニ付爾今必ス通報相成度此段及通牒候也

一二四　前渡金仕拂殘額ヲ歲入ニ納付シタル場合支出計算書記載方ノ件

大正十年七月二十六日
官通第六五號　庶務部長

各【仕拂命令官】宛

前渡金殘額ヲ歲入ニ納付シタルモノ又ハ納付セシムヘキモノアルトキ支出計算書記載方左記ノ通御取扱相成度及通牒候也

記

一　支出計算書總括ノ部各目ニ歲入ニ納付シタル額又ハ納付セシムヘキ額ヲ割當記入シ尙其ノ備考ニ內金何程何年度歲入ニ又ハ歲入ニ納付セシムヘキ分ト記載スルコト

二　定額戻入ノ爲返納告知書ニ依リ五月中郵便局所ニ納付セルモ月末マテニ金庫ニ拂込ヲ了セサル結果歲入トナリタルモノニ付テハ前項

ノ例ニ依リ記入スルノ外尚五月分支出計算書現金前渡欄ノ備考ニ其ノ事由並金額ヲ記載スルコト

三　歳入ニ納付スヘキ分ト記載シタルモノニシテ完納シタルトキハ明治四十四年官通牒第一九號證明書類調製上注意事項第二十六第二項ニ據ル完結報告書ヲ提出スルコト

二五　豫算繰越ニ關スル件

大正十一年三月三日
官通第一三號
政務總監

【仕拂命令官】ヲ置キタル各廳ノ長宛

改正會計法實施ノ結果豫算繰越計算書提出期限四月三十日ト相成候ニ就テハ大正十年度豫算ニシテ翌年度ヘ繰越ヲ要スルモノハ四月十日迄ニ本府到着ノ日取ヲ以テ會計事務章程第四十七條及第四十八條ノ書類各三通提出相成度此段及通牒候也

追テ現金前渡ニ屬スル經費ノ殘額ニシテ繰越ヲ要スルモノハ前掲書類提出前定額戻入ヲ要シ候條御了知相成度候

二六　國庫納金ニ關スル小切手振出ノ件

大正十一年七月
官通第六五號

支出官事務規程第二十四條ニ依リ國庫納金額ヲ券面金額トシ當該官廳ヲ受取人トスル小切手ハ必スシモ俸給支拂ノ爲振出ス小切手一口毎ニ之ヲ發行スルノ要ナキニ付適宜取纏メ合計金額ヲ券面金額トシ一日中一回又ハ數回ニ振出相成度尚資金前渡官吏ノ振出ス小切手ニ付テモ之ニ準シ御取扱相成度及通牒候也

二七　小切手振出日附ニ關スル件

大正十一年五月十日
官通第四十號
政務總監

各支出官、各出納官吏宛

支出官又ハ出納官吏ニ於テ振出ス小切手ノ振出日附ハ現ニ受取人ニ之ヲ交付スル日時ヲ記入スル儀ト御承知相成度候也

二八　會計事務章程第三十九條ノ二ニ依リ支出官ヨリ提出スヘキ補充費途ニ屬スル經費經理ノ實蹟報告ニ關スル件

大正一一年八月
官通第七二號

會計事務章程第三十九條ノ二ニ依リ支出官ヨリ提出スヘキ補充費途ニ屬スル經費經理ノ實蹟報告ハ左記ニヨリ御取扱相成度

一　大正十年度及十一年度分ニ付テハ大體左記例示ニ依ルコトトシ後年度ニ於テ增加スヘキ費目ニ付テハ右ニ準シ調製ノコト

一　本調書ハ各目毎ニ別紙ニ調製ノコト

但シ傳染病豫防費、同補助、檢疫及患者費ノ如キ同一原因ニ基クモノニ付テハ之ヲ合併スルモ妨ケナシ

記

退官賜金

死亡賜金
官吏療治料
死傷手當　支給人員金額

賠償及訴訟費　各事件ノ概要顛末

巡査看守救助　被給助者ノ人員竝金額

救助費　被救助者ノ人員金額竝救助費徵收顛末

褒賞費　金銀木杯褒狀其ノ他ノ製造數量費額竝其ノ受拂計算

警察賞與　種類別授賞人員金額調

行政處分强制費　處分種類別人員、處分費額竝其ノ徵收成績

傳染病豫防費
傳染病豫防費補助
檢疫及患者費
檢疫費
獸疫豫防費　傳染病又ハ獸疫ノ種類別流行ノ狀況（發生死亡全癒員數調）之ニ對スル施設ノ概要經費細別內譯

臨時勤勞手當　臨時開廳回數竝從事人員支出金額調、手數料收入額調

從價稅品買上代　品種、數量金額賣却代金

收容貨物處分費　收容貨物件數、收容數料收入額

滯納者處分費　經費細別內譯、歳入科目別滯納金額處分顛末

間稅犯則者處分費
犯則者處分費　犯則種別件數及罰金科料追徵金（稅關收納ノ相當額）及沒收品賣却代調

災害地調査處分費　經費細別內譯、災害地種別面積調、地租其ノ他免稅處分調

府面交付金　府面取扱ノ國庫金收納額及交付金額府面發付ノ告知書員數

諸拂戻金
諸收入過誤納下戻　收入金類別ニ依ル件數金額

缺損補塡金　缺損ヲ生シタル事實及補塡金額調

執達吏補助　執達人員、同被補助者人員金額

執行及送達事務費　執行及送達件數收納手數料調

國有林被害諸費　被害ノ狀況竝面積、經費細別金額

害蟲驅除豫防費　害蟲發生ノ狀況、豫防施設ノ概要及其ノ效果、支出細別內譯

海員審判費
船舶檢査審判臨檢旅費　檢査船舶隻數噸數、審判事件ノ種類別件數

爲替貯金受拂費　支出細別內譯、爲替貯金ノ概況

難破船費　難破船名及其ノ概況

材料素品費
專賣品回送及保管費
專賣品賠償及購買費　事業概況、實際支出ノ詳細ナル內譯

教科書費　經費細別內譯、製造册數及其ノ受拂、收入金額無料配布先及册數

銃器彈藥費　購買數量及價額、特殊事件ノ爲要シタルモノハ其ノ事件ノ顛末大要

費目	調査事項
移出牛檢疫費	經費細別内譯、移出牛檢疫頭數及仕向地調
民籍用品 煙草封緘紙及鑑札類諸費	製造員數價額、收入金實蹟
官公吏匪徒被害者給與金	被給與者人員竝金額
請願巡査費 特派官吏費	請願巡査及特派官吏ノ狀況及納付金收入額調
違犯申告者給與金	件數金額
水利組合負擔金	各組合別負擔金額
土地分割測量費	經費細別内譯、分割測量筆數、手數料收入額
地蹟謄本費	謄本又ハ抄本ノ交付件數手數料收入額
證票類製造費	製造員數竝價額
公立學校職員退職者給與金補助	退職者人員支給金額實蹟
留置人費 在監人費	留置人及在監人毎月末現在、年度内延人員
裁判及登記諸費	支出細別内譯
製鐵奬勵補助	鐵生産額竝供給先調
獸疫血清製造所事業費 血清及豫防液類製造費	血清、豫防液、痘苗製造數量、拂出及收入額調
朝鮮紡織株式會社補助	會社營業狀態、損益計算
療養及救養諸費	入院外來患者統計、院兒統計

二九　米豆購入ニ關スル件　大正七年典獄會議注意

米豆ノ購入價格ハ各監獄著シキ差異アリ是運輸ノ便否需給ノ關係ニ基クモノナルヘシト雖購買ニ當リテハ一層周密ナル調査ヲ遂クルコトニ努メラレタシ

第四章　物　品

一　物品會計規則

明治二十二年六月
勅令第八四號

改正　二四年第七七號　三三年第三一八號　一一年三第四八號

第一條　此ノ規則ニ於テ物品ト稱スルハ政府ニ屬スル器具、器械、備品、消耗品、動物其ノ他一切ノ動産ヲ云フ　但シ陸海軍ノ兵備ニ關スルモノハ各其ノ規則ニ依ル

政府ノ保管ニ屬スル物品ニシテ各省大臣ニ於テ特ニ指定スルモノハ本規則ヲ準用ス此ノ場合ニ於テハ各省大臣ヨリ會計檢査院ヘ通知スヘシ

第二條　物品ノ會計ハ總テ年度ヲ以テ區分シ毎年四月一日ヨリ翌年三月三十一日ニ至ル十二箇月ヲ以テ一年度トス

第三條　物品ノ會計ハ現ニ其ノ出納ヲ執行シタル日ヲ以テ年度ノ所屬ヲ區分スヘシ

第四條　物品ヲ保管シ之カ出納ヲ掌ル者ヲ物品會計官吏トス

第五條　總テ物品ハ責任アル官吏ノ保管ニ付スヘシ

第六條　物品會計官吏ハ各省大臣ノ定メタル規定ニ據リタル命令アルニアラサレハ物品ヲ出納スルコトヲ得ス

第七條　物品會計官吏ハ其ノ故意怠惰ニ由リ保管ノ物品ヲ亡失毀損シタルトキハ辨償ノ責ニ任スヘシ

第八條　各省大臣ノ定メタル規程ニ據リ各官吏以下ノ使用ニ供シタル物品ノ亡失毀損ニ就テハ物品會計官吏ハ合規ノ監督ヲ怠リタル場合ノ外ハ其ノ責任ヲ免ルコトヲ得

第九條　物品會計官吏ハ各省大臣ノ命シタル代理官ノ所爲ニ就テハ其ノ責任ヲ免ルコトヲ得

物品會計官吏ノ代理官ハ其ノ代理セル所爲ニ就テハ物品會計官吏タルノ責任ヲ免ルコトヲ得ス

第十條　物品會計官吏ハ物品ノ出納帳簿ヲ備ヘ其ノ出納ノ事實ヲ登記スヘシ

物品ノ消耗賣拂亡失毀損生産ノ爲メノ消費及其ノ他物品會計官吏ノ保管ヲ離ルルヲ出トシ買入生産及其ノ他其ノ保管ニ屬スルヲ納トス

第十條ノ二　各省大臣ハ檢査ノ官吏ヲ命シ四年以内ヲ以テ一期トシ物品會計官吏ノ保管スル物品ノ全部ヲ精細ニ檢査セシメ其ノ調書ヲ作ラシムヘシ但シ廳費ニ屬スル物品ハ各省大臣適宜ニ檢査ノ方法ヲ設クヘシ

第十一條　當時出納ヲナササル倉庫若ハ貯藏所ノ物品ハ各省大臣ヨリ毎年一回若ハ物品會計官吏交替ノ際檢査ノ官吏ヲ命シ目錄ト現在品ノ照合ヲナサシメ其ノ調書ヲ作ラシムヘシ

第十二條　在外各廳其ノ他特ニ主任ノ官吏ヲ置ク能ハサル支部局ニアル物品ハ各省大臣ヨリ毎年一回若ハ物品會計官吏交替ノ際檢査ノ官吏ヲ命シテ現在品及出納ノ實況ヲ調査セシメ其ノ調書ヲ作ラシムヘシ

第十三條　第十條ノ二、第十一條、第十二條ノ調書ニハ檢査官吏及檢査ヲ受ケタル物品會計官吏若ハ特ニ命セラレタル立會人之ニ署名スヘシ

第十四條　削除

第十五條　物品會計官吏ハ會計檢査院ノ檢査判決ヲ受ル爲メ物品出納計

算書ヲ調製シ證憑書類ヲ添ヘ之ヲ所屬大臣ヲ經由シテ之ヲ會計檢査院ニ差出スヘシ

物品會計官吏交替ヲ爲シタルトキ前任官吏ハ前項ニ準シテ計算書ヲ差出スヘシ但シ前任官吏死亡其ノ他ノ事故ニ由リ自身計算書ヲ調製スル能ハサル場合ニ於テハ各省大臣ハ他ノ官吏ニ命シテ之ヲ調製セシムヘシ

第十六條　前條第二項但書ニ據リ調製シタル計算書ハ責任ヲ有スル物品會計官吏ノ自身ニ調製シタルモノト同一ニ看做シ會計檢査院ニ於テ檢査判決ヲナスヘシ

第十七條　削除

第十八條　當時出納ヲナササル倉庫若ハ貯藏所ノ物品又ハ在外各廳其ノ他特ニ主任ノ官吏ヲ置ク能ハサル支部局ノ物品ヲ保管スル物品會計官吏ハ第十一條又ハ第十二條ノ調書ヲ以テ第十五條ノ計算書ニ代ヘ責任ノ解除ヲ會計檢査院ニ求ムルコトヲ得

第十八條ノ二　會計檢査院法第十六條ニ依リ委託檢査ニ付シタル物品ニ對シテハ帳簿ヲ以テ出納ヲ證明セシメ第十五條ノ計算書ヲ省略スルコトヲ得

第十九條　會計規則第七十五條、第百二十五條、第百二十六條、第百三十二條乃至第百三十五條及第百四十四條ハ物品會計官吏ニ準用ス

第二十條　物品ノ保管出納ニ關スル規定及帳簿ノ樣式ハ各省大臣之ヲ定メ發布前會計檢査院ヘ通知スヘシ

第二十一條　官吏ノ執務上必要ナル物品ノ交付及其ノ交付ヲ受タル官吏ノ責任ニ就テハ各省大臣之ヲ規定スヘシ

第二十二條　此ノ規則ハ明治二十二年十月一日ヨリ施行ス

二　物品出納簿記帳方ノ件

明治四十四年十一月
官通牒第三四九號

物品出納簿記帳方區々渉ル向有之候ニ付左ノ記載例ニ依リ取扱相成度此段及通牒候也

一　會計事務章程書式【第三三號甲乙丙丁】出納簿受入拂出ノ計ハ累計ヲ記載スルモノトス

二　同【第三三號甲戊】ノ現在又ハ殘ノ供用在庫ノ數ハ差引シタル現在數ヲ掲ケ供用ノ正數ハ【專用品内譯簿】共用品内譯簿ニ登記スルモノトス

三　一ケ年度ヲ了ラサルトキノ引繼ハ交替ノ日ニ於テ品目每ニ計ヲ付シ帳簿表紙ノ裏ニ何年何月何日引繼ヲ了スト記載シ前後ノ官吏記名捺印スヘキモノトス

四　翌年度ヘ繰越ストキハ品目每ニ計ヲ附シ翌年度ニ繰越シタル旨ヲ摘要欄ニ記入スルモノトス

但帳簿ハ累年使用スルコトヲ得

五　【專用品内譯簿】共用品内譯簿ハ年度又ハ物品會計官吏ノ交替ニ係ラス累年使用スヘキモノトス

（書式略）

三　在監者食料品出納ニ關スル件

大正五年七月
官通第一〇六號

各監獄典獄宛

總務局長

在監者食料品出納簿及受拂簿ハ從來合未滿及百匁未滿ノ端數ヲ掲上セシモ將來切捨ツルコトニ御取扱相成度而シテ全量ノ僅少ナルモノニアリテハ從前通リト御了知相成度此段及通牒候也

四 物資購入ニ關スル件

大正三年九月十七日
會第四一二七號

政務總監

各監獄典獄宛

通牒

正貨海外拂節約ニ關シ物資購入方別紙ノ通閣議決定ノ旨通牒有之候處右ハ從來屢々訓示相成居候次第モ有之平素御勵行ノコトト思考候ヘトモ尚此際一層留意相成度爲念及通牒候也

大正三年九月四日
内務省閣會第七號

下岡内務次官

山縣朝鮮總督府政務總監殿

物資購入使用ニ關スル件依命通牒

正貨準備維持政策上海外拂ヲ節約スルノ一手段トシテ官署所要ノ物資ハ可成外國品ヲ避ケ内國品ニ據ルヘキコトニ相成居候處現下ノ狀態ハ適切ニ其ノ必要ヲ感スルヲ以テ此際特ニ一般吏僚ニ對シ此ノ精神ヲ徹底セシメ普ク勵行セシムルコトニ閣議決定相成候條管下各部局ヘ可然御達示相成度

五 經費支辨區分ノ件

大正三年一月十七日
會第一五〇號

總務局長

監獄典獄宛

首題ノ件ニ關シ左記五通リ公州監獄ト照覆候條右通知候也

記

問 從來在監人費雜費支辨ニ係ル在監人用草鞋ノ如キモノヲ購入スルニ當リ其製作材料(主要材料附屬材料)ハ是迄當該科目ヨリ支出シ一面經費ノ膨脹ヲ防キ來候處去ル十月二十五日會第六〇〇一號ヲ以テ監獄生產品價格算定ニ關シ總務局長通牒ノ次第モ有之候ニ付テハ該通牒中在監人費雜費支辨ニ係ルモノ何等明記ナキカ如シ右ハ從來ノ通リ支出差支ナキヤ將タ主要材料ハ相當科目ヨリ附屬材料ハ就役費ヨリ支出スヘキモノナルヤ疑義生シ候ニ付何分ノ御回示相成度候也

答 會第六〇〇一號通牒第二項以下各項ニ該當セサルモノハ第一項ノ例ニ依リ取扱フコトト了知セラレタシ

六 生產品價格算定ニ關スル件

大正二年十月
會第六〇〇一號

改正 大正八年五月會第二四〇四號

總務局長

囚徒ヲ使役シ生產シタル物品ヲ監獄需用ニ充ツル場合ニ於ケル囚徒工錢ノ計算及就役費支辨ニ係ル製品ヲ其作業ニ使用スル場合ニ於ケル組替整

理ノ件左記ノ通決定候條此段及通牒候也

一　監獄需用ノ物品ニシテ廳用卓子、椅子等ヲ監獄ニ於テ製作又ハ修繕スル場合ハ就役費ニテ材料ヲ購入製作シ其材料並ニ囚徒工錢ヲ計算シタル價格ヲ以テ更ニ廳費ニテ購入シ之ヲ收入ニ立ツヘシ

二　看守以下傭人ノ被服類ヲ調製スルニハ其主要材料即チ服地（表裏）釦（製式ノモノニ限ル）帽地（表裏）襦袢袴下地及靴皮代ハ直ニ相當科目（被服及帶具費）ヨリ支出シ其他ノ附屬材料代竝ニ小倉又ハ雲齋其他ノ織立ニ要スル原絲代ハ總テ一旦就役費ヨリ支出スヘシ

三　在監人被服調製ニ當リテハ原絲綿木綿及染料代ハ直ニ相當科目（在監人費被服費）ヨリ支出シ其他ノ附屬材料代ハ總テ一旦就役費ヨリ支出スヘシ

四　前三項ノ場合ニヨリテ使役セシ囚徒工錢竝ニ就役費ヨリ購入シタル材料費ハ之ヲ合算シ相當科目ヨリ支出シ一方收入ニ立ツヘシ

五　就役費ノ目中器具機械機關手被服等ヲ調製スル材料ハ同費目ヲ以テ整理シ成工後代價ノ仕拂ヲ爲サス製品ヨリ組替使用シ又製品ヲ農工業材料ニ使用スル場合モ素品ニ組替ノ上使用スヘシ

六　耕耘地農産物ノ實費額計算ハ全收穫ヲ了リタル後ニアラサレハ頗ル困難ナルヲ以テ左ノ方法ニヨリ價格ヲ評定シ相當科目ニテ購入スヘシ

A　農作ニ要スル種子代肥料代地代（耕耘地借入ノ場合）耕耘夫ノ工錢及全收穫量トヲ豫想シ價格ヲ評定スヘシ

B　凶作等ノ爲メ前項豫想ニ異動ヲ來シ又ハ其虞アルトキハ更ニ爾後ノ收穫高ヲ豫想シ評價ヲ定ムヘシ但シ市價ヲ超過シ評定スルノ必要ナシ

七　農産物ヲ一般人ニ賣却セントスルトキハ前項評定價格ノ外市價ヲ斟酌シ相當利益ヲ包含セシメ價格ヲ定ムヘシ

七　物品辨償債務免除ノ件

大正元年十二月二十八日
官通第一七五號

政務總監

各所屬官署ノ長宛

明治四十三年十月朝鮮總督府訓令第五十三號第百二條ニ依リ辨償ヲ命セラレ若ハ命セラルヘキ物品取扱主任又ハ各專用者ノ責任ニ基ク債務ニシテ大正元年七月三十日前ニ於ケル事由ニ因ルモノハ犯罪行爲ニ因ル本人ノ債務ヲ除クノ外將來ニ向テ之ヲ免除セラレ候ニ付テハ之ニ該當スル者ノ官氏名及免除セラレタル債務ノ範圍竝債務ノ原因タル事實等報告可相成此段及通牒候也

八　物品取扱主任及專用者ノ辨償責任免除ノ件

大正四年十二月十六日
官通第三四六號

政務總監

本府ノ支部局及各所屬官署ノ長宛

朝鮮總督府及所屬官署會計事務章程ニ依リ物品取扱主任又ハ專用者ノ辨償責任ニ基ク債務ニシテ大正四年十一月十日以前ニ於ケル事由ニ依ルモノハ犯罪行爲ニ因ル本人ノ債務ヲ除クノ外將來ニ向テ特ニ免除ノコトニ

決定相成候條之ニ該當スル者有之候ハハ其ノ官職氏名及免除セラレタル債務ノ範圍並其ノ原因タル事實ヲ報告有之度此段及通牒候也

追テ本年勅令第二百七號ノ出納官吏中ニハ物品會計官吏モ含包スル儀ニ有之候條爲念此段申添候

九　琺瑯燒修理ニ關スル件

大正六年十一月十日
監第一四〇五號
司法部長官

監獄典獄宛

從來琺瑯燒ノ琺瑯剝脫ニヨリ腐蝕破損シタルモノニ對シテハ修理不能トシテ廢棄シタルヤニ及聞候處咸興監獄事務報告中別紙ノ通簡易ナル修理方法ノ記載有之候參考ノ爲及送付候也

別紙

在來ノ食器中琺瑯ノ剝脫等ニ因リ腐蝕破損ノモノ其ノ數少カラス之ヲ修理シテ再ヒ使用ニ堪ヘシムレハ經濟上利スル處尠少ナラサルヲ以テ經濟的研究ノ結果ハンダ、松脂、鹽酸等ノ材料ニ據リ一箇僅々三厘內外ヲ以テ修理スルヲ得タリ今修理方法ノ大略ヲ示セハ左ノ如シ

先ツ鑢ヲ以テ腐蝕部分ノ銹落シヲ爲シ尙鹽酸ニテ能ク拭取タル後普通ハンダ附ノ如ク燒鏝ニ據リ鹽酸松脂（少量）ハンダノ順序ヲ以テ加工スルモ比較的大孔ノ充塡修理ニハ孔緣ニ松脂ヲ擦リ附ケ砥ノ粉一塊ヲ孔ノ裡面ニ當テ表面ヨリハンダ附ヲ行フモノトス

一〇　度量衡器ノ供給ニ關スル件

大正十年四月十一日
官通第二六號
殖産局長

各所屬官署長宛

官廳所要ノ度量衡器ハ從來本府ヨリ直接販賣シタルモ大正十年度ヨリ委託販賣者ヲシテ供給セシムヘク但特殊品若ハ多額ノ需用ニ對シテハ販賣價格ヲ以テ本府ヨリ直接販賣スルコトニ決定候條及通牒候也

第五章　契　約

一　入札又ハ契約ノ保證金ニ關スル件

明治四十三年九月
勅令第三四〇號

改正　九年第五八一號

入札又ハ契約ニ關シ保證金ヲ徴スヘキ規定ナキ場合ニ於テモ當該官吏特ニ其ノ必要アリト認メタルトキハ現金又ハ國債ヲ以テ保證金ヲ納付セシムルコトヲ得

落札者契約ヲ結ハサルトキハ其ノ保證金ハ政府ノ所有トス

附　則

本令ハ公布ノ日ヨリ之ヲ施行ス

二　一般ノ競爭ニ加ラムトスル者ニ必要ナル資格ニ關スル件

大正十一年六月
府令第九〇號

第一條　工事、製造又ハ物品供給ノ一般競爭ニ加ラムトスル者ハ一年以來其ノ工事、製造又ハ物品供給ノ業務ニ從事スルコトヲ證明スヘシ但シ合名會社、合資會社及株式合資會社ニ在リテハ其ノ業務執行社員ノ一人、株式會社ニ在リテハ其ノ會社ヲ代表スル取締役ノ一人一年以來其ノ工事、製造又ハ物品供給ノ業務ニ從事スルコトヲ證用シタルトキ又ハ契約擔任官ニ於テ相當ト認ムル學識經驗ヲ有スル技術者ヲシテ工事ヲ擔當セシムルトキハ此ノ限ニ在ラス

工事、製造又ハ物品供給ヲ營ム合名會社、合資會社及株式合資會社ノ業務執行社員又ハ株式會社ヲ代表スル取締役ニ付テハ其ノ在任期間中當該工事、製造又ハ物品供給ニ從事シタルモノト看做ス

第二條　工事、製造及物品供給ノ一般競爭ニ加ラムトスル者ハ前條ニ規定スルモノノ外左ノ事項ヲ證明スヘシ

一　個人ニ在リテハ二年以來其ノ毎年納メタル公課地租、所得稅、營業稅、地稅、市街地稅、地方稅、府稅、面賦課金、學校組合費及學校費賦課金ノ合算額カ見積入札金額千分ノ二ヲ下ラサルコト但シ公課ノ合算額五十圓以上タルコトヲ要ス

二　法人ニ在リテハ出資額又ハ拂込資本金額カ見積入札金額ヲ下ラサルコト但シ法人ニシテ二年以來其ノ毎年納メタル公課ノ合算額カ五十圓以上ニシテ見積入札金額千分ノ三ヲ下ラサルコトヲ證明シタルトキ又ハ合名會社、合資會社若ハ株式合資會社ニシテ其ノ無限責任社員ノ一人前號ニ該當スルコトヲ證明シタルトキハ此ノ限ニ在ラス

第三條　工事、製造又ハ物品供給ノ營業ヲ承繼シタル場合ニ於テハ前營業者ノ當該營業ニ從事シタル期間及納付シタル公課額ハ承繼人ノ從事スル期間及納付シタル公課額ニ之ヲ通算ス

第四條　本令ノ規定ニ依リ證明ヲ要スル事項ハ當該官公署ノ認證アル書面ヲ以テ之ヲ立證スヘシ

第五條　公共團體ニ於テ工事、製造又ハ物品供給ノ一般競爭ニ加ラムトスルトキハ本令ニ定ムル資格ヲ有スルコトヲ要セス

第六條　特別ノ事由アルトキハ一般ノ競爭ニ加ラムトスル者ノ資格ニ付本令ノ規定ノ特例ヲ設クルコトアルヘシ

附則

本令ハ發布ノ日ヨリ之ヲ施行ス

本令施行前一般ノ競爭ニ付スヘキコトヲ公告シタルモノニ付テハ仍従前ノ例ニ依ル

三 一般ノ競爭ニ加ラムトスル者ニ必要ナル資格ニ關スル件

大正十一年四月
大藏省令第三三號

第一條 工事、製造又ハ物品供給ノ一般競爭ニ加ラムトスル者ハ一年以來其ノ工事、製造又ハ物品供給ノ業務ニ從事スルコトヲ證明スヘシ但シ合名會社、合資會社及株式合資會社ニ在リテハ其ノ業務執行社員ノ一人、株式會社ニ在リテハ其ノ會社ヲ代表スル取締役ノ一人、組合ニ在リテハ其ノ業務ヲ執行スル組合員ノ一人一年以來其ノ工事、製造又ハ物品供給ノ業務ニ從事スルコトヲ證明シタルトキハ此ノ限ニ在ラス

工事、製造又ハ物品ノ供給ヲ營ム合名會社、合資會社及株式合資會社ノ業務執行社員、株式會社ヲ代表スル取締役又ハ組合ノ業務ヲ執行スル組合員タリシ者ニ付テハ其ノ在任期間中當該工事、製造又ハ物品ノ供給ニ從事シタルモノト看做ス

第二條 工事、製造又ハ物品供給ノ一般競爭ニ加ラムトスル者ハ前條ニ規定スルモノノ外左ノ事項ヲ證明スヘシ

一 個人ニ在リテハ二年以來其ノ毎年納メタル地租、第三種所得税及營業税ノ合算額見積入札金額千分ノ一ヲ下ラサルコト

二 法人又ハ組合ニ在リテハ出資額又ハ拂込資本金額見積入札金額ヲ下ラサルコト但シ法人ニシテ二年以來其ノ毎年納メタル地租、第一種所得税及營業税ノ合算額見積入札金額千分ノ二ヲ下ラサルコトヲ證明シタルトキ又ハ合名會社、合資會社ニシテ其ノ無限責任社員ノ一人組合ニシテ其ノ組合員ノ一人前號ニ該當スルコトヲ證明シタル場合ハ此ノ限ニ在ラス

第三條 工事、製造又ハ物品ノ供給ニ關スル營業ヲ承繼シタル場合ニ於テハ前營業者ノ當該營業ニ從事シタル期間及納付シタル税額ハ承繼人ノ從事スル期間及納付シタル税額ニ之ヲ通算ス

第四條 本令ノ規定ニ依リ證明ヲ要スル事項ハ當該官公署ノ認證アル書面ヲ以テ之ヲ立證スヘシ

第五條 公共團體ニ於テ工事、製造又ハ物品供給ノ一般競爭ニ加ラムトスルトキハ本令ニ定ムル資格ヲ有スルコトヲ要セス

第六條 各省大臣特別ノ事由アリト認ムルトキハ一般ノ競爭ニ加ラムトスル者ノ資格ニ付大藏大臣ト協議シテ本令ノ規定ニ特例ヲ設クルコトヲ得

第七條 朝鮮、臺灣、樺太、關東州、南洋群島又ハ外國ニ於テ工事、製造又ハ物品供給ノ一般競爭ニ加ラムトスル者ニ必要ナル資格ハ朝鮮總督府所屬ノ經費ニ付テハ朝鮮總督、臺灣總督府所屬ノ經費ニ付テハ臺灣總督、樺太廳所屬ノ經費ニ付テハ樺太廳長官、關東廳所屬ノ經費ニ付テハ關東長官、南洋廳所屬ノ經費ニ付テハ南洋廳長官、各省所屬ノ經費ニ付テハ所管大臣ノ定ムル所ニ依ル

附則

本令ハ公布ノ日ヨリ之ヲ施行ス

本令施行前一般ノ競爭ニ付スヘキコトヲ公告シタルモノニ付テハ仍從前ノ例ニ依ル

四　入札人及請負人心得竝契約書案ノ件

明治四十四年四月
官通第六六號　政務總監

改正　四四年七第二二七號　四年一一第三〇八號　一〇年一第六號

本府及各所屬官署宛

工事及物品供給請負入札人及請負人心得竝契約書案別册ノ通相定メ候條此段及通牒候也

第一條　工事請負又ハ物品供給ノ競爭入札ニ加ハラムトスル者ハ二年以上引續キ其ノ請負ニ附セラルヘキ工事又ハ物品ノ供給ニ從事シタル旨ノ證明書及工事上ノ履歴書ヲ差出スヘシ但シ指名入札ノ場合ハ此ノ限ニ在ラス

第二條　左ノ各號ノ一ニ該當スル者ハ競爭入札ニ加ハルコトヲ得ス

一　工事又ハ物品供給ノ契約ヲ履行スルニ當リ故意ニ工事又ハ物品ヲ粗雜ニ爲シタル者

二　競爭ニ際シ價格ヲ競上クルノ目的ヲ以テ連合ヲ爲シタル者

三　競爭ニ加ハラムトスル者ニ對シ妨害ヲ加ヘ又ハ競落者ノ契約履行ヲ妨害シタル者

四　工事又ハ物品ノ檢査監督ニ際シ掛員ノ職務執行ヲ妨害シタル者

五　前各號ノ一ニ該當スル行爲アリタル後滿二箇年ヲ經過セサル者ヲ工事請負又ハ物品供給ニ際シ代理人、支配人、番頭若ハ手代トシテ使用シ又ハ入札代理人ト爲ス者

第三條　入札人ハ仕樣書、內譯書、繪圖面、見本、契約書案又ハ現場等熟覽ノ上以下各條ノ規定ニ從ヒ入札保證金、入札書(第一號書式)及入札保證金納付書(第二號書式)ヲ所定ノ日時ニ差出スヘシ但シ代理人ヲ以テ入札スル場合ハ其ノ委任狀ヲ提出スヘシ

第四條　入札書、營業證明書、履歴書、入札保證金及入札保證金納付書ハ配達證明書留郵便ヲ以テ送付スルコトヲ得此ノ場合ニハ必ス入札書在中ノ旨ヲ表記スヘシ

第五條　入札書ハ所定ノ時刻ヲ過キタルトキハ之ヲ受理セス

第六條　入札書ニ記載スヘキ金額ハ總計金額ヲ以テスヘシ

第七條　入札保證金ハ入札金額ノ百分ノ五以上トシ(圓位未滿切リ上ケ)現金又ハ國債證券ヲ以テ之ヲ納付スヘシ

第八條　入札人ノ差出シタル入札書ハ之ヲ引換、變更又ハ取消スコトヲ得ス

第九條　開札ハ所定ノ場所、日時ニ入札人ヲ立會ハシメテ之ヲ行フ但シ入札人出席セサルカ又ハ出席セサル者アルトキハ入札ニ關係ナキ官吏ヲシテ之ニ立會ハシムルモノトス

第十條　入札ハ左ノ各號ノ一ニ該當スルトキハ無效トス

一　入札保證金ヲ納付セサルトキ又ハ入札保證金カ入札金高ノ百分ノ五ニ達セサルトキ

二　入札書中緊要ノ文字明瞭ナラサルトキ

三　第一條ノ證明書ヲ差出ササルトキ

第十一條 入札ハ豫定價格以內最低價ノモノヲ以テ落札トス

落札トナルヘキ同價ノ入札ヲ爲シタル者數名アルトキハ直ニ抽籤ヲ以テ落札人ヲ定ム

第十二條 抽籤ニ加ハルヘキ入札人ニシテ出席セサルトキハ入札ニ關係ナキ官吏ヲシテ代理セシム

第十三條 各人ノ入札總テ豫定價格ニ超過シタルトキハ直ニ出席入札人ヲシテ再度ノ入札ヲ爲サシムヘシ

第十四條 入札保證金ハ落札人定マリタルトキ又ハ事故ニ依リ入札ヲ中止シタルトキハ即時之ヲ還付ス但シ落札人ノ入札保證金ハ第十五條ノ手續履行ノ上之ヲ還付ス

落札人ハ入札保證金ヲ以テ直ニ契約保證金ニ振替ノ請求ヲ爲スコトヲ得

第十五條 落札人ハ落札決定ノ日ヨリ五日、郵便入札ノ場合ニ在リテハ契約擔任者ノ定ムル期間內ニ契約保證金ヲ納付シ第三號書式ニ依リ契約ヲ締結スヘシ

第十六條 契約保證金ハ請負金高ノ百分ノ十以上（圓位未滿切リ上ケ）トシ現金又ハ國債證券ヲ以テ納付スヘシ

第十七條 契約擔任者ハ落札人ヲシテ適當ノ保證人ヲ立テシムルコトアルヘシ此ノ場合ニ於テハ落札人ハ三日內ニ保證人ヲ選定シ契約擔任者ノ承認ヲ受クヘシ

第十八條 落札人第十五條ノ手續ヲ履行セサルトキ又ハ前條ノ場合ニ適當ナル保證人ヲ立テサルトキハ其ノ落札ハ之ヲ無效トシ入札保證金ハ政府ノ所得トス但シ契約擔任者延期ノ承認ヲ與ヘタル場合ハ此ノ限ニ在ラス

第十九條 記名國債證券ヲ以テ保證金ヲ納付スルトキハ明治三十九年五月大藏省令第二十三號國債規則第四十一條ノ二ノ手續ヲ爲シ其ノ登錄濟通知書ヲ受ケ之ヲ提出スヘシ

第二十條 國債證券ヲ以テ保證金ヲ納付スルトキハ其價格ハ額面額トス

【參照】

國債規則

第四十條 登錄國債ニ付テ質權設定又ハ轉質ノ登錄ヲ請求セムトスル者ハ左ノ事項ヲ記載シ及當事者雙方ノ連署捺印ヲ爲シタル書面ヲ取扱店ニ提出スヘシ

一 國債ノ種別及質權ノ目的ト爲シタル登錄金額
二 登錄ノ記號及番號又ハ證券ノ額面金額ノ種類、記號及番號
三 登錄ノ記名
四 債權ノ金額及其ノ辨濟期
五 質權ニ付利息ニ關スル定メアルトキ、違約金又ハ賠償額ノ定メアルトキ、債權ニ條件ヲ附シタルトキ及民法第三百四十六條但書ノ定メアルトキハ其ノ事項
六 質權設定者カ債務者ニ非サルトキハ債務者ノ住所氏名
七 請求ノ年月日
八 請求者ノ住所

第二十二條第一項ノ規定ハ質權ノ目的ト爲ス國債ノ登錄金額ニ之ヲ準用ス

第四十一條ノ二 法令ノ規定ニ依リ登錄國債ヲ以テ質權ニ非サル擔保ノ

目的ト爲シ之カ登錄ヲ請求セシトスル者ハ其ノ法令ノ條項、擔保權者ノ住所氏名及第四五條第一項各號ニ準シタル事項ヲ記載シ且署名捺印シタル書面ヲ取扱店ニ提出スヘシ

第四十條第二項ノ規定ハ前項ノ場合ニ之ヲ準用ス

第四十一條ノ三 前條ノ規定ハ質權ニ非サル擔保登錄ノ變更又ハ抹消ヲ請求スル場合ニ之ヲ準用ス此ノ場合ニ於テハ變更若クハ抹消ノ事由ヲ證スルニ足ルヘキ書面ヲ提出シ又ハ當事者雙方カ其ノ請求書ニ連署捺印ヲ爲スコトヲ要ス

第一號甲書式

入札書

何何工事（何何物品）

一金何 程也

右金額ヲ以テ請負（供給）可仕依テ入札人心得書承諾入札候也

明治 年 月 日

住所

氏名 印

宛

第一號乙書式

封皮雛形

表面

何何工事（物品供給）請負入札書

印

姓名

印

第二號書式

入札保證金納付書

一金 也

但シ 入札保證金

右納付候也

明治 年 月 日

住所

氏 名 印

宛

請負人心得書

第一條 工事請負契約書ハ甲號書式、物品供給契約書ハ乙號書式ニ依ル

第二條 請負人ハ本契約締結ノ日ヨリ五日以內ニ第一號書式ニ依リ工事又ハ物品內譯明細書及工程表ヲ作リ之ヲ契約擔任者ニ提出スヘシ

契約擔任者內譯明細書ノ單價又ハ工程表ヲ不相當ト認ムルトキハ請負總額ノ範圍內ニ於テ單價ヲ增減シ又ハ工程ヲ變更セシムルコトアルヘシ

第三條 契約擔任者ニ於テ仕樣ノ變更ヲ要スルモノアルトキハ其ノ旨ヲ請負人ニ通知スヘシ請負人ハ通知ヲ受ケタル日ヨリ五日以內ニ追加契約書又ハ承諾書ヲ差出スヘシ

前項ノ場合ニ於テハ前條ノ例ニ準シ內譯明細書及工程表ヲ提出スヘシ

第四條 契約保證金ヲ處分スヘキ場合ニ於テハ國債證券ヲ保證金トシテ納付シタル請負人ハ契約擔任者ノ指定スル期間內ニ保證金額ノ現金ヲ納付スヘシ請負人指定ノ期間內ニ現金ヲ納付セサルトキハ契約擔任者ニ於テ【有價】證券ヲ處分スヘシ

第五條 請負人ハ工事ノ施行及工場內ノ取締ニ就テハ總テ主任官吏ノ指揮監督ヲ受クヘシ

第六條 請負人ハ工事施行又ハ物品製作中日日現場ニ出頭シ諸般ノ施設及取締上ノ事項ヲ處理スヘシ本人出場シ難キトキハ適當ノ代理人ヲ選定シテ之ヲ屆出ツヘシ

第七條 主任官吏ニ於テ請負人ノ代理人其ノ他職工人夫ヲ不適當ト認メタルトキハ之ヲ差替シムルコトアルヘシ

第八條 請負人ハ其ノ代理人其ノ他職工人夫ノ行爲ニ付一切ノ責ニ任スルモノトス

第九條 請負人官ノ材料ヲ使用スル場合ニ於テハ之ヲ工場內一定ノ場所ニ取纒メ完全ニ保管シ精細ナル受拂簿ヲ設ケ其ノ受拂ヲ明確ニシ工事竣功後受拂計算書ヲ提出シ殘餘ノ材料ハ主任官吏ノ指揮ニ從ヒ之ヲ返納スヘシ

前項ノ受拂簿ハ主任官吏ニ於テ隨時檢閱ヲ行フ

第十條 工事請負人工場內ニ持入レタル材料ハ主任官吏ノ許可ヲ受クルニ非サレハ之ヲ工場外ニ搬出スルコトヲ得ス不合格ノ材料ニ付亦同シ

但シ此場合ニ於テハ代品ヲ持入レタルコトヲ要ス

第十一條 工事完成ノ上工事用ノ假設物剩餘ノ材料ハ主任官吏ノ指揮ニ從ヒ之ヲ撤去スヘシ

第十二條 請負人ハ天災其ノ他不可抗力ニ依リ工事ノ進行又ハ物品ノ納付ヲ妨ケラレタル場合ニ於テハ遲滯ナク其ノ事故ヲ證明スルニ足ルヘキ書類ヲ添ヘテ延期願書ヲ提出シ契約擔任者ノ許可ヲ受クヘシ

甲號書式

工事請負契約書

何何工事

一金何 程　　請負金高

此ノ契約保證金　何 程

但シ（現金又ハ國債證券何圓券何枚又ハ明治何年何月何日第何號某金庫保管證書何通）

右工事請負ニ關シ契約擔任者某ヲ甲トシ請負人某ヲ乙トシ左ノ條項ヲ契約ス

第一條　乙ハ明治何年何月何日ヨリ起工シ何月何日迄ニ別冊仕樣書及繪圖面ニ基キ工程表ニ從ヒ工事ヲ完成スヘシ　但シ仕樣書及繪圖面ニ明記セサル事項ト雖構造上必要ノ工事ハ總テ請負金額内ニ於テ施行スヘシ

第二條　乙ハ請負人心得書ノ各條項ヲ承認ス

第三條　乙ニ於テ起工スルトキハ其ノ旨ヲ甲ニ屆出ツヘシ

第四條　工事ハ總テ乙ニ於テ直接ニ實施シ第三者ニ下請負ヲ爲サシメサルモノトス

第五條　工事ニ使用スル材料ハ總テ使用前甲ノ指定シタル主任官吏ノ檢査ヲ受クヘシ

檢査不合格ノ材料ハ速カニ代品ヲ持入レ更ニ其ノ檢査ヲ受クヘシ

第六條　工事ニ使用スル材料中調合又ハ試驗ヲ要スルモノハ甲ノ指定シタル主任官吏ノ立會ヲ得テ其ノ調合又ハ試驗ヲ爲スヘシ

第七條　水中又ハ地下ニ埋沒スル工作物其ノ他竣功後外部ヨリ檢査スルコト能ハサル工作物ノ作業ハ甲カ指定シタル主任官吏ノ立會ナクシテ施行スルコトヲ得ス

第八條　乙ニ於テ第五條乃至前條ノ定ムルトコロニ違背シ又ハ設計書、仕樣書、繪圖面等ニ適合セスト認メタルトキハ甲ハ何時ニテモ工作物ノ引換又ハ改造ヲ命スルコトアルヘシ　但シ契約期限ハ之ヲ延長セス

第九條　甲ハ必要ト認ムルトキハ工事ノ一部若ハ全部ノ施行ヲ中止シ又ハ設計若ハ仕樣ヲ變更スルコトアルヘシ此ノ場合ニ於テ契約期限ヲ伸縮スルノ必要アルトキハ甲ニ於テ之ヲ定ム

前項ノ場合ニ於テハ内譯書ノ單價ニ基キテ工費ヲ增減ス但シ内譯書ノ單價ニ依リ難キモノ又ハ内譯書記載外ニ屬スルモノアルトキハ雙方協議ノ上之ヲ定ム若協議調ハサルトキハ甲ノ相當ト認ムル所ニ依ル

前二項ノ場合ニ於テ乙ハ異議ヲ申立テ又ハ請求ヲ爲スコトヲ得ス

第十條　前條ノ場合ニ於テ請負金額增減ノ爲旣納ノ契約保證金額ニ過不足ヲ生スルトキハ甲ニ於テ追徵又ハ還付スルコトアルヘシ

第十一條　乙ニ於テ本契約ノ期限内ニ工事ヲ完成セサルトキハ遲延日數ニ應シ一日ニ付請負金總高（箇箇ニ分立スヘキ性質ノ工事ニシテ各箇ノ請負金額明瞭ナルモノハ其ノ請負金高ニ據ル）ノ千分ノ五ニ相當スル遲滯償金ヲ納付スヘシ但シ天災其ノ他不可抗力ニ因リ契約擔任者ニ於テ延期ノ許可ヲ與ヘタル場合ハ此ノ限ニ在ラス

第十二條　工事ノ全部完成シタルトキハ竣工屆（第二號書式）ヲ差出シ檢査ヲ受クヘシ一部完成ノ場合ニ於テ甲之カ引渡ヲ求メタルトキ亦同シ

前項檢査ノ結果工作物カ設計書、仕樣書、繪圖面ニ適合セスト認ムルトキハ甲ハ相當ノ期間ヲ定メ修補又ハ改造ヲ命スルコトヲ得但シ第十一條ノ規定ノ適用ヲ妨クルコトナシ

工作物カ檢査ニ合格シタルトキハ甲ハ乙ニ領收證ヲ交付ス領收證交付以前ニ於テ生シタル總テノ損害ハ乙ノ負擔トス

第十三條　請負金ハ領收證ヲ交付シタル後乙ノ請求ニ因リ之ヲ仕拂フ

但シ（　）囘ヲ限リ其ノ既成部分ニ對スル請負代價ノ十分ノ九以内ヲ乙ノ請求ニ依リ内渡ヲ爲スコトアルヘシ

第十四條　左ノ場合ニ於テハ甲ノ契約ヲ解除スルコトヲ得

但第十一條ノ規定ノ適用ヲ妨クルコトナシ

一　起工ノ期日ヨリ十日内工事ニ著手セサルトキ

二　竣功期限ヨリ十日内ニ工事ヲ完成セサルトキ

三　甲ニ於テ現場工事カ工程表ノ通リ進捗セス又ハ工事ヲ粗略ニシ完全ニ竣功スルノ見込ナシト認ムルトキ

四　乙カ甲ノ指定シタル主任官吏ノ指揮命令ニ從ハサルトキ

五　其ノ他本契約ニ違背シタルトキ

六　前各號ノ外甲ニ於テ必要ト認メタルトキ

契約ノ解除ニ付乙ハ異議ヲ申立テ又ハ請求ヲ爲スコトヲ得ス

第十五條　前條第一項第一號乃至第五號ノ規定ニ依リ契約ヲ解除シタル場合ニ於テハ契約保証金ハ政府ノ所得トス

第十六條　第十四條第一項第一號乃至第五號ノ規定ニ依リ契約ヲ解除スル場合ニ於テ甲ハ第九條第二項ニ準シテ算出シタル金額ノ十分ノ九以内ヲ代價トシテ工事ノ既濟部分及現場ニ存在スル檢査濟加工材料ヲ讓受クルコトアルヘシ

第十七條　乙ハ第九條第一項ニ依リ仕樣變更ノ爲請負金額三分ノ一以上ヲ減少シタルトキ又ハ工事中止ノ期間契約期間二分ノ一以上ニ達スルトキハ本契約ノ解除ヲ請求スルコトヲ得

第十八條　第十四條第一項第六號及前條ノ場合ニ於テハ甲ハ設計書、仕樣書及繪圖面ニ適合スル工事ノ既濟部分及現場ニ存在スル工事材料ヲ檢査シ第九條第二項ニ準シテ算出シタル代金ヲ支拂ヒ契約保證金ハ之ヲ還付ス

第十九條　官給ノ材料ハ他ノ材料ト交換スルコトヲ得ス

第二十條　甲カ官給ノ材料ハ之ヲ交付シタルトキハ其ノ後ノ滅失又ハ毀損ハ乙ノ負擔トシ現品若ハ現金ヲ以テ之ヲ辨償スヘシ

第二十一條　乙ニ於テ納付スヘキ遲滯償金其ノ他ノ賠償金ハ甲ニ於テ乙ニ仕拂フヘキ金額又ハ契約保證金額ヨリ之ヲ控除シ尚不足アルトキハ追徵スヘシ

第二十二條　領收證交付ノトキヨリ（何）年間乙ハ其ノ工作物ノ瑕疵ニ付擔保ノ責ニ任スルモノトス

前項ノ期間内ニ生シタル瑕疵ニ依ル工事物ノ滅失又ハ毀損ニ對シ乙ニ於テ指定ノ期間内ニ其ノ義務ヲ履行セサルトキハ甲ハ乙ノ費用ヲ以テ第三者ヲシテ之カ修理ヲ爲サシムルコトヲ得ルモノトス

第二十三條　保證人ハ本契約ノ履行及損害ノ賠償ニ付乙ト連帶シテ其ノ責ニ任ス

第二十四條　契約保證金ハ第十二條第二項ノ手續ヲ了シタル後乙ノ請求ニ依リ之ヲ還付ス但シ甲ニ於テ必要ト認ムルトキハ第二十二條ノ期間滿了ノ時迄之ヲ留保スルコトアルヘシ

第二十五條　乙ハ甲ノ承諾ヲ受クルニ非ラサレハ工事請負金ニ對スル債權ヲ第三者ニ讓渡スルコトヲ得ス

契約保證金ニ對スル債權ハ讓渡スルコトヲ得ス

第二十六條　本契約ノ解釋ニ付疑義アルトキハ甲ノ決スル所ニ依ル

本契約ノ締結ヲ證スル爲本證書二通ヲ作リ雙方記名捺印ノ上各自一

通ヲ所持スルモノトス

年　月　日

契約擔任者　官　氏　名　印

住　所

請負人　氏　名　印

同

保證人　氏　名　印

乙號書式

物品供給契約書

一金　何　程

(何何外何點別紙内譯明細書記載ノ物品供給請負代金)

此契約保證金何程

但シ(現金又ハ國債證券何圓券何枚又ハ明治何年何月何日第何號某金庫保管證書何通)

右物品供給ニ關シ契約擔任者某ヲ甲トシ供給請負人某ヲ乙トシ左ノ條項ヲ契約ス

第一條　乙ハ別紙内譯明細書(又ハ前記ノ物品ヲ)見本(仕樣書又ハ圖面)ニ依リ(甲ノ發スル注文書ニ從ヒ又ハ明治　年　月　日迄ニ指定ノ場所ヘ)納付スヘシ

第二條　乙ハ請負人心得書ノ各條項ヲ承諾ス

第三條　乙カ物品ヲ納付セムトスルキハ其ノ旨ヲ甲ニ通告シテ甲ノ指定シタル官吏ノ檢査ヲ受クヘシ物品カ檢査ノ上完全ナリト認メタルトキハ乙ハ物品納付書ニ檢査濟ノ證印ヲ受ケ物品ニ添付シテ之ヲ甲ニ差出スヘシ

檢査ノ結果不合格品アルトキハ乙ハ甲ノ指定スル期限内ニ之ヲ引換ヘ更ニ檢査ヲ受クヘシ此場合ニ於テモ第五條ノ適用ヲ妨ケサルモノトス

持込物品ノ外包又ハ物品ノ性質上必要ナル容器ハ政府ノ所得トス

第四條　檢査ノ爲試驗ヲ要スル物品ニシテ甲ニ於テ其ノ所要ノ數量ノ納付ヲ命シタルトキハ乙ハ無償ニテ之ヲ提供スルモノトス

第五條　乙ニ於テ第一條ノ期限迄ニ物品ノ全部又ハ一部ヲ納付セサルトキハ遲滯償金トシテ遲延日數一日ニ付請負金額又ハ未納品代價ノ百分ノ一ニ相當スル金額ヲ甲ニ納付スヘシ　但シ天災其ノ他ノ不可抗力ニ因リ納付ヲ妨ケラレ甲ニ於テ延期ヲ承諾シタル場合ハ此限ニ在ラス

第六條　甲ハ必要ノ場合ニ於テ仕樣書又ハ見本ヲ變更シ若ハ物品ノ數量ヲ增減スルコトアルヘシ

前項ノ場合ニ於テハ内譯明細書ノ單價ニ比例シテ請負代金ヲ增減シ内譯明細書ニ記載セラレサルモノニ付テハ甲乙協議ノ上其ノ代金ヲ定ム若シ協議調ハサルトキハ甲ニ於テ相當ト認ムル所ニ依ル

前二項ノ場合ニ於テ乙ハ異議ヲ申立テ又ハ請求ヲ爲スコトヲ得ス

第七條　前條ノ場合ニ於テハ乙ハ速ニ追加契約書又ハ承諾書ヲ甲ニ差出スヘシ但シ契約保證金額ニ過不足ヲ生シタルトキハ甲ハ追徵又ハ還付スルコトアルヘシ

第八條　甲ハ左ノ場合ニ於テハ契約ヲ解除スルコトヲ得但シ第五條ノ適用ヲ妨クルコトナシ

一　納付ノ物品カ仕樣書又ハ見本ニ適合セサルトキ
二　納付期限後十日内ニ物品ヲ完納セサルトキ
三　甲ニ於テ乙カ本契約ヲ履行スルコト能ハスト認メタルトキ
四　其ノ他乙ニ於テ本契約ニ違背シタルトキ

契約ノ解除ニ付乙ハ異議ヲ申立テ又ハ請求ヲ爲スコトヲ得ス

第九條　契約ヲ解除シタルトキハ契約保證金ハ政府ノ所得トス

第十條　契約ヲ解除シタル場合ニ於テ檢査濟ノ既納物品ニ對シテハ甲ハ内譯明細書ニ基キ相當代金ヲ仕拂フモノトス

第十一條　請負代金ハ物品完納ノ上之ヲ仕拂ヒ契約保證金ハ乙ニ於テ本契約ノ義務ヲ完了シタルトキ之ヲ還付ス　但シ甲ニ於テ物品ノ分納ヲ指定シタル場合ニハ乙ハ納付ノ都度第三條ノ手續ヲ經テ既納品ニ對スル代價ヲ請求スルコトヲ得

第十二條　納品ニ關スル關稅、運賃其ノ他納付ノ手續ヲ完了スル迄ノ總テノ費用及損害ハ乙ノ負擔トス

第十三條　代金ノ仕拂又ハ契約保證金ノ還付ニ關シテハ總テ乙ヨリ請求書ヲ差出スモノトス

第十四條　乙ニ於テ納付スヘキ遲滯償金其ノ他ノ賠償金ハ甲ニ於テ乙ニ仕拂フヘキ金額又ハ契約保證金ヨリ控除スルコトヲ得

第十五條　乙ハ甲ノ承認ヲ受クルニアラサレハ物品供給請負金ニ對スル債權ヲ第三者ニ讓渡スルコトヲ得ス

契約保證金ニ對スル債權ハ讓渡スルコトヲ得ス

第十六條　本契約ノ解釋ニ付疑義アルトキハ甲ノ決スル所ニ依ル

本契約ノ締結ヲ證スル爲本證書二通ヲ作リ雙方署名捺印ノ上各自一通ヲ所持スルモノトス

年　月　日

契約擔任者　官　氏　名　印

住　所

物品供給請負人　氏　名　印

第一號甲書式

工事內譯書（治道工事等ノ例）

一金何萬何千圓也　請負金額

但何線第何工區何道路改修工事

道路修築延長何千何百間　幅何間

内橋梁延長何十何間ヲ含ム

内　譯

工種			稱呼	數量	單價	金額	摘要
土工	切取	硬岩	立坪				
		軟岩					
		土砂					
	盛土						
	純盛土						
小計							
土留工	石垣		平坪				
	基礎		間				
	根掘		間				
小計							
護岸根固	沈床		平坪				
	木床						
	鐵線柵		間				
小計							

工			單位
暗渠			箇所
小計			
橋梁	何橋	橋臺	平坪
		橋體	平坪
		石垣	
		同	
		基礎	箇所
		同	
		根掘	間
	計		
	何橋	橋臺	平坪
		橋體	平坪
		石垣	
		同	
		基礎	箇所
		同	
		根掘	間
	小計		
合計			

年　月　日

住所

請負人　氏　名　㊞

備考

本書ハ便宜變更調製セシムルモ妨ナシ

第一號乙書式

工事內譯書（營繕工事ノ例）

一金何千圓也　請負金額

但何新築工事

內譯

名稱	稱呼	員數	單價	小計	摘要
廳舍	坪				一棟
板塀	間				
物置	坪				
掲示場	箇所				
表門	同				
木柵	間				
鐵條柵	間				
井戸及家形	箇所				
箱下水	間				
何					
何					
合計					

年　月　日

住所

請負人　氏　名　㊞

備考

小計一口ノ金額壹萬圓以上ニ達スル部分ニ付テハ更ニ第一號丙書式ノ內譯明細書ヲ添附スヘシ

本書式ハ便宜變更調製セシムルモ妨ナシ

第一號丙書式

工事內譯明細書（營繕工事中小計一口壹萬圓以上ノ例）

何廳舍新築工事

一金

內譯

名稱	品質寸法容量	數量		單價	小計	備考
		稱呼	數額			

第一號丁書式

物品內譯明細書

一金　　　　請負金高

內譯

種目	員數	單價	小計	備考

備考

本書ハ便宜變更調製セシムルモ妨ナシ

第二號書式

工事竣功屆

何年何月何日契約

何年何月何日竣功

何何（新築修繕）工事

此請負金何圓

右及御屆候也

年　月　日

住所

請負人　氏　名　印

宛

● 數年ニ跨ル契約ニ關スル件

明治四十五年四月
調第四五〇號
土木局長

各出張所長宛

繼續費ニシテ數年ニ跨ル物件ノ購入借入工事請負竝直營工事ニ關スル稟請ニ各年度所屬ノ支出高記入ナキモノ有之豫算整理上差支候條右ノ場合ニハ必ス各年度支出高明記有之度此段及通牒候也

● 工事既濟部分內譯書其他省略ノ件

大正元年十月調第一一二六號

土木局長

各出張所長
京城、利川工營所主任　宛

工事既濟部分請求書及該工事檢査調書ニ關シ取扱方左記ノ通リ改正候條自今右ニ依リ御取扱相成度此段及通牒候也

記

一　從來請負人ヨリ請求書及既濟部分工事內譯書(名稱、品目、寸法、稱呼、單價、小計ヲ記シタルモノ)ヲ提出セシメ來リタルモ自今既濟部分工事內譯書ハ省略シ第一號樣式ノ請求書ノミ提出セシムルコト

二　工事檢査員檢査ヲ執行シタルトキハ工事既濟部分檢査調書ニ工事出來形調書(工事、稱呼、員數、單價、金額ヲ記シタルモノ)ヲ作リ提出セシメ來リタルモ自今第二號樣式ノ工事既濟部分檢査調書ニ第三號樣式ノ工事出來形內譯書ヲ添付シ提出セシムルコト

第一號樣式ノ一

請求書

金何程　何何工事請負

一金何程(圓位ニ止ム)　第一回內渡請求金

但シ工事ノ內何歩通出來ニ付此金何程ノ十分ノ九以內

金何程　追テ請求スヘキ分

右請求候也

年　月　日　住所

請負人　氏　名　㊞

朝鮮總督府仕拂命令官　何　某　宛

第一號樣式ノ二

請求書

金何程　何何工事當初請負金

內

金何程　設計變更減額

外

金何程　設計變更增額

金何程　追加工事增額

改請負金何程

一金何程(圓位ニ止ム)　第何回內渡請求金

但シ工事ノ內何歩通出來ニ付此金何程ノ十分ノ九金何程ノ內ヨリ既濟部分代金トシテ受領濟ノ分ヲ差引タル殘額以內

外

金何程　第一回受領濟ノ分

金何程　追テ請求スヘキ分

右請求候也

年　月　日　住所

請負人　氏　名　㊞

朝鮮總督府仕拂命令官

備考

何某宛

受領濟ノ金額ハ同數ノ異ナル毎ニ列記スヘシ

第二號樣式

工事既濟部分檢査調書

一何何工事

何年何月何日請負人何某ト契約ノ分

右工事既濟部分檢査ノ命ヲ受ケ何年何月何日實地檢査候處別紙出來形內譯書ノ通リニシテ全工事ニ對シ其出來形何步ト認定候條此段報告候也

年　月　日

工事檢査員　官　氏　名㊞

第三號樣式

工事既成部分內譯書

金何程　何何工事總請負高

此內

一金何程　既成部分高

內譯

工種	請負金額	出來形步合	出來形金額	備考

第三號樣式記載例

工事既成部分內譯書

金何程　道路工事總請負高

此內

一金何程　既成部分金高

內譯

工種	請負金額	出來形步合	出來形金額	備考
盛土	〃	〃	〃	
硬岩切取	〃	〃	〃	
軟岩切取	〃	〃	〃	
土砂切取	〃	〃	〃	
土留石垣	〃	〃	〃	
(第何號)橋梁	〃	〃	〃	
(同)橋梁	〃	〃	〃	
(同)暗渠	〃	〃	〃	
(同)暗渠	〃	〃	〃	
箱樋	〃	〃	〃	
土管	〃	〃	〃	

何	何	、	、	、	、	、	、
計		、	、	、	、	、	、

右ノ通リ

年　月　日

檢査員　官　氏　名　㊞

備考

築港河川其他ノ土木工事ニ在リテハ前記工種欄ニハ其ノ設計ノ內譯工種別ニヨリ記載スルモノトス

五　豫算繰越ニ關スル契約方ノ件

明治四十四年六月
官通第一八六號

（度支部長官）

各仕拂命令官宛

豫算中繼續費ニアラサル工事又ハ製造ノ經費ニシテ之ニ關スル契約ヲ締結スル場合ニ於テハ其竣功又ハ物件納付ノ期日ハ翌年度ニ跨ルヲ得サルハ勿論ニ有之候處當該年度內ニ竣功又ハ納付スヘキ契約ヲ爲シタルモノニシテ中止命令發シ又ハ延期ノ認可ヲ與ヘタル結果期日ノ翌年度ヘ跨ルニ至ルヘキモノハ其際直ニ繰越承認ヲ求ムル手續相成度尚翌年五月三十一日迄ハ仕拂命令ヲ發行シ得ルカ爲メ自然竣功又ハ納付日ヲ同日迄ニ定メラルル向有之哉モ難計候處右ハ必ラス三月三十一日迄ト御承知相成度

依命此段及通牒候也

六　契約書省略ニ關スル件

大正十一年九月
官通第七九號

政務總監

本府各部局長及所屬官署ノ長宛

政府カ契約ヲ爲ス場合ニ於テ之カ契約書ノ作成省略ニ關シテハ左記ノ通ト御承知相成度及通牒候也

記

會計規則第八十七號第五號ニ依リ左ノ場合ニ於テハ契約書ノ作成ヲ省略スルコトヲ得但シ專賣品ノ賣渡ニ付テハ買受人直ニ代金ヲ納付シ其ノ物品ヲ引取ル場合ヲ除ク外擔保設定書其ノ契約ニ關シ必要ナル書面ヲ徵シ置クコトヲ要ス

一　官廳及府縣市區町村若クハ之ニ準スヘキ公共團體トノ隨意契約

二　專賣品ノ賣渡

七　擔保トシテ政府ニ納ムヘキ國債等ノ價格算定ニ關スル件

明治四十一年十一月
勅令第二八七號

改正　四五年六勅一三六號

政府ニ納ムヘキ保證金其ノ他擔保ニ充用スル國債、帝國鐵道會計法第二條ノ二ノ證券及大藏省證券ノ價格ハ其ノ債權金額ニ依ル

明治三十八年勅令第二十號ハ之ヲ廢止ス

八　印紙納付ニ關スル疑義ノ件

大正八年六月
官通第八八號
總務局長

各部長官官房課長及所屬官署ノ長宛

會計事務取扱上印紙納税納付ニ關スル疑義左記問答ノ通御了知相成度及通牒候也

記

問　工事ノ執行並物件ノ購入及支出決議書ハ總テ相當印紙ノ貼付ヲ要スルヤ

答　決議書ハ官廳又ハ公署ニ於テ作成スル書類ニ便宜商人ヲシテ見積ヲ記載セシムルモノナレハ別ニ契約書ノ作成ヲ爲サザル場合ハ印紙ノ貼用ヲ要セス尚決議書ニ商人ノ受領濟捺印ヲ徵スルモノハ受取書ナレハ印紙貼用ヲ要スヘキニ依リ領收欄相當餘白ニ貼附セシムヘシ但シ決議書承諾欄内ノ「御下命ニ付」ヲ「御下命ノ上ハ」「承諾仕候」ヲ「承諾可仕候」ニ各訂正使用ノコト

問　官署公署ト私人トノ間ニ於ケル工事請負契約書又ハ物品供給契約書ハ本證書二通ヲ作リ各一通每ニ印紙ヲ貼用スヘキヤ

答　官廳公署ノ所持スルモノニ限リ印紙貼付ヲ要ス

問　俸給給料及手當等ノ受領ニ關スル委任狀ニハ印紙貼附スヘキヤ

答　四月一日以降作成ノ委任狀ハ印紙貼附ヲ要ス

問　監獄ト私人間ニ於ケル囚徒ノ傭役契約ハ印紙税三錢ニテ可ナルヤ

答　印紙税法第二條ニ依リ相當印紙貼附ヲ要ス

問　官費生等ニ對スル賄供契約ハ如何

答　契約證書面ニ單ニ「一日一人何錢」ト標記アルノミニシテ證書ノ記載事項ニ依リ總金高ヲ算出スルコトヲ得サルモノハ税法第二條第二項ノ證書ニアラスシテ税法第四條ノ金高記載ナルカ故ニ印紙税三錢ニテ可ナリ

問　歲入歲出外現金有價證券保管證書還付ノ場合ニ於ケル受取書又ハ入札保證金、契約保證金ノ納付書ハ印紙ノ貼附ヲ要スヘキヤ

答　(イ)歲入歲出外現金ノ還付ノ受取書ニ付テハ保管金規則第四條ニ依リ印紙税ヲ納ルニ及ハス

(ロ)有價證券保管證書還附ノ受取書ニ付テハ印紙税ヲ納付スルヲ要ス

(ハ)入札保證金契約保證金ノ納付書ハ印紙税法ノ第一條ノ證書ニ非サルヲ以テ印紙税ヲ納付スルニハ及ハス

問　歲出金繰替拂通知書裏面ノ注意事項記載ニ追加事項ナキヤ

答　歲出金仕拂通知書同樣注意事項第一號末尾ニ「但シ官吏公吏ニ在リテハ官廳名又ハ市町村名若ハ公共團體名ヲ肩書シ官職名ヲ記シ記名捺印スヘシ」ヲ加ヘ當注意事項トシテ右側餘白ニ「受領金額五圓以上ノモノハ規定ノ收入印紙ヲ貼附消印スヘシ但シ營業ニ關セサルモノハ此限ニ在ラス」

問　入院證書入學生徒ノ保證書ニハ印紙貼附スヘキヤ

答　單ニ身元引受ノミニ止マルモノハ貼附ヲ要セサルモ進テ入院料、賄料又ハ授業料其ノ他一切ノ財産權ニ關スル保證債務ヲ負フ場合ハ金高記載ナキ證書トシテ印紙税三錢ヲ要ス

第六章　供託、預金、保管

一　供託ニ關スル件

大正元年八月
制令第一號

改正　大正一一年三制第二號

供託ニ關スル件明治四十四年法律第三十號第一條及第二條ニ依リ勅裁ヲ得テ茲ニ之ヲ公布ス

法令ニ依ル供託ニ付テハ供託法ニ依ル　但シ朝鮮總督ハ當分ノ内適當ト認ムル者ヲ指定シ倉庫營業者及銀行ニ代フルコトヲ得

附　則（大正一一年三月制令第二號）

本令ハ大正十一年四月一日ヨリ之ヲ施行ス

本令施行前爲シタル供託ニ關シ必要ナル事項ハ朝鮮總督府令ヲ以テ之ヲ定ム

供託局所在地外ニ於テハ朝鮮總督ハ當分ノ内其ノ適當ト認ムル者ヲシテ供託法第一條ノ規定ニ依ル供託事務ヲ取扱ハシムルコトヲ得

地方裁判所トアルハ地方法院トシ司法大臣ノ職務ハ朝鮮總督之ヲ行フ

附　則

本令ハ公布ノ日ヨリ之ヲ施行ス

●供託法

明治三十二年二月
法律第十五號

改正　一〇年四第六九號

第一條　法令ノ規定ニ依リテ供託スル金錢及ヒ有價證券ハ供託局ニ於テ之ヲ保管ス

第一條ノ二　前條ノ規定ニ依ル供託ニ關スル事務ノ監督ニ付テハ司法行政ノ監督ニ關スル規定ヲ準用ス

第一條ノ三　利害關係人ハ供託官吏ノ處分ニ對シ供託局ノ所在地ヲ管轄スル地方裁判所ニ抗告ヲ爲スコトヲ得

第一條ノ四　抗告ヲ受ケタル裁判所ハ抗告ニ關スル書類ヲ供託官吏ニ送付シテ其意見ヲ求ムルコトヲ要ス

第一條ノ五　供託官吏ハ抗告ヲ理由アリト認ムルトキハ處分ヲ變更シテ其旨ヲ裁判所及ヒ抗告人ニ通知スルコトヲ要ス

抗告ヲ理由ナシト認ムルトキハ意見ヲ附シ書類ノ送付ヲ受ケタル日ヨリ五日内ニ之ヲ裁判所ニ返還スルコトヲ要ス

第一條ノ六　裁判所ハ抗告ヲ理由ナシトスルトキハ之ヲ却下シ理由アリトスルトキハ供託官吏ニ相當ノ處分ヲ命スルコトヲ要ス

抗告ヲ却下シ又ハ處分ヲ命スル裁判ハ理由ヲ附シタル決定ヲ以テ之ヲ爲シ供託官吏及ヒ抗告人ニ送達スルコトヲ要ス

第一條ノ七　前條ノ規定ニ依リ抗告ヲ却下スル決定ニ對シテハ法律違背ヲ理由トスルトキニ限リ非訟事件手續法ノ規定ニ從ヒ抗告ヲ爲スコトヲ得

前項ノ抗告ニ付爲シタル裁判ニ對シテハ不服ヲ申立ツルコトヲ得ス

第二條　供託局ニ供託ヲ爲サント欲スル者ハ司法大臣カ定メタル書式ニ依リテ供託書ヲ作リ供託物ニ添ヘテ之ヲ差出スコトヲ要ス

第三條　供託金ニハ命令ノ定ムル所ニ依リ利息ヲ付スルコトヲ要ス

第四條　供託局ハ供託物ヲ受取ルヘキ者ノ請求ニ因リ供託ノ目的タル有

價證券ノ償還金、利息又ハ配當金ヲ受取リ供託物ニ代ヘ又ハ其從トシテ之ヲ保管ス　但保證金ニ代ヘテ有價證券ヲ供託シタル場合ニ於テハ供託者ハ其利息又ハ配當金ノ拂渡ヲ請求スルコトヲ得

第五條　司法大臣ハ法令ノ規定ニ依リテ供託スル金錢又ハ有價證券ニ非サル物品ヲ保管スヘキ倉庫營業者又ハ銀行ヲ指定スルコトヲ得

倉庫營業者ハ營業ノ部類ニ屬スル物ニシテ其保管シ得ヘキ數量ニ限リ之ヲ保管スル義務ヲ負フ

第六條　倉庫營業者又ハ銀行ニ供託ヲ爲サント欲スル者ハ司法大臣カ定メタル書式ニ依リテ供託書ヲ作リ供託物ニ添ヘテ之ヲ交付スルコトヲ要ス

第七條　倉庫營業者又ハ銀行第五條第一項ノ規程ニ依ルハ供託物ヲ受取ルヘキ者ニ對シ一般ニ同種ノ物ニ付テ請求スル保管料ヲ請求スルコトヲ得

第八條　供託物ノ還付ヲ請求スル者ハ司法大臣ノ定ムル所ニ依リ其權利ヲ證明スルコトヲ要ス

供託者ハ民法第四百九十六條ノ規定ニ依レルコト、供託カ錯誤ニ出テシコト又ハ其原因カ消滅シタルコトヲ證明スルニ非サレハ供託物ヲ取戻スコトヲ得ス

第九條　供託者カ供託物ヲ受取ル權利ヲ有セサル者ヲ指定シタルトキハ其供託ハ無效トス

第十條　供託物ヲ受取ルヘキ者カ反對給付ヲ爲スヘキ場合ニ於テハ供託者ノ書面又ハ裁判公正證書其他ノ公正ノ書面ニ依リ其給付アリタルコトヲ證明スルニ非サレハ供託書ヲ受取ルコトヲ得ス

附　則

第十一條　本法ハ明治三十二年四月一日ヨリ之ヲ施行ス

第十二條　本法施行前ニ供託シタル金錢ニハ其施行ノ月ヨリ拂渡請求ノ前月マテ第三條ノ利息ヲ附スルコトヲ要ス

第十三條　第四條　第八條及ヒ第十條ノ規定ハ本法施行前ニ供託シタル物ニモ亦之ヲ適用ス

第十四條　明治二十三年勅令第百四十五號供託規則ハ本法施行ノ日ヨリ之ヲ廢止ス

附　則（一一年四第六九號）

本法施行ノ期日ハ勅令ヲ以テ之ヲ定ム

本法施行前爲シタル供託ニ關シ必要ナル規定ハ勅令ヲ以テ之ヲ定ム

二　大正十一年制令第二號ニ依リ指定シタル供託所

大正一一年三月
總令第三八號

（本文省略）

三　朝鮮總督府供託局ノ預金取扱店

大正一一年四月
總告第九一號

改正　大正一一年七第一六六號

（本文省略）

四　大正十年法律第六十九號供託法中改正法律施行ニ關スル件

大正十一年二月
勅令第二八號

大正十年法律第六十九號ハ大正十一年四月一日ヨリ之ヲ施行ス

大正十年法律第六十九號施行前爲シタル金錢又ハ有價證券ノ供託ニ付テハ供託物ノ還付又ハ下戾、代供託、附屬供託及利札又ハ利息ノ交付ニ關スル事務ハ大正十一年四月一日ヨリ同十二月二十八日ニ至ル迄ノ間日本銀行ヲシテ之ヲ取扱ハシム

五　供託法第三條ニ依ル供託金利息

大正十一年三月
府令第三六號

供託法第三條ニ依ル供託金ノ利息ハ年三分六厘ト定ム

前項ノ利息ハ供託金受入ノ月及拂渡ノ月ハ其ノ金額ニ對シテ之ヲ附セス供託金ノ一圓未滿ノ端數ニ對シテ亦同シ

附　則

本令ハ大正十一年四月一日ヨリ之ヲ施行ス

六　供託物ノ還付又ハ取戾ヲ請求スル場合ニ關スル件

大正十一年三月
勅令第七五號

供託物ノ還付又ハ取戾ヲ請求スル者カ其ノ還付又ハ取戾ノ請求ニ付司法大臣ノ定ムル書類ヲ提出スルコト能ハサル場合ニ於テ供託官吏必要ト認ムルトキハ請求者ヲシテ其ノ還付又ハ取戾ニ因リテ生スルコトアルヘキ損害ノ擔保トシテ現金又ハ國債ヲ提供セシムルコトヲ得

前項ノ場合ニ於テ供託官吏カ司法大臣ノ定ムル公告ノ手續ヲ爲ストキハ供託官吏ハ請求者ヲシテ公告費用ヲ豫納セシムルコトヲ得

前二項ニ規定スル司法大臣ノ職務ハ朝鮮ニ在リテハ朝鮮總督、臺灣ニ在リテハ臺灣總督之ヲ行フ

附　則

本令ハ大正十一年四月一日ヨリ之ヲ施行ス

七　朝鮮總督府供託局供託物取扱規則

大正十一年三月
總令第三四號

第一條　朝鮮總督府供託局ニ於テ爲ス金錢及有價證券ノ供託ニ關スル手續ハ本令ニ依ル

第二條　供託ヲ爲サムトスル者ハ第一號書式ノ供託書二通ヲ供託局ニ提出スヘシ但シ辨濟供託ニ付テハ第二號書式ノ供託通知書ヲ添附スヘシ

供託書ニハ左ノ事項ヲ記載スヘシ

一　供託者ノ氏名住所、官公吏其ノ職務上爲ス供託ニ付テハ其ノ官公職氏名及所屬官公署ノ名稱、代理人ニ依ル場合ニ於テハ其ノ代理人ノ氏名住所

二　供託金額、有價證券ニ付テハ其ノ種類、記號、番號、枚數、券面額及拂込額

三　供託ノ原因タル事實及法令ノ條項

四　供託物ヲ受取ルヘキ者ノ指定ヲ要スル場合ハ其ノ者ノ表示若之ヲ確知スルコト能ハサルトキハ其ノ事由

五　反對給付ヲ受クルコトヲ要スル場合ハ其ノ反對給付ノ目的物ノ表示其ノ他供託物ヲ受取ルニ付テノ條件

第三條　供託官吏供託ヲ受理スヘキモノト認ムルトキハ大正十一年大藏省令第六號預金部預金取扱規程第四條ノ規定ニ依ル預金部預金拂込書又ハ同年大藏省令第九號供託有價證券取扱規程第二條ノ規定ニ依ル供託有價證券寄託書ヲ作成シ且供託書ニ供託受理ノ旨ヲ記載シテ之ニ捺印シ其ノ一通ヲ拂込書又ハ寄託書ト共ニ供託者ニ交付シ供託物ヲ日本銀行ニ納付セシムヘシ

供託官吏日本銀行ヨリ大正十一年大藏省令第十號日本銀行國庫金取扱規程第五十二條ノ規定ニ依ル預金部預金領收證書又ハ同年大藏省令第十一號日本銀行政府有價證券取扱規程第十七條ノ規定ニ依ル供託有價證券受託證書ノ送付ヲ受ケタルトキハ前條第一項ノ供託通知書ヲ債權者ニ發送スヘシ

第四條　供託ノ目的タル有價證券ノ償還金、利息又ハ配當金ノ代供託又ハ附屬供託ヲ請求セムトスル者ハ第三號書式ノ代供託請求書又ハ附屬供託請求書二通ヲ供託局ニ提出スヘシ

供託官吏前項ノ請求ヲ理由アリト認ムルトキハ前條第一項ノ拂込書及大正十一年大藏省令第九號供託有價證券取扱規程第三條ノ規定ニ依ル供託有價證券拂渡請求書又ハ同令第四條ノ規定ニ依ル供託有價證券利札請求書ヲ作成シ且代供託請求書又ハ附屬供託請求書ニ請求受理ノ旨ヲ記載シテ之ニ捺印シ其ノ一通ヲ拂込書及拂渡請求書又ハ利札請求書ト共ニ請求者ニ交付シ之ヲ日本銀行ニ提出セシムヘシ

第五條　供託物ノ還付ヲ受ケムトスル者ハ第四號書式ノ供託物還付請求書(供託物カ有價證券ナルトキハ請求書二通)ニ左ニ掲クル書類ヲ添附シテ之ヲ供託局ニ提出スヘシ

一　供託物受入ノ記載アル供託書

二　辨濟供託ニ在リテハ供託通知書

三　法令ニ依リテ定マリタル者ハ其ノ受取ルヘキ事由ヲ證スルニ足ル書類

四　裁判ニ依リテ定マリタルトキハ執行力アル裁判ノ正本又ハ裁判所ノ命令書

五　反對給付ヲ爲スヘキトキハ供託法第十條ノ規定ニ依ル證明書類

第六條　供託物ノ取戻ヲ爲サムトスル者ハ第五號書式ノ供託物取戻請求書(供託物カ有價證券ナルトキハ請求書二通)ニ左ニ掲クル書類ヲ添附シテ之ヲ供託局ニ提出スヘシ

一　供託物受入ノ記載アル供託書

二　債權者カ供託ヲ受諾セサル場合ニ於テハ其ノ旨ヲ記載シタル債權者ノ書面又ハ供託ヲ有效ト宣告シタル確定判決ナキコトヲ證スル書面

三　民法第四百九十六條第二項ノ場合ニ該當セサルコトヲ證スル書面

四　供託ノ原因消滅シ又ハ供託カ錯誤ニ出テタル場合ニ於テハ其ノ事實ヲ證スルニ足ル裁判ノ正本其ノ他ノ書面

第七條　供託ヲ爲シタル供託局ノ預金取扱店タル日本銀行所在地外ノ日本銀行ニ於テ供託金ノ還付ヲ受ケ又ハ取戻ヲ爲サムトスル者ハ第五條又ハ前條ノ請求書ニ其ノ旨ヲ附記スヘシ

第八條　供託官吏供託金ノ還付又ハ取戻ノ請求ヲ理由アリト認ムルトキ

ハ請求書ニ其ノ旨ヲ記載シ記名式持參人拂ノ小切手ヲ振出シテ供託書ト引換ニ請求者ニ之ヲ交付スヘシ但シ內渡ノ場合ニ於テハ供託書ニ其ノ額ヲ記載シ之ヲ請求者ニ返還スヘシ

供託金ノ還付又ハ取戾ニ付前條ノ請求アリタルトキハ供託官吏ハ大正十一年大藏省令第六號預金部預金取扱規程第十二條ノ規定ニ依ル手續ヲ爲シ第六號書式ノ供託金支拂通知書ヲ請求者ニ交付シ指定ノ日本銀行ヨリ供託金ノ還付又ハ下戾ヲ受ケシムヘシ

第九條　供託官吏供託有價證券ノ還付又ハ取戾ノ請求ヲ理由アリト認ムルトキハ供託物還付請求書又ハ供託物取戾請求書ニ其ノ旨ヲ記載シ之ニ捺印シテ其ノ一通ヲ請求者ニ交付シ日本銀行ヨリ有價證券ノ還又ハ下戾ヲ受ケシムヘシ

第十條　請求者カ第五條及第六條ノ規定ニ依ル書類ヲ提出スルコト能ハサルトキハ供託局ノ承諾ヲ得タル保證人二人以上ノ連署ヲ以テ供託物ノ還付又ハ下戾ニ因リ供託局ニ生シタル損害ヲ賠償スル責ニ任スヘキ旨ヲ記載シタル書面又ハ利害關係人ノ承諾書ヲ以テ其ノ書類ニ代フルコトヲ得

第十一條　配當其ノ他供託物ノ分割拂渡ヲ爲スヘキ場合ニ於テ官廳又ハ供託者ハ第七號書式ノ支拂委託書ニ供託物受入ノ記載アル供託書ヲ添附シテ之ヲ供託局ニ送付シ分割拂渡ヲ受クヘキ者ニ第八號書式ノ證明書ヲ交付スヘシ

分割拂渡ヲ受クヘキ者カ供託物拂渡請求書ニ前項ノ證明書ヲ添附シテ供託物拂渡ノ請求ヲ爲シタルトキハ供託官吏ハ第八條及第九條ノ規定ニ準シ其ノ手續ヲ爲スヘシ

第十二條　保證金ニ代ヘテ有價證券ヲ供託シタル者利札ヲ受取ラムトスルトキハ第九號書式ノ供託有價證券利札請求書二通ヲ供託局ニ提出スヘシ

供託官吏前項ノ請求ヲ理由アリト認ムルトキハ請求書ニ其ノ旨ヲ記載シ之ニ捺印シテ其ノ一通ヲ請求者ニ交付シ日本銀行ヨリ利札ヲ受取ラシムヘシ

第十三條　供託金ノ利息ハ元金ト同時ニ拂渡スヘキモノトス但シ元金ノ受取人ト利息ノ受取人ト異ニスルトキハ元金拂渡ノ後利息ヲ拂渡スヘシ

保證トシテ金錢ヲ供託シタル場合ニ於テ供託カ一年以上繼續スルトキハ其ノ利息ハ毎年六月ニ於テ前月迄ニ生シタル金額ヲ計算シ供託者又ハ之ヲ受取ルヘキ者ニ拂渡スヘシ

第十四條　前條第一項ノ利息ノ拂渡ヲ受ケムトスル者ハ第十號書式ノ供託金利息請求書二通、同條第二項ノ利息ノ拂渡ヲ受ケムトスル者ハ第十一號書式ノ供託金利息請求書二通ヲ供託局ニ提出スヘシ

供託官吏前項ノ請求ヲ理由アリト認ムルトキハ前項ノ請求書ニ其ノ旨ヲ記載シ之ニ捺印シテ其ノ一通ヲ請求者ニ交付シ日本銀行ヨリ利息ヲ受取ラシムヘシ

附　則

本令ハ大正十一年四月一日ヨリ之ヲ施行ス

第一號書式（用紙半紙紙數二枚以上ニ及フトキハ契印スルコト）

供　託　書（金錢ト有價證券トニ各別ニ作成スルコト）

住所

供託者　何　某
（第三種ニ於テ供託スルトキハ供託者第三者ト記入スルコト）

一金何圓也

又ハ

一何何公債證書額面何圓也（尚全額拂込未濟ノモノハ其ノ拂込濟額ヲ記載スルコト）
（何圓券何號番又ハ何號何番ヨリ第何番マテ何枚）

但シ何年何月又ハ何期渡以降利札附

又ハ

一何會社株券額面何圓也　同上

又ハ

一何何　同上

供託ノ原因タル事實

供託スヘキ法令ノ條項

供託物ヲ受取ルヘキ者ノ指定又ハ之ヲ確シ得サル事由

反對給付ノ目的物其ノ他供託物ヲ受取ルニ付テノ條件

裁判所其ノ他官廳ノ名稱及件名

右供託ス

年　月　日

右　何　某　印

供託局宛

受理書式

供託番號第　號

右日本銀行ニ於ケル供託局口座ニ拂込ムヘシ

年　月　日

何供託局長　何　某　印

受入書式

右受入ヲ證ス

年　月　日

日本銀行　印

受領書式

前書金額ノ小切手（拂渡認可ノ奥書アル前書有價證券拂渡請求書）受領候也

年　月　日

住所

受取人　何　某　印

供託局宛

内渡書式

内

一金何圓也

右内渡ヲ了ス

年　月　日

何供託局長　何　某　印

又ハ

一何何公債證書額面何圓也　何圓券何第何番又ハ何第何番ヨリ第何番マテ何枚

又ハ

一何會社株券額面何圓也　同上

又ハ

一何何　同上

（種類多數ナルトキハ別ニ内譯書ヲ添附スルコトヲ得此ノ場合ニ於テハ別紙内譯書ノ通ト記入シ内譯書ト契印スルコト）

右内渡ヲ證ス

年　月　日

日本銀行 印

第二號書式

供託通知書

一金何圓也

又ハ

一何何公債證書額面何圓也　何圓券何第何番又ハ何第何番ヨリ第何番マテ何枚

又ハ

一何會社株券額面何圓也　同上

又ハ

一何何　同上

右ハ何何ノ事由ニ因リ何供託局ニ供託致候間御受領相成度此段及通知候也

年　月　日

住所　何　某 印

何　某殿

第三號書式

代供託請求書又ハ附屬供託請求書（代供託物ト附屬供託物トハ各別ニ作成スルコト）

供託番號第　號

一金何圓也

何何公債證書（何會社株券）何圓何年何月（何期）渡利息（配當金）

（何年何月償還金）

前書ノ金額代供託（附屬供託）トシテ御受入相成度（別紙委任狀相添）及請求候也

年　月　日

住所　何　某 印

供託局宛

受理書式

供託番號第　號

右受入手續ヲ爲スヘキモノトス

年　年　月

何供託局長　何　某 印

受入書式

右受入ヲ證ス

年 月 日

日本銀行 印

受領書式

前書金額ノ小切手受領候也

年 月 日

住所 何 某 印

供託局宛

內渡書式

內

一金何圓也

右內渡チ了ス

年 月 日

何供託局長 何 某 印

第四號書式

供託物還付請求書（供託書一通每ニ作成スルコト）

供託番號第　號

一金何圓也

又ハ

一何何公債證書額面何圓也 何圓券何第何番又ハ何第何番ヨリ第何番マテ何枚

又ハ

一何會社株券額面何圓也 同上

又ハ

一何何 同上

前書ノ金額（有價證券）何何ノ事由ニ因リ還付相成度別紙供託書及證明書類相添及請求候也

年 月 日

住所

受取人 何 某 印

供託局宛

認可書式

右還付チ認可ス

年 月 日

何供託局長 何 某 印

第五號書式

供託物取戻請求書（供託書一通每ニ作成スルコト）

供託番號第　號

一金何圓也

又ハ

一何何公債證書額面何圓也 何圓券何第何番又ハ何第何番ヨリ第何番マテ何枚

又ハ

一何會社株券額面何圓也 同上

又ハ

一何何　同上

前書ノ金額（有價證券）何何ノ事由ニ依リ下戻相成度別紙供託書及證明書類相添及請求候也

年　月　日

住所

供託者　何　某　印

供託局宛

認可書式

右取戻ヲ認可ス

年　月　日

何供託局長　何　某　印

第六號書式

供託金支拂通知書

住所

供託番號第　號

受取人　何　某

一金何圓也

右者ニ對シ前記ノ金額拂渡相成度候也

年　月　日

何供託局長　何　某　印

日本銀行（支拂店）宛

受領書式

右受領候也

年　月　日

住所

何　某　印

日本銀行（支拂店）宛

第七號書式

支拂委託書（供託書一通毎ニ作成スルコト）

供託番號第　號

一金何圓也

又ハ

一何何公債證書額面何圓也　何圓券何號何番又ハ何號何番ヨリ號何番マテ何枚

又ハ

一何會社株券額面何圓也　同上

又ハ

一何何　同上

内

一金何圓也

又ハ

一何何公債證書額面何圓也　何圓券何號何番又ハ何號何番ヨリ號何番マテ何枚

又ハ

一何會社株券額面何圓也　同上

又ハ

一何何　同上

住所　受取人　何　某

內

一金何圓也

又ハ

一何何公債證書額面何圓也　何圓券何第何番又ハ何第何番ヨリ第何番マテ何枚

又ハ

一何會社株券額面何圓也　同上

又ハ

一何何　同上

住所　受取人　何　某

右ハ何何ノ事由ニ因リ內譯ノ通分割拂渡スコトヲ要スルニ付別紙供託書相添及請求候也

年　月　日

官廳名㊞　官　氏　名　㊞

又ハ

住所　供託者　何　某　㊞

借託局宛

第八號書式

證明書

住所　受取人　何　某

供託番號第　號

一金何圓也

又ハ

一何何公債證書額面何圓也　何圓券何第何番又ハ何第何番ヨリ第何番マテ何枚

又ハ

一何會社株券額面何圓也　同上

又ハ

一何何　同上

右者前記ノ金額（有價證券）ノ拂渡ヲ受クヘキモノナルコトヲ證ス

年　月　日

官廳名㊞　官　氏　名　㊞

又ハ住所　供託者　氏　名　㊞

第九號書式

供託有價證券利札請求書

供託番號第　號

何年何月渡

一何何公債證書何圓券附屬利札　何　枚

又ハ

一何何附屬利札　何　枚

右請求候也

年　月　日

住所　何　某　㊞

供託局宛

認可書式

右拂渡ヲ認可ス

年　月　日

何供託局長　何　某　㊞

受領書式

右受領候也

年　月　日

住所　何　某　㊞

日本銀行宛

第十號書式

供託金利息請求書

供託番號第　　號

供託金何圓ニ對スル利息支拂相成度及請求也

年　月　日

住所

受取人　何　某　㊞

供託局宛

認可書式

一金何圓也

（金何圓ニ對スル何年何月ヨリ何年何月ニ至ル迄ノ年何分何厘ノ割合ニ依ル利息）

右拂渡ヲ認可ス

年　月　日

何供託局長　何　某　印

受領書式

右受領候也

年　月　日

住所

受取人　何　某　印

日本銀行宛

第十一號書式

供託金利息請求書

供託書番號第　　號

供託金何圓（但シ何年何月何日受入濟）ニ對スル利息支拂相成度及請求候也

年　月　日

住所

受取人　何　某　印

供託局宛

認可書式

一金何圓也

（金何圓ニ對スル何年何月ヨリ何年何月ニ至ル迄ノ年何分何厘ノ割合ニ依ル利息）

右拂渡ヲ認可ス

年 月 日

何供託局長 何 某 印

受領書式

右受領候也

年 月 日

住所

受取人 何 某 印

日本銀行宛

八 指定供託所供託物取扱規則

大正元年十一月
總令第三十八號

改正 一一年三第三五號

第一條 朝鮮總督ノ指定シタル供託所ニ供託ヲ爲サムトスル者ハ左ノ事項ヲ明示シタル第一號書式ノ供託書二通ヲ作リ之ニ供託物ヲ添ヘ供託所ニ提出スヘシ 但シ辨濟供託者ニ付テハ第十號書式ノ供託通知書ヲ添付スヘシ

一 供託者ノ住所氏名官吏公吏ノ公務上取扱フ場合ハ其ノ官廳名官氏名又ハ職氏名但シ代人ヲ用フルトキハ本人及代理人ノ住所氏名

二 供託物カ金錢ナルトキハ其ノ金額、有價證券ナルトキハ其ノ種類記號、番號、券面額（全額拂込未濟ノモノハ券面額ノ左側ニ其ノ拂込額ヲ併記スヘシ）枚數、其ノ他供託品ナルトキハ其ノ名稱、品質、數量、荷造ノ種類、箇數、記號及其ノ評價格竝保管料

三 供託ノ原因（事實ヲ詳記スルノ外利害關係人ノ法律上ノ位置及氏名）

四 供託スヘキ法令ノ條項

五 供託物ヲ受取ルヘキ者ノ指定ヲ要スル場合ハ其ノ者ノ法律上ノ位置（賃借者、抵當權者等特ニ其ノ名稱ヲ記ヘルコトヲ要ス）及住所氏名、官公署ナルトキハ其ノ官公署名、官氏名又ハ職氏名若之ヲ確知スルコト能ハサルトキハ其事由

六 供託物ヲ受取ルヘキ者ヨリ反對給付ヲ受クルコトヲ要スル場合ハ其ノ反對給付ノ目的物其他供託物ヲ受取ルニ付テノ條件

七 官廳ニ對スル保證又ハ擔保トシテ供託スルトキハ其ノ官廳名、訴訟ニ關シテ供託スルトキハ其ノ件名及裁判所名

第二條 供託所ニ於テ前條ノ供託ヲ受ケタルトキハ之ヲ調査シ供託ノ要件ノ具備シタルコトヲ認メタル後供託書ノ一通ニ受領ヲ證シ供託者ニ交付スヘシ

供託所前項ノ手續ヲ終リタルトキハ直ニ前條供託通知書ヲ債權者ニ發送スヘシ

第三條 供託物ハ郵便ニ依リ寄託スルコトヲ得 但シ供託物カ金錢ナルトキハ供託者ノ危險負擔ヲ以テ銀行ノ爲替手形又ハ郵便爲替券等ヲ以テ供託書ト共ニ供託所ニ送付スルコトヲ得

第四條 供託所ニ於テ前條ニ依リ爲替手形又ハ爲替券等ノ送付ヲ受ケタルトキハ之ヲ現金ニ交換シタル後第二條ニ依リ受領ノ手續ヲ爲スヘ

シ

第五條　供託物ヲ受取ルヘキ者ニ於テ供託ノ目的タル有價證券ノ償還金利息又ハ配當金ノ受取方ヲ請求セムトスルトキハ第二號書式ノ請求書二通ヲ作リ供託所ニ提出スヘシ

保證金ニ代ヘ利札付有價證券ヲ供託シタル場合ニ於テハ前項ノ手續ニ依ラス第三號書式ノ領收證書ヲ作リ利札ノ交付ヲ供託所ニ請求スルコトヲ得

第六條　供託所ニ於テ前條第一項ノ請求ヲ受ケタルトキハ其ノ償還金、利息又ハ配當金ヲ受取リ償還金ハ代供託物、利息又ハ配當金ハ附屬供託物トシテ之ヲ保管シ請求書ノ一通ニ其ノ受領ヲ證シ請求者ニ交付スヘシ

前條第二項ノ請求ヲ受ケタルトキハ其ノ利札ヲ交付スヘシ

第七條　供託物ノ還付ヲ受ケムトスル者ハ第四號書式ノ請求書ヲ作リ第二條、第六條第一項ノ受領證ヲ添ヘシ左ノ書類ト共ニ供託所ヘ提出スヘシ但シ全部ノ還付ヲ要スルトキハ其ノ受領證ニ奥書ヲ爲シ一部ノ還付ヲ要スルトキハ第五號書式ノ領收書ヲ提出スルコトヲ要ス

一　辨濟供託ニ在リテハ其ノ供託通知書

二　法令ニ依リ定マリタル者ニ在リテハ其ノ受取ルヘキ事由ヲ證スルニ足ル書類

三　裁判ニ依リテ定マリタル者ニ在リテハ執行力アル判決ノ正本又ハ裁判所ノ命令書

四　反對給付ヲ爲スヘキトキハ供託法第十條ノ規程ニ依ル證明書類

第八條　供託者供託物ノ取戻ヲ爲サムトスルトキハ前條ノ手續ニ依リ左ノ書類ヲ提出シ供託所ニ其ノ請求ヲ爲スヘシ

一　債權者カ供託ヲ受諾セサル場合ニ於テハ其事由ヲ表示シタル債權者ノ書面

二　供託ヲ有效ト宣告シタル確定判決ナキコトヲ證スル書面

三　前二號ノ場合ニ於テ供託カ質權又ハ抵當權ノ消滅ニ關スルモノナルトキハ其ノ質權又ハ抵當權ノ消滅セサリシコトヲ證明シ得ヘキ書類

四　供託ノ原因カ消滅シ又ハ供託カ錯誤ニ出テタル場合ニ於テハ其ノ事實ヲ證明スルニ足ルヘキ書類又ハ判決ノ正本

五　前號ノ場合ニ於テ官廳ニ對スル保證又ハ擔保トシテ供託シタルモノナルトキハ其ノ官廳又ハ裁判所ノ證明　但シ官吏公吏ノ公務上取扱フモノナルトキハ其ノ事由ヲ表示シタル書面

第九條　前二條ノ規定ニ依リ提出スヘキ書類其ノ他原因ヲ證明スルニ足ルヘキ書類ヲ提出スルコト能ハサル正當ノ理由アル場合ニ於テハ供託所ノ承諾ヲ得タル保證人二人以上ノ連署ヲ以テ其ノ供託物取戻ノ爲供託所ニ損害ヲ生シタルトキハ賠償ノ責ニ任スル旨ヲ記載シタル書面又ハ利害關係人ノ承諾書ヲ以テ其ノ書類ニ代フルコトヲ得

第十條　供託所第七條、第八條ニ依ル還付又ハ取戻ノ請求ヲ受ケタルトキハ之ヲ調査シ請求ノ理由アルコトヲ確認シタル後供託物ヲ請求者ニ交付スヘシ但シ一部ノ還付ヲ爲シタルトキハ供託受領證ニ其ノ記入ヲ爲シ請求者ニ返還スヘシ

第十一條　配當其他供託物ノ分割拂渡ヲ爲スヘキ場合ニ於テ官廳又ハ供

託者ハ第六號書式ノ請求書ニ第二條、第六條第一項ノ受領證ヲ添ヘ供託所ニ送付シ第七號書式ノ還付證書ヲ受取人ニ交付スヘシ

受取人前項ノ還付證書ヲ受ケタルトキハ受領ヲ證シ供託物ノ還付ヲ請求スヘシ

第十二條　供託所前條ノ請求ヲ受ケタルトキハ還付證書ト引換ニ供託物ヲ受取人ニ交付スヘシ　但シ供託物ノ一部ヲ還付スルモノナルトキハ供託受領證ニ其ノ記入ヲ爲シ請求官廳又ハ供託者ヘ返還スヘシ

第十三條　供託金ノ利息ハ其ノ元金ト同時ニ拂渡スヘキモノトス但シ元金ノ受取人ト利息受取人トヲ異ニスルトキハ元金拂渡ノ後利息ヲ拂渡スヘシ

保證トシテ金錢ヲ供託シタル場合ニ於テ供託ガ一年以上繼續スルトキハ其利息ハ毎年六月ニ於テ前月迄ニ生シタル金額ヲ計算シ供託者又ハ之ヲ受取ルヘキ權利アル者ノ請求ニ依リ拂渡ヲ爲スヘシ

第十四條　前條第一項ニ依ル利息ノ拂渡ヲ受ケムトスル者ハ第八號書式ノ請求書前條第二項ニ依ル利息ノ拂渡ヲ受ケムトスル者ハ第九號書式ノ請求書ヲ供託所ニ提出スヘシ

第十五條　供託所前條ノ請求書ヲ受ケタルトキハ利息金額ヲ計算シ受領ヲ證セシメ其ノ現金ヲ交付スヘシ

附　則

本令ハ發布ノ日ヨリ之ヲ施行ス

第一號書式　（用紙半紙紙數二枚以上ニ及ノトキハ契印スヘシ以下同シ）

供託書　（金錢、有價證券、物品ニ區別作成スルヲ要ス）

道府（郡）町面洞（里）番戸

供託者　何　某　（第三者ニ於テ供託ヲ爲ストキハ供託者第三者ト記入スヘシ）

一金何圓也

又ハ

一何公債證書額面何圓也（全額拂込未濟ノモノハ其拂込額ヲ左側ニ記入スルコトヲ要ス以下同シ）　何圓券何枚何番又ハ何第何番ヨリ第何番マテ何枚

但何年何月又ハ何期渡以降利札付（以下同シ）

又ハ

一何銀行又ハ何會社株券額面何圓也　同　記號番號枚數記載方前ニ同シ

又ハ

一何　同　前ニ同シ

又ハ

一何　（金銀、有價證券以外ノ物品ノ名稱、品質、數量、荷造ノ種類、價額、記號等）（種類多數ナルトキハ別ニ内譯書ヲ添附スルモ妨ナシ此場合ニハ外何點別紙内譯書ノ通ト記入シ一内譯書ト契印スヘシ）

評價金

保管料

供託ノ原因

供託スヘキ法令ノ條項

供託ヲ受取ルヘキ者ノ指定又ハ之ヲ確知シ得サル事由
反對給付ノ目的物其ノ他供託物ヲ受取ルニ付テノ條件
官廳名又ハ訴訟事件名及裁判所名
右供託ス
年　月　日
右　　何　某 印

何供託所宛

受領書式
第何號
右受領ス
年　月　日
供託所名 印

奥書ノ式
前書ノ金額(有價證券又ハ物品)正ニ受領候也
年　月　日
道府(郡)町面洞(里)番戸
受取人　何　某 印

供託所宛

內渡書式
內

一金何圓也
又ハ
一何公債證書額面何圓也
又ハ
一何銀行又ハ何會社株券額面何圓也　同　(何圓券何第何番又ハ何第何番ヨリ何第何番マテ何枚)
記號番號枚數記載方前ニ同シ
又ハ
一何　同
前ニ同シ
(種類多數ナルトキハ別ニ內譯書ヲ添附スルモ妨ナシ此場合ニハ本文寫書ノ箇所ニ公債證書其他額面何圓也別紙內譯書ノ通ト記入シ內譯書ト契印スヘシ)
又ハ
一何 (金錢、有價證券以外ノ物品ノ名稱品質、數量、荷造ノ種類個數記號等)
(種類多數ナルトキハ別ニ內譯書ヲ添附スルモ妨ナシ此ノ場合ニハ外何點別紙內譯書ノ通ト記入シ內譯書ト契印スヘシ)
右金額(有價證券又ハ物品)何年何月何日內渡濟
供託所名 印

第二號書式
請求書 (代供物託ト附屬供託物トハ各別ニ請求書ヲ作成スルコトヲ要ス)
一金何圓也
何公債證書(何銀行株券)(何會社株券)何圓何年何月(何期)渡利息(配當金)(何年何月償還金)何年何月何日第何號供託受領證ノ分
前書金額御受取相成度別紙委任狀相添請求候也

年　月　日

道府(郡)町面洞(里)番戸　何　某　印

供託所宛

受領ノ書式

第何號

右代供託物(附屬供託物)トシテ受領ス

年　月　日

供託所名　印

奧書ノ式

前書ノ金額正ニ領收候也

年　月　日

道府(郡)町面洞(里)番戸　何　某　印

供託所宛

內渡ノ書式

表書金額ノ內

一金何圓也

右金額何年何月何日渡濟

(受領證ノ餘白ニ記入シ難キトキハ繼紙ヲ爲スヘシ)

供託所名　印

第三號書式

利札領收證書

一利札券面額何圓也　何枚

但何年何月何日第何號供託受領證ノ何公債證書(何銀行又ハ何會社債券)額面何圓ニ對スル何年何月又ハ何期渡ノ分

右領收候也

年　月　日

道府(郡)町面洞(里)番戸

供託者　何　某　印

供託所宛

第四號書式

供託物還付請求書　(供託受領證一葉每ニ請求書ヲ作成スルコト要ス)

一金何圓　(一部ノトキハ請求額ノ上部ニ何年何月何日第何號供託受領書ノ內ト肩書スヘシ)

又ハ

一何公債證書額面何圓也　何圓券何第何番又ハ何第何番ヨリ第何番マテ何枚

又ハ

何會社株券額面何圓也　同

記號番號枚數記載方前ニ同シ

又ハ

一何　同

前ニ同シ

又ハ

一何（金錢、有價證券以外ノ物品ノ名稱、品質、數量、荷造ノ種類、個數記號等）

（種類多數ナルトキハ別ニ内譯書ヲ添附スルモ妨ナシ此場合ニハ外何點別紙内譯書ノ通ト記入シ内譯書ト契印スヘシ）

前書ノ金額（有價證券又ハ物品）何々ノ事由ニ依リ還付相受度證明書並供託受領證相添請求候也

年　月　日

道府（郡）町面洞（里）番戸

受取人　何　某　印

供託所宛

第五號書式

領收證書（供託受領證一葉毎ニ領收證書ヲ作成スルコトヲ要ス）

何年何月何日第何號供託受領證ノ内

一金何圓也

又ハ

一金何公債證書額面何圓也　何圓券何第何番又ハ何第何番ヨリ第何番マテ何枚

又ハ

一何銀行又ハ何會社株券額面何圓也　同　記號番號枚數記載方前ニ同シ

又ハ

一何　同　前ニ同シ

又ハ

一何（金錢、有價證券以外ノ物品ノ名稱、品質、數量、荷造種類個數記號等）

（種類多數ナルトキハ別ニ内譯書ヲ添附スルモ妨ナシ此場合ニハ外何點別紙内譯書ノ通ト記入シ内譯書ト契印スヘシ）

前書ノ金額（有價證券又ハ物品）正ニ領收候也

年　月　日

道府（郡）町面洞（里）番戸

受取人　何　某　印

供託所宛

第六號書式

請求書（供託受領證一葉毎ニ請求書ヲ作成スルコトヲ要ス）

道府（郡）町面洞（里）番戸

供託者　何　某

何年何月何日第何號受領證

一金何圓也

又ハ

一何公債證書額面何圓也　何圓券何第何番又ハ何第何番ヨリ第何番マテ何枚

又ハ

一何銀行又ハ何會社株券額面何圓也　同　記號番號枚數記載方前ニ同シ

又ハ

一何　同　前ニ同シ

内

金何圓也

又ハ
何公債證書額面何圓也　（何圓券何枚何番又ハ何第何番ヨリ第何番マテ何枚）
又ハ
何銀行又ハ何會社株券額面何圓也　同
記號番號枚數記載方前ニ同シ
又ハ
何　同
前ニ同シ
又ハ
一何（金錢、有價證券以外ノ物品ノ名稱、品質、數量、荷造ノ種類箇數記號等）
（種類多數ナルトキハ別ニ内譯書ヲ添附スルモ妨ナシ此場合ニハ外何點別紙内譯書ノ通ト記入シ内譯書ト契印スヘシ）

道府（郡）町面洞（里）番戸
受取人　何　某

右ハ何事由ニ依リ内譯ノ通還付證書發行候ニ付分割還付ヲ爲スコトヲ要ス依テ別紙供託受領證相添請求候也

年　月　日

官廳名印
又ハ
住所
官　氏　名印

供託所宛

供託者　何　某印

第七號書式

還付證書

道府（郡）町面洞（里）番戸
供託者　何　某

何年何月何日第何號受領證ノ内
一金何圓也
又ハ
一何公債證書額面何圓也　（何圓券何枚何番又ハ何第何番ヨリ第何番マテ何枚）
又ハ
一何銀行又ハ何會社株券額面何圓也　同
記號番號枚數記載方前ニ同シ
又ハ
一何　同
前ニ同シ
又ハ
一何（金錢、有價證券以外ノ物品ノ名稱、品質、數量、荷造ノ種類箇數記號等）
（種類多數ナルトキハ別ニ内譯書ヲ添附スルモ妨ナシ此場合ニハ外何點別紙内譯書ノ通ト記入シ内譯書ト契印スヘシ）

右金額（有價證券又ハ物品）道府（郡）町面洞（里）番戸何某ヘ還付スルコトヲ要ス

年　月　日

官廳名印

官　氏　名印

供託所宛

又ハ
住所

供託者 何 某 印

奥書ノ式

前書ノ金額(有價證券又ハ物品)正ニ領收候也

年 月 日

道府(郡)町面洞(里)番戸

受取人 何 某 印

供託所宛

第八號書式

利息請求書

何年何月何日第何號供託受領證ノ何圓ニ對スル利息仕拂相成度請求候也

年 月 日

道府(郡)町面洞(里)番戸

受取人 何 某 印

供託所宛

利息記入證明式

一金何圓也

内 利子額(利率年何分何厘)

金何圓也 利子額何圓ニ對スル何年何月ヨリ何年何月マテ

金何圓也 何

右之通ニ候也

年 月 日

供託所名 印

現金領收ノ式

前書ノ金額正ニ領收候也

年 月 日

受取人 何 某 印

供託所宛

第九號書式

營業保證金ニ係ル供託金利息請求書

何年何月何日第何號供託金何圓ニ對スル何年何月ヨリ何年何月ニ至ル利息仕拂相成度請求候也

年 月 日

道府(郡)町面洞(里)番戸

受取人 何 某 印

供託所宛

利息記入證明式

一金何圓也

内 利子額(利率年何分何厘)

金何圓也 自何年何月分 至何年何月分

右之通ニ候也

年 月 日　　　　供託所名 印

現金領收書式

前書ノ金額正ニ領收候也

年 月 日　　　　受取人 何　某 印

供託所宛

第十號書式

供託通知書

一金何圓也

又ハ

一何公債證書額面何圓也　（何圓券何枚何番又ハ何枚何番ヨリ何番マテ何枚）

又ハ

一何會社株券額面何圓也　同上

又ハ

一何何　同上

又ハ

一何（金錢、有價證券以外ノ物品ノ名稱、品質、數量竝造ノ種類、個數記號等）

右ハ何何ノ事由ニ因リ何供託所ニ供託致候間御受領相成度此段及通知候也

年 月 日

住所　　何　某 印

住所

何　某殿

附　則

本令ハ大正十一年四月一日ヨリ之ヲ施行ス

倉庫營業者

京畿道	京城	株式會社朝鮮商業銀行南大門支店
	仁川	同　仁川支店
	平澤	同　平澤支店
慶尙南道	釜山	朝鮮興業株式會社釜山支店
	同	釜山共同倉庫株式會社

金庫ニ代ハルヘキモノ

京畿道	水原	株式會社漢城銀行水原支店
	平澤	株式會社朝鮮商業銀行平澤支店
	開城	株式會社漢湖農工銀行開城支店
忠清南道	大田	同　大田支店
	江景	同　江景支店
	論山	同　論山支店
忠清北道	忠州	同　忠州支店
江原道	鐵原	同　鐵原支店
慶尙北道	金泉	株式會社慶尙農工銀行金泉支店
	尙州	同　尙州支店
	浦項	同　浦項支店

慶尙南道	馬山	朝鮮銀行馬山出張所
	密陽	合資會社密陽銀行
	蔚山	株式會社釜山商業銀行蔚山支店
	統營	株式會社慶尙農工銀行統營支店
黃海道	沙里院	株式會社平安農工銀行沙里院支店
平安南道	安州	同　安州支店
平安北道	博川	同　博川支店
	寧邊	同　寧邊支店
全羅北道	南原	株式會社全州農工銀行南原支店
	井邑	同　井邑支店
全羅南道	榮山浦	株式會社光州農工銀行榮山浦支店
	筏橋浦	同　筏橋浦支店
	麗水	同　麗水支店
	濟州島	同　濟州島支店
咸鏡南道	北青	株式會社咸鏡農工銀行北青支店
咸鏡北道	會寧	朝鮮銀行會寧出張所

倉庫營業者ニ代ハルヘキモノ

京畿道	水原	株式會社漢城銀行水原支店
	開城	株式會社漢湖農工銀行開城支店
忠淸北道	清州	同　清州支店
忠淸南道	公州	同　公州支店
	大田	同　大田支店
	論山	同　論山支店

全羅北道	江景	同　江景支店
	群山	朝鮮銀行群山出張所
	全州	株式會社全州農工銀行
全羅南道	木浦	朝鮮銀行木浦出張所
	光州	株式會社光州農工銀行
	榮山浦	同　榮山浦支店
慶尙北道	大邱	株式會社慶尙農工銀行
	金泉	同　金泉支店
慶尙南道	馬山	朝鮮銀行馬山出張所
	同	株式會社慶尙農工銀行馬山支店
	晋州	同　晋州支店
黃海道	沙里院	株式會社平安農工銀行沙里院支店
平安南道	平壤	朝鮮銀行平壤支店
	鎭南浦	同　鎭南浦出張所
咸鏡南道	咸興	株式會社咸鏡農工銀行咸興支店
	元山	朝鮮銀行元山支店
咸鏡北道	城津	同　城津支店
	會寧	朝鮮銀行會寧出張所

九　入札保證金寄託ノ件

大正七年八月
官通第一三八號

總務局長

出納官吏宛

今般大藏省ヨリ左記ノ通【金庫】ヘ通牒セシ旨通知有之候條此段及移牒候

也

記

入札保證金ニ限リ一萬圓以上ノ場合ハ一時ノ取扱ニ係ルモノト雖【金庫】ニ於テ特ニ保管方取計相成度依命此段申進候也

大正七年七月十九日

大藏省主計局長

金庫出納役宛

一〇 期滿失效期日通知書樣式及寄託通知書、送付書、拂渡證書等用紙寸法竝刷色制限ニ關スル件

大正八年二月
官通第二五號

政務總監

各部長官、官房局課長竝所屬官署ノ長宛

保管物取扱規程ニ依リ金庫ニ通知ヲ要スル場合ノ期滿失效期日通知書樣式及同規程竝朝鮮總督府遞信官署現金受拂規則ニ依ル寄託通知書、送付書、拂渡證書、保管金送付書仕譯ノ用紙、寸法竝刷色左ノ通相定候條此段及通牒候也

追テ從來使用セル用紙ノ殘存セルモノハ本年度ニ限リ依然使用差支無之申添候

記

一 樣式

期滿失效期日(變更)通知書

大正何年何月何日領收證書第何號

一 金何程　期滿失效(變更)　年月日(年月日)

右(變更)通知候也

年　月　日

何廳　官　氏　名　印

金庫宛

二 用紙

厚質礬砂引美濃紙又ハ之ニ類似ノモノ

三 寸法

保管物取扱規程ニ依ルモノ

イ 寄託通知書
ロ 送付書　} 用紙 竪六寸五分 横五寸　輪廓 竪五寸 横二寸五分
ハ 保管金送付書仕譯
ニ 拂渡證書　} (右側ニ一寸ノ綴代ヲ存スルコト)

ホ 期滿失效期日(變更)通知書　用紙 竪六寸五分 横三寸五分　輪廓 竪五寸 横二寸五分

(右側ニ一寸ノ綴代ヲ存スルコト)

遞信官署現金受拂規則ニ依ルモノ

イ 送付書

寄託金繰替受入受領書
寄託金繰替受入請求書　} 用紙 竪六寸五分 横三寸五分　輪廓 竪五寸 横二寸五分

送付書　用紙 竪六寸五分 横五寸　輪廓 竪五寸 横三寸五分

(左側ニ一寸ノ綴代ヲ存スルコト)

ロ 拂渡證書

寄託金繰替拂請求書　用紙竪六寸五分 横三寸　輪廓竪五寸 横二寸五分

拂渡證書　用紙竪六寸五分 横五寸　輪廓竪五寸 横三寸五分

（左側ニ一寸ノ綴代ヲ存スルコト）

四 刷色 黒色

二一 保管金拂出方ノ件

大正十一年五月
官通第四十二號

政務總監

歲入歲出外現金出納官吏（日本銀行代理店所在ノモノヲ除ク）
郵便爲替貯金管理所長及京城郵便局長 宛

明治四十三年大藏省令第四十四號朝鮮總督府遞信官署現金受拂規則ニ依リ遞信官署ニ於テ繰替受入ヲ爲シタル保管金ノ拂出方ハ左記ニ依リ御取扱相成度依命此段及通牒候也

記

一 歲入歲出外現金出納官吏ハ日本銀行京城代理店ヨリ送付セル小切手用紙ニ一定ノ金額（出納官吏ノ寄託スル保管金全部ノ現在高）支拂地（京城府）支拂人（日本銀行京城代理店）受取人（京城郵便局）金庫ノ發行シタル寄託金領收證書ノ年月日及番號竝裏書禁示ノ旨其他必要ナル記入ヲ爲シ之ニ郵便貯金預入申込書及貯金現在高證明請求書ヲ添附シ京城郵便局ニ書留郵便（親展）ヲ以テ送付スヘシ

寄託金領收證書ノ年月日及番號ハ小切手ノ裏面ニ記載スヘシ

二 京城郵便局前項ノ小切手ヲ受ケタルトキハ該小切手金額ヲ振出人即チ歲入歲出外現金出納官吏ノ名義ノ郵便貯金ト爲スヘシ

三 歲入歲出外現金出納官吏第一項ニ依リ小切手ヲ郵便局ニ送付スルトキハ同時ニ照較ノ用ニ供スル爲小切手ニ押捺セルト同一ノ印鑑ヲ日本銀行京城代理店ニ送付スヘシ

四 歲入歲出外現金出納官吏カ明治四十三年大藏省令第四十四號朝鮮總督府遞信官署現金受拂規則第十條ニ依リ遞信官署ニ對シ繰替拂ヲ請求シタル寄託金ニシテ大正十一年三月三十一日迄ニ拂渡未濟ノモノアルトキハ其拂渡證書ヲ取消シ第一號ニ依リ取扱ヲ爲シタル上之ヲ權利者ニ交付スヘシ

二二 寄託金ノ權利移轉又ハ其他ノ事故ノ爲期滿失效期日ニ變更ヲ生シタル場合（金庫）ニ通知方ノ件

明治四十五年六月
官通第二〇五號

政務總監

【金庫】ニ寄託シタル保管金ニシテ權利移轉又ハ其他ノ事故ノ爲送付書ニ記載シタル期滿失效期日ニ變更ヲ生シタル場合ニ於テハ保管物取扱規程第二十一條ニ依リ金庫ニ通知ヲ要シ候處往往右通知ヲ漏ラス向有之金庫ニ於テ支障少カラサル趣ニ付注意相成度及通牒候也

追テ拂渡證書ヲ收入官吏ニ交付シ之ヲ朝鮮歲入ニ納付セシムヘキ場合ニハ拂渡證書發行ト同時ニ【金庫】ニ前文ノ通知相成可然此段申添候

二三 保管金規則ヲ朝鮮ニ施行スルノ件

明治四十四年四月
勅令第六三號

保管金規則ハ之ヲ朝鮮ニ施行ス

附　則

本令ハ公布ノ日ヨリ之ヲ施行ス

一四　保管金規則

明治二十三年一月
法律第一號
改正　三三年第一八號

第一條　法律勅令又ハ從來ノ規則ニ依リ政府ニ於テ保管スル公有金私有金ハ左ノ計算法ニ從ヒ滿五年ヲ過キテ拂戻ノ請求ナキトキハ政府ノ所得トス　但別ニ法律ヲ以テ失權ノ期限ヲ定メタルモノハ各其定ムル所ニ依ル

第一　保管義務解除ノ期アルモノハ其義務ヲ解除シタル翌日ヨリ起算ス

第二　保管義務解除ノ期ナキモノハ保管ノ翌日ヨリ起算ス

第三　訴訟事件ノ爲ニ拂戻ヲ請求スル能ハサル場合ニ於テハ裁判確定ノ翌日ヨリ起算ス

第二條　保管金ハ法律勅令又ハ從來ノ規則若クハ契約ニ依ルノ外利子ヲ付セス

第三條　保管金ノ證書ハ賣買讓與又ハ書入質入スルコトヲ得ス

第四條　保管金ノ受渡ニ屬スル證書ハ(證券印稅)ヲ納ムルニ及ハス

一五　保管金取扱規程

大正十一年二月
大藏省令第五號

第一章　總　則

第一條　政府ノ保管ニ係ル現金ハ別段ノ定アル場合ヲ除クノ外本令ノ定ムル所ニ依リ之カ受拂保管ヲ爲スヘシ

第二條　取扱官廳ハ保管金ヲ預金部預金取扱規程ノ定ムル所ニ依リ大藏省預金部ニ預入ルヘシ　但シ數日内ニ拂渡ヲ爲ス必要アルモノ又ハ特殊ノ事由アルモノニ付テハ其ノ官廳ノ出納官吏ヲシテ之ヲ保管セシムルコトヲ得

第三條　前條ノ規定ニ依リ預入ヲ爲ス取扱官廳ハ所在地日本銀行(本店支店又ハ代理店ヲ謂フ以下同シ)ヲ以テ其ノ預金取扱店ト爲スヘシ但シ其ノ地ニ日本銀行ナキトキハ最寄ノ日本銀行ヲ以テ其ノ預金取扱店ト爲スコトヲ得

第四條　本令中所管大臣ノ職務ハ朝鮮ニ在リテハ朝鮮總督、臺灣ニ在リテハ臺灣總督、樺太ニ在リテハ樺太廳長官、關東州ニ在リテハ關東長官之ヲ行フ

第二章　保管金ノ提出

第五條　保管金ヲ提出スル者ハ保管金提出書ヲ添ヘ現金ヲ取扱官廳ニ提出スヘシ

前項ノ場合ニ於テ保管金ヲ提出スル者ハ預金部預金取扱規程第五條ノ規定ニ依リ保管金振込書ヲ添ヘ豫メ現金ヲ取扱官廳ノ預金取扱店ニ振込ミ預金部預金振込濟通知書ノ交付ヲ受ケ之ニ保管金提出書ヲ添ヘ取扱官廳ニ提出スルコトヲ得

取扱官廳前二項ノ提出書ノ必要ナシト認メタル場合ニ於テハ之ヲ省略セシムルコトヲ得

第六條　取扱官廳前條ノ規定ニ依リ保管金ノ提出ヲ受ケタルトキハ第一號書式ノ保管金受領證書ヲ提出者ニ交付スヘシ

第三章　保管金ノ拂渡

第七條　保管金ノ拂渡ヲ受クル權利ヲ有スル者ハ保管金拂渡請求書又ハ前條ノ規定ニ依リ交付ヲ受ケタル保管金受領證書ヲ取扱官廳ニ提出シ其ノ拂渡ヲ請求スヘシ

取扱官廳前項ノ請求ヲ受ケタルトキハ請求書又ハ受領證書ニ領收ノ旨ヲ記載セシメ之カ支拂ヲ爲スヘシ

前項ノ場合ニ於テ受取人特ニ現金ノ交付ヲ求メタル場合ヲ除クノ外預金部ノ預金ニ預入ヲ爲シタル取扱官廳ハ現金ノ交付ニ代ヘ記名式持參人拂ノ小切手ヲ振出スヘシ

第八條　保管金ノ拂渡ヲ受クル權利ヲ有スル者其ノ拂渡ヲ請求セムトスルニ當リ取扱官廳ノ預金取扱店所在地外ノ預金取扱店ニ於テ支拂ヲ受ケムトスルトキハ前條ノ請求書又ハ受領證書ニ其ノ旨ヲ附記スヘシ

取扱官廳前項ノ請求ヲ受ケタル場合ニ於テ該保管金ニシテ第二條但書ノ規定ニ依リ保管スルモノナルトキハ其ノ請求ヲ拒絶シ、大藏省預金部ニ預入レタルモノナルトキハ預金部預金取扱規程第十二條ノ手續ヲ爲シ第二號書式ノ保管金支拂通知書ヲ請求者ニ交付シ指定ノ預金取扱店ヨリ之カ支拂ヲ受ケシムヘシ

第四章　保管金利子ノ拂渡

第九條　保管金ノ利子ノ拂渡ヲ受クル權利ヲ有スル者ハ毎年三月三十一日迄ニ生シタル利子ノ支拂ヲ請求スヘシ但シ保管金全額ノ拂渡ヲ受クル權利者ハ其ノ拂渡ヲ受クル時迄ニ生シタル利子ノ支拂ヲ請求スヘキモノトス

前項ノ利子ハ保管金提出ノ月及拂渡ノ月ハ其ノ金額ニ對シテ之ヲ付セス保管金ノ一圓未滿ノ端數ニ對シ亦同シ

第十條　前條ノ權利者保管金ノ利子拂渡ヲ請求セムトスルトキハ第三號書式ノ保管金利子請求書ヲ取扱官廳ニ提出スヘシ

第十一條　取扱官廳前條ノ請求ヲ受ケタルトキハ之ヲ調査シ預金部預金取扱規程第十七條ノ規定ニ依ル預金部利子支拂請求書ヲ請求者ニ交付シ預金取扱店ヨリ之カ支拂ヲ受ケシムヘシ　但シ前條ノ請求書ニ證明ヲ爲シタルモノヲ以テ預金部預金利子支拂請求書ニ代フルコトヲ得

第五章　保管金ノ保管替

第十二條　甲官廳ニ保管金ヲ提出シタル者乙官廳ニ保管替ヲ請求セムトスルトキハ第四號書式ノ保管金保管替請求書二通ヲ甲官廳ニ提出スヘシ

第十三條　甲官廳前條ノ請求ヲ受ケタル場合ニ於テ該保管金ニシテ第二條但書ノ規定ニ依リ保管スルモノナルトキハ其ノ請求ヲ拒絶シ、大藏省預金部ニ預入レタルモノニシテ保管替ノ理由アリト認メタルトキハ預金部預金取扱規程第十一條ノ手續ヲ爲シ保管金保管替請求書ノ一通ニ承認ノ旨ヲ記入シ尚有利子ノモノハ第五號書式ノ保管金利子參考表ヲ添附シ之ヲ乙官廳ニ送付スヘシ

第十四條　乙官廳前條ノ請求書及其ノ預金取扱店ヨリ預金部預金領收證書ノ送付ヲ受ケタルトキハ保管金受領證書ヲ保管替請求者ニ交付スヘシ

第十五條　前二條ノ規定ハ甲官廳保管金ヲ提出シタル者ノ請求ニ依ラスシテ保管金ヲ乙官廳ニ保管替ヲ爲サムトスル場合ニ於ケル甲官廳及乙官廳ノ取扱手續ニ付之ヲ準用ス但シ此ノ場合ニ於テ甲官廳ハ第十三條

ノ規定ニ依リ送付スル保管金保管替請求書ニ代ヘ保管金保管替通知書ヲ乙官廳ニ送付スルモノトス

第六章　政府ノ所得ニ歸シタル保管金

第十六條　保管金規則、遺失物法其ノ他ノ法令ニ定メタル期間ノ經過ニ依リ政府ノ所得ニ歸シタル保管金アルトキハ取扱官廳ハ一年度分ヲ取纏メ第六號書式ノ保管金政府所得調書ヲ調製シ翌年度四月三十日迄ニ之ヲ所管大臣ノ指定スル主務官廳ニ送付スヘシ

第十七條　主務官廳前條ノ調書ヲ受ケタルトキハ之ヲ調査シ取扱官廳毎ニ所得總額ヲ記載金額トセル納入告知書ヲ取扱官廳ニ送付スヘシ

取扱官廳前項ノ納入告知書ヲ受ケタルトキハ該告知書ニ依リ歳入納付ノ手續ヲ爲スヘシ

第十八條　第十六條ニ規定スルモノヲ除クノ外保管金ニシテ政府ノ所得ニ歸シタルモノアルトキハ取扱官廳ハ其ノ都度之ヲ歳入ニ納付スルノ手續ヲ爲スヘシ　但シ特殊ノ資金ニ組入ヲ要スルモノニ付テハ當該資金ニ組入ノ手續ヲ爲スモノトス

第七章　雜　則

第十九條　保管金ヲ提出シタル者其ノ交付ヲ受ケタル保管金受領證書ヲ亡失又ハ毀損シタルトキハ證明請求書ヲ取扱官廳ニ提出シ之カ證明ヲ請求スルコトヲ得

取扱官廳前項ノ請求ヲ受ケ其ノ理由アリト認メタルトキハ之カ證明ヲ爲スヘシ

第二十條　支出官事務規程中歳出金支拂通知書ヲ亡失又ハ毀損シタル場合ニ於ケル取扱手續ニ關スル規定ハ保管金支拂通知書ヲ亡失又ハ毀損シタル場合ニ之ヲ準用ス

附　則

第二十一條　本令ハ大正十一年四月一日ヨリ之ヲ施行ス

第二十二條　保管物取扱規程及明治三十六年大藏省令第九號ハ之ヲ廢止ス

第二十三條　本令施行前保管物取扱規程ニ依リ金庫ニ寄託シタル保管金ハ本令ニ依リ大藏省預金部ニ預入レタルモノト看做ス

前項ノ場合ニ於テ取扱官廳ハ當該金庫ノ國庫出納ノ事務ヲ引繼キタル日本銀行ヲ其ノ取扱店ト爲スヘシ

第二十四條　前條ノ保管金ノ拂渡、他店拂保管替歳入納付、特殊資金ニ組入又ハ期滿失效年月日ノ變更ニ關スル通知ノ手續ニ付テハ從前ノ規定ニ依ル　但シ金庫ニ於テ領收證書ヲ發行シタル保管金ニ付テハ第七條第八條、第十二條乃至第十五條及第十八條ノ手續ヲ爲スモノトス

前項但書ノ場合ニ於テ取扱官廳ハ其ノ振出ス小切手ニ金庫ノ發行シタル領收證書ノ年月日及番號ヲ附記スヘシ

第一號書式　保管金受領證書（用紙寸法半紙判半截）

保管金受領證書

號

金

保管ノ事由

上記金領收候也

年　月　日

某廳取扱主任官官氏名㊞

何某宛

上記金額領收候也

年　月　日

住所

氏名㊞

某廳取扱主任官宛

備考

一　本書ハ之ヲ縦書トスルコトヲ得

二　受取人本書ヲ以テ保管金ノ拂渡ヲ請求シタルトキハ式ノ如ク領收ノ旨ヲ記入スヘシ

第二號書式　保管金支拂通知書（用紙寸法半紙判半截）

保管金支拂通知書

保管金受領證書日附番號	
期滿失效年月日	
小切手振出日附	
小切手ヲ宛テタル店名	

金

前記ノ金額日本銀行（何店）ニ於テ受領セラルヘシ

年　月　日

某廳取扱主任官官　氏名㊞

何某宛

領收證

前記ノ金額領收候也

年　月　日

㊞（收入印紙）

住所

氏名㊞

備考

一　用紙ハ印刷局紙若ハ永久保存ニ耐フル用紙ヲ用ユヘシ

二　官廳又ハ公共團體等ノ收入ト爲ルヘキモノハ宛名ニ官廳名又ハ公共團體名等ヲ記入シ發行スヘシ

三　領收證ニ收入印紙ノ貼用ヲ要スルモノハ其ノ貼用場所ニ要印紙ノ印ヲ押捺スヘシ

（注意）　受取人ハ裏面ノ注意事項ヲ熟覽スヘシ

裏面書式

（注意事項）

一　受入人ハ表面領收證名部ニ年月日及住所ヲ記入シ記名捺印スヘシ但シ官公吏ニ在リテハ官廳名又ハ公共團體名等ヲ肩書シ官職名ヲ記シ記名捺印スヘシ

二　受取人ノ印章ハ請求書ニ押捺シタルモノト同一ノモノニ限ル

三　受取人カ代理人ヲ改テ支拂ノ請求ヲ爲サムトスルトキハ本書刷込ノ委任狀ニ相當ノ事項ヲ記入スルカ又ハ別ニ委任狀ヲ差出スヘシ

四　代理人カ支拂ヲ受クル場合ニ於テハ表面領收證ノ部ニ代理人タル肩書ヲ附スヘシ

五　受領金額五圓以上ノモノハ規定ノ收入印紙ヲ貼附消印スヘシ但シ營業ニ關セサルモノハ此ノ限ニ在ラス

六　小切手振出ノ日附ヨリ一年ヲ過クルトキハ日本銀行ハ本書ニ對シ之カ支拂ヲ爲ササルモノトス

七　本書ヲ亡失シタルトキハ直ニ其ノ旨ヲ支拂ヲ受クヘキ日本銀行ニ通知シ支拂ノ停止ヲ請求スヘシ

委任狀

㊞（收入印紙）

表面金額ノ受取方ヲ　　ニ委任致候也

年　月　日

住所

氏名㊞

第三號書式　保管金利子請求書（用紙寸法半紙判半截）

保管金利子請求書

年　月　日第　號保管金ニ對スル利子支拂相成度
及請求候也

年　月　日

住所　氏　名㊞

某廳取扱主任官宛

金

保管金　ニ對スル　年　月ヨリ　年　月迄年
分ノ割

右支拂フヘキコトヲ證明ス

年　月　日

某廳取扱主任官　氏　名㊞

日本銀行（何店）宛

前記金額領收候也

年　月　日

住所　氏　名㊞

日本銀行（何店）宛

第四號樣式　保管金保管替請求書（用紙寸法半紙判半截）

保管金保管替請求書

金

保管金受領證書日附番號
保管スヘキ法令ノ條項
保管ノ事由
新取扱官廳名
上記ノ通保管替相成度候也

年　月　日

住所

氏　名㊞

某廳取扱主任官宛

本書保管替ノ申出ヲ承認候間貴廳ノ保管金トシテ取扱相成度候也

但シ別紙保管金利子參考表ヲ添附スル利付ノ分ニ限リ此ノ但書ヲ記入スルコト

年　月　日

某廳取扱主任官氏名㊞

某　廳　宛

備考　本書ハ之ヲ縱書トスルコトヲ得

第五號書式　保管金利子參考表（用紙寸法半紙判半截）

保管金利子參考表

摘要	受	拂	殘

某廳取扱主任官氏名㊞

備考　摘要ノ欄ニハ前年度ヨリ越及月別ヲ記入スヘシ

第六號書式　保管金政府所得調書（用紙寸法美濃判半截）

保管金政府所得調書

年度分

第　　號

受入年月日	保管金受領證書番號	保管ノ事由	期滿失效年月日	金額

某廳取扱主任官官氏名　印

（參照）

明治三十六年三月十七日大藏省令第九號ハ保管金金庫換及振換拂竝其利子支拂手續ナリ

一六　預金部預金取扱規程

大正十一年二月大藏省令第六號

第一章　總則

第一條　預金規則、明治二十三年法律第七十五號其ノ他法律勅令ノ規定ニ依ル大藏省預金部預金及預金購入有價證券ハ別段ノ定アル場合ヲ除クノ外本令ノ定ムル所ニ依リ之カ受拂ヲ爲スヘシ

第二條　預ケ人ハ明治三十九年勅令第二百十一號ニ依ル預金ノ預ケ人ヲ除クノ外左ノ者ヲ擔當者ト爲シ其ノ資格、氏名及住所ヲ日本銀行（本店、支店又ハ代理店ヲ謂フ以下同シ）ニ届出ツヘシ

一　官廳ニ係ルモノハ當該官廳ニ於ケル取扱主任官

二　社寺、教會、會社其ノ他法人ニ係ルモノハ其ノ理事者又人民ノ共有ニ係ルモノハ其ノ總代二人

預金部預金及預金購入有價證券ノ受拂ニ關シ預ケ人ヨリ提出スル書類ニハ預ケ人（擔當者アル場合ニ於テハ其ノ擔當者）之ニ記名捺印スヘシ但シ必要アル場合ニ於テハ別ニ定ムル所ニ依リ特ニ指定シタル者ヲシテ證明ヲ爲サシムルコトアルヘシ

第三條　預ケ人（擔當者アル場合ニ於テハ其ノ擔當者）及證明ヲ爲ス者ハ照較ノ用ニ供スル爲其ノ印鑑ヲ日本銀行ニ提出スヘシ

第二章　預金ノ拂込

第四條　預ケ人預金ノ拂込ヲ爲サムトスルトキハ第一號書式ノ預金部預金拂込書ヲ添ヘ現金ヲ日本銀行ニ拂込ミ預金部預金領收證書ノ交付ヲ受クヘシ

前項ノ預ケ人カ官廳ナル場合ニ於テハ小切手用紙及預金部預金帳ノ交付ヲ受クヘシ但シ預金部預金帳ハ官廳以外ノ預ケ人ト雖之カ交付ヲ受クルコトヲ得

第五條　預ケ人保管金ノ取扱官廳ナル場合ニ於テハ保管金ヲ提出スヘキ者ヲシテ第二號書式ノ保管金拂込書ヲ添ヘ現金ヲ日本銀行ニ於ケル預ケ人ノ預金ニ振込マシムルコトヲ得

前項ノ規定ニ依リ振込ヲ爲サシメタル場合ニ於テハ振込人ヲシテ日本銀行ヨリ預金部預金振込濟通知書ノ交付ヲ受ケシムヘシ

第六條　預ケ人日本銀行本店ヨリ預金購入有價證券利子受入通知書又ハ預金購入有價證券償還金受入通知書ヲ受ケタルトキハ該通知書ニ受領ノ旨ヲ記入シ之ヲ日本銀行ニ提出シ元加利子額又ハ償還金額ノ預金部預金領收證書ノ交付ヲ受クヘシ

第七條　預金規則第一條第一號ノ預金ノ預ケ人ハ其ノ預金ヲ以テ購入保管ニ係ル有價證券ノ利子支拂期到來シタルモノアルトキハ第三號書式ノ有價證券利子預金組入請求書ニ、其ノ償還ヲ受クヘキモノアルトキハ第四號書式ノ有價證券償還金預金組入請求書ニ受領ノ旨ヲ記入シ之ヲ日本銀行ニ提出シ預金組入金額預金部預金證書ノ交付ヲ受クヘシ

第八條　預ケ人保管金ノ取扱官廳ナル場合ニ於テ日本銀行政府有價證券取扱規程第十二條ノ規定ニ依リ遺失物法ニ依ル政府保管有價證券ノ元利金受入ノ通知書ヲ受ケタルトキハ之ニ受領ノ旨ヲ記入シテ日本銀行ニ提出シ預金部預金領收證書ノ交付ヲ受クヘシ

第三章　預金ノ拂戻

第九條　預ケ人預金ノ拂戻ヲ受ケムトスルトキハ第五號書式ノ預金部預金拂戻請求書ヲ日本銀行ニ提出スヘシ

第十條　前條ノ場合ニ於テ第四條第二項ノ規定ニ依リ小切手用紙ノ交付ヲ受ケタル預ケ人ハ預金額ヲ限度トシテ記名式持參人拂ノ小切手ヲ振出スヘシ

第十一條　預ケ人保管金ノ取扱官廳ナル場合ニ於テ保管金取扱規程第十三條又ハ第十五條ノ規定ニ依リ保管替ヲ爲サムトスルトキハ第六號書式ノ預金部預金預入替請求書ヲ添ヘ保管替ヲ爲スヘキ金額ヲ券面金額トセル小切手ヲ日本銀行ニ交付スヘシ

第十二條　預ケ人保管金ノ取扱官廳又ハ供託局ナル場合ニ於テ保管金取扱規程第八條又ハ供託物取扱規則第八條ノ規定ニ依リ日本銀行ヲシテ保管金又ハ供託金ノ他店拂ヲ爲サシメムトスルトキハ他店拂ヲ爲スヘキ金額ヲ券面金額トセル小切手ノ裏面ニ保管金又ハ供託金ヲ受取ル權利ヲ有スル者ノ氏名、住所及支拂店名ヲ記入シ之ヲ日本銀行ニ交付スヘシ

第四章　預金ノ利子

第十三條　預金ノ利子ハ第十五條乃至第十七條ニ規定スル場合ヲ除クノ外毎年三月三十一日ヲ期トシテ計算シ之ヲ其ノ元金ニ組入ルルモノトス但シ預金全額ノ拂戻ニ係ル利子ハ預金ノ拂戻ヲ爲ストキ計算シ之ヲ其ノ元金ニ組入ルルモノトス

前項ノ規定ニ依リ利子ヲ元金ニ組入ルル預金ニ付テハ預金拂込ノ月及拂戻ノ月ハ其ノ金額ニ對シテ利子ヲ付セス預金ノ一圓未滿ノ端數ニ對シ亦同シ

第十四條　預ケ人毎年四月日本銀行ヨリ預金利子元加通知書ノ送付ヲ受ケタルトキハ之ニ承認ノ旨ヲ記入シ日本銀行ニ提出スヘシ

前條第一項但書及前項ノ場合ニ於テ預ケ人ハ日本銀行ニ對シ元加利子額ニ相當スル金額ノ預金部預金領收證書ヲ請求スルコトヲ得

第十五條　預金規則第一條第一號預金ノ預ケ人郵便貯金規則第二十四條ノ規定ニ依リ郵便貯金ニ對スル利子ノ元加ヲ要スルトキハ第七號書式ノ預金部預金利子元加請求書ヲ、郵便貯金規則第七十九條ノ規定ニ依リ隨時郵便貯金ニ對スル利子ノ支拂ヲ要スルモノアルトキハ第八號書式ノ預金部預金利子支拂請求書ヲ大藏省預金部ニ提出スヘシ

第十六條　大藏省預金部前條ノ請求書ヲ受ケタルトキハ調査ノ上元加又ハ支拂ヲ爲スヘキ旨ヲ該請求書ニ記入シ之ヲ日本銀行本店ニ送付シ利子元加又ハ手續ヲ爲サシムヘシ

第十七條　預ケ人保管金ノ取扱官廳又ハ供託局ナル場合ニ於テ保管金又ハ供託金ノ利子ヲ受取ル權利ヲ有スル者ニ對シテ利子ノ支拂ヲ要スルトキハ第九號書式ノ預金部預金利子支拂請求書ニ依リ其ノ利子額ニ相當スル預金利子額ノ支拂ヲ日本銀行ニ請求スヘシ但シ保管金又ハ供託金ノ利子ヲ受取ル權利ヲ有スル者ノ提出シタル利子請求書ニ證明ヲ爲シタルモノヲ以テ預金部預金利子支拂請求書ニ代フルコトヲ得

第五章　預金購入有價證券

第十八條　預ケ人預金ヲ以テ有價證券ノ購入ヲ請求セムトスルトキハ第十號書式ノ有價證券購入請求書ヲ日本銀行ヲ經テ大藏省預金部ニ提出スヘシ

預金規則第一條第一號ノ預金ノ預入預金ヲ以テ有價證券ノ購入ヲ請求セムトスルトキハ有價證券購入請求書ヲ大藏省預金部ニ提出スヘシ

預ケ人前二項ノ請求ヲ爲シタルトキハ有價證券購入前ト雖其ノ購入金見積額ニ相當スル預金ハ之カ拂戻ヲ請求スルコトヲ得ス

第十九條　大藏省預金部前條第一項ノ請求書ヲ受ケタルトキハ之ヲ受ケタル日ヨリ休日ヲ除キ五日内ニ時價ヲ以テ、第二項ノ請求書ヲ受ケタルトキハ該請求書ニ記載ノ購入日附ニ於ケル時價ヲ以テ日本銀行本店ヲシテ指定ノ有價證券ヲ購入保管セシムヘシ

第二十條　大藏省預金部明治二十三年法律第七十五號第二條ノ規定ニ依リ國債證券ヲ購入スル場合ニ於テハ日本銀行本店ニ對シ購入スヘキ國債證券ヲ指定シ時價ヲ以テ購入保管セシムヘシ

第二十一條　大藏省預金部日本銀行本店ヨリ購入有價證券ノ額面金額及購入代價ノ通知ヲ受ケタルトキハ第十一號書式ノ有價證券購入濟通知書ヲ日本銀行ヲ經テ預ケ人ニ送付スヘシ

第二十二條　預ケ人前條ノ通知書ヲ受ケタルトキハ該通知書ノ裏面ニ有價證券購入代價ニ相當スル金額ノ預金ヲ領收セル旨ヲ記入シ之ヲ日本銀行ニ提出シ預金購入有價證券保管通知書ノ交付ヲ受クヘシ

第二十三條　預ケ人購入有價證券ノ拂戻ヲ受ケムトスルトキハ第十二號書式ノ預金購入有價證券拂戻請求書ヲ日本銀行ニ提出スヘシ

第二十四條　預ケ人日本銀行ヨリ預金購入有價證券ノ拂戻ヲ受ケタルトキハ第十三號書式ノ預金購入有價證券受領證書ヲ日本銀行ニ提出スヘシ

第六章　證　明

第二十五條　預ケ人官廳ナル場合ニ於テ日本銀行ヨリ預金部預金月計突合表ノ送付ヲ受ケタルトキハ證憑書類ト對照シ證明ノ上五日内ニ之ヲ日本銀行ニ返付スヘシ　但シ相違アル點ニ付テハ其ノ理由ヲ附記スルモノトス

前項ノ規定ハ大藏大臣ノ指定シタル官吏日本銀行ヨリ預金部受拂計算

表ノ送付ヲ受ケタル場合ニ之ヲ準用ス

第七章 雜則

第二十六條 日本銀行甲店ヲ預金取扱店トスル預ケ人日本銀行乙店ヲ預金取扱店ニ變更セムトスルトキハ第十四號書式ノ預金取扱店變更申込書ヲ日本銀行甲店ニ提出シ預金部預金現在額證明書ノ交付ヲ受クヘシ

預ケ人ハ前項ノ證明書ヲ日本銀行乙店ニ提出シ承認ノ旨ノ記入ヲ受クヘシ

第二十七條 預ケ人預金部預金領收證書、預金部預金振込濟通知書又ハ預金購入有價證券保管通知書ヲ亡失又毀損シタルトキハ證明請求書ヲ日本銀行ニ提出シ之カ證明ヲ請求スルコトヲ得第五條第二項ノ振込人預金部預金振込通知書ヲ亡失又ハ毀損シタルトキ亦同シ

第二十八條 第二十五條ノ規定ニ依リ預ケ人又ハ大藏大臣ノ指定シタル官吏預金部預金月計突合表又ハ預金部受拂計算表ニ證明ヲ爲シタル後其ノ證明ニ付誤謬アルコトヲ發見シタルトキハ其ノ事由ヲ記載シテ證明ヲ爲シ之ヲ日本銀行ニ送付スヘシ

第二十九條 預金部預金帳ノ交付ヲ受ケタル預ケ人ハ隨時之ヲ日本銀行ニ提出シ預金ノ受拂額ノ記入ヲ受クヘシ

第三十條 預金規則第一條第一號ノ預金ノ預ケ人ハ日本銀行ヨリ預金購入有價證券保管帳ノ交付ヲ受ケ隨時之ヲ日本銀行ニ提出シ預金購入有價證券ノ受拂額ノ記入ヲ受クヘシ

附 則

第三十一條 本令ハ大正十一年四月一日ヨリ之ヲ施行ス

第三十二條 預金取扱規程ハ之ヲ廢止ス

第三十三條 本令施行前大藏省預金部ニ預入ヲ爲シタル預ケ人ハ從前ノ規定ニ依ル總代人擔當者又ハ取扱主任官ヲ以テ本令ニ規定スル擔當者ト爲シタルモノト看做ス

保管金取扱規程第二十三條ノ規定ニ依ル預金部預金ノ預ケ人ハ保管物取扱規程ニ依ル取扱主任官ヲ以テ本令ニ規定スル擔當者ト爲シタルモノト看做ス

第三十四條 本令施行前預ケ人カ金庫ヨリ交付ヲ受ケタル預金通帳ハ本令ニ依リ日本銀行ヨリ交付ヲ受ケタル預金部預金帳ト看做ス

第一號書式 預金部預金拂込書（用紙寸法半紙判半截）

預金部預金拂込書

第　　號

金

上記金額拂込候也

年　月　日

某廳取扱主任官官氏名（又ハ何何理事若ハ
何何總代住所氏名）印

日本銀行（何店）宛

第二號書式　保管金拂込書（用紙寸法半紙判半截）

保管金拂込書

金

右某廳ノ保管金トシテ振込候也

年　月　日

住所

氏名　㊞

日本銀行（何店）宛

備考　本書ハ之ヲ横書スルコトヲ得

第三號書式　有價證券利子預金組入請求書（用紙寸法半紙判半截）

有價證券利子預金組入請求書

金　　　　內譯下記ノ通

上記利子金額受領ノ上郵便貯金ニ係ル預金ニ元加相成度候也

年　月　日　　貯金局長氏名　印

日本銀行宛

證券種別	券面額	利子額	內譯					
			所得稅賦課			同免除		
			券面額	利子額	所得額	券面額	利子	額

第三號書式附屬　所得稅免除證券利子證明書（用紙寸法半紙判半截）

所得稅免除證券利子證明書

利子金額

內譯

證券種別	記番號及同數別	券面額	利子額

上記證券ハ所得稅ヲ免除スヘキ所有者ノ分ナルコトヲ證明ス

年　月　日

貯金局長氏名　印

第四號書式 有價證券償還金預金組入請求書（用紙寸法半紙判半截）

金　　　　有價證券償還金預金組入請求書

證券何枚

內譯下記ノ通

上記償還金額受領ノ上郵便貯金ニ係ル預金ニ組入相成度候也

年　月　日

貯金局長氏名 印

日本銀行宛

內譯　（證券記番號ハ別紙記番號內譯表ノ通）

證券種別	券面、記番號及回數別	枚數	券面額	割増金	月割利子	受領高

第四號書式附屬 證券記番號內譯表（用紙寸法半紙判半截）

證券記番號內譯表

行數	圓券		圓券	
	記號	番號	記號	番號

第五號書式　預金部預金拂戻請求書（用紙寸法 半紙判半截）

預金部預金拂戻請求書

第　　　　號

金

上記金額拂戻相成度候也

年　　月　　日

某廳取扱主任官官氏名（又ハ何何理事若ハ何何總代住所氏名）印

日本銀行（何店）宛

上記金額領收候也

年　　月　　日

某廳取扱主任官官氏名（又ハ何何理事若ハ何何總代住所氏名）印

日本銀行（何店）宛

第六號書式　預金部預金預入替請求書（用紙寸法 半紙判半截）

預金部預金預入替請求書

金

預入替受入官廳
同　　受入店

上記ノ通預入替相成度候也

年　　月　　日

某廳取扱主任官官氏名　印

日本銀行（何店）宛

第七號書式　預金部預金利子元加請求書（用紙寸法半紙判半截）

預金部預金利子元加請求書

金

上記金額郵便貯金ノ利子元加ヲ要スルモノニ付預金ニ元加ノ手續相成度候也

年　月　日

貯金局長氏名　印

大藏省理財局長宛

上記金額元加ヲ要ス

年　月　日

大藏省理財局長氏名　印

日本銀行宛

第八號書式　預金部預金利子支拂請求書（用紙寸法半紙判半截）

預金部預金利子支拂請求書

金

上記金額郵便貯金ノ利子支拂ヲ要スルモノニ付支拂ノ手續相成度候也

年　月　日

貯金局長氏名　印

大藏省理財局長宛

上記金額支拂ヲ要ス

年　月　日

大藏省理財局長氏名　印

日本銀行宛

上記金額領收候也

年　月　日

貯金局長氏名　印

日本銀行宛

第九號書式　預金部預金利子支拂請求書（用紙寸法半紙判半截）

預金部預金利子支拂請求書

金　　　　　　　保管金（又ハ供託金）利子

上記金額支拂相成度候也

年　月　日

某廳取扱主任官官氏名（又ハ某供託局長氏名）印

日本銀行（何店）宛

上記金額領收候也

年　月　日

住所

氏名印

日本銀行（何店）宛

第十號甲書式　有價證券購入請求書（用紙寸法半紙判半截）

有價證券購入請求書

何公債證書額面何圓也

上記證券預金何程ノ内ヲ以テ購入保管相成度候也

年　月　日

某廳取扱主任官官氏名（又ハ何何理事若ハ何何總代住所氏名）印

大藏省理財局長宛

金　　　　　　　年　月　日 預金現在高

上記ノ通ニ候也

年　月　日

日本銀行（何店）印

第十號乙書式 有價證券購入請求書（用紙寸法半紙判半截）

有價證券購入請求書

下記證券　月　日ノ時價ヲ以テ購入保管相成度候也

年　月　日

貯金局長氏名 印

大藏省理財局長宛

證券種別	券面額	券面別	枚數	見込相場額	備考

第十一號甲書式 有價證券購入濟通知書（用紙寸法縱六寸五分横一尺五寸）

裏面

表書有價證券購入代金ニ對スル預金領收候也

年　月　日

何 某 印

日本銀行（何店）宛

第　號

有價證券購入濟通知書

何公債證書額面何圓也
購入代金

取扱店名

上記ノ通購入濟ニ付通知ス

年　月　日

大藏省理財局長氏名 印

何某宛

第　　號

有價證券購入濟通知書原符

何公債證書額面何圓也
購入代金

取扱店名
預ケ人
購入濟通知書年月日

第　　號

有價證券購入濟通知書

何公債證書額面何圓也
購入代金

預ケ人

上記ノ通預金ヲ以テ購入濟ニ付通知候也

年　月　日

大藏省理財局長氏名㊞

日本銀行何店宛

第十一號乙書式　有價證券購入濟通知書（用紙寸法縦八寸五分横一尺五寸）

第　　號

有價證券購入濟通知書

（郵便貯金）

證券種別	券面別	購入代金

上記證券購入濟ニ付通知ス

年　月　日

大藏省理財局長氏名㊞

貯金局長宛

裏面

表書ノ通大藏省ヨリ通知ヲ受ケ候ニ付預金部預金帳及預金購入有價證券保管帳差出候間購入代價及有價證券ノ記入相成度候也

年　月　日

貯金局長氏名㊞

日本銀行宛

第　　號

有價證券購入濟通知書

（郵便貯金）

證券種別	券面別	購入代金

上記證券購入濟ニ付通知ス

年　月　日

大藏省理財局長氏名㊞

日本銀行宛

第　　號

有價證券購入濟通知書原符

（郵便貯金）

證券種別	券面別	購入代金

貯金局長氏名
購入濟通知書
年　月　日

第十二號書式　預金購入有價證券拂戻請求書（用紙寸法半紙判半截）

預金購入有價證券拂戻請求書

何公債證書額面何圓ノ内　　　（内渡ノトキノ例）

何公債證書額面何圓也

保管通知書第何號ノ分（内渡ノトキハ第何號ノ内）

上記證券拂戻相成度候也

年　月　日

某廳取扱主任官官氏名（又ハ何何理事若ハ何何總代住所氏名）㊞

日本銀行（何店）宛

内　　譯

證券種別	券面別	記番號	枚數

備考　證券ノ送付ヲ求ムル者ハ書留便又ハ何何便等其ノ方法ヲ示シ且送付ニ要スル郵便切手ヲ添附スヘシ

第十二號乙書式　預金購入有價證券拂戻請求書（用紙寸法半紙判半截）

預金購入有價證券拂戻請求書

何公債證書（又ハ何）額面何圓也　何　枚

內譯下記ノ通

上記證券拂戻相成度候也

貯金局長氏名㊞

日本銀行宛

內　譯

券面、記番號及回數別		枚　數	券面、記番號及回數別		枚　數	券面、記番號及回數別		枚　數

第十三號甲書式　預金購入有價證券受領證書（用紙寸法半紙判半截）

預金購入有價證券受領證書

何公債證書額面何圓ノ內　內渡ノトキノ例）

內譯下記ノ通

保管通知書第何號ノ分（內渡ノトキハ第何號ノ內）

上記證券領收候也

年　月　日

某廳取扱主任官官氏名（又ハ何何理事若ハ何何總代住所氏名）印

日本銀行（何店）宛

內　譯

證券種別	券面別	記番號	枚數

第十三號乙書式　預金購入有價證券受領證書（用紙寸法半紙判半截）

預金購入有價證券受領證書

何公債證書（又ハ何）額面何圓也　何枚

内譯下記ノ通

上記證券領收候也

年　月　日

貯金局長氏名　印

日本銀行宛

券面、記番號及回數別	枚數	券面、記番號及回數別	枚數	券面、記番號及回數別	枚數	券面、記番號及回數別	枚數

第十四號書式　預金取扱店變更申込書（用紙寸法半紙判半截）

預金取扱店變更申込書

左記預金日本銀行（何店）ノ取扱ニ變更相成度候也

年　月　日

某廳取扱主任官氏名（又ハ何何理事若ハ何何繼代住所氏名）印

日本銀行（何店）宛

記

金　預金現在高

一七　政府所有有價證券取扱規程

大正十一年二月
大藏省令第七號

第一條　各官廳ニ於ケル政府所有有價證券ハ別段ノ定アル場合ヲ除クノ外本令ノ定ムル所ニ依リ之カ受拂保管ヲ爲スヘシ

第二條　各官廳ハ特殊ノ事由アルモノヲ除クノ外政府所有有價證券ヲ其ノ所在地日本銀行（本店、支店又ハ代理店ヲ謂フ以下同シ）ニ寄託スヘシ　但シ其ノ地ニ日本銀行ナキトキハ最寄ノ日本銀行ニ之ヲ寄託スルモノトス

第三條　各官廳前條ノ寄託ヲ爲サムトスルトキハ第一號書式ノ政府所有有價證券寄託書ヲ添ヘ有價證券ヲ日本銀行ニ送付シ政府所有有價證券受託證書ノ交付ヲ受クヘシ

第四條　各官廳日本銀行ニ寄託セル有價證券ノ拂渡ヲ請求セムトスルトキハ第二號書式ノ政府所有有價證券拂渡請求書ヲ日本銀行ニ提出シ之

カ交付ヲ受クヘシ

第五條　各官廳日本銀行ニ寄託セル有價證券附屬利札ノ交付ヲ請求セムトスルトキハ第三號書式ノ政府所有有價證券利札請求書ヲ提出シ之カ交付ヲ受クヘシ

第六條　各官廳日本銀行ヨリ政府所有有價證券月計突合表ノ送付ヲ受ケタルトキハ證憑書類ト對照シ證明ノ上五日内ニ日本銀行ニ返付スヘシ

但シ相違アル點ニ付テハ其ノ事由ヲ附記スルモノトス

第七條　各官廳第三條ノ政府所有有價證券寄託書ノ記載事項ニ誤謬アルコトヲ發見シタルトキ又ハ其ノ變更ヲ要スルトキハ之カ訂正ヲ爲ス爲訂正請求書ヲ日本銀行ニ送付スヘシ

第八條　各官廳政府所有有價證券受託證書ヲ亡失又ハ毀損シタルトキハ證明請求書ヲ日本銀行ニ提出シ之カ證明ヲ請求スルコトヲ得

第九條　各官廳政府所有有價證券月計突合表ニ證明ヲ爲シタル後其ノ證明ニ付誤謬アルコトヲ發見シタルトキハ其ノ事由ヲ記載シテ證明ヲ爲シ之ヲ日本銀行ニ送付スヘシ

第十條　各官廳ハ取扱主任官ノ職務及氏名ヲ日本銀行ニ通知スヘシ

前項ノ取扱主任官ハ照較ノ用ニ供スル爲其ノ印鑑ヲ日本銀行ニ提出スヘシ

附　則

本令ハ大正十一年四月一日ヨリ之ヲ施行ス

第一號書式　政府所有有價證券寄託書（用紙寸法 半紙判半截）

政府所有有價證券寄託書

第　　號

下記證券寄託候也

年　　月　　日

某廳取扱主任官氏名印

日本銀行（何店）宛

證券種別	枚數	券面額	券面、記番號及回數別	備考

備考

一　全額拂込ニアラサルモノモ券面額ヲ記入シ備考欄ニ拂込濟額ヲ記入スヘシ

二　利札缺欠ノモノニ付テハ其旨ヲ備考欄ニ記入スヘシ

第二號書式 政府所有有價證券拂渡請求書（用紙寸法半紙判半截）

政府所有有價證券拂渡請求書

受託證番號
第　　號
（又ハ第　　號ノ內）
受託證書日附

下記證券拂渡相成度候也
年　月　日
某廳取扱主任官官氏名㊞
日本銀行（何店）宛

下記證券領收候也
年　月　日
某廳取扱主任官官氏名㊞
日本銀行（何店）宛

證券種別	枚數	券面額	券面、記番號及回數別	備考

備考
一 全額拂込ニアラサルモノモ券面額ヲ記入シ備考欄ニ拂込濟額ヲ記入スヘシ
二 利札缺欠ノモノニ付テハ其ノ旨ヲ備考欄ニ記入スヘシ

第三號書式 政府所有有價證券利札請求書（用紙寸法半紙判半截）

政府所有有價證券利札請求書

受託證書番號
受託證書日附

下記證券何年何月渡利札交付相成度候也
年　月　日
某廳取扱主任官官氏㊞
日本銀行（何店）宛

下記利札領收候也
年　月　日
某廳取扱主任官官氏名㊞
日本銀行（何店）宛

證券種別	枚數	券面額	券面、記番號及回數別	備考

備考
全額拂込ニアラサルモノモ券面額ヲ記入シ備考欄ニ拂込濟額ヲ記入スヘシ

一八　政府保管有價證券取扱規程

大正十一年二月
大藏省令第八號

第一章　總則

第一條　政府ノ保管ニ係ル有價證券ハ別段ノ定アル場合ヲ除クノ外本令ノ定ムル所ニ依リ之カ受拂保管ヲ爲スヘシ

第二條　取扱官廳ハ政府保管有價證券ヲ其ノ所在地日本銀行（本店、支店又ハ代理店ヲ謂フ以下同シ）ニ又其ノ地ニ日本銀行ナキトキハ最寄ノ日本銀行ニ之ヲ寄託スヘシ　但シ數日内ニ拂渡ヲ爲ス必要アルモノ又ハ特殊ノ事由アルモノニ付テハ此ノ限ニ在ラス

第三條　取扱官廳ハ取扱主任官ノ職務及氏名ヲ日本銀行ニ通知スヘシ

前項ノ取扱主任官ハ照較ノ用ニ供スル爲其ノ印鑑ヲ日本銀行ニ提出スヘシ

第四條　本令中所管大臣ノ職務ハ朝鮮ニ在リテハ朝鮮總督、臺灣ニ在リテハ臺灣總督、樺太ニ在リテハ樺太廳長官、關東州ニ在リテハ關東長官之ヲ行フ

第二章　保管有價證券提出及寄託

第五條　保管有價證券ヲ提出スル者ハ第一號書式ノ政府保管有價證券提出書及其ノ印鑑ヲ添ヘ有價證券ヲ取扱官廳ニ提出スヘシ

取扱官廳前項ノ提出書ヲ必要ナシト認メタル場合ニ於テハ之ヲ省略セシムルコトヲ得

第六條　取扱官廳ハ保管有價證券ヲ提出スル者ヲシテ豫メ有價證券ヲ日本銀行ニ於ケル取扱官廳ノ保管有價證券口座ニ振込マシムルコトヲ得

第七條　保管有價證券ヲ提出スル者前條ノ振込ヲ爲サムトスルトキハ第二號書式ノ政府保管有價證券振込書ヲ添ヘ有價證券ヲ日本銀行ニ提出シ政府保管有價證券振込濟通知書ノ交付ヲ受クヘシ

保管有價證券ヲ提出スル者前項ノ手續ヲ爲シタルトキハ其ノ交付ヲ受ケタル政府保管有價證券振込濟通知書及其ノ印鑑ヲ取扱官廳ニ提出スヘシ

第八條　取扱官廳第五條又ハ前條第二項ノ規定ニ依リ有價證券又ハ政府保管有價證券振込濟通知書ノ提出ヲ受ケタルトキハ第三號書式ノ政府保管有價證券受領證書ヲ提出者ニ交付スヘシ

第九條　取扱官廳第五條ノ規定ニ依リ提出ヲ受ケタル政府保管有價證券ヲ日本銀行ニ寄託セムトスルトキハ政府保管有價證券提出書ヲ添ヘ之ヲ日本銀行ニ送付シ政府保管有價證券受託證書ノ交付ヲ受クヘシ但シ第五條第二項ノ規定ニ依リ政府保管有價證券提出書ヲ省略セシメタルモノニ付テハ第四號書式ノ政府保管有價證券内譯書ヲ添附スルモノトス

第十條　取扱官廳ハ遺失物法ノ規定ニ依リ保管スル有價證券ヲ寄託セムトスルトキハ前條ノ手續ヲ爲スノ外其ノ旨ヲ日本銀行ニ通知スヘシ

第十一條　保管有價證券附屬利札ノ交付ヲ受クル權利ヲ有スル者ハ照較ノ用ニ供スル爲其ノ印鑑ヲ第五條ノ場合ニ於テハ取扱官廳ヲ經テ日本銀行ニ、第七條第一項ノ場合ニ於テハ政府保管有價證券振込書ニ添ヘ之ヲ日本銀行ニ提出スヘシ

第三章　保管有價證券ノ拂渡

第十二條　保管有價證券ノ拂渡ヲ受クル權利ヲ有スル者ハ第五號書式ノ政府保管有價證券拂渡請求書又ハ第八條ノ規定ニ依リ交付ヲ受ケタル政府保管有價證券受領證書ヲ取扱官廳ニ提出シ其ノ拂渡ヲ請求スヘシ

第十三條　取扱官廳前條ノ請求ヲ受ケタルトキハ政府保管有價證券受託證書又ハ政府保管有價證券振込濟通知書ニ拂渡ヲ要スル旨ヲ記入シ請求者ニ交付スヘシ

取扱官廳前條ノ請求ニ依リ政府保管有價證券ノ一部ノ拂渡ヲ要スルトキハ政府保管有價證券受託證書又ハ政府保管有價證券振込濟通知書ニ一部拂渡ヲ要スル旨ヲ記入シ之ヲ日本銀行ニ送付シ請求者ニ對シテハ第六號書式ノ政府保管有價證券一部拂渡書ヲ交付スヘシ

前二項ノ規定ニ依リ受託證書、通知書又ハ拂渡書ノ交付ヲ受ケタル者ハ之ヲ日本銀行ニ提出シ有價證券ノ拂渡ヲ受クヘシ

第十四條　取扱官廳第十二條ノ請求ヲ受ケタルトキハ第一條但書ノ規定ニ依リ有價證券ヲ保管スル場合ニ於テハ之ヲ請求者ニ拂渡スヘシ

第十五條　保管有價證券附屬利札ノ交付ヲ受クル權利ヲ有スル者其ノ支拂期到來シタルモノノ交付ヲ請求セムトスルトキハ第七號書式ノ政府保管有價證券利札請求書ヲ日本銀行ニ提出シ之カ交付ヲ受クヘシ

第二條但書ノ規定ニ依リ取扱官廳ニ於テ有價證券ヲ保管スル場合ニ於テハ前項ノ權利者ハ前項ノ請求書ヲ取扱官廳ニ提出スヘシ

取扱官廳前項ノ請求ヲ受ケタルトキハ有價證券附屬ノ利札ヲ請求者ニ交付スヘシ

第十六條　取扱官廳日本銀行ヨリ日本銀行政府有價證券取扱規程第十二條ノ規定ニ依リ遺失物法ニ依ル政府保管有價證券元利金受入ノ通知ヲ受ケタルトキハ保管金トシテ之カ整理ヲ爲スヘシ

第四章　保管有價證券ノ保管替

第十七條　甲官廳ニ身元保證金トシテ有價證券ヲ提出シタル者乙官廳ニ保管替ヲ請求セムトスルトキハ第八號書式ノ政府保管有價證券保管替請求書二通ヲ甲官廳ニ提出スヘシ

第十八條　甲官廳前條ノ請求ヲ受ケタル場合ニ於テ該有價證券ニシテ第二條但書ノ規定ニ依リ保管スルモノナルトキハ其ノ請求ヲ拒絶シ、日本銀行ニ寄託セルモノニシテ保管替ノ理由アリト認メタルトキハ政府保管有價證券保管替請求書ノ一通ニ承認ノ旨ヲ記入シ之ヲ乙官廳ニ送付シ政府保管有價證券受託證書又ハ政府保管有價證券振込濟通知書ニ寄託替ヲ要スル旨ヲ記入シ之ヲ日本銀行ニ送付スヘシ

第十九條　乙官廳前條ノ請求書ノ送付及日本銀行ヨリ政府保管有價證券受託證書ノ送付ヲ受ケタルモノアルトキハ政府保管有價證券受領證書ヲ保管替請求者ニ交付スヘシ

第五章　政府ノ所得ニ歸シタル保管有價證券

第二十條　政府保管有價證券ニシテ法令ノ規定又ハ契約ニ依リ政府ノ所得ニ歸シタルモノアルトキハ取扱官廳ハ其ノ都度之ヲ所管大臣ノ指定スル主務官廳ニ報告スヘシ

主務官廳前項ノ報告ヲ受ケタルトキハ別ニ定ムル所ニ依リ該有價證券ヲ換價シ歳入ニ納付スルノ手續ヲ爲スヘシ但シ特殊ノ資金ニ組入ヲ要スルモノニ付テハ當該資金ニ組入ノ手續ヲ爲スモノトス

第六章　證明

第二十一條　取扱官廳日本銀行ヨリ政府保管有價證券月計突合表ノ送付ヲ受ケタルトキハ證憑書類ト對照シ證明ノ上五日內ニ之ヲ日本銀行ニ返付スヘシ　但シ相違アル點ニ付テハ其ノ事由ヲ附記スルモノトス

第七章　雜　則

第二十二條　取扱官廳政府保管有價證券受託證書又ハ政府保管有價證券振込濟通知書ヲ亡失又ハ毀損シタルトキハ證明請求書ヲ日本銀行ニ提出シ之カ證明ヲ請求スルコトヲ得第七條第一項ノ振込人政府保管有價證券振込濟通知書ヲ亡失又ハ毀損シタルトキ亦同シ

第二十三條　政府保管有價證券ノ拂渡ヲ受クル權利ヲ有スル者政府保管有價證券受託證書、政府保管有價證券振込濟通知書又ハ政府保管有價證券一部拂渡書ヲ亡失又ハ毀損シタルトキハ證明請求書ヲ取扱官廳ニ提出シ之カ證明ヲ請求スルコトヲ得

取扱官廳前項ノ請求ヲ受ケ其ノ理由アリト認メタルトキハ之カ證明ヲ爲シ其ノ旨ヲ日本銀行ニ通知スヘシ

第二十四條　取扱官廳政府保管有價證券月計突合表ニ證明ヲ爲シタル後其ノ證明ニ付誤謬アルコトヲ發見シタルトキハ其ノ事由ヲ記載シテ證明ヲ爲シ之ヲ日本銀行ニ送付スヘシ

第二十五條　本令ハ大正十一年四月一日ヨリ之ヲ施行ス

第二十六條　本令施行前保管物取扱規程ニ依リ金庫ニ寄託シタル保管有價證券ハ當該金庫ノ政府有價證券ノ取扱ノ事務ヲ引繼キタル日本銀行ニ寄託シタルモノト看做ス

前項ノ保管有價證券ハ從前ノ規程ニ依リ之カ受拂保管ヲ爲スヘシ

第一號書式　政府保管有價證券提出書（用紙寸法半紙四半截）

政府保管有價證券提出書

何公債證書（何株券又ハ何債券）額面何圓也　何枚

內譯

何圓券　何第何番ヨリ何第何番迄　何枚

但シ何年何月渡以降利札附屬（利拂期ノ既ニ到來セル利札ニシテ附屬シアル分ハ此ノ式ノ如ク記入スルコト）

何圓券　何第何番　何枚

但シ何年何月渡利札缺欠

保管ノ事由

右提出候也

年　月　日　住所　氏名㊞

某廳取扱主任官宛

右證券寄託候也

年　月　日

某廳取扱主任官官氏名[印]

日本銀行（何店）宛

備考

一　全額拂込ニアラサルモノハ券面額ヲ記入シ拂込濟額ヲ併セテ記入スヘシ

二　本書ノ內譯ヲ別紙ニ記入シ之ヲ本書ニ添附スルモ妨ケナシ

第二號書式　政府保管有價證券振込書（用紙寸法半紙判半截）

政府保管有價證券振込書

何公債證書（何株券又ハ何債券）額面何圓也　何枚

内譯

何圓券　何第何番ヨリ何第何番迄　何枚

但シ何年何月渡以降利札附屬（利拂期ノ既ニ到來セル利札ニシテ附屬シアル分ハ此ノ式ノ如ク記入スルコト）

何圓券　何第何番　何枚

但シ何年何月渡利札缺欠

右某官廳ノ保管有價證券トシテ振込候也

年　月　日

住所　氏名㊞

日本銀行（何店）宛

備考

一　全額拂込ニアラサルモノモ券面額ヲ記入シ拂込濟額ヲ併セテ記入スヘシ

二　本書ノ内譯ヲ別紙ニ記入シ之ヲ本書ニ添附スルモ妨ケナシ

第三號書式　政府保管有價證券受領證書（用紙寸法半紙判半截）

政府保管有價證券受領證書

保管日附
保管ノ事由

下記證券領收候也

某廳取扱主任官氏名㊞

何某宛

證券種別	枚數	券面額	記番號及券面同數別	備考

上記證券拂渡ノ證書領收候也

年　月　日

住所　氏名㊞

某廳取扱主任官宛

備考

一　全額拂込ニアラサルモノモ券面額ヲ記入シ備考欄ニ拂込濟額ヲ記入スヘシ

二　利札缺欠ノモノニ付テハ其ノ旨ヲ備考欄ニ記入スヘシ

三　本書ヲ以テ有價證券ノ拂渡ヲ請求シタルトキハ式ノ如ク領收ノ旨ヲ記入スヘシ

第四號書式　政府保管有價證券內譯書（用紙寸法半紙判半截）

政府保管有價證券內譯書

保管日附　　　　下記證券寄託候也

年　月　日

提出者氏名

某廳取扱主任官氏名　印

日本銀行（何店）宛

證券種別	枚數	券面額	券面、記番號及回數別	備考

備考

一　全額拂込ニアラサルモノモ券面額ヲ記入シ備考欄ニ拂込濟額ヲ記入スヘシ

二　利札缺欠ノモノニ付テハ其ノ旨ヲ備考欄ニ記入スヘシ

第五號書式　政府保管有價證券拂渡請求書（用紙寸法半紙判半截）

政府保管有價證券拂渡請求書

政府保管有價證券受領證書日附及番號

（內渡ノトキハ政府保管有價證券受領證ノ內ト記入スルコト）

何公債證書（何株券又ハ何債券）額何圓也　何枚

內譯

何圓券　何第何番　何枚

右證券拂渡相成度候也

年　月　日

住所　氏名　印

某廳取扱主任官宛

右證券拂渡ノ證書領收候也

年　月　日

氏名　印

某廳取扱主任官宛

備考

一　全額拂込ニアラサルモノモ券面額ヲ記入シ拂込濟額ヲ併セテ記入スヘシ

二　政府保管有價證券受領證書記入額全部ノ拂渡ヲ請求スル場合ニハ證券ノ記番號ヲ省略スルコトヲ得

三　本書ノ內譯ヲ別紙ニ記入シ之ヲ本書ニ添附スルモ妨ケナシ

第六號書式 政府保管有價證券一部拂渡書（用紙寸法半紙判半截）

政府保管有價證券一部拂渡書

下記證券拂渡相成度候也

年 月 日

某廳取扱主任官官氏名 印

日本銀行（何店）宛

保管日附

提出者氏名

下記證券領收候也

年 月 日

住所

氏名 印

日本銀行（何店）宛

證券種別	枚數	券面額	券面、記番號及同數別	備考

備考

一 全額拂込ニアラサルモノモ券面額ヲ記入シ備考欄ニ拂込濟額ヲ記入スヘシ

二 利札缺欠ノモノニ付テハ其ノ旨ヲ備考欄ニ記入スヘシ

三 遺失物法ニ依ルモノナルトキハ日本銀行カ拂渡ヲ爲スヘキ最終ノ期日ヲ餘白ニ記入スヘシ

第七號書式 政府保管有價證券利札請求書（用紙寸法半紙判半截）

政府保管有價證券利札請求書

保管日附

取扱官廳名

何公債證書（何株券又ハ何債券）額面何圓也 何枚

內譯

何圓券 何第何番 何枚

右證券ノ何年何月渡利札交付相成度候也

年 月 日

住所

氏名 印

日本銀行（何店）宛

右利札領收候也

年 月 日

氏名 印

日本銀行（何店）宛

備考

一 全額拂込ニアラサルモノモ券面額ヲ記入シ拂込濟額ヲ併セテ記入スヘシ

二 本書ノ內譯ヲ別紙ニ記入シ之ヲ本書ニ添附スルモ妨ケナシ

第八號書式　政府保管有價證券保管替請求書（用紙寸法半紙判竪）

政府保管有價證券保管替請求書

政府保管有價證券受領證書日附及番號

何公債證書（何書券又ハ何債券）額面何圓也　何枚

內譯

何圓券　何第何番　何枚

但シ何年何月渡利札缺欠

右證券何官廳ノ保管有價證券ニ變更相成度候也

年　月　日

住所　氏　名㊞

某廳取扱主任官宛

保管替ヲ承認候間貴廳ノ保管有價證券トシテ取扱相成度候也

年　月　日

某廳取扱主任官氏名㊞

某廳取扱主任官宛

備考

一　全額拂込ニアラサルモノモ券面額ヲ記入シ拂込濟額ヲ併セテ記入スヘシ

二　本書ノ內譯ヲ別紙ニ記入シ之ヲ本書ニ添附スルモ妨ケナシ

一九　供託有價證券取扱規程

大正十一年二月
大藏省令第九號

第一條　供託局ノ保管ニ係ル供託有價證券ハ之ヲ日本銀行ニ寄託スヘシ

第二條　供託局前條ノ寄託ヲ爲サムトスルトキハ供託有價證券寄託書（書式ハ政府所有有價證券取扱規程第一號書式政府所有有價證券寄託書ニ準ス）及供託書ヲ添ヘ有價證券ヲ日本銀行ニ提出シ供託有價證券受託證書ノ交付ヲ受クヘシ

第三條　供託局日本銀行ニ寄託セル有價證券ノ拂渡ヲ請求セムトスルトキハ供託有價證券拂渡請求書（書式ハ政府所有有價證券取扱規程第二號書式政府所有有價證券拂渡請求書ニ準ス）ヲ日本銀行ニ提出シ之カ交付ヲ受クヘシ　但シ供託有價證券ノ還付又ハ取戻ヲ受クル權利ヲ有スル者ノ提出シタル請求書ニ證明ヲ爲シタルモノヲ以テ供託有價證券拂渡請求書ニ代フルコトヲ得

前項ノ場合ニ於テ供託局代供託ヲ認可シタルトキハ代供託請求書ヲ前項ノ拂渡請求書ニ添附スヘシ

第四條　供託局供託有價證券附屬利札ノ交付ヲ請求セムトスルトキハ供託有價證券利札請求書（書式ハ政府所有有價證券取扱規程第三號書式政府所有有價證券利札請求書ニ準ス）ヲ日本銀行ニ提出シ之カ交付ヲ受クヘシ　但シ附屬利札ヲ受クル權利ヲ有スル者ノ提出シタル請求書ニ證明ヲ爲シタルモノヲ以テ供託有價證券利札請求書ニ代フルコトヲ得

第五條　供託局供託有價證券ノ利息又ハ配當金ニ付附屬供託ヲ認可シタ

ルトキハ供託有價證券利息（配當金）請求書（書式ハ政府所有有價證券取扱規程第三號書式政府所有有價證券利札請求書ニ準ス）及附屬供託請求書ヲ日本銀行ニ提出スヘシ

第六條　政府所有有價證券取扱規程第二條及第六條乃至第十條ノ規定ハ供託有價證券ノ取扱手續ニ之ヲ準用ス

附　則

本令ハ大正十一年四月一日ヨリ之ヲ施行ス

第七章 出納官吏

一 出納官吏事務規程

大正十一年一月
大藏省令第二號

第一章 總則

第一條 出納官吏ハ本令ノ定ムル所ニ依リ現金ノ出納保管ニ關スル事務ヲ處理スヘシ

第二條 出納官吏法令ノ規定ニ依リ現金ニ代ヘ證券ヲ受領シタルトキハ現金ニ準シ之カ取扱ヲ爲スヘシ

第三條 出納官吏其ノ手許ニ保管スル現金ハ之ヲ堅牢ナル容器中ニ藏置スヘシ但シ特別ノ事由アルトキハ自己ノ責任ヲ以テ之ヲ郵便局若ハ確實ナル銀行ニ預入レ又ハ資産信用アル者ニ其ノ保管ヲ託シ其ノ他適當ノ方法ニ依リ之ヲ保管スルコトヲ得

第四條 出納官吏其ノ取扱ニ係ル現金ハ私金ト混同スルコトヲ得ス

第五條 出納官吏他ノ公金ノ出納保管ヲ兼掌スル場合ニ於テハ其ノ現金ハ官金ト區分シ同一容器中ニ之ヲ保管スルコトヲ得

第六條 出納官吏本令ノ定ムル所ニ依リ振出ス小切手ハ本令中別段ノ定アル場合ヲ除クノ外之ヲ記名式持參人拂ト爲スヘシ

第七條 官廳、出納官吏又ハ日本銀行ヲ受取人トシテ拂出ス小切手ハ之ヲ記名式トシ之ニ裏書禁止ノ旨ヲ記載スヘシ

前項小切手金額ニシテ振替拂込ヲ要スルモノナルトキハ表面餘白ニ「要振替」ノ印ヲ押捺スヘシ

第八條 現金出納簿ハ一人一冊トシ出納官吏ハ職務及所管廳ノ如何ヲ問ハス其ノ取扱ニ係ル現金ノ出納ヲ總テ之ニ記入スヘシ

第九條 外國ニ於ケル出納官吏ノ事務取扱ニシテ本令ニ依リ難キモノニ付テハ特例ヲ設クルコトヲ得

第十條 各省大臣ハ本令ニ定ムルモノヲ除クノ外其ノ所屬出納官吏ノ事務取扱ニ付大藏大臣ト協議シ之カ必要ナル事項ヲ定ムルコトヲ得

第十一條 本令ハ別段ノ定アル場合ヲ除クノ外出納員ノ事務取扱ニ付之ヲ準用ス

第十二條 本令中各省大臣ノ職務ハ朝鮮ニ在リテハ朝鮮總督、臺灣ニ在リテハ臺灣總督、樺太ニ在リテハ樺太廳長官、關東州ニ在リテハ關東長官之ヲ行フ

第二章 收入官吏

第一節 收入金ノ領收

第十三條 收入官吏納人ヨリ納税告知書、納入告知書又ハ納付書ヲ添ヘ現金ノ納付ヲ受ケタルトキハ之ヲ收納シ領收證書ヲ納人ニ交付シ其ノ報告書ヲ歳入徴收官ニ送付スヘシ

第十四條 收入官吏納人ヨリ納税告知書、納入告知書又ハ納付書ヲ添附セスシテ現金ノ納付ヲ受ケタルトキハ又ハ歳入徴收官ノ口頭告知ニ依リ現金ノ納付ヲ受ケタルトキハ之ヲ收納シ領收證書ヲ納人ニ交付シ其ノ報告書ヲ歳入徴收官ニ送付スヘシ

第十五條 收入官吏外國ニ於テ納人ヨリ邦貨ヲ基礎トスル收入金ヲ外國貨幣ヲ以テ收納セムトスルトキハ別ニ定ムル外國貨幣換算價格ニ依リ算出シタル金額ノ外國貨幣ヲ收納スヘシ

前項ノ場合ニ於テハ歳入徴收官ニ送付スル報告書ニ記載スヘキ邦貨額

ニ外國貨幣額及外國貨幣換算價格ヲ傍記スヘシ

第十六條　收入官吏外國ニ於テ納人ヨリ外國貨幣ヲ基礎トスル收入金ヲ邦貨ヲ以テ收納セムトスルトキハ別ニ定ムル外國貨幣換算價格ニ依リ換算シタル金額ノ邦貨ヲ出納スヘシ

前項ノ場合ニ於テハ歲入徵收官ニ送付スル報告書ニ邦貨額ヲ記載シ外國貨幣額及外國貨幣換算價格ヲ傍記スヘシ

第十七條　收入官吏外國ニ於テ納人ヨリ外國貨幣ヲ基礎トスル收入金ヲ外國貨幣ヲ以テ收納シタルトキハ別ニ定ムル外國貨幣換算價格ニ依リ換算シタル邦貨額ヲ歲入徵收官ニ送付スル報告書ニ記載シ其ノ收納シタル外國貨幣額ヲ傍記スヘシ

第二節　收入金ノ拂込

第十八條　日本銀行（本店、支店又ハ代理店ヲ謂フ以下同シ）所在地ニ在勤スル收入官吏其ノ在勤地ニ於テ現金ヲ領收シタルトキハ第一號書式ノ現金拂込書ヲ添ヘ現金領收ノ日又ハ其ノ翌日日本銀行ニ拂込ムヘシ

但シ領收金額百圓未滿ナルトキハ每十日分ヲ取纏メ日本銀行ニ拂込ムコトヲ得

第十九條　日本銀行所在地外ニ在勤スル收入官吏其ノ在勤地ニ於テ現金ヲ領收シタルトキハ左記期限內ニ現金拂込書ヲ添ヘ日本銀行ニ拂込ムヘシ　但シ第二號乃至第四號ノ場合ニ於テハ最初ノ現金領收ノ日ヨリ起算シテ十五日ヲ超ユルコトヲ得ス

一　領收金高百圓未滿ナルトキハ最初ノ現金領收ノ日ヨリ起算シテ十五日內

二　領收金高百圓以上ニ達シタルトキハ其ノ日ヨリ起算シテ十日內

三　領收金高五百圓以上ニ達シタルトキハ其ノ日ヨリ起算シテ五日內

四　領收金高千圓以上ニ達シタルトキハ其ノ翌日限

第二十條　收入官吏其ノ在勤地外ニ於テ現金ヲ領收シタルトキハ第八十條ノ規定ニ準シ拂込ヲ爲シ得ル場合ヲ除クノ外前條ノ規定ニ準シ之カ拂込ノ手續ヲ爲スヘシ

第二十一條　運輸交通ノ不便ナル地方ニ在勤スル收入官吏ニシテ第十九條ノ規定ニ依リ難キ場合ニ於テハ所管大臣大藏大臣ト協議シ之カ特例ヲ設クルコトヲ得

第二十二條　收入官吏外國ニ於テ現金ヲ領收シタルトキハ前四條ノ規定ニ準シ之カ拂込ノ手續ヲ爲スヘシ

前項ノ場合ニ於テ外國貨幣ノ拂込ヲ爲サムトスルトキハ現金拂込書ニ邦貨額ヲ記載シ外國貨幣額ヲ傍記スヘシ

第二十三條　收入官吏外國ニ於テ領收シタル現金ニシテ前條ノ規定ニ依リ拂込ヲ爲スコト能ハサルモノニ付テハ別段ノ定アル場合ヲ除クノ外一月分ヲ取纏メ之ヲ爲替券ニ換ヘ現金拂込書ヲ添ヘ日本銀行本店ニ拂込ムヘシ

前項ノ現金拂込書ニハ邦貨額ヲ記載シ爲替券面額ヲ傍記スヘシ

第三節　現金拂込報告

第二十四條　收入官吏ハ現金出納簿ニ依リ每月第二號書式ノ現金拂込仕譯書ヲ調製シ翌月五日迄ニ之ヲ歲入徵收官ニ送付スヘシ

分任收入官吏ノ調製シタル現金拂込仕譯書ハ主任收入官吏ニ於テ之ヲ取纏メ歲入徵收官ニ送付スルモノトス　但シ歲入徵收官ニ於テ必要アリト認ムルトキハ分任收入官吏ヲシテ直接之カ送付ヲ爲サシムルコト

ヲ得

第三章　資金前渡官吏

第一節　總　則

第二十五條　資金前渡官吏日本銀行ニ資金ヲ預託スル場合ニ於テハ該資金前渡官吏ヲ任命シタル者豫メ其ノ資格氏名ヲ當該日本銀行ニ通知スヘシ

第二十六條　資金前渡官吏ハ前條ノ場合ニ於テ照較ノ用ニ供スル爲其ノ印鑑ニ官職氏名ヲ記載シ之ヲ日本銀行ニ提出スヘシ

第二節　前渡資金ノ受入、保管及引出

第二十七條　日本銀行所在地ニ在勤スル資金前渡官吏ハ其ノ保管ニ屬スル現金ヲ其ノ地ノ日本銀行ニ預託スヘシ　但シ常時小口ノ現金支拂ヲ要スル場合ニ於テ支出官ノ定ムル所要金額ニ付テハ此ノ限ニ在ラス

第二十八條　日本銀行所在地外ニ在勤スル資金前渡官吏ハ其ノ在勤地又ハ出張地最寄ノ日本銀行ニ其ノ保管ニ屬スル現金ヲ預託スルコトヲ得

日本銀行所在地ニ在勤スル資金前渡官吏在勤地外ニ於テ現金ヲ保管スルトキ亦同シ

第二十九條　資金前渡官吏前二條ノ規定ニ依リ其ノ現金ヲ日本銀行ニ預託セムトスルトキハ之ニ第三號書式ノ預託金拂込書ヲ添ヘ日本銀行ニ拂込ミ預託金領收證書及小切手用紙ノ交付ヲ受クヘシ

第三十條　資金前渡官吏日本銀行ニ預託シタル現金ヲ引出サムトスルトキハ自己ヲ受取人トスル小切手ヲ振出スヘシ

第三節　支　拂

第三十一條　資金前渡官吏債主ヨリ支拂ノ請求ヲ受ケタルトキハ其ノ請求ハ正當ナルカ資金交付ヲ受ケタル目的ニ違フコトナキカヲ調査シ之カ支拂ヲ爲シ領收證書ヲ徵スヘシ

第三十二條　資金前渡官吏文官判任以上ノ者ノ俸給ノ支拂ヲ爲サムトスルトキハ其ノ俸給額ヨリ國庫納金額ヲ控除シタル殘額ノ支拂ヲ爲シ其ノ領收證書ヲ徵スヘシ

第三十三條　民法ノ規定ニ依リ政府ト私人トノ債務ノ相殺アリタルトキハ資金前渡官吏ハ相殺額ヲ控除シタル殘額ノ支拂ヲ爲シ其ノ領收證書ヲ徵スヘシ

第三十四條　資金前渡官吏日本銀行預託金中ヨリ支拂ヲ爲サムトスルトキハ現金ノ交付ニ代ヘ該預託金ニ對スル小切手ヲ拂出スヘシ　但シ受取人ニ於テ特ニ現金ノ交付ヲ求メタル場合ハ此ノ限ニ在ラス

第三十五條　資金前渡官吏ハ其ノ振出シタル小切手ニシテ振出日附後一年ヲ經過シ日本銀行ニ於テ未タ支拂ヲ了セサルモノニ付テハ其ノ金額年度、科目及債主名ヲ支出官ヲ經由シテ歲入徵收官ニ報告スヘシ

第三十六條　資金前渡官吏前條ノ金額ニ付歲入徵收官ヨリ納入ノ告知ヲ受ケタルトキハ該金額ヲ券面金額トシ當該官廳ヲ受取人トスル小切手ヲ振出シ該告知書ニ添ヘ日本銀行ニ拂込ノ手續ヲ爲スヘシ

第三十七條　第三十四條ノ小切手ニシテ其ノ振出日附ヨリ一年ヲ經過シ日本銀行ニ於テ支拂ヲ拒絕セラレタルカ爲其ノ所持人ヨリ償還ノ請求アリタルトキハ資金前渡官吏ハ之ヲ調査シ償還スヘキモノト認ムルトキハ事由ヲ詳ニシ證憑書類ヲ添ヘ支出官ヲ經由シ之ヲ所管大臣ニ具申シ所管大臣ハ審査ノ上之カ支拂ヲ大藏大臣ニ請求スヘシ

第三十八條　前二條ノ場合ニ於テ資金前渡官吏交替シタルトキハ後任官

吏ニ於テ之カ手續ヲ爲スヘシ但シ後任官吏ナキ場合ニ於テハ其ノ殘務ヲ引繼キタル官吏其ノ手續ヲ爲スモノトス

第三十九條 資金前渡官吏資金ヲ隔地ノ出納官吏ニ送付スル必要アル場合ニ於テハ日本銀行ニ之カ送金ヲ請求スルコトヲ得

第四十條 資金前渡官吏前條ノ送金ヲ請求セムトスルトキハ送金額ヲ券面金額トシ日本銀行ヲ受取人トスル小切手ヲ振出シ其ノ裏面ニ受取人ノ資格氏名、支拂店名及送金ヲ要スル旨ヲ記載シ之ヲ預託金ヲ取扱フ日本銀行ニ交付シ領收證書ヲ徵スヘシ

前項ノ場合ニ於テ資金前渡官吏ハ第四號書式ノ預託金支拂通知書ヲ受取人ニ送付スヘシ

第一項ノ場合ニ於テ資金前渡官吏電信送金ヲ要スルトキハ其ノ振出ス小切手ノ裏面ニ其ノ旨ヲ記入スルト共ニ前項ノ通知書ニ代ヘ電信ヲ以テ受取人ニ通知スヘシ

第四十一條 支出官事務規程中歲出金支拂通知書所載ノ支拂場所ノ變更ニ關スル規定ハ前條ノ預託金支拂通知書ノ支拂店變更ニ付之ヲ準用ス

第四十二條 每年度ニ屬スル歲出金ノ支拂ヲ爲シ得ルハ翌年度四月三十日限トス

第四節 拂込及返納

第四十三條 資金前渡官吏第三十二條ノ手續ヲ爲シタルトキハ國庫納金額ニ相當スル現金ニ第五號書式ノ國庫納金額表ヲ添ヘ歲入徵收官ノ指定シタル收入官吏ニ拂込ミ領收證書ノ交付ヲ受クヘシ

第四十四條 資金前渡官吏第三十三條ノ手續ヲ爲シタルトキハ相殺金額ニ相當スル現金ニ第六號書式ノ相殺額表ヲ添ヘ歲入徵收官ノ指定シタル收入官吏ニ拂込ミ領收證書ノ交付ヲ受クヘシ

前項ノ場合ニ於テ政府ノ債權者資金前渡官吏所屬廳以外ノ官廳ニ對スル債務ヲ以テ相殺シタルトキハ該官廳ノ歲入徵收官ヨリ納入告知書ヲ受ケ拂込ノ手續ヲ爲スヘシ

第四十五條 政府ノ收納スヘキ金額カ相殺額ト同額ナルトキ又ハ之ヲ超過スル場合ニ於テハ資金前渡官吏相殺金額ニ付前條ノ手續ヲ爲スヘシ

前項ノ場合ニ於テ收納金額ノ相殺額ヲ超過シタルモノニ付テハ資金前渡官吏ハ相殺額ヲ超過シタル金額及相殺ノ相手方ノ氏名ヲ歲入徵收官ニ報告スヘシ

第四十六條 資金前渡官吏ニ其ノ前渡ヲ受ケタル資金ニ付支出官又ハ歲入徵收官ヨリ返納又ハ納入ノ告知書ヲ受ケタルトキハ現金ニ該告知書ヲ添ヘ拂込ノ手續ヲ爲スヘシ

第四十七條 資金前渡官吏ハ前四條ノ場合ニ於テ日本銀行ニ預託シタル金額中ヨリ拂込ヲ爲サムトスルトキハ拂込金額ヲ券面金額トスル小切手ヲ振出スヘシ

第四十八條 前條ノ規定ニ依リ振出ス小切手ハ當該官廳ヲ受取人トシ表面餘白ニ第四十三條ノ場合ニ於テハ「國庫納金」ノ印第四十四條及第四十五條ノ場合ニ於テハ「相殺額」ノ印ヲ押捺スヘシ

第五節 證明

第四十九條 資金前渡官吏日本銀行ヨリ預託金月計突合表ニ支拂濟小切手其ノ他ノ證憑書類ヲ添ヘ送付ヲ受ケタルトキハ證憑書類ヲ對照シ證明ノ上五日內ニ之ヲ日本銀行ニ返付スヘシ但シ相違アル點ニ付テハ其

ノ事由ヲ附記スルモノトス

第四章　歳入歳出外現金出納官吏

第五十條　歳入歳出外現金出納官吏現金ヲ領收シタルトキハ領收證書ヲ交付シ其ノ旨ヲ取扱官廳ニ報告スヘシ

第五十一條　歳入歳出外現金出納官吏ノ領收シタル現金ヲ大藏省預託部預金ニ拂込ヲ爲ス場合ニ於テハ保管金取扱規程及預金部預金取扱規程ノ定ムル所ニ依ルヘシ

第五十二條　歳入歳出外現金出納官吏其ノ保管ニ係ル現金ヲ拂渡シタルトキハ受取人ヨリ領收證書ヲ徴シ其ノ旨ヲ取扱官廳ニ報告スヘシ

第五章　繰替拂出納官吏

第五十三條　本令ニ於テ繰替拂出納官吏ト稱スルハ會計規則第六十三條ノ規定ニ依リ其ノ取扱ニ係ル現金ノ繰替使用ヲ爲ス出納官吏ヲ謂フ

第五十四條　繰替拂出納官吏ハ其ノ取扱ニ係ル歳入金、歳出金及歳入歳出外現金ニ付交互振替及繰替計算ヲ以テ之カ受拂ヲ爲シ其ノ現金ハ之ヲ一團トシテ取扱フヘシ

第五十五條　繰替拂出納官吏ハ別段ノ定アル場合ヲ除クノ外其ノ保管ニ係ル現金ヲ日本銀行ニ預託スヘシ

第五十六條　第三十九條乃至第四十一條ノ規定ハ帝國鐵道官署ニ於ケル繰替拂出納官吏隔地ノ債主又ハ出納官吏ニ送金ヲ爲スノ必要アル場合ニ付之ヲ準用ス但シ預託金支拂通知書ハ第七號書式ニ依ルモノトス

前項ノ場合ニ於テ運輸交通ノ不便ノ地ニ在ル債主又ハ出納官吏ヨリ其ノ住所又ハ居所ニ送金ヲ求メタルトキハ其ノ住所又ハ居所ヲ支拂場所ニ指定スルコトヲ得此ノ場合ニ於テハ預託金支拂通知書ニ代ヘ適宜ノ通知書ヲ受取人ニ送付スヘシ

第五十七條　第十三條乃至第十七條、第二十五條、第二十六條、第二十九條、第三十條、第三十四條乃至第三十八條、第四十二條、第四十九條第五十條及第五十二條ノ規定ハ繰替拂出納官吏ニ之ヲ準用ス

第五十八條　本令ニ定ムルモノヲ除クノ外繰替拂出納官吏ノ事務取扱ニ關シテハ別ニ定ムル所ニ依ルヘシ

第六章　事務引繼手續

第五十九條　出納官吏交替ノ場合ニ於テハ前任出納官吏ハ現金出納簿ニ締切ヲ爲シ引繼ノ年月日ヲ記入シ後任出納官吏ト共ニ記名捺印スヘシ

第六十條　日本銀行ニ預託金ヲ有スル前任出納官吏ハ前條ノ締切ヲ爲シタル日ニ於ケル預託金現在高ノ證明ヲ日本銀行ニ對シ請求スヘシ

第六十一條　前任出納官吏ハ第八號書式ノ現金現在高書又ハ現金及預託金現在高書竝其ノ引繼クヘキ帳簿、證憑其ノ他ノ書類ノ目錄各二通ヲ調製シ後任出納官吏立會ノ上現物ニ對照シ受授ヲ爲シタル後現在高書及目錄ニ年月日及受授ヲ了シタル旨ヲ記入シ兩出納官吏ニ於テ記名捺印シ各一通ヲ保存スヘシ

第六十二條　前條ノ手續ヲ了シタルトキハ前任出納官吏ハ後任出納官吏ト共ニ記名捺印ノ上預託金現在高引繼通知書ヲ所屬官廳及日本銀行ニ送付スヘシ

前項ノ通知書ニハ前任出納官吏ノ振出シタル小切手ニシテ日本銀行ニ於テ未タ支拂ヲ了セサル金額ヲ區分記載スヘシ

第六十三條　第二十四條ノ規定ニ依リ調製スヘキ現金拂込仕譯書ハ後任收入官吏ニ於テ之ヲ調製スヘシ

第六十四條 前任出納官吏死亡又ハ其ノ他ノ事由ニ因リ引繼ヲ爲スコト能ハサルコトハ會計規則第百四十六條ノ規定ニ依リ計算書ノ調製ヲ命セラレタル官吏本章ノ定ムル所ニ依リ之カ手續ヲ爲スヘシ

第七章 雜則

第六十五條 出納官吏其ノ保管ニ係ル現金ヲ亡失シタルトキハ遲滯ナク其ノ事由ヲ具シ所屬官廳ニ報告スヘシ

第六十六條 出納官吏領收濟報告書、現金拂込書又ハ預託金拂込書ノ記載事項中誤謬アルコトヲ發見シタルトキハ翌年度五月三十一日迄ニ歲入徵收官又ハ日本銀行ニ之カ訂正ヲ請求スヘシ

第六十七條 出納官吏預託金支拂通知書ノ記載事項中金額以外ノモノニ付誤謬アルコトヲ發見シタルトキハ受取人ヲシテ該預託金支拂通知書ヲ提出セシメ之カ訂正ヲ爲シ其ノ事由ヲ記入シ之ヲ受取人ニ返付スヘシ

第六十八條 出納官吏第四十條及第五十六條ニ規定スル小切手ノ裏面記載事項ニ誤謬アルコトヲ發見シタルトキハ遲滯ナク日本銀行ニ之カ訂正ヲ請求スヘシ

第六十九條 出納官吏現金拂込ニ係ル領收證書又ハ預託金領收證書ヲ亡失又ハ毀損シタル場合ニ於テハ日本銀行ヨリ其ノ拂込濟ノ證明ヲ受クヘシ

第七十條 支出官事務規程中歲出金支拂通知書ヲ亡失又ハ毀損シタル場合ニ於ケル取扱ニ關スル規定ハ第四十條第二項及第五十六條第一項ニ規定スル預託金支拂通知書ヲ亡失又ハ毀損シタル場合ニ於ケル取扱ニ付之ヲ準用ス

第七十一條 出納官吏預託金月計突合表ニ證明ヲ爲シタル後其ノ證明ニ誤謬アルコトヲ發見シタルトキハ其ノ事由ヲ記載シテ證明ヲ爲シ之ヲ日本銀行ニ送付スヘシ

第七十二條 出納官吏第三十九條又ハ第五十六條ノ規定ニ依リ送金ヲ依賴シタル後其ノ必要ナキニ至リタルトキハ支拂未了ナル場合ニ限リ日本銀行ニ對シ預託金ニ戾入ヲ請求スヘシ

附則

第七十三條 本令ハ大正十一年四月一日ヨリ之ヲ施行ス

第七十四條 左ノ大藏省令ハ之ヲ廢止ス

出納官吏現金取扱規則

明治三十年大藏省令第一號

帝國鐵道會計所屬出納官吏雜部保管金取扱手續

艦隊經費ヲ取扱フ出納官吏雜部保管金取扱手續

第七十五條 本令施行前金庫ニ寄託ヲ爲シタル現金ハ本令ニ依リ日本銀行ニ預託シタルモノト看做ス

第七十六條 本令施行前發行シタル保管金引出切符又ハ雜部保管金仕拂通知書ハ本令ニ依リ發行シタル小切手又ハ預託金支拂通知書ニ準シテ之ヲ取扱フヘシ

通　知　書

第「何」號	大正「何」年度

經常（臨時）	「何廳主任收入官吏官氏名」 拂込人又ハ「何廳主任收入官吏官氏名所屬」 「何廳分任收入官吏官氏名」

金

上記ノ金額領收濟ニ付通知候也

大正「何」年「何」月「何」日

日本銀行「何」店 印

「歳入徴收官官氏名」宛

第一號書式

現金拂込書

第「何」號	大正「何」年度

「所管廳」	「歳入徴收官官氏名」
「經常（臨時）」	「取扱廳」

金

上記ノ金額拂込候也

大正「何」年「何」月「何」日

「何」廳主任收入官官吏

官氏名 印

又ハ「何」廳主任收入官吏官氏名所屬

「何」廳主任收入吏官

官氏名 印

第二號書式

大正「何」年度
大正「何」年「何」月分現金拂込仕譯書

摘要	金額		備考
前月迄拂込未濟			
本月中現金領收高			
計			
本月中現金拂込高			
差引翌月へ越			

大正「何」年「何」月「何」日

「主任(又ハ分任)收入官吏官氏名」 印

(歲入徵收官官氏名)宛

備考　用紙ハ美濃判四分ノ一トス

領　收　證　書

第「何」號　　大正「何」年度

「所管廳」	「歲入徵收官官氏名」
經常(臨時)	拂込人又ハ「何廳主任收入官吏官氏名」 「何主任收入官吏官氏名所屬」 「何廳分任主任收入官吏官氏名」

金

上記ノ金額領收候也

大正「何」年「何」月「何」日

日本銀行「何」店 印

備考　一用紙寸法縱 五寸六分 橫 三寸八分 輪廓寸法縱 四寸五分 橫 三寸三分 ノモノ三枚接續トシ左方ニ一寸ノ綴代ヲ設クヘシ

二金額、番號、年度、所管廳名、歲入徵收官官氏名及經常臨時部名ハ收入官吏ニ於テ記入スルモノトス

第三號書式

預託金拂込書

第「何」號

金

上記ノ金額預託候也

大正「何」年「何」月「何」日

「何廳出納官吏官氏名」印

日本銀行「何」店宛

備考 用紙 適宜

用紙寸法 美濃判四分ノ一

原符ハ適宜之ヲ設クルコトヲ得

第四號書式

領收證

前記ノ金額領收候也

大正「何」年「何」月「何」日

何廳(又ハ)艦船

「出納官吏官氏名」印

預託金支拂通知書

第「何」號	取扱廳名	預託金取扱日本銀行名

金

前記ノ金額日本銀行本店(何地支店又ハ代理店)ニ於テ受領セラルヘシ

大正「何」年「何」月「何」日

何廳(又ハ)艦船

出納官吏官氏名印

備考 一用紙寸法 縱 五寸二分 橫 六寸三分 輪廓寸法 縱 四寸六分 橫 五寸四分

二本書ハ左方ニ八分ノ綴代ヲ設クヘシ

三支拂指定日本銀行ニ於テ支拂ノ上ハ本書ヲ預託金取扱日本銀行ニ送付スヘシ

第五號書式

收入取扱官廳

（一般會計）　國庫納金額表

所管廳	年度	現金又ハ小切手	國庫納金者氏名	俸給額	國庫納金額	備考
				円	円	

上記ノ國庫納金額拂込候也
大正「何」年「何」月「何」日
「何廳資金前渡官吏官氏名」印
「何廳收入官吏官氏名」宛

備考　用紙ハ美濃判半截トス

第六號書式

收入取扱官廳

相殺額表

所管廳	年度	現金又ハ小切手	相殺相手方氏名	相殺金額	備考
				円	

上記ノ相殺金額拂込候也
大正「何」年「何」月「何」日
「何廳資金前渡官吏官氏名」印
「何廳收入官吏官氏名」宛

備考　用紙ハ美濃判半截トス

第七號書式

（表面）

預託金支拂通知書

預託金取扱日本銀行名	取扱廳名	第「何」號

金

前記ノ金額日本銀行本店（何地支店又ハ代理店）ニ於テ受領セラルヘシ

大正「何」年「何」月「何」日

「何廳出納官吏官氏名」印

「何某（又ハ

何廳出納官吏官氏名」宛

領收證

前記ノ金額領收候也

大正「何」年「何」月「何」日

住所

受取人　「何　某」印

又ハ「何廳出納官吏

官氏名」印

收入印紙　印

（注意）受取人ハ裏面ノ注意事項ヲ熟覽スヘシ

備考

一　用紙寸法

縱五寸二分

横六寸三分

輪廓寸法

縱四寸六分

横五寸四分

二　本書ハ左方ニ八分ノ綴代ヲ設クヘシ

三　領收證書ニシテ收入印紙ヲ要スルモノハ其ノ貼用場所ニ「要印紙」ノ印ヲ押捺スヘシ

（裏面）

注意事項

一　受取人ハ表面領收證ノ部ニ年月日及住所ヲ記入シ記名捺印スヘシ

但シ官吏公吏ニ在リテハ官廳名又ハ公共團體名等ヲ肩書シ官職名ヲ記シ記名捺印スヘシ

二　受取人ノ印章ハ請求書ニ押捺シタルモノト同一ノモノニ限ル

三　受取人カ代理人ヲ以テ現金支拂ノ請求ヲ為サムトスルトキハ本人ニ於テ本書委任欄内ニ相當ノ事項ヲ記載シ記名捺印スルカ又ハ別ニ委任狀ヲ差出スヘシ

此ノ場合ニ於テハ代理人ハ本書ニ代理人タルノ肩書ヲ附シ記名捺印スヘシ

四　受領金額五圓以上ノモノハ規定ノ收入印紙ヲ貼附消印スヘシ

但シ營業ニ關セサルモノハ此ノ限ニ在ラス

五　小切手振出ノ日附ヨリ一箇年ヲ過クルトキハ日本銀行ハ本書ニ對シ之カ支拂ヲ為ササルモノトス

六　本書ヲ亡失シタルトキハ直ニ其ノ旨ヲ拂渡ヲ受クヘキ日本銀行ニ通知シ支拂ノ停止ヲ請求スヘシ

委任狀

表面金額ノ受取方ヲ「住所　何　某」ニ委任致候也

大正「何」年「何」月「何」日

「住　所　何　某」印

第八號書式甲

現金現在高書

金種類	金額	備考
	円	

上記ノ通引繼ヲ了シ候也
大正「何」年「何」月「何」日
「前任出納官吏官氏名」印
「後任出納官吏官氏名」印

備考 用紙ハ美濃判半截トス

第八號書式乙

現金及預託金現在高書

現金在高	預託現金在高	計	振出濟小切手支拂未濟高	備考
円	円	円	円	

上記ノ通引繼ヲ了シ候也
大正「何」年「何」月「何」日
「前任出納官吏官氏名」印
「後任出納官吏官氏名」印

備考
一 用紙ハ美濃判半截トス
二 現金在高ハ其ノ金種類ヲ備考欄ニ區分記載スヘシ

（參照）明治三十年一月十六日大藏省令第一號ハ臺灣在勤ノ收入官吏出納官吏金庫ニ現金拂込竝監守證送付ノ件ナリ

二　朝鮮總督府遞信官署現金受拂規則

大正十一年四月
總令第五七號

第一章　總則

第一條　朝鮮總督府遞信官署（以下單ニ遞信官署トス）ノ出納官吏及出納員ハ會計規則第六十三條ノ規定ニ依リ歳入金、歳出金及歳入歳出外現金ニ付交互振替及繰替計算ヲ以テ之カ受拂ヲ爲スヘシ

前項現金ノ出納保管ニ關スル事務取扱方ニ付テハ出納官吏事務規程ニ依ルノ外本令ノ定ムル所ニ依ルヘシ

第二條　郵便局所ニ於テ歳入金、歳出金及歳入歳出外現金ノ受拂上現金ニ殘餘ヲ生シ又ハ缺乏ヲ告クルトキハ別ニ定ムル所ニ依リ朝鮮總督府郵便爲替貯金管理所（以下單ニ郵便爲替貯金管理所トス）ニ對シ其ノ殘金ノ回納ヲ爲シ又ハ同所ヨリ資金ノ交付ヲ受クヘシ

第三條　郵便局所ニ於ケル出納官吏及出納員ノ備フル現金出納簿ハ朝鮮總督ノ定ムル帳簿ヲ以テ之ニ代用スルコトヲ得

第四條　支出官事務規程第三十一條、第三十二條、第三十四條及第三十五條ノ規定ハ第六條又ハ第十六條ニ規定スル繰替拂通知書記載事項ノ誤謬訂正、亡失又ハ毀損ノ場合ニ於ケル取扱ニ付之ヲ準用ス

第二章　遞信官署所屬現金受拂

第五條　遞信官署ノ歳入徴收官郵便局所ニ歳入金ヲ納付セシメムトスルトキハ第一號書式ノ納入告知書ヲ發スヘシ但シ即納ノ場合ニ於テハ納入知書ヲ發スルコトヲ要セス

第六條　遞信官署ニ於テ歳出金繰替拂ヲ要スルトキハ當該官署ノ長第二號書式ノ歳出金繰替拂證票及同通知書ヲ發行シ其ノ證票ハ之ヲ繰替拂ヲ爲ス郵便局所ニ送付シ通知書ハ之ヲ債主ニ交付スヘシ

前項ノ場合ニ於テ隔地ノ債主ニ對シ緊急繰替拂ヲ要スルトキハ證票及通知書ノ發行ニ代ヘ電信ヲ以テ通知スヘシ

第七條　郵便局所ニ於テ債主ヨリ前條ノ通知書ヲ以テ拂渡ノ請求ヲ受ケタルトキハ現金ノ拂渡ヲ爲シ其ノ領收證書ヲ徴スヘシ

前項ノ規定ハ電信ニ依ル繰替拂通知ヲ以テ拂渡ノ請求ヲ受ケタル場合ニ之ヲ準用ス

第八條　前條ニ依リ郵便局所ニ於テ繰替拂ヲ爲シタル歳出金ニ對シテハ當該支出官郵便爲替貯金管理所出納官吏ヲ受取人トスル小切手ヲ振出スヘシ

郵便爲替貯金管理所出納官吏前項ノ小切手ノ交付ヲ受ケタルトキハ之ヲ其ノ小切手支拂店ニ呈示シ預託金ニ振替拂込ヲ爲スヘシ

第九條　郵便局所ハ毎日歳入金、歳出金及歳入歳出外現金ノ受拂高ヲ精算シ別ニ定ムル所ニ依リ之ヲ郵便爲替貯金管理所ニ報告スヘシ

第十條　郵便爲替貯金管理所ハ前條ノ報告ニ依リ其ノ現金受拂高ヲ總括精算シ同所出納官吏ヲシテ日本銀行京城代理店ニ對シ毎日其ノ歳入金ノ振替拂込及歳入歳出外現金ノ振替受拂ヲ爲サシムヘシ

前項ノ場合ニ於テ要スル歳入金振替拂込書ハ第三號書式ニ依ル

第十一條　遞信官署ニ於ケル支出官ノ備フル支出簿ハ第四號書式ニ依ル

第三章　遞信官署以外ノ官署所屬現金受拂

第十二條　遞信官署以外ノ官署ノ歳入徴收官日本銀行代理店所在地外ノ郵便局所ニ歳入金ヲ納付セシメムトスルトキハ第五號書式ノ納税告知

書又ハ第六號書式ノ納入告知書ヲ發スヘシ

第十三條　遞信官署以外ノ官署ノ支出官日本銀行代理店所在地外ノ郵便局所ニ歳出金ヲ返納セシメ之ヲ定額ニ戻入セムトスルトキハ第七號書式ノ返納告知書ヲ發スヘシ

第十四條　第十二條ノ告知書ヲ受ケテ歳入金ヲ納付スヘキ義務アル者直ニ歳入金ヲ郵便局所ニ納付セムトスルトキハ第八號書式ノ納付書ヲ添附スヘシ、收入官吏其ノ收納シタル歳入金ヲ郵便局所ニ拂込マムトスルトキ亦同シ

第十五條　郵便局所ニ於テ第十二條乃至第十四條ニ依リ歳入金又ハ返納金ノ受入ヲ爲シタルトキハ毎日其ノ受入高ヲ精算シ別ニ定ムル所ニ依リ之ヲ郵便爲替貯金管理所ニ報告シ同所出納官吏ハ歳入金ニ付テハ第九號書式ノ振替拂込書及第十號書式ノ合計票ヲ調製シ第十三條ノ受入金ニ付テハ第十一號書式ノ振替拂込書ニ返納告知書ヲ添ヘ振替計算ヲ以テ該歳入金又ハ返納金ヲ日本銀行京城代理店ニ拂込ムヘシ

第十六條　遞信官署以外ノ官署ノ支出官日本銀行代理店所在地外ニ在ル債主ニ對シ歳出金ノ支拂ヲ要スルトキハ小切手及第十二號書式ノ歳出金繰替拂證票竝同通知書ヲ發行シ小切手及該證票ハ之ヲ日本銀行代理店ニ該通知書ハ之ヲ債主ニ送付スヘシ

日本銀行代理店ハ前項ノ小切手及歳出金繰替拂證票ヲ受ケタルトキハ支拂ノ手續ヲ爲シタル上該證票ハ其ノ金額記載ノ下部ニ銀行印ヲ押捺シ之ヲ指定郵便局所ニ送付ス

第十七條　郵便局所ニ於テ債主ヨリ前條ノ通知書ヲ以テ拂渡ノ請求ヲ受ケタルトキハ現金ノ拂渡ヲ爲シ該通知書ニ債主ノ受領證印ヲ徵スヘシ

第十八條　郵便局所ニ於テハ毎日其ノ拂渡高ヲ精算シ別ニ定ムル所ニ依リ之ヲ郵便爲替貯金管理所ニ報告スヘシ

郵便局所ニ於テハ毎日其ノ拂渡高ヲ精算シ別ニ定ムル所ニ依リ之ヲ郵便爲替貯金管理所ニ報告スヘシ

郵便爲替貯金管理所出納官吏ハ拂渡濟歳出金繰替拂通知書ニ預託金拂込書ヲ添ヘ之ヲ日本銀行京城代理店ニ提出シ振替計算ヲ以テ代リ金ヲ受領スヘシ

附　則

本令ハ發布ノ日ヨリ之ヲ施行ス

本令施行ノ際現存スル帳簿及用紙ハ當分ノ内之ヲ取繕ヒ使用スルコトヲ得

（書式略）

三　歳入歳出外現金出納官吏現金取扱方ノ件

大正二年四月　官通第八九號

度支部長官

朝鮮總督府所屬官廳歳入歳出外現金出納官吏宛

歳入歳出外現金出納官吏ニシテ（明治二十六年大藏省令第二十號保管物取扱規程）ニ依リ其ノ保管ニ屬スル現金ニ送付書ヲ添ヘ（金庫）ヘ寄託シタルモノヲ尚自己保管トシテ現金出納簿ニ於ケル殘高トシテ計算スル向モ往往有之候處右現金ヲ（金庫）ニ寄託ノ爲送付シタル場合ニ於テハ明治二十八年大藏省訓令第二十號ニ依リ出納官吏現金出納簿中拂ノ欄ニ登

記スヘキモノニシテ現金殘高ハ存在セサルコトニ相成筈ニ候間右樣取扱相成度爲念及通牒候也

四　出納官吏銀行又ハ一私人ニ現金保管ヲ託セシ場合ニ於テ該預金ニ對スル利子ヲ受取リタルトキノ取扱方

明治三十三年七月
大藏省訓令第五六號

出納官吏

（明治二十二年大藏省令第十三號出納官吏現金取扱規則第十四條）ニ依リ銀行又ハ一私人ニ現金保管ヲ託セシ場合ニ於テ該預ケ金ニ對スル利子ヲ受取タルトキハ收入官吏トシテ之ヲ取扱ヒ（金庫）ヘ拂込ノ手續ヲ爲スヘシ

五　預金利子收入取扱方ノ件

大正三年七月八日
官通第二五六號

總務局長

各出納官吏宛

（明治二十二年大藏省令第十三號出納官吏現金取扱規則第十四條）ニ依リ銀行、郵便局所又ハ一私人ニ現金保管ヲ託セシ場合ニ於テ該預金ニ對スル利子ヲ受取リタルトキハ明治三十三年大藏省訓令第五十六號ニ依リ收入官吏トシテ之ヲ取扱ヒ金庫ヘ拂込ムヘキ義ニ候處往々右規定ニ依ラル向モ有之候ニ付爾今收入官吏トシテ御取扱相成度此段及通牒候也

【參照】　明治二十二年大藏省令第十三號出納官吏現金取扱規則ハ廢止セラレタルモ大正十一年一月大藏省令第二號出納官吏事務規程第三條ニ該當ス

六　證明上添附書類省略ノ件

大正八年二月
官通第二一號

總務局長

歲入歲出外現金出納官吏宛

歲入歲出出納計算書ニハ自今檢定書添附ヲ要セス候此段及通牒候也

七　出納官吏現金保管ニ關スル件

大正十一年九月
官通第八〇號

歲入歲出外現金出納官吏又ハ資金前渡官吏ニ於テ會計事務章程第十六條ノ四ニ依リ保管ノ爲現金ヲ郵便局所ニ預入スル場合ニ於テ厘位ハ郵便局所ニ於テ受入ヲ爲ササル規定（郵便貯金法第三條參照）ニ付之ヲ除外シ手許保管ヲ爲ス儀ト御承知相成度及通牒候也

八　出納官吏辨償責任ノ免除ニ關スル作

大正元年十一月
勅令第四一號

出納官吏ノ辨償責任ニ基ク債務ニシテ大正元年七月三十日前ニ於ケル事由ニ因ルモノハ將來ニ向テ之ヲ免除ス

但シ犯罪行爲ニ因ル本人ノ債務ハ此ノ限ニ在ラス

附　則

本令ハ公布ノ日ヨリ之ヲ施行ス

九 出納官吏辨償責任免除ニ關スル件

大正元年十一月
官通第一五〇號

政務總監

各道長官、警務總長、憲兵司令官
臨時土地調査局長、高等法院長
各覆審法院長、各地方法院長
各稅關長、各典獄、勸業模範場長
平壤鑛業所長、營林廠長
鐵道局長官、遞信局長官
宛

出納官吏ノ辨償責任免除ニ關シ左記ノ通會計檢査院長ヨリ通牒有之候條右ニ依リ取扱相成度此段及通牒候也

左記

第　號

本月六日勅令第四十一號ヲ以テ出納官吏ノ辨償責任免除ノ件發布相成候ニ付テハ右ニ關シ本院取扱方左記ノ通一定致候條貴府ヘ委託ニ係ル計算ノ檢査判決上ニ於テモ之ニ準シ御取扱相成度此段及通牒候也

年　月　日

會計檢査院長

總督宛

一、檢査判決ノ結果既往ニ於テ債務ヲ有スルモノニシテ本勅令第四十一號ニ依リ今回債務免除トナリタルモノニ對シテハ認可狀ヲ交付セス

二、將來計算檢査上本勅令ノ免除ニ該當スルモノアルトキハ其ノ事實ヲ判定シ之ヲ關係書類ニ記載シ置クニ止メ直ニ認可狀ヲ交付スルモノトス

三、會計規則第八十八條ニ據リ本勅令發布前辨償ヲ命セラレ既ニ（辨償一部ナルト全部ナルトヲ問ハス）ヲ了シタルモ出納官吏免責ノ理由アリトシ本院ノ判決ヲ求メタル事項ハ本勅令ノ免除ニ該當スルモノト雖モ之ニ對シ判決ヲ爲シ本屬長官ニ通牒スヘキモノトス

但シ其ノ有責任ノ場合ニ於テハ辨償判決ノ金額ハ既納辨償額ヲ限度トス

四、本年七月三十日以前ヨリ其ノ以後ニ涉リ繼續セル事由ニ因リ債務ヲ負フヘキ場合ニ於テハ其ノ前後ヲ區分シ七月三十日以前ノ事由ニ因ルコト明ナルモノヲ除キ其ノ以後ニ屬スルモノニ對シテノミ判決スルモノトス

一〇 出納官吏辨償責任ノ免除ニ關スル件

大正四年十一月
勅令第二〇七號

出納官吏ノ辨償責任ニ基ク債務ニシテ大正四年十一月十日前ニ於ケル事由ニ因ルモノハ將來ニ向テ之ヲ免除ス但シ犯罪行爲ニ因ル本人ノ債務ハ此ノ限ニ在ラス

一一 出納官吏辨償責任免除ニ關スル件

大正五年一月十四日
官通第一〇號

政務總監

大正四年勅令第二百七號出納官吏ノ辨償責任免除ニ係ル計算檢査判決ノ取扱ノ方ニ付テハ大正元年勅令第四十一號出納官吏辨償責任免除ノ際ニ於ケル取扱方ニ準シ處理スヘキ旨會計檢査院長ヨリ通牒有之候ニ付大正

元年十二月本府官通牒第百五十號ニ準シ御處理相成度此段及通牒候也

追テ本文勅令ニ依リ此際債務ヲ免除セラレタルモノアルトキハ左記書式ノ取調表ヲ提出シ該當ノモノ無之場合ハ其旨報告相成度候

記

出納官吏債務免除金額取調表

年度	所屬部局名	職名	官氏名	辨償命令シタル金額			命令年月日	備考
				辨濟	免除	計		

第八章 國庫

一 日本銀行國庫金取扱規程

大正十一年二月
大藏省令第一〇號

第一章 總則

第一條 日本銀行ハ本令ノ定ムル所ニ依リ國庫金ノ出納竝政府預金ニ關スル事務ヲ取扱フヘシ

第二條 日本銀行ハ其ノ本店、支店及代理店ヲシテ國庫金ノ出納ヲ取扱ハシムヘシ

前項ノ代理店ハ日本銀行大藏大臣ノ認可ヲ經テ之ヲ定ムヘシ

第三條 日本銀行ハ地方ニ統轄店ヲ設ケ其ノ所屬店ニ於ケル國庫金出納ノ事務ヲ統轄スヘシ

前項ノ統轄店及其ノ所屬店ハ日本銀行大藏大臣ノ認可ヲ經テ之ヲ定ムヘシ

第四條 日本銀行ハ左ノ區分ニ依リ國庫金ノ出納ヲ取扱フヘシ

一 歳入金
二 歳出金
三 預託金
四 預金部預金
五 其ノ他ノ國庫金

第五條 日本銀行ハ其ノ本店ニ當座預金勘定、別口預金勘定及指定預金勘定ヲ置キ政府預金ヲ區分整理スヘシ

第六條 當座預金勘定ハ日本銀行ニ於テ取扱フ國庫金ノ受拂ヲ整理スヘキ勘定トス

第七條 別口預金勘定ハ大藏大臣ノ定ムル種別ニ屬スル現金ノ受入ニ依ル預金ノ受拂ヲ整理スヘキ勘定トス

第八條 指定預金勘定ハ大藏大臣ニ於テ特別ノ條件ヲ指定シタル預金ノ受拂ヲ整理スヘキ勘定トス

第九條 前二條ノ預金ノ受拂及其ノ預金相互間ノ組替ハ別ニ定ムル場合ヲ除クノ外總テ當座預金勘定ヲ經由スヘシ

第十條 當座預金勘定ニ屬スル預金ニハ政府ノ爲ニスル支拂ノ準備ニ必要ナル金額ヲ除クノ外相當ノ利子ヲ附スヘシ

別口預金勘定ニ屬スル預金ハ無利子トス

指定預金勘定ニ屬スル預金ニハ大藏大臣ノ指定スル條件中ニ定ムル利子ヲ附スヘシ

第十一條 日本銀行ハ國庫金ノ出納ニ關シ臨時至急ヲ要スルトキハ各廳ノ請求ニ依リ營業時間外ト雖之カ取扱ヲ爲スヘシ

第十二條 日本銀行ノ取扱フ國庫金ニシテ各店間ニ振替受拂ヲ要スルモノノ取扱手續ニ付テハ本令ニ定ムルモノヲ除クノ外日本銀行大藏大臣ノ認可ヲ經テ之ヲ定ムヘシ

第二章 歳入金

第十三條 日本銀行（本店、支店又ハ代理店ヲ謂フ以下同シ）納人ヨリ納税告知書、納入告知書又ハ納付書ヲ添ヘ現金ノ納付ヲ受ケタルトキハ之ヲ領收シ領收證書ヲ納人ニ交付シ領收濟通知書ハ之ヲ歳入徴收官ニ送付スヘシ

第十四條　日本銀行出納官吏又ハ收納事務ヲ取扱フ市町村、銀行、會社其ノ他ノ者ヨリ現金拂込書、送付書、所得稅拂込書又ハ通行稅拂込書ヲ添ヘ現金ノ拂込ヲ受ケタルトキハ之ヲ領收シ領收證書ヲ拂込人ニ交付シ領收濟通知書ハ之ヲ歲入徵收官ニ送付スヘシ

第十五條　日本銀行納人又ハ出納官吏ヨリ支拂元受高ヲ要スル特別會計ノ歲入金ノ納付又ハ拂込ヲ受ケタルトキハ之ヲ領收シ領收證書ヲ納人又ハ出納官吏ニ交付スヘシ

日本銀行前項ノ場合ニ於テ自店カ當該歲入徵收官ノ取扱店ナル場合ニ於テハ領收金額ニ相當スル額ヲ當該特別會計ノ支拂元受高トシテ受入ノ記入ヲ爲シ、他店カ當該歲入徵收官ノ取扱店ナル場合ニ於テハ領收濟通知書ヲ添ヘ其ノ旨ヲ當該取扱店ニ通知スヘシ

前項ノ通知ヲ受ケタル日本銀行ハ其ノ金額ヲ當該特別會計ノ歲入金トシテ其ノ支拂元受高ニ組入ノ手續ヲ爲シ領收濟通知書ハ之ヲ歲入徵收官ニ送付スヘシ

第十六條　日本銀行支出官事務規程第二十二條ノ規定ニ依リ小切手ノ交付ヲ受ケタルトキハ振替受拂ノ手續ヲ爲シ領收證書ヲ支出官ニ送付シ領收濟通知書ハ之ヲ歲入徵收官ニ送付スヘシ

前條ノ規定ハ前項ノ場合ニ於テ支拂元受高ヲ要スル特別會計ニ資金ノ振替受拂ヲ爲ス場合ニ之ヲ準用ス

前二項ノ場合ニ於テ支出官事務規程第二十三條ノ規定ニ依リ電信通知ヲ要スルトキハ歲入徵收官又ハ當該取扱店ニ電信ヲ以テ通知スヘシ

第十七條　前條第一項ノ規定ハ日本銀行支出官事務規程第二十四條乃至第二十六條ノ規定ニ依リ小切手ノ交付ヲ受ケタル場合ニ之ヲ準用ス但シ支出官ニ送付スヘキ領收證書ニ付テハ其ノ餘白ニ「國庫納金」又ハ「相殺額」ノ印ヲ押捺スルモノトス

第十八條　日本銀行每年度所屬歲入金ノ受入ヲ爲シ得ル期間經過後納人ヨリ當該年度ノ記載アル納稅告知書、納入告知書又ハ納付書ヲ添ヘ現金ノ納付ヲ受ケタルトキハ現年度ノ歲入トシテ之ヲ領收シ納稅告知書、納入告知書、納付書、領收證書又ハ領收濟通知書ニ現年度ノ押印ヲ爲シ第十三條ノ手續ヲ爲スヘシ

第十九條　日本銀行每年度所屬歲入金ノ受入ヲ爲シ得ル期間經過後出納官吏又ハ收納事務ヲ取扱フ市町村若ハ之ニ準スヘキモノヨリ當該年度ノ記載アル現金拂込書又ハ送付書ヲ添ヘ現金ノ拂込ヲ受ケタルトキハ現年度ノ歲入トシテ之ヲ領收シ現金拂込書、送付書、領收證書又ハ領收濟通知書ニ現年度ノ押印ヲ爲シ第十四條ノ手續ヲ爲スヘシ

第二十條　日本銀行每年度所屬歲出金ノ定額戻入ヲ爲シ得ル期間經過後返納人ヨリ當該年度ノ記載アル返納告知書ヲ添ヘ現金ノ納付ヲ受ケタルトキハ現年度ノ歲入トシテ之ヲ領收シ返納告知書及領收證書ニ現年度歲入ノ押印ヲ爲シ領收證書ヲ納人ニ交付シ其ノ旨ヲ支出官及歲入徵收官ニ通知スヘシ

第二十一條　日本銀行ハ歲出支拂未濟繰越金中振出日附ヨリ一年ヲ經過シタル小切手ノ金額ニ相當スルモノハ每月其ノ期間滿了ノ日ノ屬スル年度ノ歲入ニ組入レ翌月七日迄ニ第一號書式ノ未濟繰越金歲入組入報告書ヲ歲入徵收官ニ提出スヘシ

第二十二條　日本銀行ハ其ノ取扱ニ係ル納稅告知書、納入告知書、納付書、現金拂込書、送付書、所得稅拂込書、通行稅拂込書、其ノ他ノ證憑

書類ヲ年度、會計、所管廳、取扱廳別ニ區分シ一月分ヲ取纒メ合計書ヲ調製シ共ニ保存スヘシ　但シ代理店ニ於テ調製シタルモノハ其ノ證憑書類ト共ニ之ヲ所轄統轄店ニ於テ保存スルモノトス

所轄統轄店ハ前項ノ規定ニ依リ保存スル各合計書ヲ前項ノ區分ニ從ヒ取纒メ總計書ヲ調製シ共ニ保存スヘシ

第三章　歲出金

第二十三條　日本銀行ニ於テ支拂豫算通知書若ハ其ノ更定通知書又ハ年度開始前支出ノ通知書ヲ受ケタルトキハ其ノ金額ヲ支拂豫算帳ニ記入スル爲必要ナル手續ヲ爲スヘシ

第二十四條　日本銀行特別會計ノ支出官ヨリ現年度ノ支拂元受高ノ内ヲ翌年度當該會計ノ支拂元受高ニ組入ヲ爲スヘキ旨ノ請求ヲ受ケタルトキハ直ニ其ノ手續ヲ爲スヘシ

第二十五條　日本銀行特別會計ノ甲支出官ヨリ特別會計支拂元受高ノ内ヲ當該會計ノ乙支出官ノ支拂元受高ニ轉換ヲ爲スヘキ旨ノ請求ヲ受ケタルトキ自店カ乙支出官ノ取扱店ナル場合ニ於テハ之カ手續ヲ爲シ其ノ旨ヲ甲乙支出官ニ通知シ、他店カ乙支出官ノ取扱店ナル場合ニ於テハ當該店ニ對シ其ノ旨ヲ通知スヘシ

前項ノ通知ヲ受ケタル日本銀行ハ其ノ金額ヲ乙支出官ノ支拂元受高ニ受入レ其ノ旨ヲ甲乙支出官ニ通知スヘシ

第二十六條　日本銀行支出官ノ振出シタル小切手ノ呈示ヲ受ケタルトキハ左ノ事項ヲ調査シ之カ支拂ヲ爲スヘシ

一　小切手ハ合式ナルカ

二　小切手ハ其ノ振出日附ヨリ一年ヲ經過セルモノニアラサルカ

三　小切手ノ券面金額ハ支拂豫算帳ニ於ケル支拂豫算各項ノ殘高ニ超過スルコトナキカ

四　支拂元受高ヲ要スル特別會計ニ係ル小切手ニ付テハ前各號ノ外其ノ券面金額カ當該支出官ノ支拂元受高ヲ超過スルコトナキカ

前項ノ小切手ニシテ振出日附後一年ヲ經過シタルモノナルトキハ該小切手ノ餘白ニ支拂期間經過ノ旨ヲ記入シ之ヲ呈示シタル者ニ返付スヘシ

第二十七條　日本銀行支出官ノ振出シタル小切手ニシテ「要振替」ノ印ヲ押捺セルモノノ呈示ヲ受ケタルトキハ現金ノ支拂ヲ爲サス振替ノ手續ヲ爲スヘシ

第二十八條　日本銀行每年度所屬歲出金ノ定額戾入ヲ爲シ得ル期間内ニ返納人ヨリ返納告知書ヲ添ヘ現金ノ納付ヲ受ケタルトキハ之ヲ領收シ領收證書ヲ返納人ニ交付スヘシ

日本銀行前項ノ場合ニ於テ自店カ返納告知書ヲ發シタル支出官ノ取扱店ナル場合ニ於テハ返納金額ニ相當スル金額ヲ定額戾入トシテ記入ノ手續ヲ爲シ領收濟通知書ヲ支出官ニ送付シ、他店カ當該支出ノ取扱店ナル場合ニ於テハ領收濟通知書ヲ添ヘ其ノ旨ヲ當該取扱店ニ通知スヘシ

前項ノ通知ヲ受ケタル日本銀行ハ其ノ金額ヲ定額戾入トシテ記入ノ手續ヲ爲シ領收濟通知書ヲ支出官ニ送付スヘシ

第二十九條　日本銀行支出官ヨリ支出官事務規程第十二條ノ規定ニ依リ小切手振出濟通知書ノ送付ヲ受ケタルトキハ小切手支拂未濟額調査ノ用ニ供スヘシ

第三十條　日本銀行ハ支出官ノ振出シタル小切手ニシテ每年度所屬歲出金ノ支拂ヲ爲シ得ル期間內ニ支拂ヲ了セサルモノノ金額ヲ小切手振出濟通知書ニ依リ算出シ其ノ金額ヲ翌年度ヘ繰越整理スル爲前年度所屬歲出金トシテ拂出シ之ヲ歲出支拂未濟繰越金トシテ受入整理スヘシ

第三十一條　日本銀行前條ノ手續ヲ爲シタル後前年度所屬ニ係ル小切手ニ對シ支拂ヲ爲ス場合ニ於テハ前條ノ歲出支拂未濟繰越金ヨリ拂出スヘシ

第三十二條　日本銀行第三十條ノ歲出支拂未濟繰越金ニシテ第二十一條ノ規定ニ依リ歲入ニ組入ノ手續ヲ爲スモノニ付テハ小切手振出濟通知書ニ依リ之カ拂出ノ手續ヲ爲スヘシ

第三十三條　日本銀行支出官事務規程第十三條、第十九條又ハ第二十條ノ規定ニ依リ支出官ヨリ小切手ノ交付ヲ受ケタルトキハ領收證書ヲ支出官ニ送付シ其ノ金額ヲ歲出金トシテ拂出シ隔地拂資金トシテ受入整理スヘシ

第三十四條　日本銀行ハ前條ノ小切手ノ裏面又ハ金額氏名表ニ日本銀行何店ヲ支拂場所トスル旨ノ記載アルトキハ適宜ノ方法ニ依リ支拂ニ必要ナル事項ヲ支拂場所タル當該店ニ通知スヘシ　但シ電信送金ヲ要スル旨ノ記載アルトキハ電信ヲ以テ之カ通知ヲ爲スモノトス

第三十五條　前條ノ通知ヲ受ケタル日本銀行受取人ヨリ歲出金支拂通知書ノ提出ヲ受ケタルトキハ之ヲ調査シ受取人ヲシテ該支拂通知書ニ領收ノ旨ヲ記入セシメ支拂ヲ爲スヘシ

前條但書ノ電信通知ヲ受ケタル日本銀行受取人ヨリ支出官ノ發セル電信通知ノ提出ヲ受ケタルトキハ之ヲ調査シ領收證書ヲ徵シ支拂ヲ爲スヘシ

第三十六條　日本銀行支出官事務規程第十七條又ハ第十八條ノ規定ニ依リ支拂場ヲ日本銀行甲店ヨリ乙店ニ變更スヘキ旨ノ通知ヲ受ケタルトキハ甲店ニ對シ取消ノ通知ヲ爲シ乙店ニ對シテハ第三十四條ノ通知ヲ爲スヘシ

第三十七條　日本銀行ハ第三十三條ノ小切手ノ裏面又ハ金額氏名表ニ受取人ノ住所又ハ居所ニ送金支拂ヲ要スル旨ノ記載アルトキハ受取人ヨリ領收證書ヲ徵シ送金支拂ノ手續ヲ爲スヘシ

第三十八條　日本銀行ハ第三十三條ノ小切手ニシテ其ノ裏面ニ外國ニ在ル受取人ニ送金支拂ヲ要スル旨ノ記載アルトキハ受取人ニ對シ適宜ノ方法ニ依リ送金支拂ノ手續ヲ爲スヘシ　但シ電信送金ヲ要スル旨ノ記載アルトキハ電信送金ノ手續ヲ爲スモノトス

前項ノ手續ヲ爲ス場合ニ於テ日本銀行ハ受取人ヨリ領收證書ヲ徵スヘシ

第三十九條　日本銀行前條第一項ノ手續ヲ爲ス場合ニ於テ其ノ交付ヲ受ケタル資金ニシテ送金額ニ不足ヲ生スルトキハ不足額補塡ノ爲資金ノ交付ヲ受ケ之ヲ補塡シ其ノ旨ヲ大藏大臣ニ通知シ、送金額ニ過剩ヲ生シタルトキハ第二號書式ノ現金拂込書ヲ添ヘ現金ヲ歲入ニ納付スルノ手續ヲ爲スヘシ

第四十條　第三十五條、第三十七條又ハ第三十八條ノ規定ニ依リ支拂ヲ了シタルモノニ付テハ隔地拂資金ノ交付ヲ受ケタル日本銀行ニ於テ其ノ金額ヲ該資金ヨリ拂出ノ整理ヲ爲スヘシ

第四十一條　日本銀行支出官事務規程第二十七條ノ規定ニ依リ支出官ヨ

リ返納告知書ヲ受ケタルトキハ該告知書ヲ添ヘ返納ノ手續ヲ爲スヘシ

第四十二條　日本銀行第三十三條ノ小切手ノ振出日附ヨリ一年ヲ經過シタルトキハ隔地ノ受取人ニ對シテ支拂ヲ爲スコトヲ得ス

日本銀行前項ノ期間經過後歳出金支拂通知書ノ提出ヲ受ケタルトキハ該通知書ノ餘白ニ支拂期間經過ノ旨ヲ記載シ之ヲ提出者ニ返付スヘシ

日本銀行第一項ノ期間經過後支出官事務規程第十六條但書、第十九條又ハ第二十條ノ規定ニ依リ支出官ノ通知ヲ受ケタル受取人ヨリ支拂ノ請求ヲ受ケタル場合ニ於テ未タ支拂ヲ了セサルモノナルトキハ其ノ旨ヲ記載セル書面ヲ請求者ニ交付スヘシ

第四十三條　前條第一項ノ場合ニ於テ支拂ヲ了セサル金額ニ相當スル資金ハ一月分ヲ取纏メ翌月七日迄ニ第三號書式ノ現金拂込書ヲ添ヘ之ヲ歳入ニ納付スルノ手續ヲ爲スヘシ

第四十四條　日本銀行ハ其ノ取扱ニ係ル支拂濟ノ小切手、歳出金支拂通知書其ノ他ノ證憑書類ヲ第三十一條及第三十二條ノ規定ニ依リ支拂ヲ爲シタルモノト其ノ他ノモノトニ區分シ年度、會計、所管廳、支出官別ニ一月分ヲ取纏メ合計書ヲ調製シ共ニ保存スヘシ　但シ代理店ニ於テ調製シタルモノハ其ノ證憑書類ト共ニ之ヲ所轄統轄店ニ於テ保存スルモノトス

第四章　預託金

第四十五條　日本銀行出納官吏事務規程第二十九條又ハ第五十七條ノ規定ニ依リ出納官吏ヨリ預託金拂込書ヲ添ヘ現金ノ拂込ヲ受ケタルトキハ第四號書式ノ預託金領收證書ヲ出納官吏ニ交付スヘシ

前項ノ拂込ヲ爲シタル出納官吏ニ對シテハ小切手用紙ヲ交付スヘシ

第四十六條　日本銀行出納官吏ノ振出シタル小切手ノ呈示ヲ受ケタルトキハ當該官吏ノ預託金額ヲ限度トシテ之カ支拂ヲ爲スヘシ

前項ノ小切手ニシテ其ノ振出日附ヨリ一年ヲ經過シタルモノニ對シテハ之カ支拂ヲ爲スコトヲ得ス

第二十六條第二項ノ規定ハ前項ノ期間經過後小切手ノ呈示ヲ受ケタル場合ニ之ヲ準用ス

第四十七條　第二十七條ノ規定ハ前條第一項ノ小切手ニシテ「要振替」ノ印ヲ押捺セルモノノ呈示ヲ受ケタル場合ニ之ヲ準用ス

第四十八條　第三十條乃至第三十七條、第四十條及第四十一條ノ規定ハ日本銀行出納官吏事務規程ノ定ムル所ニ依リ出納官吏ノ請求ヲ受ケ隔地ノ受取人ニ對シ送金支拂ヲ爲ス場合ニ之ヲ準用ス

第四十九條　日本銀行出納官吏事務規程第六十條ノ規程ニ依リ出納官吏ヨリ預託金現在高證明ノ請求ヲ受ケタルトキハ其ノ指定ノ日ニ於ケル預託金現在高ヲ證明スヘシ

前項ノ規定ハ出納官吏ヲ監督又ハ檢査スル官吏ヨリ預託金現在高證明ノ請求ヲ受ケタル場合ニ之ヲ準用ス

第五十條　日本銀行出納官吏事務規程第六十二條ノ規定ニ依リ出納官吏ヨリ預託金現在高引繼通知書ノ送付ヲ受ケタルトキハ前任出納官吏ノ預託金ハ後任出納官吏ノ預託金トシテ之ヲ取扱フヘシ　但シ前任出納官吏ノ振出シタル小切手ノ支拂未濟金額ニ相當スルモノハ之ヲ區分整理スルモノトス

第五十一條　日本銀行ハ其ノ取扱ニ係ル預託金拂込書、支拂濟ノ小切手領收證書其ノ他ノ證憑書類ヲ受拂ニ區分シ所屬廳出納官吏別ニ一月分

ヲ取纏メ合計書ヲ調製シ共ニ保存スヘシ但シ代理店ニ於テ調製シタルモノハ其ノ證憑書類ト共ニ之ヲ所轄統轄店ニ於テ保存スルモノトス

第五章　預金部預金

第五十二條　日本銀行預金部預金取扱規程第四條ノ規定ニ依リ預ケ人ヨリ預金部預金拂込書ヲ添ヘ現金ノ拂込ヲ受ケタルトキハ第五號書式ノ預金部預金領收證ヲ預ケ人ニ交付スヘシ

前項ノ預ケ人ニシテ供託局ナル場合ニ於テハ日本銀行ハ前項ノ手續ヲ爲スノ外其ノ提出ヲ受ケタル供託書ニ受領ノ旨ヲ記入シ之ヲ提出者ニ返付スヘシ

第五十三條　日本銀行預金部預金取扱規程第六條又ハ第七條ノ規定ニ依リ預ケ人ヨリ預金購入有價證券利子受入通知書、預金購入有價證券償還金受入通知書、有價證券利子預金組入請求書又ハ有價證券償還金預金組入請求書ノ送付ヲ受ケタルトキハ預金部預金領收證書ヲ預ケ人ニ交付スヘシ預金部預金取扱規程第八條ノ規定ニ依リ預ケ人ヨリ通知書ノ送付ヲ受ケタルトキ亦同シ

第五十四條　日本銀行預金部預金取扱規程第五條ノ規定ニ依リ保管金ヲ提出スヘキ者ヨリ預ケ人ノ預金ニ振込ヲ受ケタルトキハ第六號書式ノ預金部預金振込濟通知書ヲ振込人ニ交付スヘシ

第五十五條　日本銀行預金部預金取扱規程第九條ノ規定ニ依リ預ケ人ヨリ預金部預金拂戻請求書ノ提出ヲ受ケタルトキ又ハ預金部預金取扱規程第十條ノ規定ニ依リ振出シタル小切手ノ呈示ヲ受ケタルトキハ預ケ人ノ預金額ヲ限度トシテ之カ支拂ヲ爲スヘシ

第四十六條第二項及第三項ノ規定ハ前項ノ小切手ノ呈示ヲ受ケタル場合ニ之ヲ準用ス

第五十六條　日本銀行ハ日本銀行政府有價證券取扱規程第二十三條第二項ノ手續ヲ爲スモノニ付テハ預ケ人預金中ヨリ有價證券購入代價ニ相當スル金額ヲ拂出スヘシ

第五十七條　日本銀行預金部預金取扱規程第十一條ノ規定ニ依リ甲預ケ人ヨリ乙預ケ人ノ預金ニ預入替ノ請求ヲ受ケタルトキハ甲預ケ人ニ領收證書ヲ交付シ自店カ乙預ケ人ノ預金取扱店ナル場合ニ於テハ預入替ノ手續ヲ爲シ預金部預金領收證書ヲ乙預ケ人ニ交付シ、他店カ乙預ケ人ノ預金取扱店ナル場合ニ於テハ當該取扱店ニ對シ其ノ旨ヲ通知スヘシ

前項ノ通知ヲ受ケタル日本銀行ハ乙預ケ人ノ預金ニ受入ノ手續ヲ爲シ預金部預金領收證書ヲ乙預ケ人ニ交付スヘシ

第五十八條　日本銀行預金部預金取扱規程第十二條ノ規定ニ依リ預ケ人ヨリ他店拂ノ請求ヲ受ケタルトキハ領收證書ヲ交付シ支拂店タル日本銀行ニ對シ其ノ旨ヲ通知スヘシ

前項ノ通知ヲ受ケタル日本銀行保管金支拂通知書又ハ供託金支拂通知書ノ提出ヲ受ケタルトキハ受取人ヨリ領收證書ヲ徵シ支拂ヲ爲スヘシ

第五十九條　日本銀行ハ毎年四月十日迄ニ預金部預金取扱規程第十三條第一項本文ノ規定ニ依リ預金ノ利子ヲ元金ニ組入レ第七號書式ノ預金利子元加通知書ヲ預ケ人ニ交付スヘシ

預金全額拂戻ニ係ル利子ハ預金部預金取扱規程第十三條第一項但書ノ規定ニ依リ之ヲ元金ニ組入レ拂戻ノ手續ヲ爲スヘシ

前二項ノ場合ニ於テ預ケ人ヨリ預金部預金領收證書ノ請求ヲ受ケタル

トキハ元加利子ニ相當スル金額ノ預金部預金領收證書ヲ交付スヘシ

第六十條　日本銀行預金部預金取扱規程第十六條ノ規定ニ依リ預金部預金利子元加請求書又ハ預金部預金利子支拂請求書ノ送付ヲ受ケタルトキハ利子元加又ハ支拂ノ手續ヲ爲スヘシ

第六十一條　日本銀行預金部預金取扱規程第十七條ノ規定ニ依リ預金部預金利子支拂ノ請求書ノ提出ヲ受ケタルトキハ受取人ヲシテ之ニ領收ノ旨ヲ記入セシメ支拂ヲ爲スヘシ

第六十二條　日本銀行ハ前二條ノ規定ニ依リ支拂フヘキ利子額ヲ預ケ人ノ預金ニ組入ルヘシ

第六十三條　日本銀行甲店預金部預金取扱規程第二十六條第一項ノ規定ニ依リ預ケ人ヨリ預金取扱店變更申込書ヲ受ケタルトキハ領人ノ預金ヲ拂出シ第八號書式ノ預金部預金現在額證明書ヲ預ケ人ニ交付シ日本銀行乙店ニ對シ其ノ旨ヲ通知スヘシ

前項ノ通知ヲ受ケタル日本銀行乙店ハ其ノ通知金額ヲ預ケ人ノ預金トシテ受入レ預金部預金取扱規程第二十六條第二項ノ規定ニ依リ預ケ人ヨリ預金部預金現在額證明書ノ提出ヲ受ケタルトキハ該證明書ニ承認ノ旨ヲ記入シ之ヲ預ケ人ニ返付スヘシ

第六十四條　日本銀行預金部預金取扱規程第四條第二項ノ規定ニ依リ預ケ人ヨリ預金部預金帳交付ノ請求ヲ受ケタルトキハ第九號書式ノ預金部預金帳ヲ預ケ人ニ交付スヘシ

第六十五條　日本銀行ハ其ノ取扱ニ係ル預金部預金拂込書、保管金振込書、預金部預金利子元加請求書、預金部預金拂戻請求書、支拂濟ノ小切手、預金部預金利子支拂請求書、預金取扱店變更申込書其ノ他ノ證憑書類ヲ受拂ニ區分シ預金ノ種別、預ケ人別ニ一月分ヲ取纏メ合計書ヲ調製シ共ニ保存スヘシ　但シ代理店ニ於テ調製シタルモノハ其ノ證憑書類ト共ニ所轄統轄店ニ於テ保存スルモノトス

第六章　其ノ他ノ國庫金

第六十六條　日本銀行納人ヨリ大藏省證券發行代金納入命令書、一時借入金納入命令書又ハ特別會計運用金納入命令書ヲ添ヘ現金ノ納付ヲ受ケタルトキハ之ヲ領收シ領收證書ヲ納人ニ交付シ其ノ旨ヲ大藏大臣又ハ大藏大臣ノ指定スル官廳若ハ官吏ニ通知スヘシ

第六十七條　日本銀行大藏省證券還元金交付通知書、一時借入金返償通知書又ハ特別會計運用金交付通知書ノ提出ヲ受ケタルトキハ受取人ヨリ領收證書ヲ徵シ之カ支拂ヲ爲シ其ノ旨ヲ大藏大臣又ハ大藏大臣ノ指定スル官廳若ハ官吏ニ通知スヘシ

第六十八條　日本銀行ハ前二條ノ規定ニ依リ取扱ヒタル命令書、通知書其ノ他ノ證憑書類ヲ受拂ニ區分シ科各目別ニ一月分ヲ取纏メ合計書ヲ調製シ共ニ之ニ保存スヘシ

第六十九條　日本銀行ハ本章ニ定ムルモノヲ除クノ外大藏大臣ノ特ニ指定スル國庫金ニ付テハ大藏大臣ノ別ニ定ムル所ニ依リ出納ノ手續ヲ爲スヘシ

第七章　帳簿

第七十條　日本銀行ハ會計規則第百六十條第一號、第二號及第五號ノ帳簿トシテ左ノ帳簿ヲ備フヘシ

一　國庫金總括帳

二　國庫金受拂內譯帳

三　當座預金内譯帳
四　別口預金内譯帳
五　指定預金内譯帳
六　國庫金受拂總括帳
七　國庫金受拂報告額整理帳
八　某年度一般會計内譯帳
九　某年度某特別會計内譯帳
十　隔地拂資金内譯帳
十一　歳出支拂未濟繰越金内譯帳
十二　預託金内譯帳
十三　預金部内譯帳
十四　某年度一般會計支拂豫算帳
十五　某年度某特別會計支拂豫算帳

前項ノ帳簿中第一號乃至第五號ノ帳簿ハ日本銀行本店ニ、第七號ノ帳簿ハ日本銀行統轄店ニ、第六號及第八號乃至第十五號ノ帳簿ハ日本銀行各店ニ之ヲ備フヘシ

第七十一條　國庫金總括帳ニハ大藏大臣ノ定ムル計算科目毎ニ口座ヲ設ケ國庫金ノ受拂額ヲ記入スヘシ

第七十二條　國庫金受拂内譯帳ニハ大藏大臣ノ定ムル計算科目毎ニ各統轄店ヲ區分シタル口座ヲ設ケ國庫金ノ受拂額ヲ記入スヘシ

第七十三條　當座預金内譯帳、別口預金内譯帳及指定預金内譯帳ニハ大藏大臣ノ定ムル口座ヲ設ケ各預金ノ受拂額ヲ記入スヘシ

第七十四條　國庫金受拂總括帳ニハ大藏大臣ノ認可ヲ經テ日本銀行ノ定ムル計算科目毎ニ口座ヲ設ケ國庫金ノ受拂額ヲ記入スヘシ

第七十五條　國庫金受拂報告額整理帳ニハ國庫金受拂總括帳ノ計算科目毎ニ所屬代理店ヲ區分シタル口座ヲ設ケ國庫金ノ受拂額ヲ記入スヘシ

第七十六條　某年度一般會計内譯帳ニハ左ノ區分及口座ヲ設ケ一般會計ノ受拂額ヲ記入スヘシ

一　受入ハ之ヲ歳入ト歳入外トニ區分シ歳入ニハ所管廳、取扱廳別ノ口座（第十九條ノ場合ニ於テハ尚其ノ所屬年度別ノ口座）歳入外ニハ大藏大臣ノ定ムル口座
二　拂出ハ歳出ト歳出外トニ區分シ歳出ニハ所管廳支出官別ノ口座歳出外ニハ大藏大臣ノ定ムル口座

第七十七條　某年度某特別會計内譯帳ハ支拂元受高ヲ要スル特別會計ノ内譯帳ト支拂元受高ヲ要セサル特別會計ノ内譯帳トヲ別冊ト爲スヘシ

支拂元受高ヲ要スル特別會計ノ内譯帳ニハ所管廳、取扱廳、支出官別ノ口座ヲ設ケ同一口座中ニ當該會計ノ歳入歳出及歳入外歳出外ノ受拂額ヲ記入シ尚第十九條ノ場合ニ於テハ其ノ所屬年度ヲ記入スヘシ

支拂元受高ヲ要セサル特別會計ノ内譯帳ニハ前條ノ規定ニ準シ當該會計ノ受拂額ヲ記入スヘシ

第七十八條　隔地拂資金内譯帳ニハ年度、會計、所管廳、支出官別ノ口座ヲ設ケ隔地拂資金ノ受拂額ヲ記入スヘシ

第七十九條　歳出支拂未濟繰越金内譯帳ニハ年度、會計、所管廳、支出官別ノ口座ヲ設ケ歳出支拂未濟繰越金ノ受拂額ヲ記入スヘシ

第八十條　預託金内譯帳ニハ所屬廳、出納官吏別ノ口座ヲ設ケ預託金ノ受拂額ヲ記入スヘシ

第八十一條 預金部内譯帳ニハ左ノ種別及口座ヲ設ケ預金部ノ受拂額ヲ記入スヘシ

一 預金規則第一條第一號及第二號ノ預金ハ取扱廳、取扱主任官別ノ口座

二 預金規則第一條第三號ノ預金、貯畜債券法第七條ノ預金及明治三十九年勅令第二百十一號ノ預金ハ預ケ人別ノ口座

三 會計規則第百二十一條ノ規定ニ依ル預金ハ保管金、供託金ノ種別及取扱廳、取扱主任官別ノ口座

四 各特別會計資金ノ預金ハ大藏大臣ノ定ムル種別及口座

日本銀行本店ニ備フル預金部内譯帳ニハ前項ニ規定スルモノノ外大藏大臣ノ定ムル口座ヲ設ケ預金部資金ノ受拂額ヲ計入スヘシ

第八十二條 第七十條第一號乃至第十三號ノ帳簿ニハ之ヲ備フル日本銀行ニ於テ左記各號ニ依リ受拂額ヲ記入スヘシ

一 第一號ノ帳簿ニハ各統轄店毎日ノ報告額但シ當座預金、別口預金及指定預金ノ計算科目ハ本店ニ於ケル受拂額

二 第二號ノ帳簿ニハ各統轄店毎日ノ報告額

三 第三號乃至第五號ノ帳簿ニハ本店ニ於ケル受拂額

四 第六號ノ帳簿ニハ代理店ニ於テハ其ノ受拂額、統轄店ニ於テハ其ノ受拂額及所屬代理店毎日ノ報告額

五 第七號ノ帳簿ニハ所屬代理店毎日ノ報告額

六 第八號乃至第十三號ノ帳簿ニハ各店ニ於ケル受拂額

第八十三條 某年度一般會計支拂豫算帳及某年度某特別會計支拂豫算帳ニハ所管廳、支出官、經常又ハ臨時部、款項別ノ口座ヲ設ケ支拂豫算額及支拂額濟ヲ記入スヘシ

第八十四條 本章ニ規定スル帳簿ノ樣式及記入ノ方法ハ日本銀行大藏大臣ノ認可ヲ經テ之ヲ定ムヘシ

第八十五條 日本銀行各店間ノ振替受拂ヲ記入スヘキ帳簿ノ種類、樣式及記入ノ方法ハ日本銀行大藏大臣ノ認可ヲ經テ之ヲ定ムヘシ

章八章 計算報告

第八十六條 日本銀行ハ國庫金ノ出納ニ關シ左ノ計算報告表ヲ調製スヘシ

一	國庫金貸借對照表	第十號書式
二	國庫金受拂報告表	第十一號書式
三	當座預金受拂内譯表	第十二號書式
四	別口預金(指定預金)受拂内譯表	第十三號書式
五	歳入金月計突合表	第十四號書式
六	歳出金月計突合表	第十五號書式
七	歳出支拂未濟繰越金月計突合表	第十六號書式
八	預託金月計突合表	第十七號書式
九	預金部預金月計突合表	第十八號書式
十	預金部受拂計算表	第十九號書式
十一	某月出納計算書	書式ハ別ニ之ヲ定ム
十二	某月歳入金内譯表	同上
十三	某月歳出金内譯表	同上

第八十七條 國庫金貸借對照表、國庫金受拂報告表、當座預金受拂内譯表、別口預金受拂内譯表及指定預金受拂内譯表ハ日本銀行本店ニ於テ

毎日之ヲ調製シ大藏省ニ提出スヘシ

第八十八條 歳入金月計突合表ハ各統轄店ニ於テ其ノ取扱ヒタル收入額及所屬代理店ノ取扱ヒタル收入額ヲ掲ケ毎月之ヲ調製シ翌月七日迄ニ歳入徵收官ニ送付スヘシ 但シ第十九條ノ規定ニ依リ取扱ヒタル收入額ハ所屬年度毎ニ別表ニ調製スルモノトス

第八十九條 歳出金月計突合表ハ日本銀行各店ニ於テ其ノ取扱ヒタル小切手支拂額及支拂元受高（支拂元受高ヲ要スル特別會計ノ歳出金月計突合表ニ限ル）ヲ掲ケ毎月之ヲ調製シ支拂濟ノ小切手其ノ他ノ證憑書類ヲ添ヘ翌月五日迄ニ支出官ニ送付シ其ノ證明ヲ受ケ添附シタル證憑書類ト共ニ之カ返付ヲ受クヘシ

前項ノ月計突合表ニハ其ノ餘白ニ隔地拂資金ノ受拂額ヲ記入シ其ノ證憑書類トシテ受取人ノ領收證書ヲ添附スヘシ

第九十條 歳出支拂未濟繰越金月計突合表ハ日本銀行各店ニ於テ其ノ取扱ヒタル歳出支拂未濟繰越金ノ支拂額ヲ掲ケ毎月之ヲ調製シ支拂濟ノ小切手其ノ他ノ證憑書類ヲ添ヘ翌月五日迄ニ支出官ニ送付シ其ノ證明ヲ受ケ添附シタル證憑書類ト共ニ之カ返付ヲ受クヘシ

第九十一條 預託金月計突合表ハ日本銀行各店ニ於テ其ノ取扱ヒタル預託金ノ受拂額ヲ掲ケ毎月之ヲ調製シ預託金拂込書支拂濟ノ小切手其ノ他ノ證憑書類ヲ添ヘ翌月五日迄ニ出納官吏ニ送付シ其ノ證明ヲ受ケ添附シタル證憑書類ト共ニ之カ返付ヲ受クヘシ

第九十二條 預金部預金月計突合表ハ日本銀行各店ニ於テ其ノ取扱ヒタル預金部預金ノ受拂額中預金規則第一條第三號、貯蓄債券法第七條及明治三十九年勅令第二百十一號ノ預金ノ受拂額ヲ除キタルモノヲ掲ケ毎月之ヲ調製シ預金部預金拂込書、預金部預金拂戻請求書、支拂濟ノ小切手其ノ他ノ證憑書類ヲ添ヘ翌月五日迄ニ取扱主任官ニ送付シ其ノ證明ヲ受ケ添附シタル證憑書類ト共ニ之カ返付ヲ受クヘシ

第九十三條 預金部受拂計算表ハ各統轄店ニ於テ其ノ取扱ヒタル預金部預金ノ受拂額及所屬代理店ノ取扱ヒタル預金部預金ノ受拂額中前條ノ月計突合表ニ掲ケサルモノヲ掲ケ毎月之ヲ調製シ預金部預金拂込書、預金部預金拂戻請求書其ノ他ノ證憑書類ヲ添ヘ翌月五日迄ニ大藏大臣ノ指定スル官吏ニ送付シ其ノ證明ヲ添附シタル證憑書類ト共ニ之カ返付ヲ受クヘシ

第九十四條 某月出納計算書、某月歳入金內譯表及某月歳出金內譯表ハ各統轄店ニ於テ其ノ取扱ヒタル國庫金ノ出納額、收入額及小切手支拂額竝所屬代理店ノ取扱ヒタル國庫金ノ出納額、收入額及小切手支拂額ヲ掲ケ毎月二通ヲ調製シ一通ハ日本銀行本店ヲ經由シテ翌月中ニ之ヲ大藏省ニ提出シ一通ハ之ヲ保存スヘシ

第九章 出納證明

第九十五條 日本銀行ハ會計檢査院ノ檢査ヲ受クル爲會計檢査院ノ定ムル國庫金ノ出納計算書ヲ調製シ大藏大臣ノ定ムル期限內ニ之ヲ大藏省ニ提出スヘシ

第十章 雜則

第九十六條 日本銀行歳入徵收官、支出官又ハ出納官吏ノ送付ニ係ル納稅告知書、納入告知書、小切手、返納告知書又ハ現金拂込書ノ誤謬訂正請求書ニシテ毎年度所屬歳入金又ハ歳出金ノ受入又ハ支拂ヲ爲シ得ル期間內ニ到達シタルモノニ付テハ之カ訂正ノ手續ヲ爲シ歳入徵收官

又ハ出納官吏ノ請求ニ係ルモノハ歳入徵收官ニ對シ、支出官ノ請求ニ係ルモノハ支出官ニ對シ其ノ旨ヲ通知スヘシ

第九十七條　日本銀行支出官事務規程第三十條ノ規定ニ依リ誤謬訂正請求書ノ送付ヲ受ケタルトキハ之カ訂正ノ手續ヲ爲スヘシ

第九十八條　日本銀行歳入徵收官、出納官吏、預金部預金ノ預ケ人又ハ振込人ヨリ領收濟通知書、領收證書、預託金領收證書、預金部預金領收證書、預金部預金振込濟通知書又ハ預金購入有價證券保管通知書ノ證明請求書ノ提出アリタル場合ニ於テハ之ヲ調査シ正當ナリト認メタルトキハ該請求書ノ餘白ニ證明ノ上之ヲ歳入徵收官、出納官吏、預ケ人又ハ振込人ニ交付スヘシ　但シ振込人ニ對シ證明ヲ爲シタル場合ニ於テハ預ケ人ニ對シテ其ノ旨ヲ通知スルモノトス

前項ノ規定又ハ收納事務ヲ取扱フ市町村、銀行、會社其ノ他ノ者ヨリ拂込濟證明ノ請求アリタル場合ニ之ヲ準用ス

前二項ノ手續ヲ爲シタルトキハ其ノ事由ヲ帳簿又ハ證憑書類ニ記入シ置クヘシ

第九十九條　日本銀行ハ支出官事務規程第三十四條、出納官吏事務規程第七十條又ハ保管金取扱規程第二十條ノ規定ニ依リ歳出金支拂通知書預託金支拂通知書又ハ保管金支拂通知書ノ亡失又ハ毀損ニ係ル届書ヲ受ケタル場合ニ於テ其ノ金額支拂未濟ナルトキハ其ノ旨ヲ届書ノ餘白ニ記入シ之ヲ當該支出官、出納吏官又ハ保管金取扱官廳ニ送付スヘシ

附　則

本令ハ大正十一年四月一日ヨリ之ヲ施行ス

第一號書式　未濟繰越金歳入組入報告書（用紙寸法美濃判半截）

未濟繰越金歳入組入報告書

年　月　日

年度　會計　所管廳　取扱廳　年　月　中　日本銀行（何店）印

經常又ハ臨時部	所管廳	支出官	款	項	小切手振出濟通知書		受取人	金額
					番號	年月日		

第二號書式　現金拂込書（用紙寸法縱四寸五分横三寸五分ノモノ接續）

現金拂込書

第　　號	年度會計
所管廳	取扱廳

金

隔地拂資金一年經過ノ分

內譯別紙ノ通

上記金額拂込候也

年　月　日

日本銀行（何店）印

日本銀行（何店）宛

第三號書式　現金拂込書（用紙寸法縦四寸五分横三寸五分ノモノ接續）

領收濟通知書

第　　號	年度會計
所管廳	取扱廳

金

外國送金爲替過剩金

內譯別紙ノ通

上記金額收領濟ニ付通知候也

年　月　日

日本銀行（何店）印

歲入徵收官宛

現金拂込書

第　　號	年度會計
所管廳	取扱廳

金

外國送金爲替過剩金

內譯別紙ノ通

上記金額拂込候也

年　月　日

日本銀行（何店）印

日本銀行（何店）宛

預託金領收證書

第　　號

金

上記金額領收候也

年　月　日

日本銀行（何店）印

某廳出納官吏宛

第四號書式　預託金領收證書（用紙寸法美濃判四分ノ一）

領收濟通知書

第　　號	年度會計
所管廳	取扱廳

金

隔地拂資金一年經過ノ分

內譯別紙ノ通

上記金額收領濟ニ付通知候也

年　月　日

日本銀行（何店）印

歲入徵收官宛

第五號書式　預金部預金領收證書（用紙寸法美濃判四分ノ一）

預金部預金領收證書

第　　號

金

上記金額領收候也

年　月　日

日本銀行（何店）印

某廳取扱主任官（又ハ何何理事若ハ何何總代）宛

第六號書式　預金部預金振込濟通知書（用紙寸法美濃判四分ノ一）

預金部預金振込濟通知書

第　　號

金

振込人氏名

上記金額貴廳ノ預金トシテ振込相受候也

年　月　日

日本銀行（何店）印

某廳取扱主任官宛

備考　振込カ錯誤ナリシトキ又ハ其ノ必要ナキニ至リシトキハ振込人ハ官廳ヨリ其ノ旨ノ證明書ヲ受ケ之ヲ日本銀行ニ提出シ現金ノ返付ヲ請求スヘシ

第七號書式　預金利子元加通知書（用紙寸法美濃判四分ノ一）

預金利子元加通知書

金

上記金額何年度分預金利子元加濟ニ付通知候也

年　月　日

日本銀行（何店）印

某廳取扱主任官（又ハ何何理事若ハ何何總代）宛

第八號書式 預金部預金現在額證明書（用紙寸法美濃判四分ノ一）

預金部預金現在額證明書

年 月 日

預金現在高 金

上記金額證明候也

年 月 日

日本銀行（何店）印

某廳取扱主任官（又ハ何何理事若ハ何何總代）宛

上記金額貴殿ノ預金トシテ取扱方承認候也

年 月 日

日本銀行（何店）印

某廳取扱主任官（又ハ何何理事若ハ何何總代）宛

第九號書式 預金部預金帳（寸法縦四寸五分横二寸八分）

第 號

預金金部預帳

殿

日本銀行（何店）

年月日	預入高	拂戻高	差引殘高

第十號書式 國庫金貸借對照表（用紙寸法縦一尺五寸横九寸）

國庫金貸借對照表

年 月 日　日本銀行印

借方			科目	貸方		
殘	歲出	歲出外		歲入	歲入外	殘

第十一號書式　國庫金受拂報告表（用紙寸法縦一尺一寸横七寸）

國庫金受拂報告表

年　月　日　　日本銀行㊞

借方		科目	貸方		備考
歳出	歳出外		歳入	歳入外	

備考　定額戻入又ハ更正納ハ歳出又ハ歳出外ノ支拂額ヨリ更正拂ハ歳入又ハ歳入外ノ受入額ヨリ控除シテ掲クヘシ

第十二號書式　當座預金受拂內譯表（用紙寸法縦六寸横八寸）

當座預金受拂內譯表

年　月　日　　日本銀行㊞

科目	受	拂

第十三號甲書式　別口預金（指定預金）受拂內譯表（用紙寸法縦六寸横八寸）

別口預金（指定預金）受拂內譯表

年　月　日　　日本銀行㊞

科目	受	拂

第十三號乙書式　指定預金受拂內譯表（用紙寸法縦六寸横八寸）

指定預金受拂內譯表

年　月　日　日本銀行㊞

科目	受		拂	
	原貨	邦貨	原貨	邦貨

第十四號書式　歳入金月計突合表（用紙寸法縦六寸五分横四寸五分）

歳入金月計突合表

年　月中　年　月　日

年度　會計　所管廳　取扱廳

日本銀行（何店）㊞

收入額	備考

備考　更正拂ハ收入額ヨリ控除シテ記入シ其ノ金額事由ヲ備考欄ニ朱書スヘシ

第十五號甲書式　歳出金月計突合表（用紙寸法縦六寸五分横四寸五分）

歳出金月計突合表

年　月中

年　月　日

年度　會計　所管廳　支出官官職又ハ　證憑書枚數　日本銀行（何店）㊞

支拂額	備考

證明ス

年　月　日

支出官官氏名㊞

備考

一　支拂未濟繰越金ヘ繰込額ハ之ヲ備考欄ニ記入スヘシ

二　定額戻入更正納ハ小切手支拂額ヨリ控除シテ記入シ尚定額戻入ハ其ノ金額ヲ更正納ハ其ノ金額事由ヲ備考記欄ニ入スヘシ

三　隔地拂資金ハ受高及領收證書到達高ヲ備考欄ニ記入スヘシ

第十五號乙書式 歳出金月計突合表（用紙寸法縱六寸五分横四寸五分）

歳出金月計突合表

年 月 中

年 月 日

年度 會計 所管廳 支出官官職又ハ 證憑書枚數 日本銀行（何店）行印

支拂元受高	支拂額	備考

證明ス

年 月 日

支出官官氏名印

備考

一 支拂元受高欄ハ前年度ヨリ越、歳入、其ノ他ノ區分ニ依リ各別ニ記入シ備考欄ニ其ノ摘要ヲ記入スヘシ

二 支拂額欄ハ支拂未濟繰越金ヘ繰越、翌年度ヘ越、其ノ他特殊ノモノヲ各別項ニ記入シ備考欄ニ其ノ摘要ヲ記入スヘシ

三 定額戻入、更正納ハ小切手支拂額ヨリ控除シテ記入シ尙定額戻入ハ其ノ金額ヲ、更正納ハ其ノ金額事由ヲ備考欄ニ記入スヘシ

四 隔地拂資金ハ受高及領收證書到達高ヲ備考欄ニ記入スヘシ

第十六號書式 歳出支拂未濟繰越金月計突合表（用紙寸法縱六寸五分横四寸五分）

歳出支拂未濟繰越金月計突合表

年 月 中

年 月 日

年度 會計 所管廳 支出官官職又ハ

證憑書枚數 日本銀行（何店）印

支拂額	備考

證明ス

年 月 日

支出官官氏名印

備考 歳入ヘ組入額ハ支拂額ニ併算記入シ尙備考欄ニ其ノ金額及歳入年度ヲ記入スヘシ

第十七號書式 預託金月計突合表（用紙寸法縱六寸五分横四寸五分）

預託金月計突合表

年 月 中

年 月 日

所屬廳 出納官吏職務氏名

證憑書枚數 日本銀行（何店）印

受	拂	備考

證明ス

年 月 日

某廳出納官吏職務氏名印

第十八號書式 預金部預金月計突合表（用紙寸法縱六寸五分横四寸五分）

預金部預金月計突合表

年　月　中

年　月　日

某廳 取扱主任官氏名 證憑書枚數 日本銀行（何店）印

受	拂	備考

證明ス

年　月　日

某廳取扱主任官氏名 印

備考

一 預金ハ種別毎ニ區分記入シ備考欄ニ其ノ摘要ヲ記入スヘシ

二 利子元加ハ之ヲ備考欄ニ記入スヘシ

第十九號書式 預金部受拂計算表（用紙寸法縱六寸五分横四寸五分）

預金部受拂計算表

年　月　中

年　月　日

檢閲官吏官氏名 證憑書枚數 日本銀行（何店）印

取扱店	受	拂	備考

證明ス

年　月　日

檢閲官吏官氏名 印

備考 預金ハ種別毎ニ區分記入シ備考欄ニ其ノ摘要ヲ記入スヘシ

二一 日本銀行政府有價證券取扱規程

大正十一年二月
大藏省令第一一號

第一章 總則

第一條 日本銀行（本店、支店又ハ代理店ヲ謂フ以下同シ）ハ別段ノ定アル場合ヲ除クノ外本令ノ定ムル所ニ依リ政府ノ所有又ハ保管ニ係ル有

價證券ノ受拂保管ヲ爲スヘシ
前項ノ代理店ハ日本銀行大藏大臣ノ認可ヲ經テ之ヲ定ムヘシ
第二條　日本銀行ハ地方ニ統轄店ヲ設ケ其ノ所屬店ニ於ケル政府ノ有價證券受拂ノ事務ヲ統轄スヘシ
前項ノ統轄店及其ノ所屬店ハ日本銀行大藏大臣ノ認可ヲ經テ之ヲ定ムヘシ
第三條　日本銀行ハ政府ノ有價證券ト其ノ他ノ有價證券トヲ混同シテ保管スルコトヲ得ス
第四條　日本銀行ハ政府ノ有價證券ヲ該證券ノ受拂ヲ爲スヘキ日本銀行當該店ニ於テ保管スヘシ但シ大藏大臣ノ特ニ指定シタルモノニ付テハ此ノ限ニ在ラス
第五條　日本銀行ハ政府ノ有價證券ヲ政府所有ノ有價證券ト政府保管ノ有價證券トニ區分シ政府保管ノ有價證券ハ更ニ之ヲ保管有價證券、供託有價證券及預金購入有價證券ノ區分ニ依リ之カ受拂保管ヲ爲スヘシ

第二章　政府所有ノ有價證券

第六條　日本銀行各官廳ヨリ政府所有有價證券取扱規程第三條ノ規定ニ依リ政府所有有價證券寄託書ヲ添ヘ有價證券ノ送付ヲ受ケタルトキハ第一號書式ノ政府所有有價證券受託證書ヲ當該官廳ニ交付スヘシ
第七條　日本銀行政府所有有價證券利子又ハ償還金ノ受入ヲ要スルモノアルトキハ當該官廳ニ其ノ旨ヲ通知スヘシ
第八條　日本銀行各官廳ヨリ政府所有有價證券取扱規程第四條ノ規定ニ依リ政府所有有價證券拂渡請求書ヲ受ケタルトキハ有價證券ヲ拂渡スヘシ
第九條　日本銀行各官廳ヨリ政府所有有價證券取扱規程第五條ノ規定ニ依リ政府所有有價證券利札請求書ノ提出ヲ受ケタルトキハ有價證券附屬ノ利札ヲ交付スヘシ

第三章　政府保管ノ有價證券

第一節　保管有價證券

第十條　日本銀行ニ於テ政府保管有價證券取扱規程第七條ノ規定ニ依リ政府保管有價證券振込書ヲ添ヘ有價證券ノ提出ヲ受ケタルトキハ之ヲ當該取扱官廳ノ保管有價證券口座ニ受入レ第二號書式ノ政府保管有價證券振込濟通知書ヲ交付スヘシ
第十一條　日本銀行ニ於テ政府保管有價證券取扱規程第九條ノ規定ニ依リ取扱官廳ヨリ政府保管有價證券提出書又ハ政府保管有價證券内譯書ヲ添ヘ有價證券ノ送付ヲ受ケタルトキハ第三號書式ノ政府保管有價證券受託證書ヲ取扱官廳ニ交付スヘシ
第十二條　日本銀行ニ於テ政府保管有價證券取扱規程第十條ノ規定ニ依リ取扱官廳ヨリ遺失物法ノ規定ニ依リ保管スルモノナル旨ノ通知ヲ受ケタル有價證券ニシテ時效ニ依リ其ノ權利消滅セムトスルモノニ付テハ元利金受入ノ手續ヲ爲シ其ノ旨ヲ當該取扱官廳ニ通知スヘシ
第十三條　日本銀行ニ於テ政府保管有價證券取扱規程第十三條第三項ノ規定ニ依リ政府保管有價證券受託證書、政府保管有價證券振込濟通知書又ハ政府保管有價證券一部拂渡書ノ提出ヲ受ケタルトキハ有價證券ヲ提出者ニ拂渡スヘシ
第十四條　日本銀行前條ノ場合ニ於テ保管有價證券ノ一部拂渡ヲ爲シタルトキハ政府保管有價證券取扱規程第十三條第二項ノ規定ニ依リ送付

ヲ受ケタル政府保管有價證券受託證書又ハ政府保管有價證券振込濟通知書ニ一部拂渡ヲ爲シタル旨ヲ記入シ之ヲ取扱官廳ニ返付スヘシ

第十五條　日本銀行ニ於テ政府保管有價證券取扱規程第十五條第一項ノ規定ニ依リ政府保管有價證券利札請求書ノ提出ヲ受ケタルトキハ有價證券附屬ノ利札ヲ提出者ニ交付スヘシ

第十六條　日本銀行ニ於テ政府保管有價證券取扱規程第十八條ノ規定ニ依リ寄託替ノ請求ヲ受ケタル場合ニ於テ自店カ乙官廳ノ保管有價證券ノ受託店ナルトキハ寄託替ノ手續ヲ爲シ政府保管有價證券受託證書ヲ乙官廳ニ送付シ他店カ乙官廳ノ保管有價證券ノ受託店ナルトキハ乙官廳ノ受託店ニ對シ其ノ旨ヲ通知スヘシ

前項ノ通知ヲ受ケタル日本銀行ハ乙官廳ノ保管有價證券口座ニ受入ノ手續ヲ爲シ政府保管有價證券受託證書ヲ乙官廳ニ送付スヘシ

第二節　供託有價證券

第十七條　日本銀行ニ於テ供託有價證券取扱規程第二條ノ規定ニ依リ供託有價證券寄託書及供託書ヲ添ヘ有價證券ノ提出ヲ受ケタルトキハ供託書ニ受領ノ旨ヲ記入シ之ヲ提出者ニ返付シ第四號書式ノ供託有價證券受託證書ヲ供託局ニ送付スヘシ

第十八條　日本銀行ニ於テ供託有價證券取扱規程第三條ノ規定ニ依リ供託有價證券拂渡請求書又ハ供託局ノ證明ヲ爲シタル請求書ノ提出ヲ受ケタルトキハ有價證券ヲ提出者ニ拂渡スヘシ

前項ノ場合ニ於テ代供託請求書ノ添附アルトキハ該供託有價證券ノ償還金ノ受領ニ必要ナル手續ヲ爲シ之ヲ供託金トシテ取扱ヒ代供託請求書ニ受領ノ旨ヲ記入シ之ヲ提出者ニ返付スヘシ

第十九條　日本銀行ニ於テ供託有價證券取扱規程第四條ノ規定ニ依リ供託有價證券利札請求書又ハ供託局ノ證明ヲ爲シタル請求書ノ提出ヲ受ケタルトキハ有價證券附屬ノ利札ヲ提出者ニ交付スヘシ

第二十條　日本銀行ニ於テ供託有價證券取扱規程第五條ノ規定ニ依リ供託有價證券ノ利息(配當金)請求書及附屬供託請求書ノ提出ヲ受ケタルトキハ有價證券ノ利息(配當金)ノ受領ニ必要ナル手續ヲ爲シ之ヲ供託金トシテ取扱ヒ附屬供託請求書ニ受領ノ旨ヲ記入シ之ヲ提出者ニ返付スヘシ

第三節　預金購入有價證券

第二十一條　日本銀行預金部預金取扱規程第十八條第一項ノ規定ニ依リ預ケ人ヨリ有價證券購入請求書ヲ受ケタルトキハ該請求書ニ預金現在額ノ證明ヲ爲シ本店ヲ經由シテ之ヲ大藏省預金部ニ送付スヘシ

第二十二條　日本銀行本店預金部預金取扱規程第十九條又ハ第二十條ノ規定ニ依リ大藏省預金部ヨリ有價證券購入ノ通達ヲ受ケタルトキハ之ヲ購入シ其ノ額面金額及購入代價ヲ大藏省預金部ニ通知スヘシ

第二十三條　日本銀行本店預金部預金取扱規程第二十一條ノ規定ニ依リ大藏省預金部ヨリ有價證券購入濟通知書ヲ受ケタルトキハ第五號書式ノ預金購入有價證券保管通知書ヲ添ヘ之ヲ預ケ人ヨリ有價證券購入ノ請求ヲ受ケタル日本銀行當該店ニ送付スヘシ

前項ノ書類ヲ受ケタル日本銀行ハ日本銀行國庫金取扱規程第五十六條ノ手續ヲ爲シ有價證券購入濟通知書ヲ預ケ人ニ送付スヘシ

第二十四條　日本銀行預金部預金取扱規程第二十二條ノ規定ニ依リ預ケ人ヨリ預金購入有價證券保管通知書交付ノ請求ヲ受ケタルトキハ有價

證券購入濟通知書ト引換之ヲ交付スヘシ

第二十五條 日本銀行預金部預金取扱規定第二十三條ノ規定ニ依リ預ケ人ヨリ預金購入有價證券拂戻請求書ヲ受ケタルトキハ該請求書ニ押捺セル印章ヲ照査シ之ヲ本店ニ送付スヘシ

日本銀行本店前項ノ請求書ヲ受ケタルトキハ有價證券ヲ當該店ニ送付スヘシ

前項有價證券ノ送付ヲ受ケタル日本銀行ハ預金購入有價證券受領證書ト引換ニ之ヲ預ケ人ニ交付スヘシ

第二十六條 日本銀行本店預金購入有價證券ノ元利金ノ償還ヲ受クヘキモノアルトキハ之カ受領ニ必要ナル手續ヲ爲シ第六號書式ノ預金購入有價證券利子受入通知書又ハ預金購入有價證券償還金受入通知書ヲ預ケ人ニ送付スヘシ

第二十七條 日本銀行預金部預金取扱規程第三十條ノ規定ニ依リ預ケ人ヨリ有價證券保管帳交付ノ請求ヲ受ケタルトキハ第七號書式ノ預金購入有價證券保管帳ヲ預ケ人ニ交付スヘシ

第四章 帳簿

第二十八條 日本銀行ハ會計規則第百六十條第六號ノ帳簿トシテ左ノ帳簿ヲ備フヘシ

一 政府有價證券總括帳
二 政府有價證券受拂內譯帳
三 政府有價證券受拂總括帳
四 政府有價證券受拂報告額整理帳
五 政府所有有價證券內譯帳
六 政府保管有價證券內譯帳

前項ノ帳簿中第一號及第二號ノ帳簿ハ之ヲ日本銀行本店ニ、第四號ノ帳簿ハ之ヲ統轄店ニ、第三號、第五號及第六號ノ帳簿ハ之ヲ日本銀行各店ニ備フヘシ

第二十九條 政府有價證券總括帳及政府有價證券受拂總括帳ニハ大藏大臣ノ定ムル計算科目每ニ口座ヲ設ケ枚數及券面額ノ受拂額ヲ記入スヘシ

第三十條 政府有價證券受拂內譯帳ニハ政府有價證券總括帳ノ計算科目每ニ各統轄店ヲ區分シタル口座ヲ設ケ枚數及券面額ノ受拂額ヲ記入スヘシ

第三十一條 政府有價證券受拂報告額整理帳ニハ政府有價證券受拂總括帳ノ計算科目每ニ所屬代理店ヲ區分シタル口座ヲ設ケ枚數及券面額ノ受拂額ヲ記入スヘシ

第三十二條 政府所有有價證券內譯帳ニハ公債證書、株券、證券每ニ預金部其ノ他各會計、各廳、各主任官別ノ口座ヲ設ケ枚數及券面額ノ受拂額ヲ記入スヘシ

第三十三條 政府保管有價證券內譯帳ニハ公債證書、株券、證券每ニ保管有價證券、供託有價證券及預金購入有價證券ニ區分シ取扱官廳又ハ供託局ニ係ルモノハ各廳、各主任官別ノ口座、預金部預金購入ニ係ルモノハ預ケ人別ノ口座ヲ設ケ枚數及券面額ノ受拂額ヲ記入スヘシ

第三十四條 第二十八條ノ帳簿ハ之ヲ備フル日本銀行ニ於テ左記各號ニ依リ受拂額ヲ記入スヘシ

一 第一號及第二號ノ帳簿ハ各統轄店每月十日、二十日及末日ノ報告

額

二　第三號ノ帳簿ハ代理店ニ於テハ其ノ受拂額、統轄店ニ於テハ其ノ受拂額及所屬代理店毎日ノ報告額

三　第四號ノ帳簿ハ所屬代理店毎日ノ報告額

四　第五號及第六號ノ帳簿ハ各店ニ於ケル受拂額

第三十五條　本章ニ規定スル帳簿ノ樣式及記入ノ方法ハ日本銀行大藏大臣ノ認可ヲ經テ之ヲ定ムヘシ

第五章　計算報告

第三十六條　日本銀行ハ政府有價證券ノ受拂ニ關シ左ノ計算報告表ヲ調製スヘシ

一　政府有價證券受拂報告表　第八號書式

二　政府所有有價證券月計突合表　第九號書式

三　保管有價證券月計突合表 }　第十號書式

四　供託有價證券月計突合表 }

五　預金購入有價證券受拂計算表　第十一號書式

六　某月政府有價證券受拂計算書　書式ハ別ニ之ヲ定ム

第三十七條　政府有價證券受拂報告表ハ日本銀行本店ニ於テ統轄店ノ報告額ニ依リ毎日之ヲ調製シ大藏省ニ提出スヘシ

第三十八條　政府所有有價證券月計突合表ハ日本銀行各店ニ於テ其ノ取扱ヒタル政府所有有價證券ノ受拂額ヲ掲ケ毎月之ヲ調製シ證憑書類ヲ添ヘ翌月五日迄ニ取扱主任官ニ送付シ其ノ證明ヲ受ケ添附シタル證憑書類ト共ニ之カ返付ヲ受クヘシ

第三十九條　保管有價證券月計突合表又ハ供託有價證券月計突合表ハ日本銀行各店ニ於テ其ノ取扱ヒタル受拂額ヲ掲ケ毎月之ヲ調製シ證憑書類ヲ添ヘ翌月五日迄ニ取扱主任官ニ送付シ其ノ證明ヲ受ケ添附シタル證憑書類ト共ニ之カ返付ヲ受クヘシ

第四十條　預金購入有價證券受拂計算表ハ日本銀行本店ニ於テ其ノ取扱ヒタル受拂額ヲ掲ケ毎月之ヲ調製シ證憑書類ヲ添ヘ翌月五日迄ニ大藏大臣ノ指定スル官吏ニ送付シ其ノ證明ヲ受ケ添附シタル證憑書類ト共ニ之カ返付ヲ受ヘシ

第四十一條　某月有價證券受拂計算書ハ各統轄店ニ於テ其ノ取扱ヒタル受拂額及所屬代理店ノ取扱ヒタル受拂額ヲ掲ケ毎月之ヲ調製シ日本銀行本店ヲ經由シテ翌月中ニ大藏省ニ提出スヘシ

第六章　受拂證明

第四十二條　日本銀行ハ會計檢査院ノ檢査ヲ受クル爲會計檢査院ノ定ムル政府有價證券受拂計算書ヲ調製シ大藏大臣ノ定ムル期限内ニ之ヲ大藏省ニ送付スヘシ

第七章　雜　則

第四十三條　日本銀行ニ於テ政府所有有價證券取扱規程第七條又ハ供託有價證券取扱規程第六條ノ規定ニ依リ政府所有有價證券寄託書又ハ供託有價證券寄託書ノ誤謬訂正ノ請求ヲ受ケタルトキハ之カ訂正ノ手續ヲ爲スヘシ

第四十四條　日本銀行ニ於テ政府所有有價證券取扱規程第八條、政府保管有價證券取扱規程第二十二條又ハ供託有價證券取扱規程第六條ノ規定ニ依リ政府所有有價證券受託證書、政府保管有價證券受託證書、供託有價證券受託證書又ハ政府保管有價證券振込濟通知書ノ亡失又ハ毀

損ニ關スル證明請求書ヲ受ケタルトキハ之カ調査ヲ爲シ其ノ餘白ニ證明ノ上之ヲ返付スヘシ

日本銀行ニ於テ第十條ノ規定ニ依リ政府保管有價證券振込濟通知書ノ交付ヲ受ケタル者ヨリ其ノ亡失又ハ毀損ニ關スル證明請求書ヲ受ケタルトキハ前項ニ準シ之カ手續ヲ爲シ其ノ旨ヲ取扱官廳ニ通知スヘシ

日本銀行前二項ノ手續ヲ爲シタルトキハ其ノ事由ヲ帳簿又ハ證憑書類ニ記入シ置クヘシ

第四十五條　日本銀行ハ其ノ取扱ヒタル政府所有有價證券、保管有價證券、供託有價證券又ハ預金購入有價證券ノ受拂ニ關スル證憑書類ヲ收拂ニ區分シ　公債證書、株券、證券毎ニ更ニ政府所有ノモノト政府保管ノモノトニ區分シ、政府所有ノモノハ之ヲ各官廳別ニ、政府保管ノモノハ之ヲ保管、供託、預金購入ノ三種ニ分チ保管供託ノ分ハ之ヲ各官廳別ニ一月分ヲ取纏メ合計書ヲ調製シ共ニ保存スヘシ　但シ代理店ニ於テ調製シタルモノハ其ノ證憑書類ト共ニ所轄統轄店ニ於テ保存スルモノトス

附　則

本令ハ大正十一年四月一日ヨリ之ヲ施行ス

第一號書式　政府所有有價證券受託證書（用紙寸法半紙判半截）

政府所有有價證券受託證書

第　　號

下記證券受託候也

年　月　日

日本銀行（何店）印

某廳取扱主任官宛

證券種別	枚數	券面額	券面、記番號及回數別	備考

備考

一　全額拂込ニアラサルモノモ券面額ヲ記入シ備考欄ニ拂込濟額ヲ記入スヘシ

二　利札缺欠ノモノニ付テハ其ノ旨ヲ備考欄ニ記入スヘシ

第二號書式　政府保管有價證券振込濟通知書（用紙寸法半紙判半截）

政府保管有價證券振込濟通知書

第　　號

振込人氏名　下記證券貴廳ノ有價證券トシテ振込相受候也

年　月　日

日本銀行（何店）印

某廳取扱主任官宛

證券種別	枚數	券面額	券面、記番號及回數別	備考

上記證券提出候也
保管ノ事由

年　月　日　住所
氏　名㊞

某廳取扱主任官宛

上記證券拂渡相成度候也

年　月　日

某廳取扱主任官官氏名印

日本銀行（何店）宛

上記證券領收候也

年　月　日　住所
氏　名㊞

日本銀行（何店）宛

備考

一　全額拂込ニアラサルモノモ券面額ヲ記入シ備考欄ニ拂込濟額ヲ記入スヘシ
二　利札缺欠ノモノニ付テハ其ノ旨ヲ備考欄ニ記入スヘシ
三　拂込カ錯誤ナリシトキ又ハ其ノ必要ナキニ至リシトキハ拂込人ハ官廳ヨリ其ノ旨ノ證明書ヲ受ケ之ヲ日本銀行ニ提出シ有價證券ノ返付ヲ請求スヘシ

第三號書式　政府保管有價證券受託證書（用紙寸法半紙判半截）

政府保管有價證券受託證書

第　　號

保管日附　下記證券受託候也

年　月　日

提出者氏名

日本銀行（何店）印

某廳取扱主任官宛

證券種別	枚數	券面額	券面、記番號及回數別	備考

上記證券拂渡相成候也

年　月　日

某廳取扱主任官官氏名印

日本銀行（何店）宛

上記證券領收候也

年　月　日

住所
氏　名㊞

日本銀行（何店）宛

備考

一　全額拂込ニアラサルモノモ券面額ヲ記入シ備考欄ニ拂込濟額ヲ記入スヘシ
二　利札缺欠ノモノニ付テハ其ノ旨ヲ備考欄ニ記入スヘシ
三　遺失物法ニ依ルモノナルトキハ日本銀行カ拂渡ヲ爲スヘキ最終ノ期日ヲ餘白ニ記入スヘシ

第四號書式　供託有價證券受託證書（用紙寸法半紙判半截）

供託有價證券受託證書

第　　　號

供託日附　下記證券受託候也

年　月　日

供託者氏名

日本銀行（何店）印

某供託局長宛

證券種別	枚數	券面額	券面、記番號及同數別	備考

備考

一　全額拂込ニアラサルモノモ券面額ヲ記入シ備考欄ニ拂込濟額ヲ記入スヘシ

二　利札缺欠ノモノニ付テハ其ノ旨ヲ備考欄ニ記スヘシ

第五號書式　預金購入有價證券保管通知書（用紙寸法半紙判半截）

預金購入有價證券保管通知書

第　　　號

下記公債證書預金ヲ以テ購入保管候也

年　月　日

日本銀行　印

某廳取扱主任官（又ハ何何理事／若ハ何何總代）宛

證券種別	枚數	券面額	券面、記番號及同數別

第六號書式　預金購入有價證券利子（償還金）受入通知書（用紙寸法縱六寸五分横四寸五分）

預金購入有價證券利子（償還金）受入通知書

金

　　年　　月渡利子（償還金）

內譯下記ノ通
預金取扱店名
預金購入有價證券保管通知書日附
預金購入有價證券保管通知書番號

上記金額領收シ貴殿ノ預金ニ元加濟ニ付日本銀行何店ヘ本書提出ノ上預金部預金領收證書ノ交付ヲ受ケラルヘク候也

　　年　　月　　日

日本銀行　印

某廳取扱主任官（又ハ何々理事／若ハ何々總代）宛

內譯

證券種別	枚數	券面額	券面記番號及回數別

第七號書式　預金購入有價證券保管帳（用紙寸法適宜）

貯金局

預金購入有價證券保管帳

日本銀行

公債證書（又ハ證券）

年月日	摘要	受		拂		殘	
		枚數	券面額	枚數	券面額	枚數	券面額

第八號書式 政府有價證券受拂報告表（用紙寸法美濃判四分ノ一）

政府有價證券受拂報告表

年　月　日　　　　日本銀行 印

科目	受		拂		備考
	枚數	券面額	枚數	券面額	

第九號書式 政府所有有價證券月計突合表（用紙寸法美濃判四分ノ一）

政府所有有價證券月計突合表

年　月中　　年　月　日

取扱官廳 取扱主任官氏名

證憑書枚數　日本銀行（何店）印

種別	受		拂	
	枚數	券面額	枚數	券面額

證明ス

年　月　日

某廳取扱主任官官氏名 印

第十號甲書式 保管有價券證月計突合表（用紙寸法美濃判四分ノ一）

保管有價證券月計突合表

年　月中　　年　月　日

取扱官廳　取扱主任官官氏名

證憑書枚數　　日本銀行（何店）印

種別	受		拂	
	枚數	券面額	枚數	券面額

證明ス

年　月　日

某廳取扱主任官官氏名 印

第十號乙書式 供託有價證券月計突合表（用紙寸法美濃判四分ノ一）

供託有價證券月計突合表

年　月中　　年　月　日

供託局長氏名　證憑書枚數

日本銀行（何店）印

種別	受		拂	
	枚數	拂面額	枚數	券面額

證明ス

年　月　日

某供託局長氏名 印

第十一號書式　預金購入有價證券受拂計算表（紙紙寸法美濃判四分ノ一）

預金購入有價證券受拂計算表

年　月中　　年　月　日

檢閲官吏官氏名　證憑書枚數　日本銀行（何店）㊞

種別	受		拂	
	枚數	券面額	枚數	券面額

證明ス

年　月　日

檢閲官吏官氏名 ㊞

備考　明治三十九年勅令第二百十一號ニ依ル預託公債證書ハ種別中別行ニ記入スヘシ

第九章　計算證明

一　計算證明規程

大正十一年三月十七日
會計檢査院達第一號

第一章　總則

第一條　計算書ハ改描塗抹ヲ爲スヘカラス若誤記脱字等ニ因リ訂正ヲ爲シタルトキハ二線ヲ畫シ之ニ捺印スヘシ

第二條　證憑書類ハ原本ニ限ル若原本ヲ提出シ難キトキハ當該主任者ノ保證アル謄本ヲ以テ之ニ代フルコトヲ得

外國文ヲ以テ記載シタル證憑書類ニハ譯文ヲ附スヘシ　但シ會計檢査院ノ承認ヲ經タルモノハ之ヲ省略スルコトヲ得

第三條　外國貨幣ヲ基礎トシ又ハ外國貨幣ヲ以テ收支ヲ爲シタルモノハ換算ニ關スル書類ヲ添附スヘシ　但シ別ニ定メアル外國貨幣換算價格ニ依リタルモノハ證憑書類ニ其ノ換算價格ヲ附記シ本文ノ書類ヲ省略スルコトヲ得

第四條　證憑書類中既ニ他ノ計算證明上提出濟ノモノアルトキハ其ノ旨計算書ノ備考ニ記載スヘシ

第二章　歳入

第一節　通則

第五條　歳入徴收官ハ第一號書式ニ依リ毎月歳入徴收額計算書ヲ調製シ證憑書類ヲ添ヘ翌月十五日限之ヲ提出スヘシ　但シ會計檢査院ニ於テ特ニ指定シタルモノ若ハ其ノ承認ヲ經タルモノハ年一回又ハ數回ニ提出スルコトヲ得

第六條　左ノ事項ハ最終徴收額計算書ノ備考ニ記載スヘシ但シ事ノ複雜ナルモノハ説明書ヲ添附スヘシ

一　年度、科目其ノ他ノ更正ヲ爲ス可キモノアルトキハ其ノ金額事由

二　調定誤謬其ノ他ノ爲拂戻ヲ爲スヘキモノアルトキハ其ノ金額事由

第七條　歳入徴收額計算書ニハ日本銀行月計突合表及別ニ指定スル明細書ヲ添附スヘシ

第八條　證憑書類ノ編纂ハ左ノ區分ニ依ル

一　内國税ニ在リテハ各目ニ區分シ尚準據シタル條項ノ異ル毎ニ細分スヘシ

二　關税、噸税及税關雜收入ニ在リテハ本關及各支署若ハ出張所毎ニ各目ニ區分スヘシ

三　其ノ他ノ歳入ニ在リテハ各目ニ區分シ事ノ複雜ナルモノハ尚適宜細分スヘシ

證憑書類ノ表紙數及金額ヲ記載スヘシ

第二節　租税

第九條　證憑書トシテ提出スヘキモノ左ノ如シ

一　課税基本ノ決定及其ノ取消變更ニ關スル決議書、申告書、檢査簿査定簿等賦課徴收ノ基礎ヲ證明スヘキ一切ノ書類

二　課税免除、徴收猶豫、延納許可ヲ爲シ若ハ之カ取消變更ヲ爲シタルモノアルトキハ其ノ關係書類

三　滯納處分、擔保物件及收容貨物ノ處分ヲ爲シタルモノアルトキハ

之ニ關スル一切ノ書類

四　不納缺損ニ係ルモノアルトキハ其ノ事實ヲ證明スヘキ書類

五　賦課又ハ滯納處分ノ引繼引受ヲ爲シタルモノアルトキハ其ノ關係書類

六　前各項ノ外賦課徵收上ノ處理ニ關スル書類

第十條　證憑書類ハ會計檢査院ノ指定ニ從ヒ之ヲ提出スヘシ

第三節　租稅外歲入

第十一條　證憑書トシテ提出スヘキモノ左ノ如シ

一　物件ノ賣拂、貸付、製造、修繕其ノ他收入ニ關スル決議書、契約書、賣渡請求書等徵收ノ基礎ヲ證明スヘキ一切ノ書類

二　延納ヲ許可シタルモノアルトキハ其ノ關係書類

三　滯納處分ヲ爲シタルモノアルトキハ其ノ關係書類

四　不納缺損ニ係ルモノアルトキハ其ノ事實ヲ證明スヘキ書類

會計規則八十七條第五號ニ依リ契約書ノ作成ヲ省略シタルモノハ其ノ事由ヲ證憑書ニ附記スヘシ

第十二條　物件ノ賣拂、貸付其ノ他ノ契約ニ付一般競爭ニ付シタルモノハ左ノ書類ヲ添附スヘシ

一　公告書案但シ公告ノ方法及公告期間ヲ短縮シタルモノハ其ノ事由ヲ附記スヘシ

二　豫定價格調書及其ノ算出ノ基礎ヲ示セル書類

三　一番札ヨリ五番札ニ至ル入札書

前項ノ規定ハ糶賣又ハ指名競爭ニ依リタル契約ニ付之ヲ準用ス

第十三條　競爭ニ付スルモ入札者ナク又ハ再度ノ入札ニ付スルモ落札者ナク若ハ落札者契約ヲ結ハサル場合ニ於テ更ニ競爭ニ付シタルトキハ尙前回ノ競爭ニ關スル書類若ハ其ノ概要ヲ記載シタル調書ヲ添附スヘシ

前項場合ニ於テ隨意契約ヲ爲シタルトキハ其ノ事由ヲ證憑書ニ附記シ尙競爭ニ關スル書類ヲ添附スヘシ

第十四條　豫定代價千圓ヲ超ユル財產ノ賣拂、豫定賃貸料年額又ハ總額五百圓ヲ超ユル物件ノ貸付及二千圓ヲ超ユル其ノ他ノ契約ニシテ一般競爭ニ付セサルモノハ其ノ適用シタル法令ノ條項ヲ證憑書ニ附記シ尙會計規則第百十四條第一項第十九號乃至第二十一號ニ依リ隨意契約ヲ爲シタルモノハ其ノ必要トセル事由ヲ證憑書ニ附記スヘシ

第十五條　國有財產ノ賣拂及貸付ニシテ隨意契約ニ依リタルモノハ其ノ賣拂價格又ハ貸付料ノ評定調書ヲ提出スヘシ

第十六條　物件ノ賣拂、貸付其ノ他ノ契約ニシテ變更解除又ハ違約處分ヲ爲シタルモノアルトキハ其ノ關係書類ヲ提出スヘシ

第十七條　證憑書類ハ會計檢査院ノ承認ヲ經他ノ書類ヲ以テ代用シ又ハ之カ提出ヲ省略スルコトヲ得

第三章　歲出

第一節　通則

第十八條　支出官ハ第二號書式ニ依リ毎月支出計算書ヲ資金前渡官吏ハ第三號書式ニ依リ毎月前渡資金出納計算書ヲ調製シ證憑書類ヲ添ヘ翌月十五日限之ヲ提出スヘシ但シ會計檢査院ノ承認ヲ經タルモノハ年一回又ハ數回ニ提出スルコトヲ得

資金前渡官吏交替シタルトキハ連名ヲ以テ之カ證明爲スコトヲ得此ノ

場合ニ於テハ出納計算書ニ各自ノ管理期ヲ記載スヘシ

第十九條　資金前渡官吏ノ分任官ニシテ特ニ計算ヲ證明スルトキハ主任官ヲ經由スヘシ

第二十條　證憑書類ハ各目ニ區分編纂シテ其ノ金額紙數ヲ表紙ニ記載シ概算拂ニ係ルモノアルトキハ其ノ金額ヲ附記スヘシ　但シ各目ニ區分シ難キモノハ其ノ關係書類ト共ニ各項ニ區分編纂シ各目仕譯書ヲ添附スヘシ

概算拂ニ對スル精算證書ハ別ニ之ヲ編纂シ各目ニ區分スヘシ

資金前渡官吏ノ支拂ニ關シ領收證書ノ未到達ニ係ルモノアルトキハ其ノ金額ヲ證憑書ノ表紙ニ附記シ爾後到達ニ從ヒ支拂ノ月ヲ以テ區分スヘシ

資金前渡官吏ノ分任官ノ取扱ニ係ル書憑證ハ別ニ之ヲ編纂シ其ノ各目金額紙數及官氏名ヲ表紙ニ記載スヘシ

第二節　支　出

第二十一條　左ノ事項ハ支出計算書ノ備考ニ記載スヘシ但シ事ノ複雜ナルモノハ説明書ヲ添附スヘシ

一　年度、科目其ノ他ノ更正若ハ定額戻入ヲ爲スヘキモノアルトキハ其ノ金額事由

二　誤拂、過渡其ノ他ノ返納ニ依リ歳入ニ編入スヘキモノアルトキハ其ノ金額事由

第二十二條　受拂勘定ヲ爲スヘキ特別會計ニ屬スル最終支出計算書ニハ左ニ掲クル書類ヲ添附スヘシ其ノ他ノ特別會計ニ在リテハ別ニ之ヲ指定ス

一　受拂勘定表竝物品會計官吏毎ニ區分シタル物品價格受拂仕譯書

二　年度末日計算表

三　固定資本價格增減表竝其ノ評價書類

四　物品ノ價格ヲ評定シ又ハ改定シタルモノアルトキハ毎件其ノ事由及計算ノ基礎ヲ示セル調書

五　支出未濟ニシテ翌年度ニ繰越シタルモノアルトキハ毎件其ノ金額事由調書

六　代價收入濟ニシテ物品未渡ニ係ルモノ又ハ代價支出濟ニシテ物品未收ニ係ルモノアルトキハ毎件其ノ金額事由調書

七　既往年度代價收入濟ニ係ル物品ノ拂出ヲ爲シタルモノ又ハ既往年度代價支出濟ニ係ル物品ノ受入ヲ爲シタルモノアルトキハ毎件其ノ數量金額調書

八　賣渡代價確定未濟ニシテ物品ノ拂出ヲ爲シタルモノアルトキハ毎件其ノ數量金額事由調書

第二十三條　最終支出計算書提出ノ際概算拂、資金前渡ノ精算ニ至ラサルモノ、前金拂ニ係ル工事、製造又ハ物件ノ買入若ハ運送ニシテ完了ニ至ラサルモノ、年度、科目其ノ他ノ誤謬ニシテ處分未濟ニ係ルモノアルトキハ其ノ事由及完結スヘキ期限ヲ記載シタル調書ヲ添附スヘシ

最終支出計算書提出ノ後年度科目其ノ他ノ誤謬ヲ發見シタルトキハ其ノ都度之ヲ報告スヘシ

前各項ノ事項ハ完結ニ從ヒ其ノ證憑書ヲ添ヘ之ヲ報告スヘシ

第二十四條　證憑書トシテ提出スヘキモノハ領收證書、請求書、契約書等支出ノ事由竝計算ノ基ク所ヲ證明スヘキ書類トス　但シ事ノ簡明ナ

ルモノニ付テハ會計檢査院ノ承認ヲ經テ仕譯書、簿冊又ハ證明書ヲ以テ代用スルコトヲ得

隔地者ニ支拂ノ爲日本銀行ニ資金ヲ交付シタル場合ニ在リテハ日本銀行ノ領收證書ヲ提スヘシ

領收證書ヲ得難キ場合ニ在リテハ其ノ事由ヲ記載シタル證明書ヲ提出スヘシ

領收證書ニハ小切手ノ番號ヲ附記スヘシ

會計規則第八十七條第五號ニ依リ契約書ノ作成ヲ省略シタルモノハ其ノ事由ヲ證憑書ニ附記スヘシ

第二十五條 俸給其ノ他一定ノ給與ニシテ給額ニ異動ヲ生シタルモノアルトキハ其ノ事由及年月日ヲ證憑書ニ附記スヘシ

年金又ハ恩給ノ領收證書ニハ年額及受領者ノ資格ヲ示シ遺族ノ受領ニ係ルモノハ其ノ權利ノ起因ヲ附記スヘシ

第二十六條 旅費ノ領收證書若ハ精算證書ニハ其ノ用務及旅行ノ年月日、日數、路程、汽車汽、船賃、宿泊地等ヲ記載シタル仕譯書ヲ添附スヘシ但シ領收證書又ハ精算證書ニ附記シテ仕譯書ヲ省略スルコトヲ得

旅行中迂路ヲ經過セシモノ病氣滯在其ノ他ノ事故ニ因リ特ニ日數ヲ要シタルモノ又ハ實費拂ヲ爲シタルモノアルトキハ其ノ事由ヲ記載スヘシ

第二十七條 渡切經費ニ付テハ最初支出證明ノ際其ノ領收證書ニ支給額決定ノ基礎ヲ明ニシタル仕譯書ヲ添附スヘシ爾後支給額ヲ增減シタルトキ亦同シ

會計檢査院ノ承認ヲ經タルモノハ前項ノ仕譯書ヲ省略スルコトヲ得

第二十八條 工事、製造及物件ノ買入、借入其ノ他ノ契約ニ付一般競爭ニ付シタルモノハ左ノ書類ヲ添附スヘシ

一 契約ニ關スル決議書類

二 公告書案但シ公告ノ方法及公告期間ヲ短縮シタルモノハ其ノ事由ヲ附記スヘシ

三 豫定價格調書及其ノ算出ノ基礎ヲ示セル書類

四 一番札ヨリ五番札ニ至ル入札書

前項ノ規定ハ指名競爭ニ付シタル契約ニ付之ヲ準用ス

第二十九條 競爭ニ付スルモ入札者ナク又ハ再度ノ入札ニ付スルモ落札者ナク若ハ落札者契約ヲ結ハサル場合ニ於テ更ニ競爭ニ付シタルトキハ尚前回ノ競爭ニ關スル書類若ハ其ノ概要ヲ記載シタル調書ヲ添附スヘシ

前項ノ場合ニ於テ隨意契約ヲ爲シタルトキハ其ノ事由ヲ證憑書ニ附記シ尚競爭ニ關スル書類ヲ添附スルヘシ

第三十條 五千圓ヲ超ユル工事、製造又ハ三千圓ヲ超ユル財産ノ買入若ハ賃借料年額又ハ總額千五百圓ヲ超ユル物件ノ借入及二千圓ヲ超ユル其ノ他ノ契約ニシテ一般競爭ニ付セサルモノハ決議書類ヲ添附シ其ノ適用シタル法令ノ條項ヲ證憑書ニ附記シ尚會計規則第百十四條第一項第十九號及二十二號ニ依リ隨意契約ヲ爲シタルモノハ其ノ必要トセル事由ヲ證憑書ニ附記スヘシ

第三十一條 豫定年額又ハ總額貳千圓ヲ超ユル物件ノ買入、運送及勞力供給ノ請負等ニ關シ單價契約ヲ爲シタルモノアルトキハ其ノ契約書類ヲ最初支出證明ノ際ニ提出シ爾後支出ヲ爲シタルトキハ領收證書ニ契

約書類提出ノ年月ヲ附記スヘシ

第三十二條 貳千圓ヲ超ユル工事、製造及物件ノ買入、借入其ノ他ノ契約ニシテ變更解除又ハ違約處分ヲ爲シタルモノアルトキハ其ノ關係書類ヲ提出スヘシ

第三十三條 三千圓ヲ超ユル工事、製造又ハ物件ノ買入ニ關スル領收證書ニハ會計規則第九十二條第一項ニ依リ監督又ハ檢査シタル官吏若ハ技術者ノ作リタル調書ヲ添附スヘシ　但シ物品ニ付テハ證憑書ニ檢收濟ノ年月日ヲ附記シ調書ノ添附ヲ省略スルコトヲ得

工事製造ノ既濟部分又ハ物品ノ既納部分ニ對シ完濟前又ハ完納前ニ代價ノ一部分ヲ支拂ヒタルモノハ其ノ領收證書ニ會計規則第九十二條第二項ニ依リ檢査官吏又ハ技術者ノ作リタル調書ヲ添附スヘシ

前項ノ部分拂ニシテ第二回以降ノ支拂ニ係ルモノナルトキハ前支拂ノ年月ヲ附記スヘシ

前各項ノ規定ハ工事又ハ製造以外ノ請負契約ノ全部又ハ一部ノ履行ニ對シ支拂ヲ爲シタル場合ニ之ヲ準用ス

第三十四條 總價額五千圓ヲ超ユル直營工事ニ付テハ最初支出證明ノ際起工ニ關スル決議書類、設計書、仕譯書、圖面及其ノ附屬書類ヲ提出シ設計ヲ變更シタルトキハ其ノ書類ヲ提出スヘシ

直營工事竣功シタルトキハ竣功報告書ヲ調製シ竣功後一箇月以內ニ提出スヘシ　但シ二箇年度以上ニ亙ル工事ニ在リテハ當該年度內ニ於ケル既濟ノ部分ニ付竣功報告書ヲ調製シ最終支出計算書ニ添附スヘシ

竣功報告書ヲ提出スヘキ工事及其ノ報告書ノ樣式ハ別ニ之ヲ指定ス

第三十五條 直營ニ係ル製造其ノ他ノ作業ニ關シテハ會計檢査院ノ指定ニ從ヒ事業成績書ヲ調製シ最終支出計算書ニ添附スヘシ

第三十六條 請負ニ付シタル工事、製造等ニ付材料ヲ官給シ又ハ代價ヲ支拂ハスシテ物件勞力ヲ使用シタルトキハ其ノ種類、員數及價格ヲ記載シタル仕譯書ヲ證憑書ニ添附スヘシ　但シ證憑書ニ附記シテ仕譯書ヲ省略スルコトヲ得

第三十七條 一工事ニシテ數廉ニ分チ起工スルモノニ在リテハ最初支出證明ノ際大體ニ關スル計畫書若ハ目論見書ヲ提出スヘシ

第三十八條 國有財產ヲ取得シタルトキハ之ニ對スル支出ノ證憑書ニ國有財產臺帳登錄濟ノ年月日、物品ヲ取得シタルトキ又ハ運送ヲ爲サシメタルトキハ之ニ對スル支出ノ證憑書ニ物品出納簿登記濟又ハ運送濟ノ年月日ヲ記載シ其ノ物品出納簿ニ登記シ難キモノハ受領濟ノ年月日ヲ記載スヘシ　但シ前金拂又ハ概算拂ニ係ルモノ其ノ完結スヘキ期限ヲ附記スヘシ

第三十九條 諸拂戾金、缺損補塡金、償還金ノ類ハ其ノ證憑書ニ支出ヲ要スル事由及事實ノ生シタル年月日ヲ記載スルノ外之カ支出ノ決定ヲ爲シタル年月日ヲ附記スヘシ

第三節　資金前渡官吏ノ出納

第四十條 左ノ事項ハ前渡資金出納計算書ノ備考ニ記載スヘシ　但シ事ノ複雜ナルモノハ説明書ヲ添附スヘシ

一　年度、科目其ノ他ノ更正ヲ爲スヘキモノアルトキハ其ノ金額事由

二　誤拂、過渡其ノ他ノ返納ニ付處分ヲ爲スヘキモノアルトキハ其ノ金額事由

三　現金ヲ亡失シ又ハ缺損補塡ヲ受ケタルモノアルトキハ其ノ金額事

由

四　會計規則第百三十四條ニ依リ辨償ヲ命セラレタルモノアルトキハ其ノ金額事由

五　他ノ出納官吏ト現金ノ受授ヲ爲シタルモノアルトキハ其ノ氏名及金額

第四十一條　最終前渡資金出納計算書提出ノ際概算拂ノ精算ニ至ラサルモノ、前金拂ニ係ル工事、製造又ハ物件ノ買入若ハ運送ニシテ完了ニ至ラサルモノ、領收證書ノ到達セサルモノ、年度科目其ノ他ノ誤謬ニシテ處分未濟ニ係ルモノ、支拂殘額ノ返納ヲ了セサルモノアルトキハ其ノ事由及完結スヘキ期限ヲ記載シタル調書ヲ添附スヘシ

最終前度資金出納計算書提出ノ際振出小切手ニ對シ日本銀行ニ於テ支拂未濟ノモノアルトキハ振出日附、番號、科目、金額及債主名ヲ記載シタル調書ヲ添附スヘシ

最終前渡資金出納計算書提出ノ後年度、科目其ノ他ノ誤謬ヲ發見シタルトキハ其ノ都度之ヲ報告スヘシ

前各項ノ事項ハ完結ニ從ヒ其ノ證憑書類ヲ添ヘ之ヲ報告スヘシ

第四十二條　前渡資金出納計算書ニハ會計規則第百三十八條ニ依ル檢定書ヲ添附スヘシ

第四十三條　證憑書トシテ提出スヘキモノニ付テハ第二節ノ規定ヲ準用ス

第四章　國庫金運用

第四十四條　國庫金ノ運用ヲ管掌スル官吏ハ毎月左ニ掲クル計算書ヲ調製シ證憑書類ヲ添ヘ翌月末日限之ヲ提出スヘシ

一　國庫金運用計算書　第四號書式

二　簡易生命保險積立金運用計算書　第五號書式

第四十五條　簡易生命保險積立金運用ノ計畫ヲ決定シタルトキハ當月分ノ簡易生命保險積立金運用計算書ニ之カ計畫書ヲ添附スヘシ其ノ計畫ヲ變更シタルトキ亦同シ

第四十六條　證憑書トシテ提出スヘキ書類左ノ如シ

一　證券類ノ應募、引受又ハ買入等ヲ爲シタルトキハ其ノ決議書類

二　大藏省證券類ヲ發行シ又ハ一時借入ヲ爲シタルトキハ其ノ必要ノ事由ヲ記載シタル決議書類

三　貸付又ハ用途指定ノ預入ヲ爲シタルトキハ其ノ決議書及契約書類

四　證券類ヲ賣却シ又ハ其ノ他ノ事由ニ依リ之ヲ拂出シ若ハ地金類ヲ賣買シタルトキハ其ノ關係書類

五　貨幣類ノ價格差增減其ノ他ノ損益ニ對シテハ算出ノ基礎ヲ認ムヘキ書類

證憑書類ハ會計檢査院ノ承認ヲ經他ノ書類ヲ以テ代用シ又ハ之カ提出ヲ省略スルコトヲ得

第五章　國債

第四十七條　國債事務ヲ管掌スル官吏ハ第六號書式ニ依リ毎月國債增減計算書ヲ調製シ證憑書類ヲ添ヘ翌月末日限之ヲ提出スヘシ

第四十八條　證憑書トシテ提出スヘキ書類左ノ如シ

一　證券ヲ發行シタルモノニ在リテハ監督官吏ノ調製シタル證券發行濟確認書但シ交付公債ニ在リテハ證券ノ領收證書

二　借入金ヲ爲シタルモノニ在リテハ其ノ決議書及契約書類

三　甲種國債登錄簿ニ登錄シタルモノニ在リテハ監督官吏ノ調製シタ

ル登錄濟確認書

四　鐵道ノ買收其ノ他代償ノ爲公債ヲ發行シタルモノニ在リテハ其ノ決議書類及發行額算定ノ基礎ヲ認ムヘキ一切ノ書類

證憑書類ハ會計檢査院ノ承認ヲ經他ノ書類ヲ以テ代用シ又ハ之カ提出ヲ省略スルコトヲ得

第四十九條　證憑書類ハ國債ノ種類每ニ區分シテ之ヲ編纂シ表紙ニ其ノ金額紙數ヲ記載スヘシ證憑書未到達ノモノアルトキハ其ノ旨ヲ表紙ニ記載シ爾後到達ニ從ヒ別ニ區分編纂シテ之ヲ提出スヘシ

第六章　現金出納

第一節　通　則

第五十條　收入官吏ハ第七號書式、歲入歲出外現金出納官吏ハ第八號書式、繰替拂出納官吏ハ第九號書式ニ依リ現金出納計算書ヲ調製シ證憑書類ヲ添ヘ左ノ期限ニ從ヒ之ヲ提出スヘシ

一　月證明ニ屬スルモノハ翌月十五日限

二　年證明ニ屬スルモノハ年度經過後若ハ出納官吏及出納員交替後三十日限

出納官吏交替シタルトキハ連名ヲ以テ之カ證明ヲ爲スコトヲ得此場合ニ於テハ出納計算書ニ各自ノ管理期ヲ記載スヘシ

分任出納官吏及出納員ニシテ特ニ計算ヲ證明スルトキハ主任出納官吏ヲ經由スヘシ

第五十一條　現金出納計算書ニハ會計規則第百三十八條ニ依ル檢定書ヲ添附スヘシ

第五十二條　證憑書類ハ所屬年度每ニ受入拂出ニ大別シ適宜區分編纂シテ其ノ金額紙數ヲ表紙ニ記載スヘシ

第五十三條　收入官吏ノ調製スヘキ收入金現金出納計算書ハ每年度之ヲ提出スヘシ

第二節　收入金

第五十四條　左ノ事項ハ收入金現金出納計算書ノ備考ニ記載スヘシ　但シ事ノ複雜ナルモノハ說明書ヲ添附スヘシ

一　現金ヲ亡失シ又ハ缺損補塡ヲ受ケタルモノアルトキハ其ノ金額事由

二　會計規則第百三十四條ニ依リ辨償ヲ命セラレタルモノアルトキハ其ノ金額事由

三　拂込未濟ノモノ又ハ後任官吏ニ引繼キタルモノアルトキハ其ノ金額事由

第五十五條　證憑書トシテ提出スヘキモノハ日本銀行又ハ他ノ出納官吏ノ領收證書トス

第三節　歲入歲出外現金

第五十六條　歲入歲出外現金出納官吏ノ調製スヘキ歲入歲出外現金出納計算書ハ每年度之ヲ提出スヘシ　但シ會計檢査院ニ於テ特ニ指定シタルモノハ每月又ハ年數回ニ之ヲ提出スヘシ

第五十七條　左ノ事項ハ歲入歲出外現金出納計算書ノ備考ニ記載スヘシ　但シ事ノ複雜ナルモノハ說明書ヲ添附スヘシ

一　現金ヲ亡失シ又ハ現金ノ缺損ニ對シ補充ヲ受ケタルモノアルトキハ其ノ金額事由

二　會計規則第百三十四條ニ依リ辨償ヲ命セラレタルモノアルトキハ

其ノ金額事由
三　後任官吏ニ引繼キタルモノアルトキハ其ノ金額事由

第五十八條　振出小切手ニ對シ日本銀行ニ於テ支拂未濟ノモノアルトキハ其ノ振出日附、番號、種別、金額、債主名ヲ歳入歳出外現金出納計算書ノ備考ニ記載シ完結ニ從ヒ之ヲ報告スヘシ

第五十九條　證憑書トシテ提出スヘキ書類左ノ如シ

一　受入ニ對シテハ其ノ金額事由ヲ證明スルニ足ルヘキ他ノ官吏ノ保證書若ハ其ノ他ノ書類
二　拂出ニ對シテハ領收證書若ハ他ノ官吏ノ保證書

第五十六條但書ニ依リ毎月又ハ年數回ニ證明スヘキモノノ證憑書類ハ別ニ之ヲ指定ス

第四節　繰替拂現金

第六十條　繰替拂出納官吏ノ調製スヘキ繰替拂現金出納計算書ハ鐵道官署ニ在リテハ毎月、遞信官署ニ在リテハ毎年度之ヲ提出スヘシ

第六十一條　左ノ事項ハ繰替拂現金出納計算書ノ備考ニ記載スヘシ　但シ事ノ複雜ナルモノハ説明書ヲ添附スヘシ

一　現金ヲ亡失シ又ハ缺損補塡ヲ受ケタルモノアルトキハ其ノ金額事由
二　會計規則第百三十四條ニ依リ辨償ヲ命セラレタルモノアルトキハ其ノ金額事由
三　後任官吏ニ引繼キタルモノアルトキハ其ノ金額事由

第六十二條　振出小切手ニ對シ日本銀行ニ於テ支拂未濟ノモノアルトキハ其ノ振出日附、番號、種別、金額、債主名ヲ繰替拂現金出納計算書ノ備考ニ記載スヘシ　但シ鐵道官署ニ在リテハ毎年度最終ノ繰替拂現金出納計算書ニ限リ之ヲ記載スヘシ

前項ノ事項ハ完結ニ從ヒ之ヲ報告スヘシ

第六十三條　證憑書トシテ提出スヘキ書類左ノ如シ

一　受入ニ對シテハ其ノ金額事由ヲ證明スルニ足ルヘキ他ノ官吏ノ保證書若ハ其ノ他ノ書類
二　拂出ニ對シテハ領收證書若ハ他ノ官吏ノ保證書

第七章　物品出納

第六十四條　物品會計官吏ハ第十號書式ニ依リ毎年度又ハ會計官吏交替ノ際物品出納計算書ヲ調製シ證憑書類ヲ添ヘ年度經過後又ハ會計官吏交替後二箇月限之ヲ提出スヘシ

物品會計官吏交替シタルトキハ連名ヲ以テ之カ證明ヲ爲スコトヲ得此ノ場合ニ於テハ出納計算書ニ各自ノ管理期ヲ記載スヘシ

主任物品會計官吏ノ計算書ニ分任物品會計官吏ヨリ提出シタル報告書ヲ添附スルトキハ其ノ出納計算ノ併算ヲ省クコトヲ得　但シ該報告書ハ計算書ノ書式ヲ準用スヘシ

分任物品會計官吏ニシテ特ニ計算ヲ證明スルトキハ主任物品會計官吏ヲ經由スヘシ

第六十五條　物品出納計算書ハ物品ノ種類若ハ所用ノ目的ニ依リ類別シテ毎品之ヲ列記スヘシ

國有財產ニ編入セラレタル動產ニシテ國有財產增減計算書ニ品名數量ヲ揭記シタルモノニ在リテハ物品出納計算書各類別ノ備考ニ其ノ價額ヲ記載シ毎品ノ記載ヲ省略スルコトヲ得

第六十六條 左ノ事項ハ物品出納計算書ノ備考ニ記載スヘシ但シ事ノ複雜ナルモノハ説明書ヲ添附スヘシ

一 前年度ヨリノ越高ニシテ前年度末現在高ニ比シ異動アルモノハ其ノ事由

二 物品會計官吏物品ノ亡失毀損ニ對シ辨償ヲ命セラレタルモノアルトキハ其ノ金額事由

第六十七條 證憑書トシテ提出スヘキ書類左ノ如シ

一 物品ノ出納ニ關スル命令書及領收證書 但シ特ニ指定スルモノヲ除クノ外他ノ官吏ノ保證書ヲ以テ代用スルコトヲ得

二 亡失毀損拂ノ物品ニ對シテハ他ノ官吏ノ認定セル品目、數量、價格及其ノ亡失毀損ノ事實ヲ記載シタル證明書辨償ニ係ルモノハ其ノ仕譯書

三 贈與拂等ノ物品ニ對シテハ其ノ價格事由ヲ記載シタル證明書又ハ決議書

四 作業、鐵道、海軍工廠資金及鐵道用品資金所屬其ノ他ノ事業用物品ニシテ不用物品ニ組換ヘタルモノアルトキハ毎件其ノ事由及原價又ハ見積價格ヲ記載シタル仕譯書若ハ決議書

五 現在高ニ對シテハ監督ノ任アル官吏ノ保證書

造幣局地金額ニ對シテハ前項ノ外左ノ書類ヲ提出スヘシ

一 受入地金ニ對シテハ地金預リ證書原符、地金勘定書其ノ他受入ノ事實ヲ證明スヘキ書類

二 地金拂ニ對シテハ地金領收證書其ノ他拂渡ノ事實ヲ證明スヘキ書類

三 貨幣拂ニ對シテハ日本銀行ノ貨幣拂渡報告書又ハ貨幣領收證書

四 差增減ニ對シテハ當該上官ノ認定アル主任官吏ノ證明書

五 各種地金ノ殘高ニ對シテハ年度末地金貸借計算表

收入印紙及郵便切手類ニ對シテハ第一項ノ外左ノ書類ヲ提出スヘシ

一 交換渡ニ對シテハ其ノ事由並種類、員數ヲ記載シタル決議書又ハ當該上官ノ認定書

二 廢棄賣藥ニ係ル拂渡ニ對シテハ賣藥營業者ノ請求書及領收證書

三 燒却拂ニ對シテハ其ノ事由並種類、員數ヲ記載シタル當該上官ノ認定書及立會官吏ノ證明書

四 保管轉換及返納等ノ爲他ノ會計官吏トノ間ニ受拂ヲ爲シタルモノニ對シテハ其ノ科目及種類毎ニ官署名、數量ヲ記シタル明細書

第六十八條 證憑書類ハ受拂ニ大別シ物品出納計算書ニ揭クル區畫ニ從ヒ品目毎ニ區分編纂シ其ノ表紙ニ數量並價格ノ合計及證憑書ノ枚數ヲ記載スヘシ 但シ一品目ノ證書僅少ナルモノハ計算書ニ揭クル品目ノ順次ニ從ヒ合綴スルモ妨ナシ

一ノ證憑書中數種ノ品目ヲ混記セルモノアルトキハ別册ニ編纂シ其ノ表紙ニ毎品目ノ數量價格合計ヲ記載スヘシ

第八章 國有財產

第六十九條 各省大臣又ハ國有財產ニ關スル事務ヲ分掌スル部局長ハ第十一號書式ニ依リ毎三箇月間ニ於ケル國有財產增減計算書ヲ調製シ證憑書類ヲ添ヘ翌月末日限之ヲ提出スヘシ 但シ會計檢査院ノ承認ヲ經タルモノハ年一回又ハ二回ニ提出スルコトヲ得

第七十條 國有財產增減計算書ハ財產ノ種類ニ應シ其ノ用途又ハ目的ニ

依リ類別シ種目毎ニ列記スヘシ

第七十一條 毎年度最終ノ國有財産増減計算書ニハ別ニ指定スル明細書ヲ添附スヘシ

第七十二條 證憑書トシテ提出スヘキ書類左ノ如シ

一 國有財産ノ種類ヲ變更シタルモノアルトキハ其ノ事由ヲ明ニシタル關係書類

二 國有財産ノ滅失シタルモノアルトキハ其ノ事由ヲ明ニシタル調書

三 無償ヲ以テ國有財産ヲ得喪シタルモノアルトキハ其ノ決議書、契約書其ノ他ノ關係書類

四 公債ノ發行ニ依リ國有財産ヲ取得シタルモノアルトキハ其ノ決議及價格算定ノ基礎ヲ認ムヘキ一切ノ書類

五 交換ヲ爲シタルモノアルトキハ其ノ決議書、契約書、價格評定ニ關スル調書其ノ他ノ關係書類　但シ價格評定調書ニハ相互ノ地位及隣接地ノ状況ヲ明ニシタル圖面ヲ添附スヘシ

六 出資ノ目的ト爲シタルモノアルトキハ其ノ決議書類及出資額算定ノ基礎ヲ認ムヘキ一切ノ書類

七 無償ヲ以テ貸付、準貸付、保管、委託又ハ部分林ト爲ス等ノ契約ヲ締結シタルモノアルトキハ其ノ用途ヲ明ニシタル決議書類　但シ決議書類ニハ其ノ適用シタル法令ノ條項ヲ附記スヘシ

八 賣拂、讓與又ハ貸付ノ豫約ヲ爲シタルモノアルトキハ其ノ決議書契約書其ノ他ノ關係書類

九 前各號中ノ契約ニシテ變更解除ヲ爲シタルモノアルトキハ其ノ關係書類

第七十三條 前條ノ證憑書類ハ會計檢査院ノ承認ヲ經他ノ書類ヲ以テ代用シ又ハ之カ提出ヲ省略スルコトヲ得

第九章　日本銀行

第七十四條 日本銀行ハ第十二號書式ニ依リ毎年度國庫金出納及政府有價證券受拂總計算書、第十三號書式ニ依リ毎月國庫金出納及政府有價證券受拂計算書ヲ調製シ證憑書類ヲ添ヘ總計算書ハ年度經過後二箇月、毎月計算書ハ翌月十五日限之ヲ提出スヘシ

第七十五條 政府ノ爲ニ取扱フ現金又ハ有價證券ノ出納保管ニ關シ損害ヲ生シタルモノアルトキハ其ノ事實ヲ記載シタル報告書ヲ提出スヘシ

前項ノ場合ニ於テ損害ニ對シ賠償又ハ其ノ他ノ處理ヲ爲シタルモノアルトキハ其ノ顛末ヲ報告スヘシ

第七十六條 毎月國庫金出納及政府有價證券受拂計算書ニハ左ニ掲クル明細書ヲ添附スヘシ

一 國債ノ發行ニ依ル收入金受拂明細書　第十四號書式

二 國債應募拂込金延滯ニ因ル失效高明細書　第十五號書式

三 國債元利拂資金受拂明細書　第十六號書式

前項第一號ノ明細書ニハ外國貨幣ヲ以テ領收シタルモノアルトキハ其ノ種類員額ヲ備考ニ記載スヘシ

第一項第三號ノ明細書ニハ年度、科目其ノ他ノ更正ヲ爲スヘキモノ、誤拂、過渡ニシテ其ノ處分ヲ爲スヘキモノ、時效ノ中斷又ハ停止アリタルモノニ對シ支拂ヲ爲シタルモノ及政府ニ對シ損害ノ賠償ヲ爲シタ

ルモノアルトキハ其ノ金額事由ヲ備考ニ記載スヘシ

第七十七條　毎年度五月分國庫金出納及政府有價證券受拂計算書ニハ第十七號書式ニ依リ調製シタル前年度所屬歳入金出納明細書ヲ添附スヘシ

前項ノ明細書提出ノ後年度、科目其ノ他ノ誤謬ヲ發見シタルトキハ其ノ都度金額事由ヲ記載シタル報告書ヲ提出スヘシ

第七十八條　證憑書トシテ提出スヘキ書類左ノ如シ

一　歳出金、預託金ノ受拂及歳出支拂未濟繰越金ノ支拂ニ對シテハ當該官吏ノ證明ヲ受ケタル月計突合表

二　預金部預金ノ受拂ニ對シテハ當該官吏又ハ大藏大臣ノ指定シタル官吏ノ證明ヲ受ケタル月計突合表及受拂計算表

三　振替金ノ受拂ニ對シテハ相手方本支店若ハ代理店ノ證印濟突合表

四　國債ノ發行ニ依ル收入金ノ出納ニ對シテハ大藏大臣命令ノ謄本應募申込書及應募保證金還付ノ領收證書　但シ應募申込書及應募保證金還付ノ領收證書ハ會計檢査院ノ指定ニ從ヒ提出スヘシ

五　國債ノ應募額募集額ニ超過シタルモノアルトキハ其ノ割當方法決定ニ關スル書類

六　國債元利金ノ支拂ニ對シテハ大藏大臣令達ノ謄本、監督官廳ノ保證アル支拂濟證券調書、支拂濟利賦札調書又ハ領收證書

七　大藏大臣ノ令達ニ依リ受拂ヲ爲シタルモノニ對シテハ其ノ令達ノ謄本

八　前各號以外ノ國庫金ノ受拂ニ對シテハ命令書、通知書、領收證書其ノ他ノ關係書類

九　有價證券ノ受拂ニ對シテハ當該官吏又ハ大藏大臣ノ指定シタル官吏ノ證明ヲ受ケタル月計突合表及受拂計算表

證憑書類ハ會計檢査院ノ承認ヲ經他ノ書類ヲ以テ代用シ又ハ之カ提出ヲ省略スルコトヲ得

第七十九條　證憑書類ハ分類編纂シ其ノ金額紙數ヲ表紙ニ記載スヘシ

第十章　團體及諸營造

第八十條　政府ヨリ補助金又ハ特約保證ヲ受クル團體及諸營造ハ第十八號書式ニ依リ毎年度收支計算書ヲ調製シ證憑書類ヲ添ヘ公共團體ニ在リテハ出納閉鎖期經過後一箇月其ノ他ニ在リテハ決算期經過後三箇月限之ヲ提出スヘシ　但シ會社ニ在リテハ會計檢査院ノ承認ヲ經商法第百九十條ニ依ル書類ヲ以テ計算書ニ代用スルコトヲ得

第八十一條　收支計算書ニハ左ノ書類ヲ添附スヘシ　但シ會計檢査院ノ指定シタルモノハ別ニ之ヲ提出スヘシ

一　補助金又ハ特約保證ニ關スル申請書命令書及計畫書

二　命令書ノ定ムル所ニ依リ特ニ政府ノ許可又ハ認可ヲ經若ハ更正ヲ命セラレタルモノアルトキハ其ノ書類

三　收支豫算書

四　公共團體ニ在リテハ決算報告書會社ニ在リテハ商法第百九十條ニ依ル書類其ノ他ニ在リテハ決算明細書及財産目錄

左ノ補助又ハ特約保證ニ對シテハ前項ノ外各書類ヲ添附スヘシ

一　災害土木費補助ニ在リテハ一位單價表及工事箇所別明細書

二　關東州地方費ニ在リテハ水道電氣其ノ他之ニ類スル事業ノ損益仕譯書

三　航路補助ニ在リテハ各航路別收支明細書
四　南滿洲鐵道株式會社ニ在リテハ諸勘定內譯書
五　鐵道補助ニアリテハ收支計算書附屬仕譯書

第八十二條　證憑書トシテ提出スヘキ書類左ノ如シ

一　契約書、決議書其ノ他收支ノ事實ヲ證明スヘキ書類　但シ會計檢查院ノ指定ニ從ヒ之ヲ提出スヘシ
二　工事ノ補助ニ在リテハ前號ノ外設計書、圖面、直營工事ニ係ル竣功報告書、竣功認定及殘餘金處分ニ關スル書類　但シ竣功報告書ニ付テハ第三十四條ノ規定ヲ準用ス

附　則

本規程ハ大正十一年四月一日ヨリ之ヲ施行ス　但シ大正十一年三月以前ノ月證明並大正十年度以前ノ年證明ニ係ルモノハ從前ノ規程ニ依ル

書　式

第一號　歲入徵收額計算書……
第二號　支出計算書……
第三號　前渡資金出納計算書……
第四號　國庫金運用計算書　（省略）
第五號　簡易生命保險積立金運用計算書　（省略）
第六號　國債增減計算書　（省略）
第七號　收入金現金出納計算書……
第八號　歲入歲出外現金出納計算書……
第九號　（甲）繰替拂現金出納計算書鐵道官署　（省略）
（乙）繰替拂現金出納計算書　（省略）
第十號　物品出納計算書……
第十一號　國有財產增減計算書……
第十二號　國庫金出納及政府有價證券受拂總計算書　（省略）
第十三號　國庫金出納及政府有價證券受拂計算書……
第十四號　國債ノ發行ニ依ル收入金受拂明細書　（省略）
第十五號　國債應募拂込金延滯ニ依ル失效高明細書　（省略）
第十六號　國債元利拂資金受拂明細書　（省略）
第十七號　歲入金歲出金出納明細書　（省略）
第十八號　收支計算書……

凡　例

一　計算書及明細書ハ一般會計各特別會計每ニ別册ニ調製シ特別會計ニ在リテハ其ノ會計名ヲ表紙ニ記載スヘシ
二　計算書ヲ受授スルモノハ其ノ年月日ヲ表紙ニ記載スヘシ
三　用紙ハ成ルヘク堅牢ナルモノヲ用フヘシ
四　書式中△印ハ朱書トス

大正何年度

何年何月分（自何年何月　至何年何月）

歳入徵收額計算書

證憑書　何册

何々　〃

廳　　名

職官氏名印

年月日提出

第一號

一 收入(出納)官吏現金領收額、收入濟額ト日本銀行領收濟額トノ對照及收入未濟額內譯ノ欄ハ最終徵收額計算書ニ之ヲ附スヘシ

科目 款	科目 項	科目 目	調定濟額 本月分	調定濟額 本月迄累計	收入濟額 本月分	收入濟額 本月迄累計
			圓	圓	圓	圓
經	常	部				
何々	何々	何々	0	0	0	0
		何々	0	0	0	0
		何々	0	0	0	0
		何々	0	0	0	0
		計	0	0	0	0
	何々	何々	0	0	0	0
		何々	0	0	0	0
		計	0	0	0	0
		合計	0	0	0	0
臨	時	部		0	0	0
（經常部ノ例ニ倣フ）				0	0	0
		總計	0	0	0	0

不納缺損額 本月分	不納缺損額 本月迄累計	收入未濟額	備考
圓	圓	圓	○年證明ト爲シタルモノハ本月分、本月迄累計ノ區分ヲ要セス ○年數同證明ト爲シタルモノハ本月分、本月迄累計ノ欄ヲ本同分、本同迄累計ト爲スヘシ ○前年度繰越收入未濟額ニシテ本年度中收入ヲ了シ若ハ缺損處分ヲ爲シタルモノハ調定濟額ニ併算シ其ノ金額ヲ備考ニ附記スヘシ ○收入濟額ニシテ日本銀行月計突合表ト符合セサルモノアルトキハ其ノ事由ヲ備考ニ附記スヘシ
0	0	0	
0	0	0	
0	0	0	
0	0	0	
0	0	0	
0	0	0	
0	0	0	
0	0	0	
0	0	0	
0	0	0	

收入(出納)官吏現金領收額

摘要	金額	備考
本年度三月三十一日迄ノ分	圓	
收入官吏某扱	0	
郵便局出納官吏領收濟通知額	0	
計	0	
爾後出納閉鎖期迄ノ分 (前例ニ倣フ)		
合計	0	

收入濟額ト日本銀行領收濟額トノ對照

摘要	金額	備考
	圓	
收入濟額	0	
何年度歲入ヲ本年度歲入トシテ日本銀行ヘ誤拂込額	0	何年月日据置認可ノ分
何特別會計歲入 同上	0	〃
何々	0	〃
計	0	
本年度歲入ヲ何年度歲入トシ日本銀行ヘ誤拂込額	0	〃
本年度歲入ヲ何特別會計歲入トシテ同上	0	〃
出納整理期限迄ニ日本銀行ヘ拂込未濟額	0	内何圓ハ某扱ノ分何何ノ事由ニ因リ何圓ハ某扱ノ分何何ノ事由ニ因ル
何々	0	
計	0	
日本銀行領收濟通知額	0	
内譯		
日本銀行本店	0	
〃 何地支店	0	
〃 何地統轄代理店	0	
計	0	

收入未濟額内譯

摘要	金額	備考
	圓	
經常部		○前年度ヨリ繰越收入未濟額ニシテ本年中尚收入ニ至ラサルモノアルトキハ各之ヲ別項ト爲シ毎年度ニ區分掲記スヘシ
何々（款）		
何々（項）		
何々（目）		
氏名	0	何々ノ事由ニ因ル
氏名外何名	0	何々
計	0	
何々（目）		
氏名外何名	0	何々
合計	0	
何々（款）		
何々（項）		
何々（目）		
氏名外何名	0	何々
經常部計	0	
臨時部		
（經常部ノ例ニ倣フ）		
總計	0	

大正何年度

何年何月分（自何年何月 至何年何月）

支出計算書

證憑書何冊

何々

廳名

職官氏名印

年月日提出

第二號

一 他省所管ニ屬スルモノニ在リテハ年月ノ下ニ何省所管タルコトヲ記載スヘシ

總括

摘要	支拂豫算現額（豫算現額）	支出額	殘額	備考
	圓	圓	圓	○本欄ハ最終計算書ニ附スヘシ
經常部				
何々（款）				
何々（項）				
何々（目）		0		
何々（目）		0		
計	0	0	0	
何々（項）				
何々（目）		0		
何々（目）		0		
計	0	0	0	
合計	0	0	0	
何々（款）				
何々（項）				
何々（目）		0		
何々（目）		0		
計	0	0	0	
經常部計	0	0	0	
臨時部（經常部ノ例ニ倣フ）		0		
總計	0	0	0	

支出額

摘要	本月支出額	前月迄支出額	本月戻入額	差引計	備考
	圓	圓	圓	圓	
經常部（總括ノ例ニ倣フ）					○支出額ニハ出納官吏ニ對スル資金前渡及國元債利拂ノ爲日本銀行ニ資金ノ前渡ヲ爲シタルモノヲ除クヘシ ○帝國鐵道ニ在リテハ本月支出額ニ對シ各出納官吏別各目內譯書ヲ添附スヘシ
臨時部（同上）					
總計	0	0	0	0	
隔地ノ債主ニ支拂フ爲日本銀行ニ資金交付高	0	0	0	0	

資金前渡

摘要	本月支出額	前月迄支出額	本月戻入額	差引計	備考
	圓	圓	圓	圓	
何廳官氏名					○本欄ハ出納官吏ニ對シ資金前渡ヲ爲シ又ハ日本銀行ニ對シ國債元利拂ノ爲資金前渡ヲ爲シタルモノヲ揭クヘシ ○資金前渡ヲ受ケタル官吏交替ヲ爲シタルトキハ其ノ翌月分ヨリ後任官吏ノ部ニ計算額ヲ併算シ前任官吏ノ氏名ヲ備考ニ附記スヘシ ○臨時資金前渡ヲ受ケタル官吏ニシテ支拂ヲ完結シタルトキハ其ノ翌月分ヨリ集合ノ部ニ計算額ヲ併算シ其ノ月限該氏名ヲ備考ニ附記スヘシ
何々（款）					
何々（項）	0			0	
何々（項）	0			0	
計	0	0	0	0	
何々（款）					
何々（項）	0	9	0	0	
何々（項）	0	0	0	0	
計	0	0	0	0	
合計	0	0	0	0	
何廳官氏名（前例ニ倣フ）					
集合ノ部（前例ニ倣フ）					
總計	0	0	0	0	
隔地ノ出納官吏ニ資金前渡ノ爲日本銀行ニ資金交付高	0	0	0	0	

概算拂内譯

摘要	概算額			精算額			未精算額	備考
	前月末未精算額	本月概算拂額	計	支拂額	戻入額	計		
	圓	圓	圓	圓	圓	圓	圓	
經常部								
何々(款)								
何々(項)								
何々(目)	0	0	0	0	0	0	0	
何々(目)	0	0	0	0	0	0	0	
計	0	0	0	0	0	0	0	
何々(款)								
何々(項)								
何々(目)	0	0	0	0	0	0	0	
何々(目)	0	0	0	0	0	0	0	
計	0	0	0	0	0	0	0	
經常部計	0	0	0	0	0	0	0	
臨時部 (經常部ノ例ニ倣フ)								
總計	0	0	0	0	0	0	0	

科目更正、定額戻入、歳入納付、過年度支出内譯

摘要	金額
	圓
科目更正	
事務費	
通信運搬費	
何月分小切手第何號何某渡金若干圓何科目ヲ以テ整理ノ處何何ニ因リ更正	
定額戻入	
俸給	
奏任俸給	
何月分小切手第何號何官何級俸何某渡ノ内何月日何職何官ニ轉任セシニ付何日分俸給過渡戻入	0
歳入納付	
雜給及雜費	
傭人料	
何月分小切手第何號何某渡ノ内何何ニ因リ誤拂ヲナシタルニ付何年度歳入トシテ納付	0
過年度支出	
旅費	
内國旅費	
何年度何月分小切手第何號何某渡旅費何何ニ因リ支給不足ノ分本年度ニ於テ支出ヲ要シタルモノナリ	0

○年度所官廳一般會計ト特別會計トノ更正ハ科目更正ノ例ニ依ル

○定額戻入、歳入納付ニシテ資金前渡又ハ概算拂ノ結果ニ因ルモノハ掲載ヲ要セス

○過年度支出ニシテ第一豫備金ヲ以テ補充シタルモノニ付テハ掲載ヲ要セス

第三號

一 他省所管ニ屬スルモノニ在リテハ年月日ノ下ニ何省所管タルコトヲ記載スヘシ

大正何年度

何年何月分(自何年月日 至何年月日)

前渡資金出納計算書

證憑書　何冊

何々　〃

廳　　名

職官氏名印

年月日提出

摘要	差引計	本月還納額	前月迄領收額	本月領收額
	圓	圓	圓	圓
經常部				
何々(款)				
何々(項)				
何々(目)				
何々(目)				
計	0	0	0	0
何々(款)				
何々(項)				
何々(目)				
何々(目)				
計	0	0	0	0
經常部計	0	0	0	0
臨時部 (經常部ノ例ニ倣フ)				
總計	0	0	0	0

本月支拂額	前月迄支拂額	本月同收額	差引計	殘額
圓	圓	圓	圓	圓
0	0	0	0	0
0	0	0	0	0
0	0	0	0	0
0	0	0	0	0
0	0	0	0	0
0	0	0	0	0
0	0	0	0	0
0	0	0	0	0

備考

○概算拂科目更正等ノ內譯ハ第二號書式ヲ準用ス
○交替ノトキハ前任官吏ノ計算額ヲ併算スヘシ
○支拂證明ノ後誤拂過渡其ノ他ノ返戻金ヲ領收シタルトキハ本月同收額ノ區ニ揭記スヘシ
○繰替拂金額ハ之ヲ支拂額ニ併算シ當月內ニ資金ノ補塡ヲ受ケサルモノアルトキハ其ノ金額ヲ備考ニ附記スヘシ後月ニ至リ之レニ對スル資金ノ補塡ヲ受ケタルトキ亦同シ

殘高	
手元保管高	0
日本銀行預託高	0
計	0

振出小切手支拂未濟額	
前月迄支拂未濟額	0
本月支拂濟額	0
差引殘高	0
本月支拂未濟額	0
計	0

領收證書未到達內譯

摘要	前月末未到達額	本月到達額	差引計	本月末到達額	未到達額合計	備考
	圓	圓	圓	圓	圓	
經常部						
何々（款）						
何々（項）						
何々（目）	0	0	0	0	0	
何々（目）	0	0	0	0	0	
計	0	0	0	0	0	
何々（項）						
何々（目）	0	0	0	0	0	
合計	0	0	0	0	0	
何々（款）						
何々（項）						
何々（目）	0	0	0	0	0	
經常部計	0	0	0	0	0	
臨時部						
（經常部ノ例ニ倣フ）						
總計	0	0	0	0	0	

大正何年度(自何年月日 至何年月日)

收入金

現金出納計算書

證憑書何册

何　何　〃

廳　名

職官氏名印

年月日提出

第七號

摘要	前年度拂込未濟額	本年度領收濟額	計	拂込濟額	拂込未濟額	備考
	圓	圓	圓	圓	圓	○前任官吏ヨリ引繼ヲ受ケタルモノアルトキハ本年度領收濟額ニ併算シ備考ニ其ノ金額事由ヲ附記スヘシ
一般會計						
何年度	0	0	0	0	0	
何年度	0	0	0	0	0	
計	0	0	0	0	0	
何特別會計 (一般會計ノ例ニ倣フ)						
合計	0	0	0	0	0	
拂込未濟額區分						
主任收入官吏官氏名					0	
某所分任收入官吏官氏名					0	
某所分任收入官吏官氏名					0	
計					0	

大正何年度(何年月分)(自何年月日 至何年月日)

歳入歳出外

現金出納計算書

證憑書何册

何　何　〃

廳　名

職官氏名印

年月日提出

第八號

越高	受領高	計	摘要	拂出高
円 0	円 0	円 0	保證金	円
0	0	0	拾得金	
0	0	0	何々	
0	0	0	計	0

歳入納付高	計	殘高			備考
		現金	預金部預入	計	
圓	圓	圓	圓	圓	
0	0	0	0	0	
0	0	0	0	0	
0	0	0	0	0	

第十號

一各地送遣中ノモノアルトキハ其ノ數量價額（一般會計ニ在リテハ價額ヲ要セス）ヲ備考ニ附記スヘシ

大正何年度（自何年月日 至何年月日）

物品出納計算書

證憑書何冊

何　何　〃

摘要		單位	受入				拂	
			越高	買入	何何	計	消耗	賣拂
備品								
何	何		0	0	0	0	0	0
何	何		0	0	0	0	0	0
消耗品								
何	何		0	0	0	0	0	0
何	何		0	0	0	0	0	0
醫療用機械								
何	何		0	0	0	0	0	0
何	何		0	0	0	0	0	0
何	何							
何	何		0	0	0	0	0	0
何	何		0	0	0	0	0	0

廳名

職官氏名印

年月日提出

摘要	單位	受之 越高 數量	越高 價額	買入 數量	買入 價額	生産(復生) 數量	生産(復生) 價額	保管轉換 數量	保管轉換 價額	賣拂(修繕增[illegible]) 數量	賣拂(修繕增[illegible]) 價額
据置運轉資本之部			圓		圓		圓		圓		圓
材料素品											
金屬											
何　何		0	0	0	0	0	0	0	0	0	0
何　何		0	0	0	0	0	0	0	0	0	0
價額計			0		0		0		0		0
生産品											
何　何											
何　何		0	0			0	0	0	0	△0	0
何　何		0	0			0	0	0	0	△0	0
價額計			0				0		0		0
價額合計			0		0		0		0		0
固定資本之部（据置運轉資本ノ例ニ倣フ）											
資本外之部（据置運轉資本ノ例ニ倣フ）											
價額總計			0		0		0		0		0

出 失損亡數	出 何何	出 計	現在 供用	現在 在庫	現在 何何	現在 計	備考
0	0	0	0	0	0	0	
0	0	0	0	0	0	0	
0	0	0	0	0	0	0	
0	0	0	0	0	0	0	
0	0	0	0	0	0	0	
0	0	0	0	0	0	0	
0	0	0	0	0	0	0	
0	0	0	0	0	0	0	

備考：○普通廳用品ニ在リテハ受入拂出現在ノ部ヲ受拂殘ノ三區ト爲シ其ノ細區畫ヲ省略スルコトヲ得

何何部		拂之部																		
何何計		消耗		生産ノ爲		賣拂				亡失毀損		保管轉換		價格改正又ハ過不足差損		何何		計		
數量	價額	數量	價額	數量	價額	數量	賣拂代價	賣拂差損	計	數量	價額	數量	價額	數量	價額	數量	價額	數量	價額	
	圓		圓		圓		圓		圓		圓		圓		圓		圓		圓	
0 0 0 0	0 0 0 0 0	0 0 0 0	0 0 0 0 0	0 0 0 0	0 0 0 0 0	0 0 0 0	0 0 0 0 0	0 0 0	0 0 0	0 0 0 0	0 0 0 0 0	0 0 0 0	0 0 0 0 0	△0 △0	0 0 0 0 0	0 0 0 0	0 0 0 0 0	0 0 0 0	0 0 0 0 0	
0 0 0 0	0 0 0 0 0 0	0 0 0 0	0 0 0 0 0 0	0 0 0 0 0	0 0 0 0 0 0	0 0 0 0	0 0 0 0 0 0	0 0 0 0 0	0 0 0 0 0	0 0 0 0	0 0 0 0 0 0	0 0 0 0	0 0 0 0 0 0	0 0 0 0	0 0 0 0 0 0	0 0 0 0	0 0 0 0 0 0	0 0 0 0	0 0 0 0 0 0	
	0		0		0		0		0		0		0		0		0		0	

摘要	受入 越高	受入 元受	受入 返納	受入 買戻	受入 交換	受入 何何	受入 計	拂 各廳渡	拂 賣 定價
印紙	枚	枚	枚	枚	枚	枚	枚	枚	圓
收入印紙									
何　何	0	0	0	0	0	0	0	0	0
何　何	0	0	0	0	0	0	0	0	0
價額計									
郵便切手類									
切手									
何　何	0	0	0	0	0	0	0	0	0
何　何	0	0	0	0	0	0	0	0	0
價額計									
何　何									
何　何	0	0	0	0	0	0	0	0	0
何　何	0	0	0	0	0	0	0	0	0
價額計									
價額合計									

現在之部 供用 數量	供用 價額	在庫 數量	在庫 價額	何何 數量	何何 價額	計 數量	計 價額	備考
	圓		圓		圓		圓	○作業、鐵道、海軍工廠資金所屬、其ノ他事業用物品ノ類ハ本書式ニ依ルヘシ
		0	0	0	0	0	0	
		0	0	0	0	0	0	
			0		0		0	
		0	0	0	0	0	0	
		0	0	0	0	0	0	
			0		0		0	
			0		0		0	
	0		0		0		0	

出 渡 何分	出 渡 價額	出 交換	出 亡失	出 燒却	出 返納	出 何何	出 計	現在 完全	現在 毀損	現在 計	備考
枚	圓	枚	枚	枚	枚	枚	枚	枚	枚	枚	
0	0	0	0	0	0	0	0	0	0	0	
0	0	0	0	0	0	0	0	0	0	0	
	0										
0	0	0	0	0	0	0	0	0	0	0	
0	0	0	0	0	0	0	0	0	0	0	
	0										
0	0	0	0	0	0	0	0	0	0	0	
0	0	0	0	0	0	0	0	0	0	0	
	0										
	0										

品位未定

摘要	受入 越高	受入 受入	受入 計	拂 品位既定へ 原量	拂 品位既定へ 純金
	貫	貫	貫	貫	貫
金地金(全量)	0	0	0	0	0
銀地金(全量)	0	0	0	0	9
金銀混合地金(全量)	0	0	0	0	0
純金銀計					

品位既定

摘要	受入 越高	受入 受入	受入 計
	貫	貫	貫
金地金(純量)	0	0	0
含有銅	0	0	0
金地金(九百位量)	0	0	0
銀地金(純量)	0	0	0

預り地金

出				現在	備考
移換 純銀	返却	鎔解減	計		
△貫0	貫0	貫0	貫0	貫0	
△0	0	0	0	0	
△0	0	0	0	0	
△0					

預り地金

拂出			現在	備考
地金	移換	計		
貫0	貫0	貫0	貫0	
0	0	0	0	
0	0	0	0	
0	0	0	0	

資本地金（資

摘要	受入								拂	
	越高		受入		差増		計		地金	
	量目	價額	量目	價額	量目	價額	量目	價額	量目	價額
金地金（純量）	貫0	圓0	貫0	圓0	貫0	圓0	貫0	圓0	貫0	圓0
金地金（九百位量）	0	0	0	0	0	0	0	0	0	0
銀地金（純量）	0	0	0	0	0	0	0	0	0	0
銀地金（八百位量）	0	0	0	0	0	0	0	0	0	0
銅地金（純量）	0	0	0	0	0	0	0	0	0	0
參和銅（預り金地金九百位ニ參和）	0	0	0	0	0	0	0	0	0	0
何何	0	0	0	0	0	0	0	0	0	0
價額計		0		0		0		0		0

本外地（金）

出								現在		備考
移換		保管轉換		差減		計				
量目	價額	量目	價額	量目	價額	量目	價額	量目	價額	
瓩	圓	瓩	圓	瓩	圓	瓩	圓	瓩	圓	
0000000	0000000	0000000	0000000	0000000	0000000	0000000	0000000	0000000	0000000	
	0		0		0		0		0	

大正何年度（自何年月至何年月）

國有財產

增減計算書

證憑書何冊

何何廳

廳名

職官氏名印

年月日提出

第十一號

公用財產（何何）

摘要	異動年月	單位稱呼	增 數量	增 價額	減 數量	減 價額	備考
何何（用途別名稱）				圓		圓	○國有財產法施行初年度ノ第一回分ニ在リテハ同法施行ノ日ニ於ケル現在高ヲ前回報告現在高トシテ記載スヘシ ○公共用財產ニ付テハ前回報告現在高及差引現在高ノ記入ヲ省ク ○價格ヲ改正シタルモノアルトキハ備考ニ其ノ金額事由ヲ附記スヘシ ○前各項ノ外本計算書ノ記載例ハ大正十一年大藏省令第十四號國有財產法施行規則第三號樣式國有財產增減報告書ノ例ニ準ス
何何（所在地名）							
敷地			0	0			
建物							
事務所建			0	0			
何何			0	0			
工作物（何何）			0	0			
敷地					0	0	
何何					0	0	
計				0		0	
何何（所在地名）							
（前例ニ倣フ）							
合計				0		0	
何何（用途別名稱）							
（前例ニ倣フ）							
總計				0		0	
			前回報告現在高	0	差引現在高	0	

大正何年度(自何年月 至何年月)

収支計算書

證憑書 何冊

何 何 〃

廳 名(何 何)

職 官(何何)氏 名 印

年 月 日 提出

第十八號

摘要	收入 調定濟額	收入 收入濟額	收入 不納缺損額	收入 收入未濟額	備考
經常部	圓	圓	圓	圓	
何 何(款)					
何 何(項)					
何 何(目)	0	0	0	0	
何 何(目)	0	0	0	0	
計	0	0	0	0	
何 何(款)					
何 何(項)					
何 何(目)					
經常部計	0	0	0	0	
臨時部					
(前例ニ倣フ)					
總計	0	0	0	0	

支出

摘要	豫算額 本年度分	豫算額 前年度繰越額	豫算額 計	支出額	翌年度ヘ繰越額	不用額	備考
常經部	圓	圓	圓	圓	圓	圓	○關東州地方費、朝鮮地方費、臺灣地方税、沖繩縣地方費ノ類ハ本書式ニ依ルヘシ ○土木、道路、砂防、水道、港灣各補助費ノ類ハ本書式ニ準シ收入ノ部ニ於テ摘要ヲ前年度繰越金、國庫補助金、地方收入、府縣(市町村)債等ニ區分スヘシ ○前項ノ證明ニ付テハ國庫補助金ハ受ケ入タル年月日、數年ニ跨リ竣功スヘキ事業及繼續費ハ其ノ豫算總額竝ニ前年度迄ノ支出額ヲ備考ニ附記スヘシ
何何(款)							
何何(項)							
何何(目)	0	0	0	0	0	0	
何何(目)	0	0	0	0	0	0	
計	0	0	0	0	0	0	
何何(款)							
何何(項)							
何々(目)	0	0	0	0	0	0	
經常部計	0	0	0	0	0	0	
臨時部							
(前例ニ效フ)							
總計	0	0	0	0	0		

借方 前期越高	借方 當期分	借方 期末現計	科目
圓	圓	圓	資本勘定
0	0	0	株金
			拂込未濟株金
			法定積立金
			社債金
			何何
0	0	0	計
			所有物勘定
0	0	0	鐵道
0	0	0	船舶
0	0	0	何何
0	0	0	計
			貸借勘定
0	0	0	預金部勘定
0	0	0	銀行貸借
0	0	0	何何
0	0	0	計
			損益勘定
0	0	0	鐵道損益
0	0	0	鑛業損益
0	0	0	何何
0	0	0	計
			何何
0	0	0	何何
0	0	0	合計

貸方			備考
前期越高	當期分	期末現計	
圓	圓	圓	○南滿洲鐵道株式會社ニ依ルヘシ
0	0	0	
	0	0	
0	0	0	
0	0	0	
0	0	0	
0	0	0	
	0		
	0		
	0		
	0		
0	0	0	
0	0	0	
0	0	0	
0	0	0	
0	0	0	
0	0	0	
0	0	0	
0	0	0	
0	0	0	
0	0	0	

借方		
摘要	金額	備考
資本勘定	圓	
株主勘定	0	
拂込未濟資本金	0	
貸付金勘定	0	
定期償還貸付金	0	
何　何	0	
預ケ金勘定	0	
別口當座預ケ金	0	
何　何	0	
所有物勘定	0	
地所	0	
何　何	0	
土木勘定	0	
何　何	0	
何　何	0	
何　何	0	
計	0	
收益勘定		
俸給及諸給	0	
營業費	0	
事業費	0	
利息	0	
計	0	
合計		

貸方

摘要	金額
資本勘定	圓
株主勘定	0
資本金	0
前期繰越金	0
何何	0
債券勘定	0
東洋拓殖債券發行高	0
未決算勘定	0
假受金	0
何何	0
保證金勘定	0
契約保證金	0
何何	0
何何	0
何何	0
何何	0
計	0
收益勘定	
補給金	0
貸付金利息	0
預ケ金利息	0
事業收入	0
諸收入	0
計	0
合計	0

備考

○東洋拓殖株式會社株式會社朝鮮殖産銀行ハ本書式ニ依ルヘシ

收入

摘要	金額
資本勘定	圓
株金拂込高	0
何何	0
計	0
收益勘定	
運輸收入	0
客車收入	0
旅客運賃	0
何何	0
貨車收入	0
貨物運賃	0
何何	0
追次計	0

備考

○前年度ニ比シ著シキ増減アルモノハ其ノ事由ヲ備考ニ附記スヘシ

○雜入又ハ雜費等ノ科目ヲ以テ集計記載スルモノアルトキハ其ノ主ナルモノノ種類及金額ヲ備考ニ附記スヘシ

○數區間ニ區分シテ整理スルトキハ區間毎ニ調製シ更ニ項ノ金額ニ付總括ヲ附スヘシ、補助ヲ受クル區間二區間以上ナルトキハ地方鐵道補助法施行規則第六條ノ規定ニ依リ通算スヘキ區間ニ付亦同シ

○當期決算額ニ付テハ其ノ事由ヲ備考ニ附記スヘシ

○營業收入ヲ以テ新設改良工事費、借入金利子及社債差損金等ヲ支出シタルトキハ之ヲ營業費ニ計上セス欄外ニ記載スヘシ

支出 摘要	金額 前期末	金額 當期	金額 計	備考
資本勘定	円	円	円	○鐵道補助ハ本書式ニ依ルヘシ
測量及監督費	0	0	0	
俸給	0	0	0	
旅費	0	0	0	
何何	0	0	0	
用地費	0	0	0	
線路用地	0	0	0	
何何	0	0	0	
土工費	0	0	0	
切取	0	0	0	
何何	0	0	0	
何何	0	0	0	
何何	0	0	0	
總係費	0	0	0	
何何	0	0	0	
各事業關聯興業費分擔額	0	0	0	
建設營業關聯費分擔額	0	0	0	
計	0	0	0	
收益勘定				
保存費		0	0	
監督費		0	0	
俸給		0	0	
何何		0	0	
工事費		0	0	
何何		0	0	
追次計		0	0	

收入 摘要	金額	備考
收益勘定	円	
前葉計	0	
雜收	0	
車輛使用料	0	
何何	0	
雜收入	0	
預ヶ金利子	0	
何何	0	
關聯營業收入分擔額	0	
計	0	
合計	0	

支出

摘要	金額 前期末	金額 當期	金額 計	備考
收益勘定		圓	圓	
前葉計		0	0	
動力費		0	0	
監督費		0	0	
何何		0	0	
何何		0	0	
各事業關聯營業費分擔額		0	0	
建設營業關聯費分擔額		0	0	
計		0	0	
合計	0	0	0	

摘要	收入額	支出額	備考
何航路	圓 0	圓 0	○航路、航海、朝鮮ニ於ケル金融組合補助費ノ類ハ本書式ニ依ルヘシ
何航路	0	0	
計	0	0	

摘要	収入額	摘要	支出額	備考
前年度越高	円〇	何給與金	円〇	何受給者若干人
政府給與金	〇	何　何	〇	○現業員共濟組合ノ類ハ本書式ニ依ルヘシ
現業員ノ掛金	〇	翌年度ヘ繰越	〇	
現業員以外ノ掛金	〇			
利　息	〇			
何　何	〇			
計	〇	計	〇	

二　計算證明規程第二十三條及第四十一條ノ調書並報告書ノ書式ノ件

大正一一年六月官通第六三號

政務總監

各支出官、資金前渡官吏宛

首題ノ調書及完結報告書ハ左記書式ニ依リ調製シ調書ハ最終計算書ニ添附シ完結報告書ハ其ノ時時御提出相成度此段及通牒候也

第一號書式

大正何年度最終支出計算書（最終前渡資金出納計算書）提出ノ際概算拂未精算調書

概算拂ヲ為シタル年月	支出科目 款	項	目	金額	完結期限	官職氏名	事由

右ノ通ニ候也

年　月　日

何廳支出官官氏　名印

（資金前渡官吏官氏名印）

（參照）計算證明規程第二三條、第四一條會計規則第六〇條

第二號書式

大正何年度最終支出計算書提出ノ際前渡資金未精算調書

未精算額	完結期限	資金前渡官吏官氏名	事由

右ノ通ニ候也

年　月　日

何廳支出官官氏名印

第三號書式

大正何年度最終支出計算書（最終前渡資金出納計算書）
提出ノ際前金拂未完了調書

前金拂ヲ爲シタル年月	支出科目 款	項	目	金額	完結期限	債主（官職）氏名	事由

右ノ通ニ候也

年　月　日

何廳支出官官氏　名印
（資金前渡官吏官氏名印）

備考　工事製造及物件ノ買入ニ付テハ官公署ニ對シ支拂タル經費ニ限ル

（參照）　計算證明規程第二三條第四一條會計規則第五九條

第四號書式

大正何年度最終支出計算書（最終前渡資金出納計算書）
提出ノ際年度科目其他誤謬未處分調書

支出科目 款	項	目	誤謬事項	金額	完結期限	債主氏名	事由
			年度違				
			科目違				
			誤拂				
			過渡				

右ノ通ニ候也

年　月　日

何廳支出官官氏名印
（資金前渡官吏官氏名印）

第五號書式

大正何年度最終前渡資金出納計算書提出ノ際領收證書未到達及支拂殘額返納未了調書

支出科目			整理ヲ要スル事項	金額	完結期限	債主氏名	事由
款	項	目					
			領收證書未到達				
			支拂殘額返納未了				

右ノ通ニ候也

年　月　日

何廳資金前渡官吏官氏名印

第六號書式

大正何年度最終支出計算書（最終前渡資金出納計算書）提出ノ際概算拂未精算完結報告

概算拂額	精算額		官職氏名	精算年月日
	支拂額	歲入納付		

右別册證憑書ヲ添ヘ報告候也

年　月　日

會計檢査院長宛

何廳支出官官氏名印

第七號書式

大正何年度最終支出計算書提出ノ際前渡資金未精算完結報告書

未精算額	歲入納付額	資金前渡官吏官氏名	完結年月日

右別册證憑書ヲ添ヘ報告候也

年　月　日

會計檢査院長宛

何廳支出官官氏名印

第八號書式

大正何年度最終支出計算書（最終前渡資金出納計算書）提出ノ際前金拂未完了完結報告

前金拂額	前金拂ヲ為シタル目的	債主（官職）氏名	完了年月日
	何々運賃		

何何工事費	

右及報告候也

年　月　日

何廳支出官官氏名印
（資金前渡官吏官氏名印）

會計檢査院長宛

第九號書式

大正何年度最終支出計算書（最終前渡資金出納計算書）提出ノ際年度、科目其他誤謬未處分完結報告書

支出科目 款	項	目	誤謬事項	金額	債主氏名	完結年月日	備考
			年度違				何年度ニ更正
			科目違				何款何項何目ニ更正
			誤拂				歳入納付
			過渡				過渡額何圓歳入納付

右別册證憑書ヲ添ヘ報告候也

年　月　日

何廳支出官官氏名印
（資金前渡官吏官氏名印）

會計檢査院長宛

第十號書式

大正何年度最終前渡資金出納計算書提出ノ際領收證書未到達及支拂殘額返納未了完結報告

支出科目 款	項	目	整理事項	金額	債主氏名	完了年月日
			領收證書未到達			
			支拂殘額返納未了			

右別册證憑書ヲ添ヘ報告候也

年　月　日

何廳資金前渡官吏官氏名印

會計檢査院長宛

三　會計實地檢査ノ結果説明ニ關スル件

大正十年八月
法務局長通牒

各監獄典獄宛

會計實地檢査ノ結果檢査官ノ推問ニ對シ説明書提出スルニ際リテハ其ノ事項ノ典獄限リニ屬スルモノニアリテハ格別事ノ本府又ハ他官署ノ方針若ハ施設ニ關係スル場合ニ於テハ周密ナル調査ヲ遂ケ苟モ不明ノ點アラハ當該官署ニ照覆ノ上事情ヲ悉シテ回答可相成勿論可成本府ヲ經由セラレ度若シ漫然説明ヲ與ヘ之カ爲ニ累ヲ本府又ハ他ノ官署ニ及ホスカ如キコトナキ樣留思相成度爲念此段及通牒候也

四 會計法規ニ基ク出納計算ノ數字及記載事項ノ訂正ニ關スル件

大正十一年五月
大藏省令第四三號

第一條 會計法規ニ基ク出納計算ニ關スル諸書類帳簿ニ記載スル金額其ノ他ノ數量ニシテ「一」、「二」、「三」、「十」、「廿」、「卅」ノ數字ハ「壹」、「貳」、「參」、「拾」、「貳拾」、「參拾」ノ字體ヲ用ユヘシ

第二條 會計法規ニ基ク出納計算ニ關スル諸書類帳簿ノ記載事項ハ之ヲ改竄スルコトヲ得ス

前項ニ規定スル諸書類帳簿ノ記載事項ニ付訂正、挿入又ハ削除ヲ爲サムトスルトキハ二線ヲ劃シテ其ノ右側又ハ上位ニ正書シ其ノ削除ニ係ル文字ハ仍明ニ讀得ヘキ爲字體ヲ存スルコトヲ要ス但シ金錢又ハ物品ノ受授ニ關スル諸證書數字ハ之カ訂正ヲ爲スコトヲ得ス數字以外ノ事項ニ付訂正、挿入又ハ削除ヲ爲シタルトキハ其ノ字數ヲ欄外ニ記載シ作製者之ニ認印スルコトヲ要ス

附　則

本令ハ公布ノ日ヨリ之ヲ施行ス

明治二十三年大藏省令第二十一號ハ之ヲ廢止ス

（參照）

明治二十三年九月四日大藏省令第二十一號ハ計算出納ニ關スル諸證書ニ記載スル金員ノ用字ヲ定ムルノ件ナリ

五 計算證明上指定並省略ニ關スル件

大正十一年五月
官通第四六號

政務總監

歳入徴收官
支出官
資金前渡官吏　宛

計算證明規程ノ改正ニ伴ヒ本府所管各廳ノ證明ニ關シ會計檢査院長ヨリ左記ノ通指定並承認相成候條右ニ依リ御取扱相成度及通牒候也

（關稅、噸稅、出港稅、稅關雜收入及竣功報告書以外ノ樣式ハ七月上旬ノ官報ニ掲載ス）

記

指定事項

一　計算證明規程第五條ニ依ル歳入徴收額計算書ハ左ノ通リ提出スヘシ

イ　各特別會計所屬歳入ハ本府、遞信局、專賣局、營林廠、府郡島及稅關以外ノ官署ニ在リテハ年一回トシ翌年度五月十五日限リ

ロ　一般會計所屬歳入ハ年一回トシ翌年度五月十五日限リ

二　同第七條ニ依リ歳入徴收額計算書ニ添付スヘキ明細書ハ左ノ通リ指定シ別紙樣式ニ依リ關稅、噸稅、出港稅、稅關雜收入ハ毎月其他ハ最終ノ歳入徴收額計算書ニ添付提出ノコト

地税、鑛税、關税、噸税、出港税
驛屯賭收入、林野收入、官有物貸下料
税關雜收入、驛屯土拂下代、雜入
貸付金、延納許可額

三　同第二十二條ニ依リ朝鮮醫院及濟生院特別會計最終支出計算書ニ添付スヘキ書類ハ左ノ通リトス
（一）特別資金及維持資金調書
（二）歲入殘餘ニシテ維持資金又ハ特別資金ニ繰入レタルモノアルトキハ其金額調書
（三）支出未濟、支出殘額又ハ支拂未濟ニシテ翌年度ニ繰越シタルモノアルトキハ每件其金額事由調書

四　同第三十四條ニ依リ提出スヘキ竣功報告書左ノ如シ（其樣式別紙ノ通）
（一）營繕及土木工事ハ一廉一萬圓以上
（二）電信電話工事ハ經常部ニ在リテハ一廉五千圓以上臨時部ニ在リテハ全部

五　同第三十五條ニ依リ最終支出計算書ニ添付スヘキ事業成績書ハ左ノ如シ（其樣式別紙ノ通）
一　印刷所事業成績書
二　監獄作業成績書
三　營林廠事業成績書（樣式從來ノ通）

承認事項

六　同第十七條ニ依リ左記科目ニ就テハ別紙樣式ノ明細書ヲ以テ證憑書ニ代用シ最終歲入徵收額計算書ニ添付スルコト
郵便電信及電話收入、辨償及違約金

七　同條ニ依リ左記科目ニ就キ證憑書ノ提出省略ヲ承認ス
印紙收入、教科書收入、印刷所收入、度量衡收入、囚徒工錢及製作收入
懲罰及沒收金、雜入、醫院收入、官吏遺族扶助法納金

八　同第二十七條渡切經費ニ就テハ仕譯書ヲ省略シ科目及箇所別調書ヲ提出ノコト

大　正　何　年　度

歲入徵收額計算書

附屬證憑書代用明細書

廳　　　名

關　　稅（噸稅、出港稅）

摘要	調定濟額 本月分	調定濟額 本月迄累計	收入濟額 本月分	收入濟額 本月迄累計	不納缺損額 本月分	不納缺損額 本月迄累計	收入未濟額	備考
	円	円	円	円	円	円	円	
輸入稅								
本關	0	0	0	0	0	0	0	
何支署	0	0	0	0	0	0	0	
何出張所	0	0	0	0	0	0	0	
計	0	0	0	0	0	0	0	
移入稅								
（前例ニ倣）								
計								
合計	0	0	0	0	0	0	0	
噸稅								
（前例ニ倣）								
出港稅								
（前例ニ倣）								
總計	0	0	0	0	0	0	0	

稅　關　雜　收　入

摘要	調定濟額 本月分	調定濟額 本月迄累計	收入濟額 本月分	收入濟額 本月迄累計	備考
	円	円	円	円	
臨時開廳特許手數料					
本關	0	0	0	0	
何支署	0	0	0	0	
何出張所	0	0	0	0	
計	0		0	0	
派出檢查特許手數料					
（前例ニ倣フ）					
合計	0	0	0	0	

大正何年度
(款)何々費
(項)何々費
何々工事
竣功報告書

廳　名

備考
一、總工費壹萬圓以上ニハ無代價ノ材料勞力モ含ム
二、無代價物品及勞力ヲ使用シタルトキハ其ノ見積價格ヲ朱書スヘシ
三、本年度竣功高ハ支出濟高ト符合セサルトキハ其ノ事由及金額ヲ詳記スヘシ

設計豫算高	增減	現計	工事名	設計要領	竣功高 前年度迄	本年度 器具機械	材料費	勞力費	請負	雜	計	合計	殘高	竣功要領	備考
円	円	円			円	円	円	円	円	円	円	円	円		
			道路修築改良工事											何々何々ヲ施工シ總工程ニ對シ何分通リ竣功 起功竣功年月日何分通リ竣功	
			何々間道路改修工事	延長何里何町幅何間											
0	0	0	土工	延長何里何町	0	0	0	0	0	0	0	0	0		
			橋梁	何箇所延長何町何間	0	0	0	0	0	0	0	0	0		
			何々		0	0	0	0	0	0	0	0	0		
			計		0	0	0	0	0	0	0	0	0		
0	0	0	何々間道路改良工事												
			何々		0	0	0	0	0	0	0	0	0		
			何々		0	0	0	0	0	0	0	0	0		
			計		0	0	0	0	0	0	0	0	0		
			合計		0	0	0	0	0	0	0	0	0		
			海關工事												
0	0	0	何々關稅工事												
			何浚渫工事		0	0	0	0	0 0	0	0	0	0		
			何防波堤工事		0	0	0	0	0 0	0	0	0	0		
			何々		0	0	0	0	0 0	0	0	0	0		
			計		0	0	0	0	0	0	0	0	0		
0	0	0	水道工事												
			何水道												
			水管工事		0	0	0	0	0	0	0	0	0		
			配水池工事		0	0	0	0	0	0	0	0	0		
			何々		0	0	0	0	0	0	0	0	0		
			計		0	0	0	0	0	0	0	0	0		
0	0	0	何々廳舍新營工事												
			本館(附屬家)												
			基礎工事		0	0	0	0	0	0	0	0	0		
			煉瓦工事		0	0	0	0	0	0	0	0	0		
			何々		0	0	0	0	0	0	0	0	0		
			計												

大正何年度

何々費（豫算ノ款項）

電信電話工事

竣功報告書

廳名

一 臨時部支辨工事ハ各工事毎ニ全體ヲ合計シテ掲上スルコトヲ得
二 竣功報告書ニハ各工事ニ工事要領書ヲ添附スヘシ
三 臨時部支辨工事竣功高ト支出済額又ハ支拂額ト符合セサルトキハ其ノ事由ヲ明ニセル證明書ヲ添附スヘシ

設計高				摘要	竣功高								殘高	起竣功年月日	備考
					前年度迄	本年度分						合計			
原設計	増	減	計			勞力	材料	器具	機械	雜	計				
円	円	円	円		円	円	円	円	円	円	円	円	円		
0	0	0	0	何々工事	0	0	0	0	0	0	0	0	0		
0	0	0	0	〃	0	0	0	0	0	0	0	0	0		
0	0	0	0	〃	0	0	0	0	0	0	0	0	0		
0	0	0	0	〃	0	0	0	0	0	0	0	0	0		
0	0	0	0	〃	0	0	0	0	0	0	0	0	0		
0	0	0	0	〃	0	0	0	0	0	0	0	0	0		
0	0	0		合計	0	0	0	0	0	0	0	0	00		

市内電話工事要領書

命令年月日及命令書番號		何々
工事名		何々
起工年月日		何日
竣功年月日		何日
局内裝置		何交換機何臺何回線分線盤何臺ヲ新(増)設シ信號裝置ニハ何々ヲ使用スル等局内工事ノ大要ヲ記入スヘシ
新(増)設加入者數		單獨何名共同何名連接何名加入者機械増設何箇何名加入種類變更アリタルトキハ其ノ要領
線路里程	架空裸線	亘長 新設何程 添架何程 延長何程内 { 何々線何程内現場撤去品何々線延長何程直ニ使用 何々線何程外豫備何々線延長何程使用 }
	架空「ケーブル」	亘長 新設何程 添架何程 延長何程内 { 何對何々「ケーブル」何程 何對何々「ケーブル何程」外豫備心線延長何程使用 }
	地下「ケーブル」	(記載方前欄ニ準ス但シ豫備管路ニ收容シタルモノアルトキハ其ノ延長里程ヲ記入スヘシ)
	水底「ケーブル」	(記載方前欄ニ準ス)

本柱數		普通柱何程 H(又ハA)柱何程 { 合計何程内譯丹礬又ハ「クレオソード」注入(又ハ不注入)新柱何程 再用柱何程 }
支柱數		何程内譯(前欄ニ準シ區別スヘシ)
支線數		此線條延長何程
共同支線		百七十磅七箇撚鋼線延長何程四百磅鐵線延長何程
地下管路	鐵管	何條新設里程何程 何條増設里程何程 { 内何々管里程何程外豫備管ヲ設ケタルトキハ何々管里程何程 }
	土管	(記載方前欄ニ準ス)
	「トラフ」	何式新設(増設)里程何程
	「マンホール」又ハ「ハンドホール」	築造ノ大要及新設箇數ヲ記入スヘシ
	橋梁添架裝置又ハ架橋	構造ノ大要及其ノ亘長竝ニ箇所數ヲ記入スヘシ
	河底伏樋	(同上)
其ノ他		(一)裸線ヲケーブルニ變更シタルトキハ裸線ノ種類條數亘長里程及其ノ處分 (二)廢除シタル線路管路及「ケーブル」アルトキハ其ノ種類數量位置其他前各欄ニ記入

	セサル本工事ニ關聯ノ主要事項ヲ本欄ニ掲記スヘシ
撤去電柱及線條等處分法	電柱及線條等ノ撤去品ヲ生シタル場合ハ其ノ處分要領ヲ本欄ニ掲記スヘシ

備考　一　H又ハA字柱ハ一組ヲ單柱二本トシテ掲記スヘシ
　　　二　其ノ他電信（市外電話）工事要領書記入例ニ準ス

電信（市外電話）工事要領書

命令年月日及命令書番號		何々
工事名		何々
起工年月日		何日
竣功年月日		何日
線路	架空裸線	新設（改築又ハ修築）線路亘長何程線條延長何程内（何々線何程　何々線何程）内現場撤去品何々延長何程直ニ使用外豫備、何々線延長何程使用 添架　線路亘長何程線條延長何程内（同　同）
	架空「ケーブル」	何心又ハ何對何ケーブル亘長何程延長何程（内現場撤去品何々延長何程直ニ使用外豫備心線延長何程使用）

里程	地下「ケーブル」	記載方前欄ニ同シ
	水底「ケーブル」	記載方前欄ニ同シ
本柱數		普通柱何程H（又ハA）柱何程（合計何程内譯丹礬又ハ「クレオソード」注入（又ハ不注入）柱新柱何程再用柱何程）
支柱數		何程内譯（前欄ニ準シ區別スヘシ）
支線數		此線條延長何程
局内裝置		大要ヲ記入スヘシ
工事大要		別紙說明書ノ通
撤去電柱及條線等處分法		電柱及線條等ノ撤去品ヲ生シタル場合ハ其ノ處分要領ヲ本欄ヘ掲記スヘシ

備考　一　H又ハA字柱ハ一組ヲ單柱二本トシテ掲記スヘシ
　　　二　其他市内電話工事要領書記入例ニ準ス

六　（仕拂）證明證憑書ニ關スル件

大正二年十二月
官通第四〇一號

政務總監

出納官吏宛

振替貯金ニ依リ送金セル場合ニ於テハ郵便爲替貯金管理所ヨリ送付スル振替貯金拂出内譯票又ハ郵便局所ヨリ交付ヲ受ケタル受領票ヲ以テ領收證ニ代ヘ證明差支無之候而シテ右送金ニ對スル正當領收書ハ證書送達ニ依ル郵便爲替ノ場合ト同シク其ノ廳ニ於テ整理保存スル儀ト御承知相成度此段及通牒候也

七　仕拂證明證憑書ニ關スル件

大正八年五月
官通第七〇號

政務總監

出納官吏宛

大正二年十二月十五日官通牒第四〇一號仕拂證明證憑書ニ關スル件中（郵便局所ヨリ交付ヲ受ケタル受領票）ノ解釋區區ニ涉リ證明上支障少カラス右ハ振替口座ニ加入セサル出納官吏カ債主ノ口座ニ拂込ミ郵便局所ヨリ交付ヲ受ケタル受領票ヲ指シ振替口座ニ加入セル出納官吏ヲ自己ノ口座ニ拂込ミタル場合ノ受領票ヲ指シタルモノニ無之候條右御了知相成度此段通牒候也

八　朝鮮總督府會計監査規程

大正二年七月
總訓第四四號

改　大正一二年二第八號

第一條　朝鮮總督府ニ於テ爲ス會計監査ハ本規程ニ依ル

第二條　本規程ニ依リ監査スヘキ事項左ノ如シ

一　國費、地方費其ノ他官廳所管特別經濟ノ會計ニ屬スル收支及其ノ決算、物品ノ出納竝財産ノ管理

二　政府ヨリ補助金又ハ特約保證ヲ與フル團體ノ收支及其ノ決算

三　法律命令ニ依リ特ニ朝鮮總督ノ監査ニ屬セシメラレタル事項

第三條　會計監査ハ各廳廨ヨリ提出スル計算書及證憑書類ニ就キ常時之ヲ行ヒ尙隨時監査員ヲ命シ實地監査ヲ爲サシム

第四條　朝鮮總督府財務局長ハ會計監査ニ關シ當該主務者ニ對シ推問書ヲ發シ又ハ當該主務者ノ爲シタル背規事項ニシテ容易ニ更正シ得ヘキモノハ其ノ更正ヲ命スルコトヲ得

前項ノ背規事項ニシテ其ノ重大ナルモノ又ハ不正ノ行爲ニ付テハ意見ヲ具シ速ニ朝鮮總督ノ指揮ヲ請フヘシ

第五條　實地監査ハ休日又ハ執務時間外ト雖モ之ヲ行フコトアルヘシ

前項ノ場合ニ於テハ豫メ當該廳廨ニ之ヲ通知スヘシ但シ廳廨外ニ於テ行フトキハ此ノ限ニ在ラス

第六條　監査員實地監査ノ場合ハ監査員證ヲ携帶シ監査ヲ受クヘキ當該主務者ノ要求アリタルトキハ之ヲ示スヘシ

監査員證ハ別記樣式ニ依ル

第七條　監査員ハ書類、帳簿、現金其ノ他必要ナル物件ヲ查閲スヘシ

當該主務者ハ何等ノ理由アルニ拘ラス前項ノ查閲ヲ拒ムコトヲ得ス

第八條　監査員ハ監査シタル事項ニ付口頭若ハ書面ヲ以テ當該主務者ニ辯明セシメ又ハ監査上必要ト認ムルトキハ當該廳廨ノ長ノ立會ヲ求ムルコトヲ得

第九條　監査員監査ノ結果不正ノ所爲アルコトヲ發見シ又ハ背規事項ニ

シテ差措キ難キモノト思料シタルトキハ意見ヲ附シ速ニ朝鮮總督ニ報告スヘシ

第十條　監査員ハ前條ノ背規事項中輕微ニシテ直ニ訂正シ得ヘキモノニ付テハ當該主務者ニ對シ注意ヲ與ヘ又ハ其ノ處理ヲ指示スルコトヲ得

第十一條　各廳廨ニ於テハ指示簿ヲ備置キ前條ノ注意又ハ指示ヲ受ケタル事項ノ登載ヲ受クヘシ

前項ニ依リ指示簿ニ登載セラレタル事項ハ遲滯ナク之ヲ執行シ其ノ顚末ヲ財務局長ニ報告スヘシ

第十二條　監査員ハ監査シタル事項ヲ他ニ漏洩スルコトヲ得ス

第十三條　監査員ハ監査終了後遲滯ナク復命書ヲ提出スヘシ

前項ノ復命書ニハ第十條ニ依リ注意ヲ與ヘ又ハ處理ヲ指示シタル事項ヲ記載スルコトヲ要ス

様式

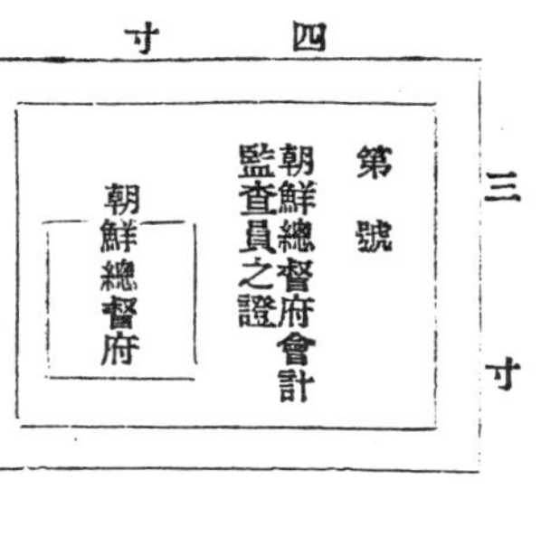

四寸
三寸
第　號
朝鮮總督府會計監査員之證
朝鮮總督府

用紙　鳥ノ子　輪廓　花紋

會計監査員證

九　會計監査ニ關スル件

大正二年七月
官通第二四七號

政務總監

政府ヨリ補助金若ハ特約保證ヲ受クル團體宛

本月二十一日朝鮮總督府訓令第四十四號ヲ以テ朝鮮總督府會計監査規程發布相成候ニ付テハ政府ヨリ補助金又ハ特約保證ヲ受クル團體ノ會計監査モ同規程ニ依ル儀ニ有之候條爲念此段及通牒候也

一〇　檢査員休日又ハ退廳後臨檢スルモ檢査ニ應スヘキノ件

明治二十五年五月
大藏省訓令第三五號

本年當省訓令第三十號ニ依リ出納官吏ノ金櫃帳簿等檢査トシテ檢査員臨檢ノトキ休暇日又ハ退廳後ニ際スルモ檢査員ノ通知ニヨリ出納官吏ハ何時タリトモ其ノ檢査ニ應スル儀ト心得ヘシ

一一 會計ニ關スル協定事項報告ノ件

大正元年七月
官通第二號
總務局長

朝鮮總督府所屬官署長宛

歳入歳出等證明其ノ他會計事務ニ關シ會計檢査院派出檢査官ト協定セラレタル事項有之候ハ、此際御取纏メ御報告相成度尚將來ハ其時時御報告相成度此段及御照會候也

一二 計算書、報告書誤記又ハ違算ニ關スル注意ノ件

明治四十五年三月
官通第七十四號
政務總監

歳入徵收官【仕拂命令官】出納官吏宛

本府ニ提出スル諸計算書報告書中誤記又ハ違算ノ爲往復ヲ要スルモノ少カラス事務整理上不都合ニ候條自今左記ノ通御取扱相成度此段及通牒候也

一 計算書、報告書ヲ提出セムトスルトキハ必ス之ヲ原本ト對照檢算シ且ツ責任ヲ明ニスル爲其ノ表紙餘白ニ檢算濟ト記入シ主任者捺印ヲナスコト

二 支出及仕拂計算書附屬證憑書ノ編纂ヲ了リタルトキハ目、項、款及合計ノ順序ニ依リ檢算シ之ヲ界紙竝計算書ノ金額ニ對査符合ヲ認メタル上表紙餘白ニ檢算濟ト記入シ主任者捺印ヲナスコト

一三 證明書類調理及發送方注意ノ件

明治四十四年十一月
官通第三二三號
政務總監

【仕拂命令官】現金前渡ヲ受ケタル官吏
收入官吏、物品會計官吏、歳入歳出外
現金出納官吏
宛

證明書類調理方ニ付テハ本年三月六日官通牒第十九號ヲ以テ及通牒置候處尚左ノ事項注意相成度及通牒候也

一 計算書ノ表紙ニハ證憑書及附屬書ノ冊數及枚數ヲ記載スルコト

一 證明書類ハ直接會計檢査院ニ送付セス本府ニ送付スルコト

一四 歳入歳出ノ報告書提出方ノ件

大正十二年一月
官通第六號
政務總監

歳入徵收官
支出官
道知事
宛

徵收報告書、徵收總報告書及支出濟額報告書提出方ニ關シテハ屢々通牒致置候處尚所定ノ期日迄ニ提出無之向又ハ提出アルモ書式ノ不備計數ノ誤謬等ノ爲之カ照覆ニ多數ノ日子ヲ要スルモノアリテ整理上支障不尠殊ニ會計法改正後ハ主計簿締切期及決算期繰上ノ爲一層支障ヲ來ス虞有之候ニ付テハ毎月ノ報告書ヲ所定ノ期日迄ニ提出スルハ勿論年度末ニ近ツクニ從ヒ一層ノ注意ヲ以テ不備誤謬ナカラシムルニ努ムルト共ニ整理ニ付テハ之ヲ迅速ニ處理シ以テ收入支出ノ事務ハ必ス整理期間内ニ之ヲ完結シ今後主計簿締切後ニ於テ訂正又ハ追加報告書ヲ要スルコト絶對ニ無

之樣御留意相成度大藏省ヨリ申越ノ次第モ有之此段特ニ及通牒候也

追テ管下收入支出ニ關スル事務當務者ニ對シテモ右趣旨充分徹底セシムル樣御取計相成度候

一五　諸計算書及證憑書保存年限ノ件

明治四四年十一月
總第一九九三號

政務總監

歲入歲出及物品等諸計算書竝諸證憑書類保存期限ニ關スル件別紙ノ通會計檢査院長ヨリ通知有之候ニ付貴廳委託檢査ニ係ル分ハ右ニ依リ御取扱相成度此段及通牒候也

追テ帳簿ヲ以テ證明セルモノニ對シテハ該帳簿ヲ本計算書トシテ御取扱相成度候

（別紙）

送第七五號　（四四、一〇、二〇）　會計檢査院長

歲入歲出及物品等諸計算書類ノ儀今般二十箇年間保存ノ事ニ決定致候就テハ貴廳ヘ委託檢査ニ係ルモノ有之候ニ付御通知及候尤モ右計算書ニ屬スル諸證憑書類ノ儀ハ是迄通リ十箇年間ニテ廢棄處分可致候此段爲念申添候也

一六　歲入證明ニ關スル件

大正五年三月
官通第四〇號
改正　六年四第八二號

政務總監

歲入徵收官宛

本府所屬歲入ノ證明ニ付テハ計算證明規程上該規程ヲ準用スルコトニ相成居候處其樣式等ハ左記ニ準據スヘキ旨會計檢査院ヨリ通牒有之候條大正四年度分ヨリ右ニ依リ御取扱相成度此段及通牒候也

第一　朝鮮總督府及同所屬官署ニ於テ歲入ヲ徵收スル官吏ノ調製スヘキ歲入徵收額計算書ハ第一號書式ニ據ルコト

第二　歲入徵收額計算書ノ提出期限ハ翌年度七月十日迄トス

第三　國庫內移換ニ係ルモノハ歲入徵收額計算書調定濟額、收入濟額ニ併算シ其金額事由ヲ備考ニ記載スルコト

第四　左ノ事項ハ歲入徵收額計算書ノ備考ニ記載シ事ノ複雜ニ涉ルモノハ說明書ヲ添附スルコト

一　府面ニ於テ徵收シタル歲入金ヲ亡失シ責任免除ヲ受ケタルモノアルトキハ其金額事由

二　缺損補塡ヲ受ケタルモノアルトキハ其金額事由

三　京城本金庫及所屬支金庫以外ノ金庫ニ納入セシメタルモノアルトキハ其金額及金庫名

第五　歲入徵收額計算書ニハ第二號乃至第六號書式ニ據リ調製シタル調定濟歲入額明細書、年期免稅地明細書、延納額明細書、滯納處分擔保物件處分不納缺損額及收入未濟額明細書及關稅擔保品收容貨物處分明細書ヲ添附スルコト

第六　證憑書類ハ左ノ如シ

一　租稅ニ關シテハ課稅物件ノ增減變更及査定ニ關スル關係書類其他賦課ノ基礎ヲ認ムヘキ書類

二　租稅外收入ニ關シテハ物件ノ賣拂、貸下、製造、修繕等ノ決議書契約書賣渡請求書等歲入調定ノ基礎ヲ認ムヘキ一切ノ書類

三　擔保物件及收容貨物ノ處分ヲ爲シタルモノハ其關係書類
四　徵收猶豫又ハ減免其他課税處分ノ取消又ハ訂正ヲ爲シタルモノハ其關係書類
五　延納ヲ許可シタルモノハ其期限、擔保物及價格ヲ記載シタル決議書
六　滯納處分ヲ爲シタルモノハ處分結了ノ際作成シタル處分ニ關スル計算書ノ謄本
七　缺損處分ヲ爲シタルモノハ其事實ヲ認ムヘキ書類
八　國庫內移換ニ係ルモノハ金庫ヨリノ通知書及其金額算出ノ基礎ヲ示セル調書

第七　物件ノ賣拂、貸下ニ關シ競爭ニ付シタル契約書ニハ左ノ書類ヲ添附スルコト

一　公告書但其方法ヲ附記スルコト
二　豫定價格調書及其算出ノ基礎ヲ示セシ書類
三　一番札ヨリ五番札ニ至ル入札書
　落札者契約ヲ結ハスシテ更ニ競爭ヲ行タヒルトキハ尙前同ノ競爭ニ關スル書類ヲ添附スルコト

第八　隨意契約ニ依リタル四百圓以上ノ物件ノ賣拂ニ關スル證憑書ニハ其隨意契約ニ付適用シタル法令ノ條項ヲ附記スルコト

第九　物件ノ賣拂、貸下ニシテ競爭ニ付スルモ入札者ナク又ハ再度ノ入札ニ付スルモ豫定價格ノ制限ニ達セスシテ隨意契約ヲ爲シタルトキハ其事由ヲ契約書ニ附記シ第七ノ書類ヲ添附スルコト

第十　四百圓以上ノ物件ノ賣拂、貸下ニ關スル契約ニシテ變更解除又ハ違約處分ヲ爲シタルモノアルトキハ其關係書類ヲ證憑書ニ添附スルコト

第十一　第六乃至第十ノ證憑書類ハ指定ニ從ヒ提出スルコト

第十二　證憑書ハ各自ニ區分編綴シ其金額紙數ヲ表紙ニ記載シ尙細別ヲ要スルモノハ適宜之ヲ區分スルコト

（大正六年四第八二號）

追テ大正五年度酒税ニ付テハ舊法ニ依リ取扱ヒタルモノト新令ニ依リ取扱ヒタルモノトヲ區分シ舊法ニ依リタルモノハ從來ノ書式ニ依リ該書式中「本年度增（減）」トアルヲ「本年八月末日迄增（減）」ト改メ掲記スル儀ト御承知相成度

第一號

一 計算書ハ一般會計各特別會計毎ニ別冊ニ調製シ特別會計ニ在リテハ其會計名ヲ表紙ニ記載スヘシ

二 計算書ヲ受授スルモノハ其年月日ヲ表紙ニ記載スヘシ

三 用紙ハ成ルヘク堅牢ナルモノヲ用フヘシ

四 書式中△印ハ朱書トス

大正何年度

朝鮮特別會計(一般會計)

歳入徴收額計算書

證憑書 何冊

何々 〃

廳 名

摘要	調定濟額	收入濟額	不納缺損額	收入未濟額	備考
	圓	圓	圓	圓	
歳入經常部					
何 々(款)					
何 々(項)					
何 々(目)	0	0	0	0	
何 々(目)	0	0	0	0	
計	0	0	0	0	
何 々(項)					
何 々(目)	0	0	0	0	
何 々(目)	0	0	0	0	
計	0	0	0	0	
合計	0	0	0	0	
何 々(款)					
何 々(項)					
何 々(目)	0	0	0	0	
何 々(目)	0	0	0	0	
計	0	0	0	0	
經常部計	0	0	0	0	
歳入臨時部 (經常部ノ例ニ倣フ)					
總計	0	0	0	0	

収入濟額ト金庫領收濟額トノ差異

摘要	金額	備考
	圓	
收入濟額		
何年度歳入ヲ本年度歳入トシテ金庫ニ誤拂込額	0	何年月日据置認可ノ分
何特別會計歳入ヲ同上	0	〃 〃
何々	0	
計	0	
本年度歳入ヲ何年度歳入トシテ金庫ニ誤拂込額	0	〃 〃
本年度歳入ヲ何特別會計歳入トシテ同上	0	〃 〃
出納閉鎖期迄ニ金庫ヘ拂込未濟額	0	内何圓ハ某扱何ノ分何々ノ事由ニ因リ
何々	0	何圓ハ某扱ノ分何々ノ事由ニ因リ
計	0	
金庫領收濟通知總額	0	

收入(出納)官吏現金領收額

摘要	金額	備考
	圓	
本年三月三十一日迄ノ分		
收入官吏 某扱	0	
遞信官署出納官吏 扱	0	
爾後出納閉鎖期迄ノ分		
前例ニ倣フ		

第二號

一　地税ノ書式ニ示セル前年度調定不足額以下各記載例ハ各書式ニ適用スヘシ

二　翌年度六月三十日迄ニ調定過不足ヲ發見シタルトキハ追徵又ハ還付ヲ爲シタルト否トヲ問ハス事項毎ニ正當額ヲ掲記シ其差額ハ調定超過額又ハ調定不足額ニ計算スヘシ

三　税金ノ一部納付後ニ於ケル輸出入ニシテ國税徵收令第四條ニ該當ノモノアルトキハ税額計算ノ基礎ヲ備考ニ記載スヘシ

四　前年度繰越收入未濟額ニシテ本年度中收入ヲ了シ若ハ缺損又ハ免除處分ヲ爲シタルモノハ調定濟額ノ備考ニ其金額ヲ區分掲記スヘシ

五　前年度繰越延納額及徵收猶豫額ノ類ニシテ前年度ノ證明額ト差違ヲ生セシモノアルトキハ備考ニ其金額事由ヲ記載スヘシ

六　代金延納ニ屬スルモノハ其契約ノ要領ヲ備考ニ記載スヘシ

大　正　何　年　度

調　定　濟　歳　入　額　明　細　書

廳　　　　　　　　　名

地稅

摘要	結數又ハ坪數						結價又ハ地價	稅額	翌年ヨリ増減	備考
	田	畓	垈	池沼	雜種地	計				
地稅										○翌年度ヨリ増減ノ欄ニ記載スヘキ増減差引計ノ金額ニシテ減トナルトキハ其金額ヲ朱記スヘシ
何年四月一日現在										
結價八圓ノ分	0	0	0	0	0	0	0	0		
〃 何圓ノ分	0	0	0	0	0	0	0	0		
計	0	0	0	0	0	0	0	0		
増ノ部										
結價何圓何月新起墾	0	0	0	0	0	0	0	0		
〃 〃 何年何月集計誤謬	0	0	0	0	0	0	0	0		
〃 〃鐵道用地廢止	0	0	0	0	0	0	0	0		
〃 〃既往ニ係ル本年度分	0	0	0	0	0	0	0	0	0	
〃 〃 何々	0	0	0	0	0	0	0	0	0	
計	0	0	0	0	0	0	0	0	0	
減ノ部										
結價何圓何月荒地成	0	0	0	0	0	0	0	0		
〃 〃 道路成	0	0	0	0	0	0	0	0	0	
〃 〃 何々	0	0	0	0	0	0	0	0	0	
計	0	0	0	0	0	0	0	0	0	
増減差引										
結價八圓ノ分	0	0	0	0	0	0	0	0	0	
〃 何圓ノ分	0	0	0	0	0	0	0	0	0	
計	0	0	0	0	0	0	0	0	0	
既往ニ溯リ賦課										
結價何圓何年何月脫落ノ分發見	0							0		
〃 〃 集計誤謬發見		0						0		
〃 〃 何々	0	0						0		
計	0	0						0		
免除										
本年度分收穫皆無免除	0	0						0		
計	0	0								

地税

摘要	結數又ハ坪數 田	畓	垈	池沼	雜種地	計	結價又ハ地價	稅額	翌年ヨリ增減	備考
	坪	坪	坪	坪	坪	坪	圓	圓	圓	
市街地稅										
（地稅ノ例ニ倣フ）										
納稅者別徵收上ノ增（減）										
前年度調定不足額										
〃 徵收猶豫額										
〃 收入未濟額										
〃 繰越延納額										
調定超過額										
調定外課納額										
何道何府ヨリ滯納處分引受額										
何道何郡ヨリ 〃										
稅額計								0		
調定不足額								0		
徵收猶豫額								0		
翌年度繰越延納額								0		
前年度未收入翌年度繰越額								0		
何道何府ヘ滯納處分引繼額								0		
何道何郡ヘ 〃								0		
計								0		
調定濟額								0		

戸稅

摘要	數量			稅額	備考
	課稅戸數	免除戸數	計		
				圓	
第一期分	0	0	0	0	
第二期分	0	0	0	0	
計				0	

家屋税

摘要	一等 甲種	一等 乙種	二等 甲種	二等 乙種	三等 甲種	三等 乙種	四等 甲種	四等 乙種	税額	備考
									圓	
何年四月一日現在	0	0	0	0	0	0	0	0	0	
増ノ部										
何月新築	0	0	0	0	0	0	0	0	0	第何期分ヨリ
〃等級變更	0	0	0	0	0	0	0	0		翌年分ヨリ
〃何々	0	0	0	0	0	0	0	0	0	何々
計	0	0	0	0	0	0	0	0	0	
減ノ部										
何月滅失	0	0	0	0	0	0	0	0	0	
〃公有ニ變換	0	0	0	0	0	0	0	0		第何期分ヨリ
〃等級變更	0	0	0	0	0	0	0	0	0	翌年分ヨリ
〃何々	0	0	0	0	0	0	0	0	0	何々
計	0	0	0	0	0	0	0	0	0	
増減差引計	0	0	0	0	0	0	0	0	0	
免除										
何々ニヨリ第一期分							0		0	
〃第二期分								0	0	
計								0	0	
差引計									0	

酒　　　　税

摘　　　要	製造場數	税　　額	備　　　考
		圓	
第一類			
製造場			
何年四月一日現在	0		
本年度増			内何箇所ハ翌年分ヨリ調定
新規免許	0		
納税未濟何道何郡ヨリ轉入	0		
納税濟何道何郡ヨリ轉入	0		
計	0		
本年度減			
免許取消	0		内何箇所ハ翌年分ヨリ減
第二期納税未濟何道何府ヘ轉出	0		
何　　何	0		
計	0		
増減差引計	0		
調定額			
何石迄	0	0	内何箇所ハ第一期納税後轉出
何石迄	0	0	内何箇所ハ第二期ヨリ轉入
何石迄	0	0	何　　々
計	0	0	
第二類 （第一類ノ例ニ倣フ）			
合計		0	

○調定額ハ税率ノ異ル毎ニ區分記載スヘシ

煙草稅

摘要	數量又ハ課稅價格	稅額	備考
		圓	
耕作稅			
何年四月一日現在			
第何種	0	0	
第何種	0	0	
計	0	0	
增ノ部			
第何種何月　新規免許	0	0	
第何種何月　何々ノ爲メ	0	0	
計	0	0	
減ノ部			
第何種何月　免許取消	0	0	
第何種何月　何々ノ爲メ	0	0	
計	0	0	
增減差引			
第何種	0	0	
第何種	0	0	
計	0	0	
製增稅			
何年四月一日現在			
何十坪未滿	0	0	
何十坪以上何十坪未滿	0	0	
計	0	0	
增ノ部			
何十坪未滿何月新規免許	0	0	
何十坪以上何十坪未滿何月〃	0	0	七月以後ニ付半額
〃　何月何々	0	0	何々
計	0	0	
減ノ部			
何十坪未滿何月免許取消	0	0	翌年分ヨリ
何々	0	0	
計	0	0	
增減差引			
何十坪未滿	0	0	
何十坪以上何十坪未滿	0	0	
何々	0	0	
計	0	0	

煙草税

摘要	數量又ハ課税價格	税額	備考
		圓	
販賣税			
何年四月一日現在			
卸賣	0	0	
第何種小賣	0	0	
第何種小賣	0	0	
計	0	0	
増ノ部			
卸賣何月新規免許	0	0	
第何種小賣何月〃	0	0	七月以後ニ付半額
計	0	0	
減ノ部			
卸賣何月免許取消			
第何種小賣何月〃	0	0	
何々	0	0	翌年分ヨリ
計	0	0	
増減差引			
卸賣	0	0	
第何種小賣	0	0	
計	0	0	
消費税			
本年度分	0	0	
合計		0	

鑛稅

摘要	鑛區稅又ハ砂金採取稅 數量	鑛區稅又ハ砂金採取稅 稅額	鑛產稅 數量 金	鑛產稅 數量 銅	鑛產稅 數量 何々	鑛產稅 稅額	稅額	備考
	千坪	圓				圓	圓	
何地何鑛 何某	0	0	0			0	0	何年一月ヨリ十二月迄ノ分
何地何鑛 何某	0	0		0		0	0	元何千坪ノ處何萬坪ニ許可圖修正
何地何鑛 何某	0	0					0	何年何月許可ニ付何月ヨリ何年何月迄ノ分
何地砂金採取 何某	町 0	0				0	0	何年何月廢業
計	0	0	0	0		0	0	

○坪數一千坪未滿又ハ町數一町未滿ハ一千坪又ハ一町トシテ計算記載スヘシ

○鑛產稅ハ數量ノ欄ニ課稅價格ヲ併記スヘシ

○特許鑛稅ノ如キ數量ヲ記載シ能ハサルモノハ其旨ヲ備考ニ記載スヘシ

關税（噸税）

摘要	税額				備考
	本關	何支署	何出張所	計	
	圓	圓	圓	圓	
輸入税					
何年何月分	0	0	0	0	
何年何月分	0	0	0	0	
計	0	0	0	0	
輸出税（前例ニ倣フ）					
移入税（前例ニ倣フ）					
移出税（前例ニ倣フ）					
合計	0	0	0	0	

雜税

摘要	數量	税額	備考
	圓	圓	
船税			
國籍證書受有船			
何年四月一日現在何隻	0	0	
增ノ部			
何月新規受有何隻	0	0	
何月〃〃	0	0	七月以後ニ付半年分
計	0	0	
減ノ部			
何月滅失何隻	0	0	六月以前ニ付半年分
何月〃〃	0		
何月〃〃	0	0	何年分賦課六月以前ニ付半額
何月何何〃	0		
計	0	0	
增減差引計	0	0	
船艦札受有船			
（前例ニ倣フ）			
朝鮮各港間運航船			
何月運航開始申告何隻	0	0	七月以後ニ付半年
何月〃〃	0	0	
計	0	0	
合計		0	
鹽税			
本年度分	斤 0	0	
人蔘税			
本年度分	[illegible] 0	0	
何何			
何何	0	0	
總計		0	

○船税ノ噸數又ハ積石數ハ數量欄ニ記載スヘシ

○毎一隻總噸數十噸未滿ノモノハ十噸、積石數百石未滿ノモノハ百石トシ總噸數十噸以上又ハ積石數百石以上ノモノハ一噸未滿ノ端數ハ一噸、十石未滿ノ端數ハ十石ニ切上ケタルモノヲ掲記スヘシ

銀行券發行稅

摘要	延發行高	稅額	備考
		円	
法第何條第何項ニ依ル分	0	0	稅率年若干
〃	0	0	〃
計	0	0	

驛屯賭收入

摘要	數量					小作料			調定額	備考
	畓	田	垈	何何	計	現金	籾	何何		
	畝	坪	畝	坪	畝	円	石	石	圓	
改定小作料										
何年四月一日現在	0	0	0	0	0	0			0	
增ノ部										
何月隱土發見	0	0			0	0			0	翌年度ヨリ調定
何月新規貸付	0				0	0			0	
何月荒陳地還起		0			0	0			0	
何月地目變換		0			0	0			0	
何月何何			0		0	0			0	
計	0	0	0	0	0	0			0	
減ノ部										
何月荒陳地地目變換	0				0	0			0	
何月道路成		0	0						0	
何月何何	0				0				0	
計	0	0	0	0	0					
增減差引計	0	0	0	0	0	0			0	
免除										
何何ニ依リ免除本年度分	0	0	0	0	0				0	
計	0			0	0				0	
賭錢（前例ニ倣フ）										
賭税（前例ニ倣フ）										
使用料									0	
狀 大正何年分										
生産物賣却代										
生草									0	
何何									0	
計									0	

驛屯賭收入

摘要	數量 畓	田	垈	何何	計	小作料 現金	籾	何何	調定額	備考
	坪	坪	坪	坪	坪	圓	石	石	圓	
物品賣却代										
籾							0		0	
何　何								0	0	
計							0	0	0	
合計									0	
無料貸付地										
何年四月一日現在										
增ノ部										
何月何何組合ヘ貸付	0	0			0	0				何何用トシテ何年間貸付
何月何何	0	0	0		0	0				何　何
計	0	0	0		0	0				
減ノ部										
何月何何組合ヨリ返還	0				0	0				何何用ノ分返還
何月何何	0				0	0				何　何
計	0	0	0		0	0				
增減差引計	0	0			0	0				
未貸付地										
何年四月一日現在	0	0	0	0	0	0				
本年度增	0	0	0	0	0	0				
〃減	0	0	0	0	0	0				
增減差引計	0	0	0	0	0					
物品收支內譯										
現品收納過不足高							0	0		
何年分收納未濟高							0	0		
本年分〃							0	0		
何年分不納缺損高							0	0		
現品受高										
前年度持越高							0	0		

驛屯賭收入

摘要	數量 田	數量 畓	數量 垈	數量 何何	數量 計	小作料 現金	小作料 籾	小作料 何何	調定額	備考
	町	坪	町	町	町	圓	石	石	圓	
本年分納收高										
前年度未收納							0	0		
本年度收納高							0	0		
計							0	0		
本年度拂高										
賣却高							0	0		
何何							0	0		
計							0	0		
差引翌年度へ持越高							0	0		

水道收入

摘要	金額	備考
	圓	
給水工費納付金	0	
給水料	0	
使用料	0	
何何	0	
計	0	

敎科書收入(印刷所收入)(蔘業收入)(鹽業收入)

摘要	數量	金額	備考
		圓	
敎科書			○阿片專賣收入モ本書式ニ準シ調製スヘシ
何何書	0	0	
何何書	0	0	
計	0	0	
(印刷所收入ノ例)			
朝鮮銀行券	0	0	
官報	0	0	
敎科書製造費	0	0	
簿冊	0	0	
廣告料	0	0	
何何	0	0	
計	0	0	
(蔘業收入例)			
本蔘何片品	0	0	
〃何片品	0	0	
喫蔘何片品	0	0	
何何	0	0	
計	0	0	
(鹽業收入ノ例)			
原鹽			
何等	0	0	
何何	0	0	
粉碎鹽			
何等	0	0	
何何	0	0	
何何			
何何	0	0	
計	0	0	

度量衡收入(平壤鑛業所收入)

摘要	數量	金額	備考
度量衡器賣下		圓	
度器	0	0	
量器	0	0	
衡器	0	0	
計		0	
度量衡器修覆			
度器	0	0	
量器	0	0	
衡器	0	0	
計		0	
修覆用材料賣下			
取緒	0	0	
鐘絲	0	0	
何何	0	0	
計		0	
何何			
何何	0	0	
計		0	
合計		0	
(平壤鑛業所收入)			
石炭賣却代			
第何種炭	0	0	
何何煉炭	0	0	
計	0	0	
雜收			
何何	0	0	
計	0	0	
合計		0	

林野收入

摘要	適用條項	種別	數量	金額	備考
				圓	
林野賣却					
地　名			0	0	種別欄ニハ樹種、數量欄ニハ本數材積及町數ヲ併記スヘシ
地　名			0	0	
計			0	0	
林野貸下					
何年四月一日現在			0	0	
增ノ部					
何月新規貸下			0	0	
計			0	0	
減ノ部					
何月貸下期間滿了			0	0	
〃 貸下許可取消			0	0	翌年度分ヨリ
計			0	0	
增減差引計			0	0	
林產物賣却					
地　名			0	0	
地　名			0	0	數量欄ニハ本數又ハ欄棚數及尺締ヲ併記スヘシ
計			0	0	
土石採取料					
地　名			0	0	
地　名			0	0	
計			0	0	
合計				0	

○林野及產物賣却ハ契約每ニ區別シ其年月日ヲ備考ニ記載スヘシ

囚徒工錢及製作收入

摘要	數量	金額	備考
		圓	
囚徒工錢			
請負何業		0	
何　何		0	
計		0	
製作收入			
煉瓦	0	0	
瓦	0	0	
土管	0	0	
何　何	0	0	
計		0	
合計		0	

郵便電信及電話收入

摘要	金額	備	考
切手收入	圓 0		○專用電話料ハ各人名機械數及金額ヲ備考ニ記載スヘシ ○郵便收入中葉書封皮等ハ總テ種類別ニ掲記スヘシ ○雜收中建物貸下物品拂下ノ如キ他ニ相當書式アルモノハ本表ニ其種目金額ヲ記載スルノ外尚該書式ヲ準用調製スヘシ
郵便收入			
葉書	0		
封皮	0		
何　何	0		
計	0		
電信收入			
內國電報料	0		
海外電報料	0		
何　何	0		
計	0		
電話收入			
(何地加入區域)		年度末加入者何人有料何人無料何人	
電話使用料	0		
電話交換料	0		
附加使用料	0		
何　何	0		
計	0		
(何地特設電話) (前例ニ倣フ)			
計	0		
雜收			
何　何	0		
計	0		
合計	0		

鐵道收入

摘要	金額	備	考
運輸收入	圓		○物件ノ貸付賣拂等ノ收入ニシテ他ニ相當書式アルモノハ本表ニ其種目金額ヲ記載スルノ外尚該書式ヲ準用調製スヘシ
客車收入			
乘客賃金	0		
手荷物賃金	0		
入場料	0		
何　何	0		
計	0		
貨車收入			
貨物賃金	0		
貸切車賃金	0		
何　何	0		
計	0		
雜收			
何　何	0		
計	0		
合計	0		

官有物貸下料

摘要	數量	金額	備考
	坪	圓	
土地			
地名	0	0	
地名	0	0	何年分
計	0	0	自何年何月至何年何月分 以下之ニ倣フ
建物			
地名	0	0	
地名	0	0	構造何何坪價格何圓
計	0	0	
一時貸下料			
土地 地名	0	0	
建物 地名	0	0	
何 何	0	0	
計	0	0	
國有未墾地			
（前例ニ倣フ）			
計	0	0	
合計		0	

○契約毎ニ區分記載スヘシ
（國有未墾地ニ就テハ一町未滿ハ一丁トシテ計算記載スヘシ

官有物拂下代

摘要	數量	金額	拂受人	備考
		圓		
物品				
何何外何點		0		
〃		0		
計		0		
地所	坪			
地名	0	0		
地名	0	0		
計	0	0		
建物	棟			
地名何造	0	0		
〃	0	0		
計	0	0		
船舶	隻			
何形何噸何船	0	0		
計	0	0		
合計		0		

○拂下契約毎ニ區分シ其年月日ヲ備考ニ記載スヘシ
○地所、建物及船舶ニ就テハ適用條項ヲ備考ニ記載スヘシ

辨償及違約金（懲罰及沒收金）（稅關雜收入）（雜入）

摘要	金額	備考
	圓	○稅關雜收入ハ本關、支署、出張所每ニ區分スヘシ
辨償及違約金		
何某何何辨償金	0	
何某何何違約金	0	
何　　何	0	
計	0	
（懲罰及沒收金ノ例）		
罰　　金	0	
追　徵　金	0	
沒　收　金	0	
何　　何	0	
	0	
計	0	
（稅關雜收入ノ例）		
臨時開廳特許手數料	0	
派出檢查特許手數料	0	
何　　何	0	
計	0	
（雜　入　ノ　例）		貸付金返納ハ本表ニ其金額ヲ記載スル外尚別ニ掲クル書式ニ依リ調製スヘシ拂込金何圓ニ對スル年何分
何會社利益配當金	0	
何何手數料	0	
何　　何	0	
計	0	

貸付金返納

摘要	貸付高				調定額		
	前年度ヨリ越高	増	減	翌年度ヘ越高	元金	利子	計
	圓	圓	圓	圓	圓	圓	圓
民業資本金							
何何ノ爲メ何某ヘ貸下年利何歩	0	0		0		0	0
何　何	0		0	0	0	0	0
何　何	0	0	0	0	0	0	0
計	0	0	0	0	0	0	0
何何貸下金							
何　何	0	0	0	0	0	0	0
何　何	0		0	0	0	0	0
計	0	0	0	0	0	0	0
合計	0	0	0	0	0	0	0

○増減ニ對シテハ其事由ヲ備考ニ記載スヘシ

○該年度間調定ノ有無ニ拘ハラス貸付金存在スルトキハ毎年度之ヲ提出スヘシ

○定期貸及据置貸ニ就テモ本表ニ準シ調製スヘシ

朝鮮鐵道用品收入

摘要	金額	備考
	圓	
用品收入		
用品賣拂代		
何費項へ	0	
他官廳へ	0	
個人へ	0	
計	0	
用品修繕料（前例ニ倣フ）		
雜收入		
何何	0	
何何	0	
計	0	
合計	0	

營林廠收入

摘要	保管廳名	數量	金額	備考
		尺〆	圓	○土地建物等ノ賣却貸下ノ類ニシテ他ニ相當書式アルモノハ本表ニ其種目金額ヲ記載スルノ外尚該書式ヲ準用調製スヘシ
木材賣拂代				
原木賣下				
何何原木		0	0	
何何		0	0	
製材賣下				
何何製材		0	0	
何何		0	0	
計		0	0	
雜收				
副產物				
脊板		0	0	
何何		0	0	
副業品				
稔木		0	0	
何何		0	0	
貸下料				
川船使用料		0	0	
何何				
何何		0	0	
計			0	
合計			0	

醫院收入

摘要	數量	金額	備考
		圓	
入院料	0	0	數量ニハ延人員ヲ記載スヘシ
藥價	0	0	
往診料	0	0	
手術料	0	0	
何何	0	0	
計	0	0	

利子收入（特別資金利子收入）

摘要	額面金高又ハ預金高 前年度ヨリ越高	増	減	年度末現在高	調定額	備考
	圓	圓	圓	圓	圓	
有價證券利子						
何公債何分利付	0	0	0	0	0	内何圓ハ何月購入利子半期分
何何 〃	0	0	0	0	0	何　何
計	0	0	0	0	0	
預金利子						
何銀行預金年利何分	0	0	0	0	0	内何圓ハ自何月至何月何箇月分、何圓ハ何何
何　何 〃	0	0	0	0	0	何　何
計	0	0	0	0	0	
合計	0	0	0	0	0	
特別資金利子收入（前例ニ倣フ）						○特別資金利子收入ニ對シテハ用途別ニ區分シ其用途名ヲ備考ニ記載スヘシ

第一種所得税

摘要	件數	所得金額	税額	備考
		圓	圓	
甲				
五千圓以下決定高				
事業年度一箇年ノモノ	0	0	0	
同　六箇月ノモノ	0	0	0	
同　何箇月ノモノ	0	0	0	
計	0	0	0	
一萬圓以下決定高				
（前例ニ倣フ）				
乙	0	0	0	
合計				

寄附金

摘要	金額	備考
	圓	
寄附者氏名	0	自何年至何年總額何圓ニ對スル本年分分納額
〃　〃	0	何　何
計	0	
		○用途指定寄附金ニ就テハ用途別ニ區分シ其用途名ヲ備考ニ記載スヘシ

酒税

摘要	製造場數	査定石數		税額	備考
		課税高	免税高		
		石	石	圓	○制限石數以上ノ製造ヲ為サヽル場合ニ於テ制限石數ニ相當スル酒税ヲ課シタルモノニ付テハ課税石高ニ算入シ備考ニ其石數ヲ揭記スヘシ ○轉入出ニ係ルモノノ内一部納税未濟ノモノハ課税石數ヲ清酒及朝鮮酒ニ非ラサル濁酒ニ付テハ其年四月末日ニ至ル査定ト五月以降ニ係ルモノトニ區分シ其ノ他ノ酒類ニ付テハ其ノ年二月末日ニ至ル査定ト三月以降ニ係ルモノトニ區分シ備考ニ揭記スヘシ ○免税高ハ第何期納税後　何何（税令第十六條及第十七條）トシ其ノ内譯ヲ示スヘシ ○製造場一箇所ニシテ數種ノ酒類ヲ製造スルモノハ其重ナル酒類ニ付場數ヲ揭記スヘシ
第一類					
清酒	0	0	0	0	
朝鮮酒ニ非ラサル濁酒	0	0	0	0	
麥酒	0	0	0	0	
朝鮮酒タル濁酒	0	0	0	0	
同　藥酒	0	0	0	0	
上記以外ノ釀造酒	0	0	0	0	
何酒何期分納税未濟					
何道何府郡ヨリ轉入(出)	0	0	0	0	
計	0	0	0	0	
第二類					
朝鮮酒ニ非ラサル燒酎原容量百分中純酒精ノ容量三十以下ノモノ	0	0	0	0	
同　四十五以下ノモノ	0	0	0	0	
同　五十ノモノ	0	0	0	0	
同　六十ノモノ	0	0	0	0	
朝鮮酒タル燒酎原容量百分中純酒精ノ容量三十以下ノモノ	0	0	0	0	
同　四十五以下ノモノ	0	0	0	0	
同　五十ノモノ	0	0	0	0	
同　六十ノモノ	0	0	0	0	
何酒原容量　同					
同　同	0	0	0	0	
計	0	0	0	0	

摘要	製造場數	査定石數 課税高	査定石數 免税高	税額	備考
				圓	
自家用酒					
濁酒 一石未滿	0			0	
同 一石以上	0			0	
藥酒 一石未滿	0			0	
同 一石以上	0			0	
燒酒 五斗未滿	0			0	
同 五斗以上	0			0	
二種以上製造一石未滿	0			0	
同 一石以上	0			0	
計				0	
合計			0	0	

摘要	製造場數	査定石數 課税高	査定石數 免税高	税額	備考
		石	石	圓	
第三類					
白酒原容量百分中純酒精ノ容量三十以上ノモノ	0	0	0	0	
同 三十五ノモノ	0	0	0	0	
味淋原容量百分中純酒精ノ容量三十以上ノモノ	0	0	0	0	
同 三十五ノモノ					
何酒 同					
同 三十五ノモノ	0	0	0	0	
計	0	0	0	0	
翌年度分繰上賦課					
第一類 清酒	0	0	0	0	何何ノ事由ニ因ル
第二類 朝鮮酒ニ非ラサル燒酎原容量百分中純酒精ノ容量四十五以下ノモノ	0	0	0	0	同
同 五十ノモノ	0	0	0	0	同
第何類 何酒					
何 何	0	0	0	0	同
何 何	0	0	0	0	同
計	0	0	0	0	

第三號

大正何年度

年期免税地明細書

縣名

年月日

官職 氏名印

摘要	結數又ハ坪數	備考
	結	
田		
前年度ヨリ越高		
何年何月免除期間滿了	0	
何年何月 〃	0	
計	0	
増ノ部		税令第九條ニヨル分同第十條ニヨル分
何年何月免除滿了ノ分	0	
何 何	0	
計	0	
減ノ部		
何月期間滿了	0	
何 何	0	
計	0	
差引翌年度ヘ越		
何年何月期間滿了	0	
何年何月 〃	0	
計	0	
畓		
（前例ニ倣フ）		
市街地		
（前例ニ倣フ）		
	坪	

第四號

大正何年度

延納額明細書

年　月　日

官職　氏名印

廳　　　　　名

摘要		擔保物件					延納額	備考
		現金	何何債券額面	何何公債額面	何何	擔保價格		
		円	圓	圓	圓	圓	圓	○○本表ハ年度末現在額ヲ掲クヘシ ○○契約ノ要項ヲ備考ニ記載スヘシ
何	何(款)							
何	何(項)							
何	何(目)							
何	某	0	0	0	0	0	0	
何	某				0	0	0	
	計	0	0	0	0	0	0	

第五號

大正何年度

滯納處分擔保物件處分不納缺損及收入未濟額明細書

廳　　　　　名

年　月　日

官　職　　氏　名　印

摘要	滞納金額	受ノ部 差押物件 金錢	差押物件 物件賣却代	擔保物件金 金錢	擔保物件金 土地建物ノ類財産賣却代	擔保物件金 其他賣却代	賣却決行前完納額	計	拂ノ部 延滞金及處分費	督促手數料	税金	交付及供託高	計	缺損額	收入未濟高
	圓	圓	圓	圓	圓	圓	圓	圓	圓	圓	圓	圓	圓	圓	圓
本年度															
何　（何項）															
何　何（目）															
財産差押後賣却決行前完納某外何名分	0						0	0	0	0	0	0	0		
賣却決行全額徴收某外何名分	0	0	0	0	0	0		0	0	0	0	0	0		
賣却決行一部徴收殘額缺損															
住所　氏名	0	0	0	0	0	0		0	0	0	0	0	0	0	
住所　氏名	0	0	0	0	0	0		0	0	0	0		0	0	
住所不名（又ハ無財産）缺損															
住所　氏名	0													0	
住所　氏名	0													0	
賣却決行一部徴收殘額處分未了某外何名分	0	0	0	0	0	0		0	0	0	0	0	0		0
何何事由ニ因リ收入未濟某外何名分	0														0
何　何	0														0
計	0	0	0	0	0	0	0	0	0	0	0	0	0	0	0
何　何（項）															
何　何（目）															
何　何	0	0	0	0	0	0	0	0	0	0	0	0	0	0	0
合計	0	0	0	0	0	0	0	0	0	0	0	0	0	0	0

備考

○國税徴收令ニ依リ府面ニ於テ徴收スル租税及驛屯賭收入ニ就テハ府面ニ區分シ一人別ノ記載チ省略スルコトチ得

○國税徴收令施行規則第三十八條ニ依リ受入レタルモノハ差押物件中金錢ノ税區ニ收又物件チ買上ケタルモノハ其代金チ同上物件賣却代ノ區ニ併算シ備考ニ其金額チ區分掲記スヘシ

○缺損トナリタル人員多數ニシテ複雜ニ渉ルトキハ各事項毎ニ某外何名分トシテ一括掲記スルモ妨ケナシ此場合ニハ缺損決定書チ添付スヘシ

○前年度繰越收入未濟額ニシテ本年度中尚收入ニ至ラサルモノハ別項トシテ毎年度ニ區分掲記スヘシ

○交付及供託高ノ内未了ノモノアル時ハ其金額チ備考ニ記載スヘシ

第六號

大正何年度

關稅擔保品收容貨物處分明細書

廳名

年　月　日

官職氏名印

摘要	稅額	受ノ部 金額	受ノ部 物件賣却代	受ノ部 計	拂ノ部 關稅	拂ノ部 倉庫敷料	拂ノ部 運搬及賣却費	拂ノ部 貨主ヘ拂渡又ハ供託高	拂ノ部 計	缺損額	收入未濟額	備考
	圓	圓	圓	圓	圓	圓	圓	圓	圓	圓	圓	
擔保品 何年月日處分	0	0	0	0	0	0	0	0	0	0	0	○貨主ヘ拂渡又ハ供託高ノ内未了ノモノアルトキハ其金額チ備考ニ記載スヘシ
何年月日	0	0	0	0	0	0	0	0	0	0	0	
計	0	0	0	0	0	0	0	0	0	0	0	
收容貨物（前例ニ倣フ）												
合計	0	0	0	0	0	0	0	0	0	0	0	

年 月 日

官職 氏名印

一七　歳入徴收額證明方注意事項

明治四十四年七月
官通第二二二號
政務總監

各歳入徴收官宛

明治四十三年度以降朝鮮總督府歳入徴收額證明方ニ付テハ官報附錄ノ通御注意相成度爲念及通牒候也

追テ本年三月六日官通牒第二十號通信官署出納官吏ノ取扱ニ係ル現金證明ニ關スル件徴收額計算書ニ關スル部分ハ自然變更セラレタルモノト御承知可相成此段申添候

（官報附錄）

一　本文第二條第二號收入官吏又ハ通信官署出納官吏ニ於テ收入濟ノ歳入金ヲ亡失シタルトキハ其ノ原因ノ如何ヲ問ハス之カ闕損ハ必ス歳出ヨリ支出シ補塡セサルヘカラサルニヨリ此ノ場合ニ於テハ歳出トノ對査ヲ要スルニ由ル

二　本文第二條第三號ハ歳出ヲ支出シ歳入ニ納付スルニ當リ仕拂命令及納入告知書ヲ發セス大藏大臣ノ命令ニ依リ國庫內ノ移替ヲ爲シタル場合ニ於テハ徴收額計算書ノ調定濟額及收入濟額ニ掲上セサルニヨリ決算トノ對照ト備考ニ記載スルヲ要ス

三　本文第二條第四號自覺若ハ審理ノ結果前年度ノ調定不足額ヲ調定シタルトキ又ハ前年度收入未濟繰越ノ分ヲ收入シ若ハ闕損處分ヲ爲シタルトキハ之ヲ前年度ニ對照シ前年度ノ整理ヲ爲スノ必要アリ故ニ其ノ金額及詳細ノ事由記載ヲ要ス

四　本文第二條第五號延納賣下ニ關シテハ前段後段相待テ兩年度ノ計算ヲ明瞭ナラシムルノ主旨ニ出ツ故ニ前年度延納賣下ノモノニシテ事故ニヨリ本年度ニ於テ調定スルコト能ハサリシカ爲メ本年度計算書中前年度延納ノ調定額ニシテ前年度延納額ニ符合セサル場合ニ於テハ別ニ其ノ事由ヲ附記スルヲ要ス

生産品、製造品ノ賣下ハ物品出納計算書ニ對査ヲ要スルカ故ニ賣下拂出中代金ノ翌年度ニ調定シタルモノハ物品出納計算書ノ備考ニ記載スルヲ要ス

五　同上第六號歳入金ハ金庫ニ於テモ其ノ領收高ヲ證明スヘキモノニシテ其ノ證明ハ歳入徴收官ノ證明ニ對査セラル故ニ徴收額計算書中ニモ收入濟額ト金庫領收額トノ差違ニ關スル記載例アリ然ルニ金庫ノ證明ハ各本金庫各別ニ證明スルモノナルヲ以テ若シ朝鮮總督府歳入中京城本金庫又ハ同所屬支金庫外ノ金庫ヲシテ領收セシメタルモノアルトキハ其ノ對査上不符合ヲ生スルヲ以テ朝鮮外ノ金庫ニ於テ領收シタルモノハ其ノ金庫及金庫名ヲ記載スルモノトス

六　本文第四條第二項ニ依リ證憑書ハ總テ會計檢査院ノ指定ヲ待テ提出スヘキモノナルニ由リ本條掲上スル所ノ證憑書類ハ毎年度科目毎ニ編成シ何時ニテモ提出スル樣準備シ置クヘキモノトス　但シ物品ノ賣拂貸下ニシテ競爭入札ニ付シタルモノハ本文第五條ニ規定セル書類ヲ常ニ計算書ニ添付提出スルモノトス

第四條掲上以外租税ニ對シテハ證憑書ノ提出ヲ要セスト雖モ年度科目毎ニ整理シ置クヲ要ス

七　本文第九條證憑書類ハ各目ニ區分スルハ勿論其ノ一目中ニ於テモ税

額增減ニ關スル書類ハ增減各別ニ區分小分シ其ノ他滯納及闕損處分ノ如キモ其ノ目中ニ於テ各小分編纂スヘシ

八　書式第一號徵收額計算書備考前年度調定濟額ノ收入未濟額ニシテ本年度ニ併算スルモノハ本年度ニ於テ收入濟若ハ闕損處分ヲ爲シタルモノノミニシテ本年度尙ホ收入未濟ノ分ハ併算セサル義ナリ

九　同上末尾欄中收入官吏及通信官署出納官吏現金領收額ハ各責任官吏ノ證明額ニ對査スルヲ要スルカ故ニ收入官吏又ハ出納官吏ノ領收通知ニ基キ該通知ノ日付ヲ以テ三月三十一日迄ノ分ト六月三十日迄ノ分トヲ區分スルヲ要ス

十　同上欄中收入官吏現金領收額中通信官署出納官吏ニ拂込ミタルモノハ出納官吏ノ領收額中ニモ併算セラルヘク即チ重複ニ掲上サルルモノトス

十一　同上收入濟額ト金庫領收濟額トノ差額ハ計算書收入濟額ト金庫ノ證明金額ト對査上必要ノ事項ヲ記載スルモノニシテ即チ計算書收入濟額ヨリ收入官吏及通信官署出納官吏ノ拂込未濟額及他年度歲入、他ノ會計歲入ヘ誤拂込額ヲ控除シ他年度歲入、他ノ會計歲入ヨリ本年度歲入ヘ誤拂込額ヲ加ヘタルモノハ金庫ノ證明額ニ符合スルモノニシテ其ノ金額ハ最下段金庫領收通知總額ニ相當スルモノトス依テ左ノ事項注意ヲ要ス

(1) 收入官吏ノ拂込未濟額ハ收入官吏ノ領收通知額ヲ基トシ直接金庫拂込ニ係ル金庫ノ領收通知額及通信官署受拂規則第四號書式ニ依ル出納官吏ノ領收通知額ヲ控除シタル額ニ依ル尤モ何レノ場合ニ於テモ六月三十日迄ノ通知日付ヲ以テ區分スルヲ要ス

(2) 通信官署出納官吏ノ拂込未濟額ハ通信官署現金受拂規則第一號、第二號及第四號出納官吏ノ領收通知額ヲ基トシ同第五號金庫ノ領收通知額ヲ控除シタル額ニ依ル尤モ何レノ場合ニ於テモ六月三十日迄ノ通知日付ヲ以テ區分スルヲ要ス

(3) 末段金庫ノ領收濟通知總額ハ納人、收入官吏及通信官署出納官吏ノ拂込ニ對スル六月三十日迄日付ノ通知總額ニ依ル

(4) 誤拂込ハ金庫出納閉鎖期即チ翌年度六月三十日迄ハ訂正シ得ルヲ以テ之レカ訂正手續ヲ爲シ其ノ期限ヲ經過シタルモノハ事由ヲ具シテ本府ニ申請シ大藏大臣ノ据置認可ヲ受クヘキモノナリ

十二　書式第二號中四月一日現在額ヲ掲上スヘキモノハ四十三年度ハ十月一日現在額ヲ掲上スルモノトス　但家屋稅ハ四月一日現在ヲ掲ケ九月迄ニ於テ調定シタル第一期分ニ對スル調定額ハ減ノ部ニ記載スヘシ

十三　書式第二號調定額內譯書地稅本表ハ四月一日ヨリ翌年三月三十一日ニ至ル課稅額ノ異動及調定額ヲ示スモノニシテ稅額ノ中年額ノ增減差引計ハ翌年度計算書ノ四月一日現在ニ符合シ調定額(前年度未收入翌年度繰越額)迄ノ差引ハ末段調定額ノ計ニ符合スルヲ要スルモノニシテ尙ホ左ノ事項注意ヲ要ス

(1) 增ノ部(既往年度ニ係ル本年度分)ハ既往年度賦課漏發見ノ場合ニ於テ本年度分ノミヲ掲上スルモノニシテ既往年度分ハ「既往年度ニ遡リ賦課」ノ段ニ掲上スルモノトス

(2) 前年度調定不足額同徵收猶豫額ハ共ニ前年度ニ於テ掲上セル金額ヲ掲上スヘキモノナルニヨリ若シ本年度ニ於テ尙ホ調定スルコト能ハサルモノノアルトキハ後段調定不足額及徵收猶豫額ヲ本年度分ト前年

度分ト二區分掲上スルモノトス（調定不足額及徵收猶豫額ニ年度區分ノ記載例ヲ示サヽルハ翌年度ニ於テ調定未濟ナシト推定シタルニ由ル）

(3)「前年度收入未濟額」ハ本年度ヘ繰越額ノ金額ヲ掲載スルモノニシテ本年度中尙ホ收入未濟ノモノアルトキハ後段「前年度未收入翌年度繰越額」ニ掲上スルモノトス

(4)調定超過額、調定外誤納額及本年度調定不足額、本年度徵收猶豫額ハ各明細書ニ符合スルヲ要ス

(5)滯納處分引受額ハ年度內ニ於テ引受ケタルモノヽ全部ヲ掲ケ他廳ヘ引繼キタルモノアルトキハ引繼額ニ掲上スルモノトス

(6)税額ノ年額ハ四月一日ノ現在ヲ基トシ翌年三月三十一日迄ノ增減ヲ差引キ常ニ初年度ノ税額ヲ示スヘキ組織ニシテ別ニ說明ヲ要セスト雖モ調定額ニ付テハ左ノ事項注意ヲ要ス

(イ)四月一日現在額ハ爾來税額ノ減免アルヘキニヨリ實際調定ノ時期ニ於テハ固ヨリ異動ヲ免カレスト雖四月一日現在額ニ對シテハ一旦之ヲ調定額ニ掲上シ其ノ內減免アリタルトキハ更ニ減ノ部ニ掲上之ヲ控除シ又四月一日以降有税地或ハ賦課漏發見等ノ增額ハ之ヲ增ノ部ニ掲上スルノ組織ナリ

(ロ)翌年度分ヨリ增若ハ減スルモノハ年額ノミニ掲ケ調定額ニ掲上セス故ニ翌年一月以降ノ增減ハ此種ニ屬ス但咸鏡平安各南北道ハ翌年十二月迄分第一期ヲ本年度二月ニ於テ徵收スルヲ以テ一月以降ノ增減ト雖モ本年度ノ調定額ニ影響ヲ及ホスモノハ之ヲ調定額ニ掲上スルモノトス

(ハ)咸鏡、平安各南北道ニアリテハ第一期ヲ其ノ年二月ニ第二期ヲ十一月ニ徵收スルヲ以テ調定額ハ年度區分ニ從ヒ本調第二期翌年第一期ト記載スヘシ

(7)前各項說明スル所ニヨリ調定額ニ符合セシムル計算ヲ示セハ左ノ如シ

(イ)增減差引計ノ調定額ニ調定超過額、調定誤納額ヲ加算シ本年度調定不足額、本年度徵收猶豫額及滯納處分引繼額（本年度分ヲ引繼タルトキ）ヲ控除シタルモノハ調定額ノ第一期第二期ノ金額ニ符合ス

(ロ)既往ニ遡リ賦課額ニ前段前年度ノ調定不足額、同徵收猶豫額同收入未濟額及滯納處分引受額ヲ加算シ後段前年度ノ調定不足額、同徵收猶豫額同未收入翌年度ヘ繰越額ヲ控除シタルモノハ調定額ノ隨時收入額ノ金額ニ符合ス

十四　書式第二號備考乘算上生シタル不足額トハ結數ニ税率ヲ乘シタルモノヽ税額ニ符合セサルトキノ類ヲ備考ニ記載スルノ義ナリ

十五　書式第二號酒税ニ書式ニハ一、二類ヲ掲上アルモ右ハ單ニ例ヲ示シタルモノニ付第三類ヲモ計上スルコトハ勿論ノコト

十六　同鑛税ノ課税價格ノ欄ニハ鑛產税ニノミ適用スルモノトス

十七　同鑛區税ハ四月一日現在及減ノ部ハ年額ノミヲ掲ケ調定額ヲ掲上セス又增ノ部及十二月末現在ハ年額竝ニ調定額ヲ掲上シ合計ニハ調定額ノミヲ併算掲上スヘシ

十八　驛屯賭收入ノ現品中前年度ニ於テ調定濟ニ係ルモトニシテ本年度ニ繰越シタルモノ及本年度ニ於テ賣却ヲ了セス翌年度ニ繰越シタルモノアルトキハ各其ノ數量ヲ備考ニ記載スヘシ

十九 書式第二號醫院收入、水道收入ハ節ニ區分掲上スヘシ

二十 書式第四號前年度收入未濟本年度ヘ繰越額ヨリ本文第二條第四號ニヨリ計算書備考ニ記載シタル前年度收入未濟ノ收入濟額及不納闕損額ヲ控除シタル金額ハ本表備考二項ニヨリ掲記スヘキ收入未濟額ニ符合スルモノナリ然レトモ誤謬調定ノ取消等ノ爲メ前年度ヨリ繰越未收入額ニ異動ヲ生シタルトキハ符合セサルニ付本表備考末項ニ依リ之ヲ記載スヘキモノトス要スルニ前年度收入未濟額ヲ本年度ニ於テ各表ニ掲載セシムルハ前年度收入未濟ノ整理ヲ明ニスルノ主旨ニ出テタルモノナルヲ以テ關係各表ノ照合ヲ爲スコトヲ要ス

二十一 書式第七號貸付金ハ如何ナル名義ヲ問ハス返還ヲ要スルモノハ總テ掲上スヘシ

一八 一般會計歲入徵收報告書提出方ノ件

大正七年六月三日
官通牒第九一號

度支部長官

各歲入徵收官宛

大藏省所管一般會計歲入最終徵收報告書ハ整理上必要有之候條大正六年度分ヨリ正副二通提出相成度及通牒候也

追テ大正六年度分ニシテ最終徵收報告書提出濟ノ向ハ此際更ニ一通調製送付相成度候

一九 會計檢査院ニ對スル證明書類提出方ニ關スル件

大正七年八月十三日
官通第一一二九號

政務總監

各歲入徵收官、各分任仕拂命令官、各出納官吏、各道長官宛

貴官及貴管內各團體ヨリ會計檢査院ニ對スル證明書類ノ提出方ニ付テハ同院計算證明規程ノ示ス所ニ從ヒ迅速ニ提出ス可キノ處甚シク遲延スル向アリ今般決算確定上支障不尠趣ニテ同院ヨリ照會ノ次第モ有之候條六年度以降提出期嚴守相成度遲延スルモノニ付テハ相當處分ノ途ヲ講スヘキ見込ニ有之候條此段爲念及通牒候也

二〇 收入計算及檢定書調製方ノ件

明治四十五年六月
官通第二三一號

總務局長

歲入徵收官
收入官吏 宛

收入計算書及檢定書調製方ノ件慶尙北道長官ヨリ甲號ノ通照會有之乙號ノ通及回答候ニ付及通牒候也

問 同一收入官吏ニシテ朝鮮特別會計歲入及一般會計歲入ヲ取扱ヒタル場合ニ於テ收入計算書及檢定書ハ各別ニ調製ヲ要スルヤ將タ又兩者一通ニ調製シ其ノ各金額ヲ區分記載スヘキヤ差懸リ疑義相生シ候條至急御回示相成度及照會候也

答 本月十五日付慶北稅道第一二八六號ヲ以テ收入計算及檢定書調製方ノ義ニ付御照會ノ趣了承收入證明程式ニ依レハ特別會計ト一般會計トヲ一通ニ調製シ各金額ヲ區分掲載スル規定ニ候得共本年勅令第七十一號ニ依ル國庫納金ノ收入ハ各別ニ御調製相成度從テ檢定書モ同樣義ト御

承知相成度及同答候也

二二 歳入證憑書枚數記載ニ關スル件

大正十年六月六日
官通第五〇號

庶務部長

歳入徴收官、收入官吏宛

歳入徴收額計算書ニハ其ノ表紙ニ附屬證憑書ノ枚數ヲ記載相成度候也

二三 證明書類調理上注意事項ノ件

明治四十四年三月
官通第一九號

改正　四四年七第二二五號、四四年一二第三八三號、大正三年五第一八二號

政務總監

各仕拂命令官及現金前渡ヲ受ケタル官吏宛

證明書類ノ調理方從來區區ニ渉リ處理上不便不尠候條證明書類調理ノ際ハ特ニ左ノ各項御注意可相成此段及通牒候也

左記

證明書類調理上注意事項

一　支出計算書ノ金額ハ仕拂命令濟額報告書及金庫ノ仕拂命令受領濟報告書ノ計算額ト符合シタルモノヲ掲上スルコト

二　支出及仕拂計算書ノ金額ハ證憑書類各表紙金額ト必ス符合スルモノナルコト

三　同上計算書ハ前月ノ計算書ト越高ノ對照符合ヲ確メテ提出スルコト

四　同上計算書ノ金額ハ正確ニシテ違算無ラシムヘク且ツ記載方ハ證明規程ニ照シ寸毫ノ違式無キヲ期スルコト

五　同上計算書ハ經常、臨時及各款ヲ通シ一冊ニ調製ノコト

六　同上計算書ノ表紙ニハ證憑書及附屬書ノ全冊數枚數ヲ左ノ如ク記載ヲ要ス

證憑書　何冊　何枚
附屬書類　何冊　何枚

但シ附屬書類トハ背規事項表等證憑書ニ屬セサル一切ノ書類ヲ云フ

七　證明書類ノ提出ニハ送附書ノ添附ヲ要セス書類ノ表紙ニ發送番號ヲ付スヘシ

八　削除

九　支出計算書ノ證憑書ニハ仕拂命令番號仕拂計算書ノ證憑書ニハ引出切符ノ番號ヲ附スヘシ

出納官吏カ引出切符ヲ以テ現金ヲ引出シ仕拂ヲ爲シタル場合ニ於テハ引出切符番號ノ內番號ヲ附スルモノトス

引出切符ニ依ラサル仕拂ノ證憑書ニハ引出切符外トシテ追番號ヲ附スヘシ

十　概算渡ニ係ル證憑書ニハ［概算渡］ノ印ヲ押捺シ目每ニ其ノ金額ヲ表紙ニ別記スルコト

概算渡證憑書ノ內譯ハ發著ノ月日地名等ノ記入ヲ略シ單ニ日數、夜數、里數等ノ計竝之ニ對スル各金額及其ノ合計金額ヲ掲記スルモ差支ナシ

十一　支出及仕拂計算書概算渡內譯ハ本月ニ於テ概算渡無キ場合ト雖前月ノ未精算アルトキハ必ス掲記ヲ要ス概算渡精算書類ハ別冊ニ編纂シ

概算渡月別區分ノ表紙ヲ附シ精算金額ヲ記載スルコト

十二　當月ノ仕拂金ヲ其ノ月ニ於テ回收ヲ爲シタルモノハ表紙竝證憑書ニ其金額ヲ朱書スルコト

十三　領收書ノ未到達アルトキハ證憑書相當科目ノ處ニ仕譯書ヲ綴込ミ其ノ金額ヲ各自表紙ニ記載スルコト未到達ニ係ル領收證到達ノトキハ其ノ月ノ計算書ト同時ニ提出ノコト其ノ編纂ハ各目及各月毎ニ區分シ一冊ニ編纂スルコト

十四　金庫領收證書ハ其請求書又ハ仕譯書等ノ前ニ綴込ムヘシ

十五　支出計算書現金前渡ノ證憑書ハ別冊ニ編纂シ其ノ編纂方ハ前各項證憑書ニ關スル例ニヨル

右

二三　證明書類調理上注意事項追加ノ件

明治四十四年四月
官通第九三號

改正　四四年一二第三八二號、大正七年四第五〇號

政務總監

各仕拂命令官及現金前渡ヲ受ケタル官吏宛

本年三月六日官通牒第十九號證明書類調理上注意事項ニ左ノ通追加候條此段及通牒候也

十六　送金仕拂命令及集合仕拂命令ニ依リタル支出ノ證憑書類トシテハ金庫領收證書ヲ請求書無クシテ仕拂タルモノハ仕譯書其他證明規程ノ指定書類ヲ提出シ正當債主ノ領收證ノ必要ナシ

十七　定額戻入ニ對スル金庫領收濟通知書ハ證憑トシテ提出ノ必要ナシ

十八　工事及物件ニ關スル證憑書ニハ總テ物品出納簿及官有財産登記簿ノ登記年月日ヲ記入スヘシ

若シ登記年月日カ仕拂日ノ後ナルカ又ハ年度經過後ナルトキハ前項ノ外納入又ハ引受年月日ヲ記入スヘシ特種物件ノ購買借入ノ證憑書ニハ其用途ヲ説明スヘシ

十九　旅費精算書ノ官等及俸給欄ハ旅費額ノ區分ヲ知レハ足ルヲ以テ高等官ハ官等判任官ハ級俸囑託員雇員其他ハ給額ノミヲ記載セシメ不要ノ部分ハ空欄トシ住所ニハ在職者ニ限リ在勤廳名官氏名欄ニハ事務官書記囑託雇員給仕小使何某ト簡明ニ記入セシムヘシ

二十　旅費ノ一部棄權ハ精算書ノ備考ニ其旨ヲ記入シ年月日以下ノ欄ヲ朱記セシムヘシ

二十一　削除

二十二　證憑書ニ附記證明又ハ説明ヲ要スル事項ハ付箋ヲ用ヒス直ニ之ヲ餘白ニ朱記シ主任官吏認印スヘシ

二十三　立替拂其他正當債主ノ領收證ヲ得難キ場合ハ當該官吏ノ請求書又ハ仕拂書ニ直接事務ノ監督官吏之レニ認證ト記シテ認印スヘシ

郵便局ニ對スル仕拂ハ郵便局ニ於テ其ノ仕拂命令ヲ現金同樣ニ受入レ特ニ請求スレハ受領證ヲ交付スル筈ナルヲ以テ郵便局名ヲ以テ仕拂命令ヲ發行シ受領證ヲ提出スヘシ

二十四　證憑書ハ別記記載例ノ表紙及各目區分ノ界紙ヲ附シテ科目順ニ合綴シ紙數多キ場合ハ便宜分冊シ二冊以上ノ場合ハ何冊ノ内何號ト追番號ヲ附スヘシ

二十五　削除

二十六　計算證明規程第四十一條ニヨル最終支出計算書ニ添附スヘキ調書ハ別記第一號書式ニ據ルヘシ
處分完結ニ隨ヒ提出スヘキ報告書ハ第二號書式ニ據ルヘシ

二十七　計算證明規程第五十八條ノ調書及報告書其他最終支出又ハ仕拂計算書提出ノ後發見シタル誤拂其他ニ關スル報告書ハ別記第一號及第二號書式ニ準シテ調製スヘシ

(表紙ノ記載例)

明治何年度　何年何月分

支出證憑書（仕拂計算書ノ證憑書ハ「仕拂證憑書」トスヘシ）

紙數何枚（證憑書ヲ一冊ニ編纂スルトキハ其ノ紙數ヲ茲ニ記入スヘシ）

冊第何號紙數何枚（證憑書ヲ二冊以上ニ編纂スルトキハ此記入ヲ要ス）

廳名

備考

紙數ハ表紙界紙ヲ除クノ外一切ノ證憑書ヲ一枚每ニ計算スヘシ

(界紙ノ記載)

(甲)

經常部

地方廳(款)　俸給(項)

一金壹萬貳千參百五拾圓六拾錢　勅任俸給(目)

備考

一　證憑書ヲ總テ各目ニ區分シ得ル場合ハ本例ニ依ルヘシ

二　定額戻入額及歲入納付額ハ記載スルヲ要セス

(乙)

經常部

地方廳(款)　俸給(項)

一金參萬參千參百參拾圓

內譯

金壹萬千百拾圓　勅任俸給

金壹萬千百拾圓　奏任俸給

金壹萬千百拾圓　判任俸給

備考

俸給ノ項ニ限リ其證憑書中一部各目ニ區分編纂シ得ル場合ト雖モ之ヲ混同編纂シ本例ノ表紙ヲ附スルモ差支ナシ

(丙ノ上)

經常部

地方廳(款)　廳費(項)

一金壹萬參千四百五拾七圓八拾錢　備品費(目)

內

金參千五拾七圓　各目ニ區分シ難キ證憑書類中ニ在リ

備考

證憑書ヲ各目ニ區分シ難キモノアルトキハ先ツ其區分シ得ルモノノミヲ本例ニ依リ編纂スヘシ

(丙ノ下)

經常部

地方廳(款)　廳費(項)

一金五萬六千四百五拾圓八拾錢　各目ニ區分シ難キ證憑書

内

金參千五拾七圓　備品費

金…………　圖書及印刷費

金…………　筆紙墨文具

金…………　消耗品

備考

證憑書ヲ各目ニ區分シ雜キモノヲ取纏メ本例ニ依リ混同編纂スヘシ

（丁）

經常部

地方廳（款）　旅費（項）

一金貳千九百八拾貳圓五拾錢　內國旅費（目）

內譯

金貳千參百圓　本月概算渡高

金六百八拾貳圓五拾錢　精算追給額（證憑書ハ概算渡ニ對スル精算額中ニアリ）

備考

豫算科目ノ何タルヲ問ハス旅費ノ如ク概算渡ヲナシ精算追給ヲ爲シタルトキハ本例ニ依ルヘシ

（戊）

經常部

地方廳（款）　雜給及雜費（項）

一金五萬六千貳百拾參圓八拾錢　現金前渡額

內譯

金貳萬參千八百貳拾五圓五十錢

釜山府廳現金前渡ヲ受ケタル官吏

書記　何　某　渡

金參萬貳千參百八拾八圓參拾錢　京城府廳現金前渡ヲ受ケタル官吏

書記　何　某　渡

（己）

經常部

地方廳（款）　旅費（項）　內國旅費（目）

一金壹千貳百五拾八圓六拾錢　三月分概算渡ニ對スル精算額

外

金六百八拾貳圓五拾錢　精算追給額

備考

精算證書ハ概算渡ヲ爲シタル目每ニ區分シ本例ニ依リ編纂スヘシ

（庚）

經常部

地方廳（款）

一金五拾六圓　歲入納付證憑書（前渡官吏ニ於テ仕拂殘額ヲ定額戻入又ハ歲入ニ返納シタルトキモ本例ニ依ル）

備考

支出計算書末尾掲載ノ科目更正其他內譯欄歲入納付記載ノ順序ニ編纂スヘシ

（概算渡精算ノ例）

何冊ノ內何號

明治何年度　何年何月分

何何（款）何何（項）何何（目）

一金何程　何月分概算渡ニ對スル精算額

内
金何程　仕拂額
金何程　戻入金
金何程　歳入納付額
紙數何枚　何廳

度　何年
分　何月何年
書證領收庫金　何廳
金何程　紙數何枚

内ノ冊〇號何第

第一號ノ甲

明治何年度末日現在何何(款)旅費概算渡未精算調書

概算渡年月	概算渡額	完結期限	官	氏	名	事	由
	圓						

第一號ノ乙

明治何年度末日現在現金前渡未精算調書

未精算額	完結期限	現金前渡ヲ受ケタル官吏 官氏名	事由

第一號ノ丙

明治何年度末日現在誤拂其他未處分調書

一誤拂

款	項	目	仕拂命令番號	金額	完結期限	債主氏名	事由
				圓			

一過渡

款	項	目	仕拂命令番號	金額	過渡金額	完結期限	債主氏名	事由
				圓				

一 科目違

款	項	目	仕拂命令番號	金額	債主氏名	更正科目 款	更正科目 項	更正科目 目	完結期限	事由
				圓						

第二號ノ甲

明治何年度末日現在何何(款)旅費概算渡未精算完結報告書

概算渡年月日	概算渡額	精算額 仕拂額	精算額 歳入納付額	官氏名	精算年月日
		圓	圓		

右別冊證憑書ヲ添ヘ報告候也

年 月 日

何廳

仕拂命令官 何 某

會計檢査院長宛

第二號ノ乙

明治何年度末日現在現金前渡未精算完結報告書

未精算額	歳入納付額	現金前渡ヲ受ケタル官吏 官氏名	完結年月日
圓	圓		

右別冊證憑書ヲ添ヘ報告候也

年 月 日

何何廳

仕拂命令官 官 氏 名 印

會計檢査院長宛

第二號ノ丙

明治何年度末日現在誤拂其他未處分完結報告書

一 誤拂

款	項	目	仕拂命令番號	金額	債主氏名	完結年月日
				圓		

一 過渡

款	項	目	仕拂命令番號	金額	過渡分歳入納付額	債主氏名	完結年月日
				圓	圓		

一 科目違

款	項	目	仕拂命令番號	金額	債主氏名	更正科目			完結年月日
						款	項	目	
				圓					

右別冊證憑書ヲ添ヘ報告候也

年 月 日

何何廳

仕拂命令官 何 某 印

會計檢査院長宛

二四 證明書類調理上注意ノ件

明治四十四年六月官通第一七三號

改正 大正三年五第一八二號、七年四第五〇號

仕拂命令官、現金前渡ヲ受クル官吏宛

政務總監

本年三月六日官通牒第十九號及四月二十七日官通牒第九十三號證明書類調理上注意事項ニ更ニ左ノ通追加候條御承知可相成此段及通牒候也

追テ四月二十七日官通牒第九十三號第二十一項ハ之ヲ削除可致此段申添候

二十八 工事請負契約書附屬ノ明細書ハ本館、附屬屋及其ノ他工事ノ種類ヲ異ニスル毎ニ區別シ各其ノ請負額、材料、勞力賃等ヲ區分記載スルコト

二十九 一口千圓以上ノ工事及物件ノ賣買貸借ニ關シテハ總テ契約書ヲ添附スルコト

三十 治道費ノ如キ工事費ノ支出ハ朝鮮總督府支出ノ分ハ器具器械其ノ他ニ區別シ竣功明細書ニ準シタル調書ヲ作製シ其ノ他ノ工事費ハ直接使用ヲ爲シタルモノニ付テ工事主任ヨリ竣功明細書ヲ提出スルコト

三十一 廳費、雜給及雜費、旅費ノ類ヲ節トセル目ニ付テハ最終計算書ニ其ノ目各節毎ノ區分等ヲ添附スルコト

三十二 監獄費ノ最終支出計算書及最終仕拂計算書ニハ第三號書式ニ依リ內譯統計表ヲ調製シ之ヲ添附スルコト

三十三 諸學校ノ最終支出計算書及最終仕拂計算書ニハ生徒學年別現在調ヲ添附スルコト

三十四 計算書ノ文字往往不判明ノモノアリ必ス明瞭且叮嚀ニ記載スヘシ

三十五 計算書用紙ハ必ス磐水引美濃紙又ハ厚質ノ西洋紙ヲ用フヘシ

三十六　臨時土地調查局現金前渡ヲ受クル官吏ノ仕拂計算書ニハ表紙ニ其ノ第何班ナルコトヲ記載スヘシ

三十七　計算書概算渡内譯ハ各費目每ニ區分シテ記載スルコト

三十八　概算渡額ハ當月分概算渡高ノ總額（其ノ月精算ヲ爲シタルト否トヲ問ハス）ヲ記入スヘシ

三十九　精算額中

イ　仕拂額ハ左ノ通計算ス

1　概算渡ニ對シ精算額多キトキ（過給ヲ要スルモノ）ハ概算渡高

2　概算渡ニ對シ精算額ノ少キトキ（返納ヲ要スルモノ）ハ精算ニ依リテ確定シタル高

ロ　戻入額、歳入納付額ハイ號第二ノ場合ニ於テ其ノ過渡ニ係ルモノヲ處理シタル區分ニ從ヒ各其ノ欄ニ記入シ戻入額ハ更ニ仕拂命令濟ノ部本月分戻入額ノ欄ニ其ノ金額ヲ記入シ且何レモ計算書末尾科目更正、定額戻入其ノ他内譯ノ部ニ之ヲ掲ケ其ノ事由ヲ説明スルモノトス

ハ　計ハ仕拂額、戻入額、歳入納付額ヲ合算シタルモノニシテ其ノ金額ヲ未精算額ニ加ヘタルモノハ常ニ概算渡額ニ符合スルモノトス

第三號書式

監獄費内譯統計表

監獄名	囚徒平均人員	經費 監督費	經費 食料費	經費 被服費	經費 其ノ他囚徒諸費	經費 計	囚徒一人ニ對スル費額 監督費	囚徒一人ニ對スル費額 食料費	囚徒一人ニ對スル費額 被服費	囚徒一人ニ對スル費額 其ノ他囚徒諸費	囚徒一人ニ對スル費額 計
何何											
何何分監											

一　監督費ハ俸給、廳費、修繕費、旅費、雜給及雜費及退官賜金、死亡金、給助費ヲ含ム

二　食料費、被服費ハ在監人費中ノ食糧費、被服費ノミヲ計上ス

三　其他ノ囚徒諸費ハ在監人費中前二號ノ諸費ヲ除クノ外計上ス

二五　證明書類調理ニ關スル件

大正十年八月
官通第七七號

政務總監

各仕拂命令官、歳入徵收官、出納官吏宛

本府ニ提出スル證明書類調理方ニ付テハ明治四十四年三月官通牒第十九號ヲ以テ及通知置候處左記事項ニ付テハ今尙御實行無之向アリ事務處理上支障少カラス候條自今御注意相成度此段及通牒候也

記

一　會計檢查院計算證明規定ニ依ル證明書類ニハ送付書ヲ添付セス書類

ノ表紙ニ發送番號ヲ付シ提出スルコト

二 毎年三月及臨時檢査ヲ爲シタル月ノ仕拂計算書收入計算書ニハ會計事務章程第六十二號書式ノ檢査書ヲ添付スヘキナルモノニ之ヲ漏セルモノ及舊書式ニ依リ檢定書ヲ作成セルモノアリ

三 計算書表紙ニハ證憑書ノ紙數ヲ記入スルコト

四 計算書末尾ニハ總計金額ヲ記入スルコト

五 計算書及調憑書ハ必ス檢算ヲ爲シ且責任者ヲ明ニスル爲メ表紙餘白ニ檢査濟ト書シ主任者ヲシテ捺印セシムルコト

六 各款毎ニ分冊スルモノアルモ大冊ニ渉ラサル限リ合冊スルコト

二六 仕拂計算書提出方ノ件

明治四十四年四月
官通第六一號

會計課長

【明治三十二年五月會計檢査院達第二號仕拂證明規程】ニ依リ毎月提出相成ヘキ仕拂計算書ハ正副二通提出ニハ不及候條此段及通牒候也

二七 最終支出計算書副本提出方ノ件

大正三年七月
官通第二五五號

總務局長

各仕拂命令官宛

【支出證明規程】ニ依ル最終支出計算書ニ總括ノ部ニ限リ其副本添附御提出相成度此段及通牒候也

追テ大正二年度最終計算書既ニ御提出ノ向ハ此際本文副本一通御提出相成度候

二八 仕拂計算書ニ檢定書添付ノ件

大正六年四月
官通第八三號

總務局長

現金前渡官吏宛

仕拂計算書ニハ會計規則（第九十三條）ニ依ル檢定書ヲ添附スヘキ筈（計算證明規定第五十九條參照）ナルニ拘ハラス十月分計算書中之ヲ添附セサルモノ少カラス處理上差支候條自今定期又ハ臨時檢査ヲ爲シタル月ノ計算書ニハ必ス檢定書ヲ添附提出相成度此段及通牒候也

【參照】

會計規則九三ハ　改正一三八
計算證明規定五九ハ　正改五一

二九 出納官吏檢査規程

明治二十五年五月
大藏省訓令第三〇號

出納官吏

第一條　大藏大臣ハ其指揮監督ノ下ニアル出納官吏ノ金櫃帳簿及事務取扱方ノ實況ヲ檢査スルヲ必要ト認ムルトキハ檢査員ヲ特派シテ之ヲ施行ス

第二條　檢査員ハ檢査章ヲ携帶シ之ヲ出納官吏ニ示シタル後檢査ニ著手シ其旨當該廳長ニ通告スヘシ

第三條　檢査員ハ出納官吏ヨリ出納計算書ヲ差出サシメ之ヲ帳簿及保管ノ現在金ニ照合スヘシ

第四條　檢査員ハ出納官吏ノ帳簿竝ニ收支ノ手續等例規ニ反スルコトナキヤ否ヲ稽査スヘシ

第五條　檢査員出納官吏ノ金櫃帳簿等檢査ニ關シ必要ト認ムルトキハ當該廳ニ向ヒ其關係書類ノ送付ヲ求ムルコトアルヘシ

第六條　檢査員出納官吏ノ保管スル現金ノ檢査ヲ了シタルトキハ檢定書二通ヲ調製シ該官吏ヲシテ之ニ署名捺印セシメ其一通ヲ本人ニ交付スヘシ

第七條　檢査員出納官吏ノ帳簿ノ檢査ヲ了シタルトキハ帳簿表紙ノ裏面ニ何年何月何日マテノ出納ハ檢査濟ナルコトヲ記載シ更ニ記名調印ヲナスヘシ

三〇　物品出納計算委託檢査成績報告書ニ關スル件

明治四十五年五月
官通第一九五號

會　計　課　長

各道長官、警務總長、憲兵司令官、臨時土地調査局長、高等法院長、各覆審法院長、各地方法院長、各稅關長、各典獄、勸業模範場長、營林廠長、平壤鑛業所長　宛

客年七月三十日付朝乙發第六一二六號ヲ以テ物品出納計算ノ檢査及責任解除ノ件委託相成候處同取扱順序第二及第三ノ書類ハ同時ニ本府ヘモ提出相成度此段及通牒候也

（參照）

物品出納計算書ノ檢査及責任解除ノ件

明治四十四年七月
朝乙第六一二六號

總　督

各道長官、警務總長
憲兵司令官、臨時土地調査局長官
高等法院長、（各控訴院長）
（各地方裁判所長）、各稅關長
各典獄、勸業模範場長
（專賣局長）、平壤鑛業所長
營林廠長

朝鮮總督府ハ會計檢査院ノ委託ニ基キ左記物品出納計算ノ檢査及責任解除ヲ（廳名）ニ委託ス

（左記略）

右委託檢査ニ係ル責任解除及檢査成績報告順序左ノ如シ

委託檢査取扱順序

一　計算書ニ對シ全部正當ト判決シタルトキ又ハ辨償ノ責任アリト判決シ其ノ辨償ヲ了シタルトキハ物品會計官吏ニ對シ第一號書式ニヨリ認可狀ヲ交付スルコト

二　檢査ノ成績ハ第二號書式ニ依リ年度經過後八ケ月以內ニ會計檢査院ニ報告スヘシ若シ期ニ至リ檢査未完了ニ係ルモノアルトキハ其ノ事由及完結期限ヲ報告シ爾後結了ニ從ヒ其ノ成績ヲ報告スルコト

三　會計檢査院法第二十四條ニ依リ再審事項アルトキハ其ノ事由ヲ詳記シタル申報書ニ關係書類ヲ添付シ直チニ會計檢査院ニ提出スルコト

四　物品會計規則第十八條ノ二ニ依リ帳簿ヲ以テ證明シタル場合ニ於テハ檢査官吏該帳簿ノ末尾ニ檢査濟ノ旨及其ノ年月日ヲ記入シ署名捺印

スヘキコト

五　第二項ノ報告書及第三項ノ申報書ハ總テ本府ヲ經由スルコト

三一　物品檢査調書提出方ノ件

大正六年五月
官通第九九號

總務局長

各所屬官署長宛

會計事務章程第二百三十九條ニ依ル物品檢査調査調書ハ同附則第四項ニ基キ大正六年三月三十一日現在物品ニ就キ檢査作成シ提出可相成筈ニ候處于今未提出ノ向不尠整理上差支候條至急提出相成度此段及通牒候也

第七編　官有財産

第七編　官有財産

第一章　管理

一　朝鮮官有財産管理規則

明治四十四年七月
勅令第二百號

改正　大正七年一第一三號

第一條　本令ニ於テ官有財産ト稱スルハ國有ノ不動産、船舶及其ノ附屬物ヲ謂フ

第二條　朝鮮總督所轄ノ官有財産ハ特別ノ規定アル場合ヲ除クノ外本令ニ依リ朝鮮總督之ヲ管理及處分ス

第三條　公用中ノ官有財産ハ賣拂、貸付、讓與又ハ交換スルコトヲ得ス
前項ノ官有財産ハ公用ヲ妨ケサル場合ニ限リ其ノ使用ヲ許可スルコトヲ得

第四條　官有財産ハ其ノ管理又ハ處分ニ關係アル職員ニ對シ之ヲ賣拂、貸付、讓與又ハ交換スルコトヲ得ス

第五條　官有財産ノ賣拂又ハ貸付ハ左ニ掲クル場合ニ限リ隨意契約ニ依ルコトヲ得

一　公用ニ供シ又ハ公共ノ利益ト爲ルヘキ事業ニ供スル爲公共團體又ハ起業者ニ賣拂又ハ貸付スルコト

二　鑛業又ハ植林事業ニ直接附隨シ必要缺クヘカラスト認ムル土地ヲ起業者ニ賣拂又ハ貸付スルトキ

三　官設事業ニ直接附隨スル事業ノ爲必要缺クヘカラスト認ムル土地又ハ工作物ヲ起業者ニ貸付スルトキ

四　開墾若ハ牧畜ノ爲土地ヲ貸付スルトキ又ハ其ノ事業成功ノ後其ノ土地ヲ起業者ニ賣拂フトキ

五　開墾、牧畜又ハ漁業ニ從事スル者ニ對シ其ノ事業ニ附帶シテ必要ナル土地又ハ工作物ヲ賣拂又ハ貸付スルトキ

五ノ二　朝鮮總督ノ定ムル重要物産ノ製造業者ニシテ其ノ定ムル資格ヲ有スル者ニ對シ其ノ事業ノ爲必要ナル土地又ハ工作物ヲ賣拂又ハ貸付スルトキ

五ノ三　朝鮮總督ノ定ムル資格ヲ有スル造船業者ニ對シ其ノ事業ノ爲必要ナル土地又ハ工作物ヲ賣拂又ハ貸付スルトキ

六　市區計劃ノ確定シタル市街豫定地ヲ特別ノ條件ヲ附シ賣拂又ハ貸付スルトキ

七　一箇所ニ付六百坪未滿ニシテ評定價格千圓未滿ノ土地ヲ賣拂フトキ

八　一箇所千坪未滿ニシテ見積貸付料一年三百圓以下ノ土地ヲ五年以内ノ期間ヲ以テ貸付スルトキ

九　一年以内ノ期間ヲ以テ工作物ヲ貸付スルトキ

十　僻陬ノ地ニ在ル不用ノ工作物ニシテ評定價格五百圓未滿ノモノヲ賣拂フトキ

第六條　官有財産ヲ賣拂ヒタルトキハ其ノ代金完納ノ後ニ非サレハ之ヲ引渡スコトヲ得ス

第七條　官有財産ハ無料ニテ貸付シ又ハ使用ヲ許可スルコトヲ得ス但シ

公用ノ爲又ハ營利ヲ目的トセサル公共ノ利益ト爲ルヘキ事業ノ爲ニスル場合ハ此ノ限ニ在ラス

第八條　官有財産ノ貸付料又ハ使用料ハ毎年之ヲ前納セシムヘシ但シ相當ノ保證ヲ立テ又ハ擔保ヲ供シタルトキハ此ノ限ニ在ラス

第九條　官有財産ノ貸付期間ハ土地ニ在テハ二十年其ノ他ノ物件ニ付テハ三年ヲ越ユルコトヲ得ス

土地ノ利用ニ必要ナル工作物ヲ土地ト共ニ貸付スルトキハ其ノ土地ノ貸付期間之ヲ貸付スルコトヲ得

第十條　官有財産貸付期間中公用ニ供スルノ必要ヲ生シタルトキハ貸付ノ契約ヲ解除シ之ヲ返還セシムヘシ

前項ノ場合ニ於テ借受人ハ直接ニ受ケタル損害ニ付其ノ賠償ヲ求ムルコトヲ得但シ特別ノ契約アル場合ハ此ノ限ニ在ラス

第十一條　官有財産ハ左ニ掲クル場合ヲ除クノ外之ヲ讓與スルコトヲ得ス

一　公用ニ供シ又ハ營利ヲ目的トセサル公共ノ利益ト爲ルヘキ事業ニ供スル爲必要ナルトキ

二　公園、公共道路、河川、堤防、溝渠、溜池等ヲ開設シタル爲不用ニ歸シタル舊同種類ノ土地ヲ其ノ開設者ニ下付スルトキ

三　公用ヲ廢シタル土地ヲ其ノ公用中維持保存費ノ負擔義務ヲ有シタル者ニ下付スルトキ

第十二條　官有財産ハ交換スルコトヲ得ス但シ土地建物ハ公用ニ供シ若ハ公共ノ利益ト爲ルヘキ事業ニ供スル爲必要ナルトキ又ハ官有地整理ノ爲必要ナルトキニ限リ其ノ評定價格同一以上ノ土地建物ト交換スルコトヲ得

第十三條　左ノ場合ニ於テハ官有財産ノ賣拂、讓與、交換又ハ貸付ノ契約ヲ解除スルコトヲ得

一　公用ニ供シ又ハ公共ノ利益ト爲ルヘキ事業ニ供スル爲賣拂、貸付讓與又ハ交換シタル官有財産ヲ三年以内ニ其ノ用ニ供セサルトキ

二　第五條第二號乃至第五號ノ規定ニ依リ賣拂又ハ貸付シタル土地又ハ工作物ヲ二年以内ニ其ノ用ニ供セサルトキ

三　第五條第六號ノ規定ニ依リ土地ノ賣拂又ハ貸付ヲ受ケタル者二年以内ニ工事ニ著手セサルトキ

前項各號ノ期間ハ天災其ノ他避クヘカラサル事由アリタル場合ニ限リ各其ノ半期間以内ノ延長ヲ爲スコトヲ得

第十四條　官有水面ハ公用ニ妨ナキ限リ著手及成功ノ期限竝一切ノ條件ヲ定メ其ノ埋立ヲ特許シ條件ノ定ムル所ニ從ヒ埋立地ノ全部又ハ一部ヲ其ノ起業者ニ賣拂、貸付又ハ讓與スルコトヲ得

第十五條　朝鮮總督ハ明治四十四年四月一日ヨリ起算シ十年毎ニ其ノ年三月三十一日現在ノ官有財産目錄ヲ調製シ八月三十一日迄ニ之ヲ主管大臣ニ報告スヘシ

第十六條　朝鮮總督ハ毎年前會計年度ニ於ケル官有財産ノ增減報告書ヲ調製シ八月三十一日迄ニ之ヲ主管大臣ニ報告スヘシ

第十七條　前二條ノ官有財産目錄及官有財産增減報告書ハ主管大臣ニ於テ其ノ調製シタル年開會ノ帝國議會ニ之ヲ報告スヘシ

附　則

本令ハ公布ノ日ヨリ之ヲ施行ス

官有財産目錄ハ第十五條ノ規定ニ依リ調製スルノ外同條ノ期限前ニ於テ第一同ノ調製ヲ爲スヘシ

二　官有財産ノ整理區分、臺帳其ノ他ノ樣式竝圖面調製標準

大正四年一月
總訓第二號

朝鮮總督府及所屬官署會計事務章程第十條ノ規定ニ依ル官有財産ノ整理區分、臺帳其ノ他ノ樣式竝圖面調製標準別册ノ通定ム

（別册省略）

三　各省管理官有財産ノ管理換ニ關スル件

大正十一年十月
官通第九二號

各省管理官有財産ノ管理換ニ關シ直接各省ヘ照會相成向モ有之趣ニ候處自今右等ノ場合ニハ土木部ヘ申出テ同部ヨリ更メテ各省ヘ照會ノコトニ決定相成候條此段及通牒候也

追テ現ニ陸軍ヘ直接照會中ノモノニ付テモ本文ノ趣旨ニ依リ一應土木部ヘ申出相成度候

四　官廳ノ所管ニ係ル不動産登記ノ囑託ニ關スル件

大正十年八月
府令第百二三號

第一條　本府所管ニ係ル不動産ノ登記ハ左ノ官吏ヲシテ之カ囑託ヲ爲サシム

土木部長
土木部出張所長
鐵道局長
殖産局長
遞信局長
專賣局長
專賣支局長
覆審法院長
地方法院長
典獄
勸業模範場長
營林廠長
平壤鑛業所長
觀測所長
獸疫血清製造所長
官立學校長
税關長
道知事
府尹郡守島司

第二條　前條ニ依リ指定シタル官吏ハ朝鮮不動産登記令ニ依ル不動産登記法第三十五條第五號ノ書面ノ提出ヲ要セス

第三條　左ニ揭クル官吏其ノ所屬官廳ノ所管ニ係ル不動産登記ノ囑託ヲ爲ス場合ニ於テ亦全條ニ同シ

朝鮮軍經理部長
師團經理部長
要塞司令部工兵科將校

附　則

本令ハ發布ノ日ヨリ之ヲ施行ス

大正元年朝鮮總督府令第四十四號及大正五年朝鮮總督府令第三十八號ハ之ヲ廢止ス

（參照）

大正元年十二月朝鮮總督府令第四十四號ハ本府所管ニ係ル不動産證明又ハ登記ノ囑託ニ關スル件ニシテ大正五年五月朝鮮總督府令第三十八號ハ本府以外ノ官廳ノ所管ニ係ル不動産ノ登記又ハ證明ノ囑託ニ關スル件ナリ

五　官有財産第一回目錄調製ニ關スル件

大正七年四月
官通第五九號

政務總監

官有財産保管者宛

朝鮮官有財産管理規則第二項ニ規定セラレタル官有財産第一回目錄ハ本府及所屬官署會計事務章程附則第五項ニ基キ明年三月三十一日現在ニ依リ同年六月三十日限リ提出可相成義ニ有之候ニ付テハ之ニ關スル整理及調製上此際豫メ相當準備ノ上右提出期日ヲ愆ラサル樣特ニ御注意相成度此段爲念及通牒候也

追テ官有財産目錄及圖面引繼後大正六年度第二期ニ至ル増減報告未濟ノ向ハ至急取纒メ提出相成度申添候

六　官有財産ニ關スル件

明治四十五年四月
官通第九〇號

政務總監

從來其ノ廳ニ於テ管理若ハ保管シ來リタル廳舍竝其ノ敷地又ハ附屬地ニシテ今般官制改正ニ依リ異動ヲ來シタル結果所管換ヲ要スルモノハ夫々管理換又ハ保管換ヲ爲シタルモノト認メラレ候ニ付依命此段及通牒候也

追テ本文所管換ヲ爲シタル場合ニハ財産目錄及圖面ヲ添付シ報告相成度候也

七　官有財産保存竝ノ取毀ニ關スル件

明治四十四年十月
官通第二九七號

近來建物其ノ他工作物取毀處分ノ申請ヲ爲ス向尠カラス右ハ何レモ相當調査ヲ遂ケタル上稟申相成候義ト存候モ右ノ中歷史上又ハ學術上特ニ保存ヲ必要トスルモノモ可有之目下夫々調査中ニテ之カ保存方法ニ關シテハ追テ何分ノ指示ニ及フヘク候得共此際各官ニ於テモ調査上右ノ含ヲ以テ尙一層ノ御注意相成度此段及通牒候也

八　火災豫防ニ關シ改善及注意ノ件

大正四年十二月
官通第三三一號

總務局長

各所屬官署長宛

火災豫防ニ關シテハ從來屢訓示又ハ通牒ヲ發セラレ各官廳ハ嚴ニ之カ勵行ニ努メ候事ト被存候モ由來火災ノ原因タル平常僅カナル注意ヲ相怠リ候爲メ發生スルモノ少カラサルハ遺憾ニ堪ヘサル處ニ候茲ニ火防上大體ノ注意ヲ列記シ御參考ニ供シ度此段及通牒候也

一、煖爐

各官衙官舎其他各所ノ煖爐ハ種類區區ニシテ一樣ナラスト雖モ其ノ据付使用ニ方リテハ各本來ノ構造ニ鑑ミ嚴密ナル檢査ヲ行ヒ且使用期間常ニ手入ヲ怠ラス又時時其ノ缺點ノ有無ヲ檢査シ以テ火災豫防上ノ完全ヲ期スルヲ要ス

二、煖爐煙突

煙突用煙管ニ使用スル鐵板ハ往往薄キニ過キ燒穴朽穴ヲ生シ又破損シ易シ將來製作スヘキモノハ可成厚キ堅牢ナル品質ノモノヲ撰用スルヲ要ス

煙管ノ「コハゼ」掛及其ノ繼手ハ最モ確實ニ密著セシメ其ノ重ネ合セノ寸度ヲ一見確認シ得ル樣目標ヲ附スヘシ右目標ハ煙管ノ一端ニ突起部（鐵板薄キモノハ其ノ部分ヲ壓出セシメ厚クシテ壓出シ難キモノハ鍔ヲ附ス）ヲ設クルヲ正規トシ在來品ニアリテハ標線强熱セラルル部分ハ白墨其ノ他ハ適當ノ塗料ヲ用ユ）ヲ印スヘシ煙管ノ交叉部ニ於ケル覆蓋モ亦風又ハ火氣ノ爲メ吹キ落サレサル樣必ス三寸乃至四寸重ネ合セ特ニ下向セルモノハ鐵線ニテ締付クル方法等ヲ採ルヲ要ス又現在此ノ寸度ニ達セス或ハ寸度アルモ緊著セサルモノアレハ差當リ鐵線ニテ締付クル等ノ方法ニ依リ堅固ナラシムヘシ

燒突ノ取付ニ方リテハ一一煙管ノ朽穴ノ有無及「コハゼ」掛ノ密著セルヤ否ヤヲ檢シ不完全ノモノハ之ヲ修理シ組立各部ノ施工方法ヲ嚴密ニ檢査スルヲ要ス

三、煖爐煙突ノ振止ノ金物及釣リ金物

煙突ハ細長キ多クノ繼手アルモノナレハ烈風雪ノ崩落等ニ對シテハ抵抗力弱ク離レ易ク倒レ易シ故ニ之ニ對抗スル爲メ屋外ニ在リテハ振リ止ノ金物（厚正三厘以上幅八分以上ノ鐵板ヲ用ルカ非ラサレハ八十二番以上ノ鐵線ヲ用ユル等）ヲ以テ少クトモ六尺間以内ニ天井等ニ確ニ緊張シ且ツ其ノ末端ハ堅固ニ取付クルヲ要ス

振リ止メ金物及釣リ金物ハ烈風雪ノ崩落掃除等ノ爲メ破損スル事多シ故ニ其ノ場合ニハ一一檢査ヲナシ異狀アレハ直ニ復舊ヲナスヘシ

四、目鏡石ト煖爐煙突ノ繼手

煙突ノ繼手カ目鏡石ノ部分若クハ目鏡石ヨリ一尺以内ニ接近シテ存在シ之ヨリ火ヲ吹キ出ストキハ危險ナリ故ニ該繼手ハ目鏡石ヨリ一尺以上離ルル樣爲スヘシ若シ止ムヲ得サルニ於テハ目鏡石ニ近接シアル部分ノ繼手ハ漆喰等ノ不燃物ヲ詰メ込ミ全ク火氣ノ漏レサル如ク設備スルヲ要ス

五、煖爐煙突ト壁及天井トノ距離

煙突ト壁又ハ天井トノ距離ハ可成遠隔セシメ壁ヨリ三尺以上天井ヨリ二尺以上ト爲スヲ要ス若シ在來目鏡石ノ位置ノ關係上天井トノ距離ヲ二尺以上トナシ能ハサルトキハ其ノ部分ニ限リ煙突上部ニ近ク弧形或ハ山形ノ鐵板製ノ覆蓋ヲ釣リ架クヘシ但壁又ハ天井ニ直接金屬鈑ヲ張ルハ厚キ漆喰塗ノ場合ヲ除クノ不可ナリトス蓋シ金屬鈑ハ熱ノ良導體ナルヲ以テ反ツテ裏面木部ノ燒焦ヲ起シ外部ヨリ之ヲ認ムルヲ得サルコトアレハナリ

六　煖爐煙突ノ掃除

煙突ハ常ニ能ク掃除シ煤ヲ溜メサル如クスル事ハ火災豫防上最モ必要事項ナルヲ以テ毎週一回以上掃除スルヲ要ス此ノ掃除ハ一回ニ限

ヲス焚方ノ程度等ヲ斟酌シ可成掃除ノ回數ヲ多クシ且ツ掃除ノ實行ヲ嚴密ニスルヲ要ス若シ經費ノ關係上一般ニ一週數回ノ掃除ヲ行ヒ難シトスルモ事務室ノ如キ終日煖爐ヲ焚ク所又ハ石炭ヲ焚ク所ハ一週ニ二回若クハ二週ニ三回宛必ス實施スヘシ

七、煖爐及附屬具ノ取外シ及格納

煖爐ノ使用期間終リ之ヲ格納スル場合ニハ次回ノ取付及保存ニ顧慮シテ檢査ヲ行ヒ破損セルモノハ之ヲ修繕シ修繕ノ見込ナキモノハ之ヲ廢棄シ丁寧ニ掃除ノ上室外ニ用ユル部分ニハ防銹塗料（コールター或ハ特製防銹ペンキ類）ヲ施シ室内高溫度ニ熱セラルル部分ハ黑抹シ以テ防銹ヲ完全ニシ各組ニ分チ組立番號ヲ附シ變形セサル如ク積ミ重ネ確實ニ格納シ置クヲ要ス

八、火鉢

火鉢類ノ不完全ナルモノヲ用ユルハ又火災ノ原因トナルモノナリ故ニ毎年秋末若クハ冬初ノ候使用前ニ於テ一一嚴密ナル檢査ヲ行ヒ不完全ナルモノハ修理改造ヲ爲シ又使用中ニアリテモ常ニ檢査ヲ行ヒ注意ヲ加ヘ紙屑等ノ火中ニ入ラサル樣金網ヲ以テ蓋ヲナシ又火鉢ノ底部ニ火箸ヲ以テ突キ廻シ穴ヲ穿チ又ハ周圍ノ塗土ヲ剝落シ木緣ヲ焦ス等ノコトナカラシムル事肝要ナリ周圍ノ破損シタル鑄鐵製火鉢ニ火ヲ盛ルカ如キハ絕對ニ之ヲ禁止セサルヘカラス又大火鉢下面ハ決シテ床面ト接著セシメサル樣ニ爲シ且此ノ空隙ノ掃除ハ檢査ヲ常ニ勵行スルヲ要ス

九、十能、火取、灰飾、火消壺類

本器類モ亦火鉢ニ就テ述ヘタル要領ニ準シ檢査ヲ行ヒ火災豫防上ノ注意ヲ拂フヲ要ス特ニ火消壺類ヲ燃燒シ易キ物ノ附近ニ置キ或ハ木床上ニ直接ニ置キ又鐵製ニアラサル素燒火消壺ヲ用ユル如キハ不可ナリ

一〇、煖爐、火鉢其ノ他火扱器ノ配當

此ノ配當ニ付テハ浴室、人民控室、小使部屋ノ如キ使用頻繁ナルカ若クハ巡檢シテ一瞥ノ下ニ容易ク見附カラサル處アル場所ニハ完全無缺ナル優等品ヲ備付クルカ如キ顧慮ヲ要ス

一一、炊事場

諸學校監獄等ノ炊事場ニ於テハ專心火氣ニ注意ヲ爲スヘキハ勿論ニシテ屋根裏ノ木部ヲ煙突ニ接著セシムルヘカラス其ノ接近シタル部分ニ於テ往往火災ヲ惹起スルコトアリ之レ其ノ主因ハ煙突及該接近部ノ掃除ノ不充分ナルニ基クモ動モスレハ建物ノ構造ノ適當ナラサルニ原因シ不知不識ノ間煙突ニ餘溫ヲ導キ木部ヲ焦シ遂ニ發火ニ至ルコトアリ故ニ特ニ此ノ部ヲ實査シテ相當ノ豫防處置ヲ採リ且萬一發火ノ際ハ直ニ發見シ得ルカ如キ構造トシ尙引續キ此ノ部ノ檢査ト煙突及接近部ノ掃除ヲ怠ラサルヲ要ス

一二、浴室

浴室モ亦炊事場ニ就テ述ヘタル方法ニ準シテ檢査ヲ爲シ殊ニ焚口及浴槽ト竈ノ接著部ニ注意スルヲ要ス蓋シ其ノ接著部ニ於ケル漸次ノ燒焦モ遂ニ大事ニ至ル虞アルヲ以テナリ

一三、蒸汽炊爨場

蒸汽炊爨設備ニ於ケル炊爨浴場ハ直火式炊事場及浴室ニ比スレハ稍安全ナルカ如キモ之カ爲放漫ニ流ルル事ナク常ニ機關室其ノ他發火

ノ虞アル部分ニ就キテハ注意ヲ爲スヲ要ス

一四、燈火及燈器

角燈及「ランプ」類ヲ使用シアル官廳ニ於テハ可成久美油、金剛油ノ如キ火止安全燈油ヲ使用スルヲ可トス此ノ種ノ火止油ト雖トモ坊間販賣スルモノニアリテハ其ノ揮發力及發火力強ク全ク安心シテ使用シ得サルモノアルニ由リ充分其ノ性分ヲ檢査シタル上ニアラサレハ輕忽ニ之ヲ使用スヘカラス又燈器及其ノ懸吊設備ヲ堅牢ニシ墜落顚倒ヲ豫防スルヲ要ス

燈器及燈油ノ格納所ニ於テハ最モ火元ノ取締ヲ嚴密ニスルヲ要ス

一五、電燈

電燈モ亦決シテ危險ナシト云フヘカラス蓋シ屋外ニアリテハ風、雨雪等天變ニ由リ屋内ニアリテハ洒掃其ノ他人爲的過失又ハ鼠害ニ由リ電線ノ被覆ニ損傷ヲ來シ漏電ノ爲メ不虞ノ災害ヲ起スコト往往之アリ故ニ此等危害ヲ發スヘキ箇所ニ就テハ豫メ調査考究ヲ爲シ又電燈點火ニシテ會社ノ供給ニ係ルモノハ該會社ニ交渉シテ技術者ノ派遣ヲ求メ自營ニ屬スルモノハ專任技術官ヲシテ少ナクモ一年一回ハ全部ニ亘リ檢査ヲ爲サシメ以テ奇禍ヲ未發ニ防止スルコトニ努ムルヲ要ス

一六、灰捨場設置

廳舍官舍ヲ不問ストーブ焚キ殘リノ灰ト其儘翌朝迄殘置スルモノト焚キ終リ直ニ撤收スルモノト二樣アルモ本府ノ經驗スル處ニ依レハ後者ヲ以テ安全ナルモノト認ム尤其撤シタル殘灰ノ處分法當ヲ得サレハ却テ危險ヲ誘致スルノ原因トナルヘシ絕對ニ塵捨箱ニ投棄スヘカラス之カ安全策トシテハ建物及周圍ニ何等危險ノ顧慮ナキ地點ヲ選定シ適當ナル穴ヲ掘鑿シ投棄シ即時散水跡仕末ヲ仔細ニ點檢スルヲ要ス素ヨリ穴ノ深サ以上ニ殘灰ノ投棄ハ絕對ニ禁シ更ニ他ニ地點ヲ選定同樣勵行スルヲ安全ナリト認ム之等ハ別ニ經費ヲ要セス廳舍ニアリテハ小使等ヲ使役シ官舍ニアリテハ各人相當ノ手當ヲ爲ス事容易ナルヘシ

一七、紙屑類ノ處置

各種油紙燐寸石油等最發火又ハ火氣誘引ニ大ナル素質原因ヲ有スルモノハ其ノ取扱格納ニ注意ヲ拂ハサルヘカラス本府ニアリテハ紙屑ハ日日退廳後必ス取集メ建物ニ遠サカリタル一定ノ場所ニ集捨シ當日監獄ヲシテ引取ラシメ製紙ノ原料トシテ交付スルト同時ニ一面火防ノ措置ヲ採レリ又各種油紙ハ絕對事務室ニ散在セシメス日日小包ノ解裝等ヨリ生スルモノハ必ス會計課ニ送付セシメ一括ノ上格納セリ其ノ他燐寸、石油ノ如キモ火氣ニ隣接セル箇所ニ格納セサルコト肝要ナリ燐寸ノ種類ニ依リテハ他ノ物體ニ接觸摩擦スルトキハ發火スルモノアリ如此燐寸ハ官廳ニ於テ使用スルコトハ絕對ニ不可ナリ個人ト雖モ其ノ使用ヲ避ケサルヘカラス

一八、退廳後火鉢ノ置場

退廳後火鉢ハ之ヲ其ノ儘室内ニ放置セス叮嚀ニ火氣ヲ取去リタル上廊下等人目ニ觸レ易キ場所ニ集メ且ツ常ニ金網ヲ覆ヒ置クコト必要ナリ但シ風ノ吹通能キ場所ニ格納スル事ハ素ヨリ嚴禁スルヲ要ス

一九、溫突

朝鮮ニ於ケル火災ハ統計ノ示ス處ニ依レハ溫突ヨリ出火セルモノ其

ノ大多數ヲ占ム蓋シ其構造ノ不完全焚口ニ蓋ヲ爲サスシテ附近ニ燃料ヲ散亂セルモノ煙突ノ屋根又ハ軒ニ密接セルモノ鼠穴又ハ床下破損シテ露出セル木部ノ火氣通路ニアルモノ又ハ過度ニ焚キ過キ床面ニアル座蒲團毛布類ニ自然ニ火ノ移ル場合等要スルニ温突ノ爲メニ生スル火災ノ原因ハ枚擧ニ遑アラサルヲ以テ温突ヲ有スル官廳官舍ハ使用人ニノミ一任セス能ク深甚ナル注意ト綿密ナル監督ヲ要スルハ敢テ多言ヲ要セサルヘシ

二〇、傭人ノ敎訓

本府ニアリテハ例年春秋(又ハ冬)本府傭人ハ勿論在京所屬官署傭人其ノ他各官舍ニ於ケル使用人全部ヲ召集シ火災ニ關スル講話消防ノ實地演習、瓦斯電氣、水道ノ使用法ニ就キ訓示的敎育ヲ爲セリ火器ニ最モ近キ關係ヲ有スル彼等ヲ召集シテ講話スル事ハ其ノ效果決シテ尠少ナラサルコトヲ確信ス各官廳ハ其ノ所在地諸官廳ト申合セ此ノ種ノ實行ヲ計リ諸種ノ方面ヨリ考察シテ斷シテ火災ヲ未然ニ防止スル事ヲ企畫スルヲ要ス

二一、火防機關ノ完備

火防機關ノ完備ノ一トシテハ宿直傭人消防用具ノ配置整頓水道又ハ水ノ利用ノ攻究火災豫防規程ノ制定等其ノ主タルモノナルヘシ各官署ノ長ハ能ク部下職員以下ノ宿直ニ於ケル勤怠ヲ時時檢査シ廳舍ノ內外ノ巡察等形式ニ流レサルコトニ留意スルト共ニ消防用具ハ常ニ其ノ故障ノ有無ヲ檢査シ置キ一朝有事ノ際應急ニ不都合ナキヲ期セサルヘカラス又消防演習モ每年數回以上實地試驗ヲナシ機械ノ故障ヲ檢査スルト共ニ職員以下ニ其ノ用法ノ訓練ヲ爲サシムルコト肝要ナリ水道又ハ井戶地ノ利用其ノ枯渇或ハ結氷時ニ於ケル措置等周密ナル計畫ヲ立テ能ク一般ヲシテ周知セシメ置キ異常ノ場合ニ蹉跌缺陷ノナキヲ期セサルヘカラス

火災豫防規程ヲ制定セサルモノ制定シアルモノ內容ノ不完全ナルモノ規定一般ニ徹底セサル爲メ實行上ノ不都合ヲ生セル者アリ主任者ハ絶エス其ノ規程ト實行ノ確實ヲ期シ決シテ一片ノ空文タラシムヘカラス

以上記スル所ノ如ク最初如何ニ完全ニ設備ヲ行フモ監督者ニ於テ之カ保存ニ注意セス又使用者ニ於テ之カ取扱ヲ愼マサルニ於テハ折角ノ設備モ其ノ效ナキニ終ラムノミ故ニ監督者ハ時日ヲ定メ或ハ不時ニ之カ檢査ヲ行ヒ烈風雪等ノ場合ニハ特ニ臨時ノ檢査ヲ行ヒ以テ構造上ノ破損ヲ絶對的防止スルノ方針ヲ採リ又使用者ヲシテ例セハ煖爐ニ過度ノ燃料ヲ投シテ之ヲ赤熱シ或ハ火鉢ニ山盛リニ火ヲ入ルル等ノ如キ建造物ニ危險ヲ及ホスヘキ行爲ヲ禁止セシムル等兩兩相俟テ其ノ效果ヲ擧ケムコトヲ切ニ希望スル所ナリ終リニ臨ミ尙一言スヘキハ建物ノ構造据付其他物件等ノ完備ヲ期セムトセハ勢ヒ經費ヲ要スルハ勿論ナリト雖モ之カ爲メ特ニ配當スヘキ財源ナキヲ以テ所要費目ハ各令達豫算內ヲ以テ先ツ不急ナル事柄ヲ繰合セ第一著ニ火災豫防上憂慮セラルル點ヨリ改善ヲ行フヲ要ス經費ナキヲ口實トシテ放任セサルコトヲ望ムト同時ニ要急ノ設備ハ漸次之レヲ實施スル等緩急宜シキヲ得セシムルヲ要ス

九　火災豫防ニ關シ注意ノ件

大正五年十一月
官通第一九二號

政務總監

本府各部局課所長、各所屬官署長宛

火災豫防ニ關シテハ從來屢訓示又ハ通牒ヲ發シ之レカ災害ヲ未發ニ防止スル樣及警告置候ニ付鋭意其ノ豫防ニ注意相成候コトト信シ候然ルニ大正四年度ニ於ケル本府所轄官有建物ニシテ事務所又ハ宿舍等ノ災禍ニ罹リシモノ十二件ノ多キニ上リ其ノ損害モ尠カラサルノミナラス貴重ノ書類ヲ燒失シ之レカ蒐集整理困難ヲ來タシ候ハ畢竟當局者ノ注意周到ナラサルノ結果ニシテ甚タ遺憾ノ至リニ有之候今ヤ氣候漸ク寒冷ニ向ヒ火器ノ使用益々多ク從テ火災頻發ノ季節ト相成候ニ付此際一層部下ヲ戒飭シ萬遺漏ナキ樣特ニ注意相成度此段及通牒候也

追テ火災豫防ニ關スル注意改善方ニ付テハ大正四年十二月官通牒第三百三十一號參照ノ上相當措置相成度候

一〇　火災豫防ニ關シ注意ノ件

大正六年十一月
官通第一九六號

政務總監

本府各部局課所長、各所屬官署長宛

火災豫防ニ關シ從來屢訓示又ハ通牒等ヲ發シ尚ホ其ノ改善ニ付テハ大正四年十二月官通牒第三百三十一號ヲ以テ其ノ準據スヘキ事項ノ詳細ヲ指示シ災害ヲ未發ニ防止スル樣及警告置候ニ付鋭意之レカ改善ヲ圖リ其ノ豫防ニ留意相成候コトト信シ候然ルニ大正五年度ニ於テ官有建物ノ燒失セルモノ十二件ノ多キニ上リ又公立普通學校公立小學校等ノ災禍ニ罹リシモノモ尠カラス從テ其ノ損害モ多大ナルノミナラス貴重ノ書類ヲ燒燼シ之レカ蒐集整理ニ困難ヲ來タシ候ハ畢竟當局者ノ注意周到ナラサル結果ニ有之候尚ホ本府職員各廳巡檢ノ報告ニ依レハ大正四年官通牒第三百三十一號ニ準據セス左記ノ如キ最モ危險ノ虞アルニ拘ラス之レカ改善取締ヲ爲ササル向往往有之候ハ甚タ遺憾ノ至リニ候今ヤ氣候漸ク寒冷ニ向ヒ火器ノ使用益多ク從テ火災頻發ノ季節ト相成候ニ付此際一層部下ヲ戒飭シ遺漏ナキ樣特ニ注意相成度此段及通牒候也

記

一、温突焚口ノ傍ニ燃燒物ヲ堆積シ或ハ焚火ノ儘打捨テ置クモノ
一、温突ヲ過度ニ焚燒スルモノ
一、暖爐ノ灰殼ヲ濕潤セスシテ木造小屋等ノ側風當リ強キ場所ニ放棄セルモノ
一、火鉢ノ殘火ヲ取片付ケス其儘事務室內等ニ放置セルモノ
一、暖爐、浴室等煙突ノ据付不完全ニシテ木部及天井ニ接近セルモノ又ハ煙突ノ上頂部ヲ屋根上迄取設ケス軒端ニテ止メタルモノ
一、輕便ポンプ又ハ消火器等ヲ鎖鑰アル物置等ニ常時藏置セルモノ
一、備付ノ消防器具ヲ破損ノ儘放置セルモノ
一、紙屑容器ノ中ニ煙草ノ吹殼ヲ混入セルモノ
一、發火又ハ燃燒シ易キ石油、マツチ、蠟燭、油紙、新聞紙其他雜品ヲ狹隘ナル場所ニ混合藏置スルモノ
一、傭人ニ對スル火災豫防上ノ教訓不充分ナルモノ
一、直接監督ノ責任者ニシテ夜間未タ嘗テ一回モ廳舍其ノ他ヲ巡視セサルモノ

一一　火ノ元取締巡視ノ件

大正六年十一月
會第四一一〇號通牒
政務總監

監獄典獄宛

各廳舍及附屬建物火ノ元取締狀況視察ノ爲休日又ハ夜間等隨時本府會計課員ヲ差遣候條御承知相成度此段及通牒候也

追テ視察ノ際ハ監査員證携帶セシメ候條宿直員立會セシメラレ度尙差遣員ニ於テ臨時消防演習ノ施行ヲ要求シタルトキハ卽時之ニ應スヘキ樣豫メ御通達置相成度申添候

第二章　土木　建物　營繕

一　朝鮮總督府建築標準

大正五年十一月
總訓第四三號

第一章　通則

第一條　本府所管建物ノ新築ハ鐵道局ニ屬スルモノヲ除クノ外本標準ニ依ルヘシ但特別ノ規定アルモノ又ハ本標準ニ依リ難キ特殊ノ事由アルモノハ此ノ限ニ在ラス

第二條　建築ハ虚飾ヲ省キ冗費ヲ節シ實用堅牢ヲ旨トシ且使用上ノ利便衛生及維持保存ノ關係ニ注意シテ其設計ヲ爲スヘシ

第三條　建築ハ地方ノ氣候ニ應シ殊ニ北部地方ニ在リテハ最モ防寒ニ重キヲ置キタル構造ト爲スヘシ

第四條　建築敷地ハ地質、周圍ノ狀況竝將來擴張ヲ要スヘキモノニ付テハ其關係ニ注意シ高燥ニシテ飲料水ノ便アル土地ヲ選フヘシ

第五條　建築敷地ハ成ルヘク地勢南又ハ東南ニ展開シタル土地ヲ選フヘシ

第六條　敷地內東南ノ二面ニハ成ルヘク相當ノ餘地ヲ存シ日光ノ照射ニ便ナラシムヘシ

第七條　建物ハ成ルヘク南面セシメ且冬季ノ風位ニ注意シテ其位置ヲ定ムヘシ

物置、倉庫其ノ他附屬建物ハ特ニ其ノ配置ニ注意シ成ルヘク之ヲ利用シテ防風ノ一助ト爲スヘシ

第八條　建物ノ配置、構造其ノ他各室ノ配列等ハ設計上將來增築ノ場合ニ於ケル關係ニ注意シ適當ノ考按ヲ爲スヘシ

第九條　事務室、居室、寢室及廚房等ニ充ツヘキ部分ハ成ルヘク南面又ハ東南面シテ之ヲ配列スヘシ

第十條　物置其ノ他附屬建物ハ特別ノ必要アルモノヲ除ク外成ルヘク取纏メテ之ヲ建築シ箇箇ニ配置スルコトヲ避クヘシ

第十一條　重要品ノ格納倉庫ハ配置上周圍建物ト三間以上ノ距離ヲ保タシムヘシ

第十二條　建物ノ地盤ノ高サハ周圍ノ地盤ヨリ三寸以上ト爲スヘシ

第十三條　建物ノ基礎ハ假設建物ヲ除クノ外地下定水面以上ニハ木材ヲ使用スヘカラス但適當ナル防腐劑ヲ施シタルモノハ此ノ限ニアラス

第十四條　建物ノ床ノ高サハ地盤ヨリ二尺以上ト爲スヘシ但特種ノ構造ニ依ルヘキモノハ此ノ限ニアラス

第十五條　屋根ハ瓦葺ト爲スヘシ但物置、便所ノ類又ハ假建築又ハ特種ノ營造物ハ此ノ限ニ在アラス

第十六條　建物ノ外部板張ハ「ペンキ」塗又ハ生澁塗ト爲スヘシ

第十七條　天井、床下及小屋內ニハ相當ノ空氣拔及檢査口ヲ設クヘシ

第十八條　煙突、煙道、竈、爐、溫突ノ類其他火氣ヲ使用スル場所及其附近ノ構造ハ最モ防火ニ注意シ燃質物ノ部分ト嚴重ニ絕緣スヘシ

第十九條　炊事場、流シ場、浴室其ノ他常時水ヲ使用スル場所ハ其ノ周圍ヲ特ニ防濕構造ト爲スヘシ

第二十條　建物內疊敷ノ床板ニハ床下掃除口ヲ設クヘシ

第二十一條　飲料井ニハ家形ヲ設クヘシ

第二十二條　敷地內適當ノ位置ニ塵溜及灰捨場ヲ設クヘシ

第二十三條　厠、汚水溜及塵溜等ハ飲料井ヨリ三間以内ニ設置スルコトヲ得ス但配置上已ムヲ得サル場所ニ在リテハ不滲透質ノ材料ヲ以テ其ノ周圍ヲ構造スヘシ

第二十四條　竈及出入口ノ枠其ノ他建具材等ハ歪ヲ生シ易キ品質ヲ避ケ且充分ニ乾燥シタルモノヲ使用スヘシ

第二十五條　高サ五十尺以上ノ建物ニハ避雷裝置ヲ爲スヘシ

第二十六條　建物ニハ適當ナル防火設備ヲ爲スヘシ

第二十七條　敷地ノ周圍ニハ門及塀柵ヲ設クヘシ但簡易ナル建物又ハ實地ノ狀況ニ依リ其必要ナキモノハ此ノ限ニ在ラス

第二十八條　敷地内ニハ適當ナル排水設備ヲ爲シ竪樋ノ雨水ハ土管又ハ顯下水ヲ以テ之ヲ排除スヘシ炊事場、浴室等ノ汚水專用下水ハ其傾斜ヲ百分ノ一以上トシ且成ルヘク埋土管又ハ暗渠ノ構造ト爲スヘシ

第二十九條　建築材料ハ成ルヘク地方生產品又ハ内地品ヲ使用スヘシ

第三十條　建物材料ニ關シ官營供給ノ途アルモノハ成ルヘク其ノ供給ニ賴ルヘシ

第二章　防寒構造

第三十一條　北部地方ノ建築ハ全防寒構造トシ中部地方ハ折衷防寒構造トナスヘシ

第三十二條　煉瓦、石材及瓦ノ類ハ十分寒氣ニ耐ヘ得ヘキ硬質ノモノヲ使用スヘシ

第三十三條　建物各部ノ構造ハ左ノ標準ニ依ルヘシ

一、建物ノ基礎ハ其ノ地ノ結氷深以下ト爲スコト

二、建物ノ外壁ハ成ルヘク石、煉瓦又ハ「コンクリート」ノ類ヲ以テ構造スヘシ已ムヲ得ス木造ト爲ス場合ト雖其ノ腰廻リハ必ス石、煉瓦、「コンクリート」又ハ「モルタル」ノ構造ト爲スコト

三、木造外壁ハ大壁ト爲スヘシ必要ニ依リ外部ヲ板張ト爲ス場合ハ「フエルト」又ハ建築用紙ノ類ヲ以テ下張ヲ爲スコト

四、下見板受ケ間柱ハ成ルヘク間隔ヲ狹クシ板ノ反リヲ少ナカラシムルコト

五、下見板張ハ相決リノ方法トナスコト

六、内部眞壁ノ場合ニハ外部ノ柱其ノ他ノ塵決リヲ深クシ空隙ヲ生シ易カラシメサルコト

七、屋根ハ特ニ葺土ヲ厚クスルコト

八、床板ハ疊敷其ノ他敷物ヲ使用スル場合ノ外相決リトシ二重板張又ハ敷目板張ト爲スコト

九、疊敷ニハ「フエルト」ノ類ヲ下敷ト爲スコト

十、天井ハ漆喰塗又ハ紙張ト爲スヘシ必要上板張ト爲ス場合ハ打上ケノ構造ト爲スコト

十一、天井ノ高サ、窓ノ面積又ハ出入口ノ大サ等ハ實際支障ナキ限リ防寒ノ要件ニ鑑ミ適當ニ制限スルコト

十二、外部入口及窓障子等ハ二重設備トシ且召合目ヲ特ニ緊密ニ爲スコト

十三、廊下ハ被覆構造ト爲スコト

十四、室内及床下ノ空氣拔ハ開閉裝置ト爲スコト

十五、井戸流シ場、溝側、塀柵ノ臺石其ノ他外部ニ於ケル石又ハ煉瓦積等ノ工事ハ特ニ結氷季ノ影響ニ鑑ミ相當堅固ノ施設ヲ爲スコト

第三十四條　暖房ノ設備ハ左ノ標準ニ依ルヘシ

一、大規模ノ建物ニ在リテハ蒸氣又ハ熱湯ノ暖房装置トシ小規模又ハ假建築ノ性質ヲ帶フルモノニ在リテハ煖爐ヲ使用スルコト

二、官舍、宿舍ノ類ハ西洋室ニハ煖爐ヲ使用シ其ノ他ハ温突ト爲スコト

第三章　廳舍

第三十五條　廳舍ノ建築ヲ分チテ左ノ二種トス

第一種　石材、煉瓦其ノ他ノ耐久材料ヲ以テ構造スルモノ

第二種　木造トスルモノ

第一種廳舍ハ二階以上ノ建物トシ第二種廳舍ハ平家建又ハ二階建トス

第三十六條　事務室ハ特別ノ必要アルモノヲ除クノ外成ルヘク區區ノ間仕切ヲ設クルコトヲ避ケ融通利用ニ便ナラシムヘシ

第三十七條　普通事務室ニハ絨緞敷物其ノ他装飾的設備ヲ施スコトヲ得ス

第三十八條　事務室ノ面積ハ一人平均一坪五合ノ割合トシ相當ノ豫備ヲ見込計畫スヘシ

第三十九條　廳舍ノ敷地面積ハ總建坪ノ約十倍ヲ以テ制限トス但在來敷地等ニシテ前記ハ制限ヲ超過スル部分アルトキハ附屬地トシテ之ヲ整理スヘシ

第四章　學校

第四十條　敷地ハ學校ノ規模ニ應シ相當ノ面積ヲ有シ成ルヘク開豁閑靜ニシテ特ニ四圍ノ關係ニ注意シ努メテ教育上不良ノ影響ヲ蒙ルノ虞ナキ土地ヲ選フヘシ

第四十一條　校舍ノ配置ハ屋外運動場トノ關係ニ注意シ建物ノ平面ハ長方形、丁字形、凹字形等成ルヘク單純ニシテ正齊ナル形ト爲スヘシ

第四十二條　理化學實驗室、解剖室等ノ類ニシテ藥品ヲ取扱ヒ若ハ特別ノ設備ヲ要スルモノ又ハ手工、金工其ノ他實科教室ハ成ルヘク他教室ト分離シテ之ヲ建設スヘシ

第四十三條　校舍ハ平家建又ハ二階建ト爲スヘシ

第四十四條　各棟ニ分チテ校舍ヲ竝列スルトキハ其ノ間隔ハ前方建物ノ棟高以上ト爲スヘシ

第四十五條　理化其ノ他ノ特別教室ニシテ水ヲ使用スルモノハ成ルヘク之ヲ階下ニ設クヘシ

第四十六條　講堂及雨天體操場ハ特ニ出入ニ便利ナル位置ニ設クヘシ

第四十七條　教室ノ廊下ハ片側廊下トシ入口ノ扉ハ成ルヘク引戸又ハ外開トナスヘシ但シ專門學校其ノ他特種ノ校舍ニ在リテハ此ノ限ニアラス

第四十八條　廊下ノ幅ハ九尺以下トナスヘシ但シ小規模ナル校舍ノ片側廊下ハ幅六尺ト爲スコトヲ得

第四十九條　階段ハ階上三學級以上ヲ收容スル場合ニ二箇所以上ヲ設ケ特ニ非常ノ場合ニ於ケル避難ノ關係ニ注意シテ其ノ配置ヲ爲スヘシ

第五十條　階段ノ幅ハ四尺五寸以上トシ踊場ヲ設クヘシ扇形、螺旋形等ノ構造ト爲スコトヲ得ス

第五十一條　教室ノ構造ハ特ニ採光、換氣ニ注意シ且左側光線トシ特別ノ必要アル場合ノ外北面セシムルコトヲ避クヘシ

第五十二條　教室ニ二方以上ノ採光窓ナキトキハ幅四間ヲ超ユルコトヲ得ス但シ廊下界ノ窓ハ採光窗ト見做サス

第五十三條　解剖室、理化學實驗室ノ類ニシテ有害瓦斯ヲ取扱フ場所ニハ特ニ瓦斯拔ノ裝置ヲ爲スヘシ

第五十四條　教室及其ノ廊下ハ板張、各種實驗室其ノ他ノ特別教室ハ板張又ハ叩キ床トシ食堂、渡廊下等ハ特別ノ必要アル場合ヲ除クノ外叩キ床ト爲スヘシ

第五十五條　教室、廊下内部ノ腰廻リハ成ルヘク板張ト爲スヘシ

第五十六條　教室ノ壁及窓掛等ハ灰色、淡緑色、淡黄色又ハ淡紅色ト爲スヘシ

第五十七條　寄宿舍ハ平家建又ハ二階建ト爲スヘシ

第五十八條　寄宿舍ニハ別ニ病室ヲ設クヘシ

第五十九條　二階建寄宿舍ニハ特ニ階上避難ノ設備ヲ爲スヘシ

第六十條　御眞影及勅語謄本奉安所ノ設備ニ關シテハ特ニ左ノ事項ニ注意スヘシ

一、校舍内最モ清淨ナル場所ヲ選フコト

二、非常ノ場合ニ於ケル奉護上ノ關係ニ注意シ位置ノ選定及内外ノ設備ヲ爲スコト

三、戸締ヲ特ニ嚴重ニスルコト

第五章　醫院

第六十一條　敷地ハ往來ニ便ニシテ雜踏ノ地域ヲ離レタル土地ヲ選フヘシ

第六十二條　敷地内ノ下水設備ハ特ニ注意シ常ニ排水ヲ良好ナラシムヘシ

第六十三條　本館ハ平家建又ハ二階建ト爲スヘシ

二階建ニ在リテハ診察室、藥局、待合室、事務室等ハ成ルヘク之ヲ階下ニ設クヘシ

第六十四條　施療患者診察室ハ普通診察室ト出入口ヲ區別シ藥局ハ共通ト爲スヘシ

第六十五條　藥局ニハ藥品貯藏ノ爲メ地下室ヲ設クヘシ但シ地下水多キ場所ニ在リテハ地上ニ特別ノ設備ヲ爲スコトヲ得

第六十六條　手術室ハ北面シテ之ヲ設ケ採光ヲ充分ニシ準備室、消毒室、器械室、浴室ヲ附屬セシムヘシ但シ便宜兼用ノ構造ト爲スコトヲ得

第六十七條　「エッキス」光線室及現像室ハ水蒸氣ノ浸入セサル位置ヲ選ヒ木造ノ場合ハ現像室ト「エッキス」光線室トノ界ニ鉛板ヲ挾ムヘシ

「エッキス」光線室ノ床ハ「アスフアルト」又ハ之ニ類スル絶縁物ヲ用ヒ室ノ内壁ハ赤色、黒色又ハ鼠色ト爲スヘシ

第六十八條　病棟ハ平家建ト爲スヘシ

病棟ニハ二坪五合以上ノ看護人詰所ヲ設クヘシ

病棟ニハ患者專用ノ浴室、洗面所及便所ヲ設クヘシ

第六十九條　本館、病棟及各病棟ノ間隔ハ病棟ノ棟高ノ一倍半以上ト爲スヘシ

第七十條　病室ハ南面セシメ北側ニ廊下ヲ設ケ廊下ノ幅ハ六尺以上ト爲スヘシ

第七十一條　病棟ノ廊下ニハ非常口ヲ設クヘシ

第七十二條　病室ハ北部地方ニ在リテハ成ルヘク温突ヲ主トシタル構造

ト爲スヘシ

第七十三條　診察室、病室及病室廊下等床板張ノ場所ハ成ルヘク「リノリウム」敷トシ消毒ニ便ナラシムヘシ

第七十四條　病室ニ通スル廊下ニハ段ヲ設クヘカラス

第七十五條　普通病室ハ一等二等及三等ニ區別シ一等病室ハ四坪、附添人室二坪乃至三坪、二等病室ハ三坪、三等病室ハ一人當リ平均一坪五合ヲ以テ標準ト爲スヘシ但シ特等病室ヲ設クル必要アル場合ニハ病室ヲ五坪ト附添人室ヲ三坪トナスコトヲ得

二等以下ノ病室ハ共通ニ使用シ得ル構造ト爲スヘシ

第七十六條　施療病室ハ成ルヘク温突ト爲スヘシ

第七十七條　傳染病棟ハ他ノ病棟ト隔離シ患者專用ノ浴室、洗面所及便所ノ外特ニ左ノ設備ヲ附置スヘシ

專用ノ炊事場

屍　室

消　毒　場

消毒場ニハ汚物置場、同燒却場及洗濯場ヲ附屬スヘシ

第七十八條　傳染病室ハ各室三坪以上トシ病室ノ床、側壁間仕切及浴場洗面所、便所、消毒場、屍室ノ側壁竝便壷、汚物溜等ハ病毒ノ散逸ヲ防キ尚嚴重ナル消毒ヲ施スニ足ルヘキ構造ト爲スヘシ

第七十九條　藥品倉庫、屍室及解剖室ハ成ルヘク煉瓦造ト爲スヘシ但シ藥品倉庫ハ地形ニ依リ穴庫ト爲スコトヲ得

第八十條　外圍ニハ正門ノ外二箇所以上ノ非常門ヲ設クヘシ

第八十一條　建物各部ノ構外ニ付テハ特ニ左ノ事項ニ注意スヘシ

一　天井ハ漆喰塗又ハ板張トシ成ルヘク高クスルコト

二　光線ノ射入及換氣ヲ成ルヘク良好ナラシムルコト

三　手術室、醫化學試驗室、病理研究室等ハ成ルヘク窓ヲ廣クスルコト

四　手術室ノ周圍腰高四尺通ハ白色ノ瓦又ハ人造石張ト爲スコト

五　各室ハ手術室ヲ除クノ外腰張ヲ廢シ天井、額緣等ニ繰形ヲ施ササルコト

六　外科診察室、繃帶交換室、手術室、準備室、消毒室、醫化學試驗室、病理研究室、磨工室、齒科作業室、水治療室、屍室、解剖室、浴室、炊事場、湯沸所等ノ床ハ「コンクリート」叩キト爲スコト

七、病理研究室、解剖室、隔離室及炊事場ノ窓ニハ蠅ノ侵入ヲ防止スヘキ金網戸ヲ設クルコト

八、病理研究室ハ北面シテ之ヲ設クルコト

九、屍室ハ成ルヘク人目ヲ避クル位置ニ設クルコト

第六章　監　獄

第八十二條　敷地ノ位置ハ成ルヘク市街地ヲ離レ主要ナル道路、鐵道等ヨリ觀望ヲ遮斷シタル土地ヲ選フヘシ

第八十三條　構内ハ事務區域及戒護區域ニ分チ兩區域間ハ適當ナル障塀ヲ以テ嚴重ニ區劃スヘシ

第八十四條　外塀ハ高サ十五尺、内塀ハ七尺乃至九尺ヲ以テ標準トナスヘシ

第八十五條　外塀ノ周圍ニハ相當ナル餘地ヲ存シ巡回看守ニ便ナラシムヘシ

第八十六條　外塀ヨリ内部及外部二間以内ノ距離ニハ建物其ノ他電柱、物干ノ類ヲ設クルコトヲ得ス

第八十七條　外塀ハ其ノ下部二尺以上地中ニ埋込ミ控柱ハ之ヲ外側ニ設クヘシ

第八十八條　監房ノ配置ハ成ルヘク放射形トシ中央ニ看守所ヲ設クヘシ

第八十九條　監房内一房ノ大サハ雜居房三坪以上、獨居房二坪以内トス

第九十條　監房基礎ノ深サハ割栗基礎ノ深サヲ除キ一尺五寸以上ト爲スヘシ

第九十一條　監房ノ床ハ板張トシ廊下ハ叩キト爲スヘシ但特別ノ構造ヲ要スルモノハ此ノ限ニアラス

第九十二條　監房ノ壁ハ煉瓦「コンクリート」又ハ木造大壁ト爲スヘシ但隅壁ヲ木造ト爲ス場合ハ適當ナル材料ヲ以テ空隙ヲ充塡シ音響ノ傳播ヲ防止スヘシ

第九十三條　監房ノ入口扉ノ錠前及蝶番ハ特ニ指定シタルモノヲ使用スヘシ

第九十四條　監房内ニハ釘頭又ハ捻鋲ノ類ヲ露出セシムヘカラス

第九十五條　監房ノ中廊下ハ幅九尺以上片側廊下ハ六尺以上ト爲スヘシ但建物ノ長サ八間以内ノモノニ在リテハ片側廊下ヲ四尺迄減縮スルコトヲ得

第九十六條　監房ノ小屋裏ハ自由ニ通行看守スルヲ得ヘク床下ハ檢査及掃除ノ爲出入シ得ヘキ構造ト爲スヘシ

第九十七條　工場ハ板壁トシ床ヲ板張ト爲スヘシ但作業上其ノ必要ナキモノハ此ノ限ニアラス

第九十八條　避病監ハ普通病監ト隔離スヘシ廊下ノ類ヲ以テ連絡スル場合ハ其ノ連絡部分ヲ完全ニ消毒シ得ヘキ構造ト爲スヘシ

第九十九條　監房、病監等竈及外部ニ通スル下水吐口等ハ總テ鐵格子附トシ監房及病監ノ窻ニハ金網ヲ張ルヘシ

第百條　北部地方ニ於ケル病監ハ特ニ暖房設備ニ適スヘキ構造ト爲スヘシ

第百一條　監獄ノ建築工事ハ成ルヘク直營トシ囚徒ヲ使役スヘシ

第百二條　各部ノ構造ハ最モ戒護上ノ關係ニ注意シ質素、堅牢ヲ旨トスヘシ

第七章　官舍

第百三條　勅任官以下官舍ノ建築ヲ分チテ左ノ七種トス

勅任官官舍　甲號及乙號
奏任官官舍　甲號及乙號
判任官官舍　甲號乙號及丙號

第百四條　官舍ノ建坪、敷地、面積其ノ他設備ハ左ノ標準ニ依ルヘシ

種類		本家建坪制限	附屬建物ノ種類及建坪制限	敷地面積制限	摘要
勅任官官舍	甲號	坪 九五.〇〇〇	物置八坪、供待所車夫部屋共十坪	坪 八〇〇.〇〇〇	
	乙號	八〇.〇〇〇	同上	七〇〇.〇〇〇	
奏任官官舍	甲號	四八.〇〇〇	物置四坪	三〇〇.〇〇〇	
	乙號	三八.〇〇〇	同上	二五〇.〇〇〇	
判任官官舍	甲號	二六.〇〇〇	同三坪	一五〇.〇〇〇	
	乙號	二三.〇〇〇	同上	一〇〇.〇〇〇	
	丙號	一戸分 一七.〇〇〇	同一戸分二坪	一戸分 八〇.〇〇〇	一棟二戸建

第百五條　官舍ハ木造平家建ト爲スヘシ但シ敷地ノ關係ニ依リ已ムヲ得サル場合ハ特ニ二階建ト爲スコトヲ得

二　工事竣功ノ場合報告ニ關スル件通知

大正四、一〇
營第二、六七五號
土木局長

監獄典獄宛

官有財產整理上必要有之候條左記該當事項ヲ貴所ニ於テ直接施行セラレタル場合ハ竣工ノ都度大正四年一月本府訓令第二號樣式第九號乃至同第十三號ノ報告書竝官有財產圖面調製標準ニ準シ報告書竝圖面ヲ調製シ報告相成度及通知候也

一、新築、增築、改築、移築、移轉、取拂等工作物ニ增減ヲ生シタル場合

一、模樣替ニ依リ工作物ノ面積容積若ハ延長ヲ增減セサルモ其ノ一部ニ變更ヲ加ヘタル場合

三　監獄營繕工事施行ニ付注意スヘキ件

大正四年七月十日
司法部監獄課長通牒

典獄宛

本年度ヨリ新築工事施行ノ監獄典獄ニ對シ司法部長官ヨリ別紙ノ通注意相成候ニ付爲御心得寫一通及送附候也

(別紙)

監獄營繕工事施行ニ付注意スヘキ件

一、監獄ノ營繕工事ハ從來請負ニ付シ來レルモ工事ノ完全ヲ期シ且工費ヲ節約スルカ爲將來ハ成ルヘク土木局ノ直營トシ囚徒ヲ使役シテ施行スルコトトナリタルニ付テハ當該ノ監獄ハ適當ノ方法ニ依リ囚徒ヲ供給シテ工事ノ進捗ヲ圖リ好結果ヲ收ムルニ努メラレタキコト

二、工事ノ執行ニ要スル假小屋及器具器械類竝工事傭人ハ監獄ヨリノ要求ニ因リ詮議スヘシト雖其ノ費用ハ總テ新營費ヨリ支出スルモノナレハ多額ニ上ルトキハ自然豫定計畫ノ下ニ影響ヲ及ホスニ至ルヘキヲ以テ成ルヘク現在ノ作業用器具器械及授業手ヲ利用シテ請求ヲ節スルニ注意セラレタキコト

三、工事場ニ於テハ火災及盜難ノ豫防ニ付テハ深ク注意セラレタキコト

四、在監者中適當ノモノヲ選拔シ營繕夫ヲ課シテ技能ヲ養成シ常ニ工事ニ要スル人員ヲ供給スルニ差支ナキ樣注意セラレタキコト

五、監獄職員ト現場出張ノ土木局員トノ間ニ於テハ工事施行上ニ關シ衝突ヲ生セシメス常ニ圓滿ナラシムルニ注意セラレタキコト

六、工事出役囚ノ戒護ニ從事スル看守ハ特ニ適任者ヲ擇ヒ且頻繁ニ其受持場所ヲ變更セサルニ注意セラレタキコト

七、囚人ヲ使役スルニ適當セス又ハ囚人中相當技能ヲ有スルモノアラサル爲普通職工ヲ雇傭スルノ必要アリト認メタルモノニ付テハ豫メ其ノ旨ヲ申出置キ實行ニ當リ差支ナカラシムル樣注意セラレタキコト

八、工事ニ從事スル囚人ノ健康ニ付テハ適當ニ注意シ特ニ日射病者ヲ發生セシメサル樣措置セラレタキコト

九、看守ハ到底增員スル能ハサルヲ以テ現定員內ニ於テ適當ニ配置セラレタシ

四　物品出納簿記載方ノ件

大正二年十月十四日
官通第三百二十二號

總務局長

物品會計官吏（遞信局及鐵道局ヲ除ク）宛

直營工事材料品ニシテ一旦物品出納簿ヨリ拂出シタル後使用殘ヲ生シ返納セルモノヲ受入ルル場合ニ於テハ之ヲ受入ノ部ニ記入セス拂出ノ部相當欄ニ朱書（年度末ニ至リ拂ノ合計ヲ付スルトキハ朱書ノ分ヲ控除スヘキハ勿論トス）スルコトニ決定候條右ニ御取扱相成度此段及通牒候也

五　他廳ノ官用地及建物保管換ノ場合ニ於ケル手續ノ件

明治四十四年五月
官通第百十三號

政務總監

各道長官、鐵道局長官、（通信局長官）、警務總長、（控訴院長）、（地方裁判所長（控訴院所在地ノ分ヲ除ク））營林廠長、平壤鑛業所長、稅關長、勸業模範場長、典獄（專賣局長）、（會計局長）宛

自今各廳間ニ於テ土地建物ノ保管換ヲ爲サムトスル場合ニハ先以テ保管官廳ヘ協議シ差支ナキ旨ノ回答ヲ得タル上其ノ寫ヲ添ヘ本府ヘ稟申可相成此段及通牒候也

六　官有財產貸付及使用報告ノ件

明治四十四年十一月
官通第三百三十五號

官有財產ニシテ貸付又ハ使用ノ認可ヲ受ケ其ノ手續ヲ了シタルトキ及其ノ貸付契約ヲ解除又ハ使用物件ノ返還ヲ受ケタルトキハ別紙第一號乃至第四號書式ニ依リ其都度報告相成度尙現ニ貸付及使用中ニ係ルモノハ此ノ際取纏メ本月末日迄ニ到達ノ豫定ヲ以テ報告相成度依命此段及通牒候也

追テ用紙ハ本府ニ於テ印刷ノ上此ノ際ニ限リ別途送致ノ筈ニ付御了知相成度

注意

一　例示ニ依リ記載スルコト

二　借主住所ハ必要ト認メサル場合ハ省略スルモ妨ケナシ

三　各欄事項必要ト認ムル事項及各欄ニ餘白ナキ場合ハ摘要欄ニ掲クルコト

四　以下記載省略ニ付本號ニ準シ記載スルコト

（第一號書式）

官有財產貸付報告

所在地	何道何府（郡）何面（里）何洞何何

土地

地目	坪數
田	五〇〇、〇〇坪
畑	七五〇、三三
何（數）地	一五〇、〇〇
宅地	〇〇〇、〇〇

同上附屬物

名稱	員數及間數
土垣	一箇所　五〇、〇〇間
石垣	一　五〇、〇〇
井戸	一　一
何何	〇　〇、〇〇

建物

種類及構造	新舊名稱	棟數	坪又ハ間數
日本式木造瓦葺平家（二階）建	何何	一	三〇坪
西洋式煉瓦（木造）亞鉛（瓦）葺二階建	元財務署跡	一	五〇
朝鮮式瓦葺溫突	舊郡廳（客）舍	一	三五

同上附屬物

構造及名稱	員數又ハ坪間數
木造瓦葺門	一箇所　五〇間
板塀	一　五〇
煉瓦塀	一
木製瓦葺物置	三棟

使用目的	
認可年月日	明治　年　月　日
契約年月日	明治　年　月　日
貸付期間	自明治　年　月　日 至明治　年　月　日
貸付料	毎月金五圓又ハ年額金六〇圓
摘要	

借主

住所	官氏名

明治　年　月　日提出㊞長官又ハ代理者認印

何　官　廳

（第二號書式）

官有財産貸付契約解除報告

明治　年　月　日提出

所有地		
土地	地目	
	坪數	
同上附屬物	名稱	
	員數及間數	
借主	住所	
	官氏名	
建物	種類及構造	
	新舊名稱	
	棟數	
	坪又ハ間數	
同上附屬物	構造及名稱	
	員數又ハ坪、間數	
使用目的		
認可年月日		明治　年　月　日
契約年月日		明治　年　月　日
貸付期間		自明治　年　月　日 至明治　年　月　日
貸付料		
解除年月日		明治　年　月　日
解除事由		期間滿了ニ付（官又ハ借主ノ都合若ハ契約第何條違反ニ依リ）
摘要		

（第三號書式）

官有財産使用物件引渡報告

項目	細目	記入
所在地		
土地	地目	
	坪數	
同上附屬物	名稱	
	員數及間數	
使用者	住所	
	官氏名	
建物	種類及構造	
	新舊名稱	
	棟數	
	坪又ハ間數	
同上附屬物	構造名稱	
	員數又ハ坪間數	
使用目的		
認可年月日		明治　年　月　日
引渡年月日		明治　年　月　日
使用期間		
摘要		

明治　年　月　日提出

（第四號書式）

官有財産使用物件返還ニ付報告

明治　年　月　日提出

所在地	

土地	
地目	
坪數	

同上附屬物	
名稱	
員數及間數	

使用者	
住所	官氏名

建物	
種類及構造	
新舊名稱	
棟數	
坪又ハ間數	

同上附屬物	
構造名稱	
員數又ハ坪、間數	

使用目的	
認可年月日	明治　年　月　日
引渡年月日	明治　年　月　日
使用期間	自明治　年　月　日 至明治　年　月　日
返還年月日	明治　年　月　日
返還事由	
摘要	

七 官有財産貸付及賣拂ニ關スル契約書文例改正ノ件

大正六年十一月
官通第二百五號

政務總監

各所屬官署ノ長宛

官有財産ノ貸付及賣拂ノ場合ニ於ケル契約書文例ニ關シ大正三年十一月官通牒第四二三號ヲ以テ通牒ノ次第モ有之候處今般該文例左ノ通改正相成候條此段及通牒候也

追テ契約上特別ノ條款ヲ必要トスル場合重要ナル事項ニ付テハ其ノ都度案ヲ具シ經伺相成度爲念申添候

（第一號）

土地有料貸付契約書

所在地

一 土地名稱及面積

但シ別紙目錄及圖面ノ通

右土地ノ貸付ニ關シ貸渡人ヲ甲トシ借受人ヲ乙トシ左記條項ヲ契約ス

第一條 土地ノ使用ノ目的ハ何何トス

第二條 貸付期間ハ大正何年何月何日ヨリ同年何年何月何日迄トス

第三條 貸付料ハ年額金何程トス

貸付料ヲ定メタル後三箇年ヲ經過シタルトキハ甲ハ貸付地附近ニ於ケル地代ノ昂騰ヲ斟酌シ貸付料ヲ相當增額スルコトアルヘシ此ノ場合ニ於テハ二箇月前ニ之ヲ乙ニ通知スヘシ

第四條 乙ハ甲ノ指定シタル期限迄ニ其ノ年分ノ貸付料ヲ前納スヘシ

貸付ヲ爲シタル年及契約消滅シタル年ノ貸付料ハ月割ヲ以テ納付スヘシ但シ壹箇月ニ滿タサル端日數ヲ生スル場合ハ十六日未滿ハ半箇月十六日以上ハ一箇月トシテ計算ス

既納ノ貸付料金ハ第十一條第一項第一號ヲ除クノ外契約ヲ解除シタル場合ト雖之ヲ還付セス

第五條 乙ハ契約締結後遲滯ナク甲ノ實地立會ヲ求メ自費ヲ以テ貸付地ノ境界ニ借地標杭ヲ建設スヘシ

第六條 乙ハ善良ナル管理者ノ注意ヲ以テ貸付地及附屬物件ノ保存ノ責ニ任シ且其ノ使用及收益ニ必要ナル修繕ヲ爲スヘシ

乙ハ民法第六百八條ノ請求ヲ爲スコトヲ得ス

第七條 貸付地及附屬物件ニ關スル一切ノ賦課金ハ乙ノ負擔トス

第八條 甲ニ於テ貸付地內ニ下水ノ設置ヲ爲スヘキコトヲ請求シタルトキハ乙ハ其ノ負擔ヲ以テ甲ノ承認ヲ受ケタル設計ニ從ヒ相當ノ下水溝ヲ設クヘシ

第九條 乙ハ甲ノ承諾アルニ非サレハ左ノ行爲ヲ爲スコトヲ得ス

一 貸付地及附屬物件ノ原狀若ハ使用ノ目的ヲ變更スルコト

二 貸付地及附屬物件ヲ轉貸シ又ハ其ノ權利ヲ處分スルコト

三 地上ニ建設スル建物其ノ他ニ關シ甲ノ承認ヲ受ケタル豫定ノ種類構造、設備ヲ變更シ若ハ改築、增築、移轉、取拂等ヲ爲スコト

第十條 乙ハ甲ノ承認ヲ得テ借地權ト共ニ讓渡スル場合ノ外地上物件ヲ他人ニ讓渡スヘカラス 但シ讓受人カ讓受後直ニ地上物件ヲ他ニ移轉スル場合ハ此ノ限ニ在ラス

第十一條 左ノ各號ノ一ニ該當スルトキハ甲ハ何時ニテモ乙ニ對シ貸付

地ノ全部又ハ一部ニ付契約ヲ解除スルコトヲ得

一　公用又ハ公共ノ用ニ供スル爲必要ヲ生シタルトキ

二　乙カ契約後二箇年ヲ經過スルモ貸付地ノ使用ニ着手セサルトキ

三　乙カ第九條及第十條ニ違背シタルトキ

四　乙カ朝鮮ニ居住ノ事實ナキニ至リタル場合ニ於テ管理人ヲ置カサルトキ

五　乙カ滯納處分、强制執行又ハ競賣ニ依リ地上物件ノ所有權ヲ喪失シタルトキ

六　前各號ノ外乙カ契約上ノ義務ヲ履行セサルトキ

前項ニ依リ契約ヲ解除シタル場合ニ於テ乙ニ損害アルモ賠償ノ責ニ任セス

第十二條　貸付期間滿了ニ至リタルトキ又ハ前條ニ依リ契約ヲ解除シ若ハ乙ノ解約申入ニ依リ貸借終了シタルトキハ乙ハ甲ノ實地立會ヲ求メ貸付地ヲ返還スヘシ

前項ノ場合ニ於テ乙ハ甲ノ指定シタル期限迄ニ貸付地ヲ原狀ニ復シ建設物其ノ他貸付地ニ附屬セシメタル物件ヲ收去スヘシ　但シ甲ニ於テ必要ナシト認メタル場合ハ貸付地ヲ原狀ニ復スルヲ要セス

第十三條　乙カ前條第二項ノ義務ヲ履行セサルトキハ甲之ヲ執行シ其ノ費用ヲ乙ヨリ辨償セシメ又ハ甲ハ乙カ其ノ收去スヘキ物件ニ對スル所有權ヲ拋棄シタルモノト看做シ之ヲ處分スルコトヲ得

第十四條　乙カ第十二條第二項ノ義務ヲ履行セサル間ハ甲ニ於テ貸付料ヲ繼續徵收ス

第十五條　左ノ各號ノ一ニ該當スルトキハ乙ハ損害賠償ノ責ニ任ス

一　乙カ甲ノ承諾ヲ得スシテ貸付地又ハ附屬物件ノ原狀ヲ變更シ甲ニ損害ヲ生シタルトキ

二　乙カ保存上ノ義務ヲ怠リ貸付地又ハ附屬物件ヲ毀損又ハ荒廢ニ歸セシメタルトキ

三　前二號ノ外乙カ契約ノ履行ヲ怠リ損害ヲ甲ニ及ホシタルトキ

右契約ノ締結ヲ證スル爲本證書貳通ヲ作リ記名捺印ノ上各自其ノ壹通ヲ所持ス

大正何年何月何日

貸渡人　官　氏　名(印)

借受人
原籍
住所
氏　名(印)

(第二號)

土地無料貸付契約書

所在地

一　土地名稱及面積

但シ別紙目錄及圖面ノ通

右土地ノ貸付ニ關シ貸渡人ヲ甲トシ借受人ヲ乙トシ左記條項ヲ契約ス

第一條　土地ノ使用ノ目的ハ何何トス

第二條　貸付期間ハ土地引渡ノ日ヨリ大正何年何月何日迄トス

第三條　乙ハ本契約締結後遲滯ナク甲ヨリ實地ノ引渡ヲ受クルト同時ニ

其ノ立會ヲ求メ自費ヲ以テ貸付地ノ境界ニ借地標杭ヲ建設スヘシ

第四條　乙ハ善良ナル管理者ノ注意ヲ以テ貸付地及附屬物件ノ保存ノ責ニ任シ且其使用及收益ニ必要ナル修繕ヲ爲スヘシ

乙ハ前項ノ修繕ニ要スル費用ニ付償還ノ請求ヲ爲スヲ得サルハ勿論民法第五百九十五條第二項ノ請求ヲ爲スコトヲ得ス

第五條　貸付地及附屬物件ニ關スル一切ノ賦課金ハ乙ノ負擔トス

第六條　甲ニ於テ貸付地内ニ下水ノ設置ヲ爲ノヘキコトヲ請求シタルトキハ乙ハ其ノ負擔ヲ以テ甲ノ承認ヲ受ケタル設計ニ從ヒ相當ノ下水溝ヲ設クヘシ

第七條　乙ハ甲ノ承諾アルニ非サレハ左ノ行爲ヲ爲スコトヲ得ス

一　貸付地及附屬物件ノ原狀若ハ使用ノ目的ヲ變更スルコト

二　第三者ヲシテ貸付地及附屬物件ノ使用又ハ收益ヲ爲サシムルコト

三　地上ニ建設スル建物其ノ他ニ關シ甲ノ承認ヲ受ケタル豫定ノ種類構造、設備ヲ變更シ若ハ改築、增築、移轉、取拂等ヲ爲スコト

第八條　乙ハ甲ノ承認ヲ得タル場合ノ外地上物件ヲ他人ニ讓渡スヘカラス但シ讓受人カ讓受後直ニ地上物件ヲ他ニ移轉スル場合ハ此ノ限ニ在ラス

第九條　左ノ各號ノ一ニ該當スルトキハ甲ハ何時ニテモ乙ニ對シ貸付地ノ全部又ハ一部ニ付キ契約ヲ解除スルコトヲ得

一　公用又ハ公共ノ用ニ供スル爲必要ヲ生シタルトキ

二　乙カ契約後二箇年ヲ經過スルモ貸付地ノ使用ニ著手セサルトキ

三　乙カ第七條及第八條ニ違背シタルトキ

四　乙カ朝鮮ニ居住ノ事實ナキニ至リタル場合ニ於テ管理人ヲ置カサルトキ

五　乙カ滯納處分、強制執行又ハ競賣ニ依リ地上物件ノ所有權ヲ喪失シタルトキ

六　前各號ノ外乙カ契約上ノ義務ヲ履行セサルトキ

前項ニ依リ契約ヲ解除シタル場合ニ於テ乙ニ損害アルモ甲ハ賠償ノ責ニ任セス

第十條　貸付期間滿了ニ至リタルトキ又ハ前條若ハ乙ノ請求ニ依リ契約ヲ解除シタルトキハ乙ハ甲ノ實地立會ヲ求メ貸付地ヲ返還スヘシ

前項ノ場合ニ於テ乙ハ甲ノ指定シタル期限迄ニ貸付地ヲ原狀ニ復シ建設物其ノ他貸付地ニ附屬セシメタル物件ヲ收去スヘシ但シ甲ニ於テ必要ナシト認メタル場合ハ貸付地ヲ原狀ニ復スルヲ要セス

第十一條　乙カ前條第二項ノ義務ヲ履行セサルトキハ甲之ヲ執行シ其ノ費用ヲ乙ヨリ辨償セシメ又ハ甲ハ乙カ其ノ收去スヘキ物件ニ對スル所有權ヲ拋棄シタルモノト看做シ之ヲ處分スルコトヲ得

第十二條　左ノ各號ノ一ニ該當スルトキハ乙ハ損害賠償ノ責ニ任ス

一　乙カ甲ノ承諾ヲ得スシテ貸付地又ハ附屬物件ノ原狀ヲ變更シ甲ニ損害ヲ生シタルトキ

二　乙カ保存上ノ義務ヲ怠リ貸付地又ハ附屬物件ヲ毀損又ハ荒廢ニ歸セシメタルトキ

三　前二號ノ外乙カ契約ノ履行ヲ怠リ損害ヲ甲ニ及シタルトキ

右契約ノ締結ヲ證スル爲本證書貳通ヲ作リ記名捺印ノ上各自其ノ壹通ヲ所持ス

大正何年何月何日

貸渡人　官　氏　名（印）

借受人

原籍

住所

氏　名（印）

（第三號）

建物及敷地有料貸付契約書

所在地

一　建物及敷地名稱、數量

但シ別紙目錄及圖面ノ通

右物件ノ貸付ニ關シ貸渡人ヲ甲トシ借受人ヲ乙トシ左記條項ヲ契約ス

第一條　物件ノ使用ノ目的ハ何々トス

第二條　貸付期間ハ大正何年何月何日ヨリ同何年何月何日迄トス

第三條　貸付料ハ月額金何程トス

第四條　乙ハ甲ノ指定シタル期限迄ニ其ノ年分ノ貸付料ヲ前納スヘシ

貸付料ノ計算ニ於テ一箇月ニ滿タサル端日數ヲ生スル場合ハ十六日未滿ハ半箇月、十六日以上ハ一箇月トシテ計算ス

既納ノ貸付料金ハ第九條第一項第一號ヲ除クノ外契約ヲ解除シタル場合ト雖之ヲ還付セス

第五條　乙ハ善良ナル管理者ノ注意ヲ以テ貸付物件ノ保存ノ責ニ任シ且其ノ使用及收益ニ必要ナル修繕ヲ爲スヘシ

乙ハ民法第六百八條ノ請求ヲ爲スコトヲ得ス

第六條　貸付物件ニ關スル一切ノ賦課金ハ乙ノ負擔トス

第七條　乙ハ甲ノ承諾アルニ非サレハ左ノ行爲ヲ爲スコトヲ得ス

一　貸付物件ノ原狀若ハ使用ノ目的ヲ變更スルコト

二　貸付物件ヲ轉貸シ又ハ其ノ權利ヲ處分スルコト

三　貸付地内ニ工作物ノ新築、增築、改築等ヲ爲スコト

第八條　乙ハ甲ノ承認ヲ得タル場合ノ外貸付地ニ附屬セシメタル物件ヲ他人ニ讓渡スヘカラス　但シ讓受人カ讓受後直ニ其ノ物件ヲ他ニ移轉スル場合ハ此限ニ在ラス

第九條　左ノ各號ノ一ニ該當スルトキハ甲ハ何時ニテモ乙ニ對シ貸付物件ノ全部又ハ一部ニ付契約ヲ解除スルコトヲ得

一　貸付物件ニ付甲ニ於テ必要ヲ生シタルトキ

二　乙カ第七條及第八條ニ違背シタルトキ

三　乙カ朝鮮ニ居住ノ事實ナキニ至リタル場合ニ於テ管理人ヲ置カサルトキ

四　前各號ノ外乙カ契約上ノ義務ヲ履行セサルトキ

前項ニ依リ契約ヲ解除シタル場合ニ於テ乙ニ損害アルモ甲ハ賠償ノ責ニ任セス

第十條　貸付期間滿了ニ至リタルトキ又ハ前條ニ依リ契約ヲ解除シ若ハ乙ノ解約申入ニ依リ貸借終了シタルトキハ乙ハ甲ノ實地立會ヲ求メ貸付物件ヲ返還スヘシ

前項ノ場合ニ於テ乙ハ甲ノ指定シタル期限迄ニ貸付物件ヲ原狀ニ復スヘシ

但シ甲ニ於テ必要ナシト認メタル場合ハ此ノ限ニ在ラス

第十一條　乙カ前條第二項ノ義務ヲ履行セサルトキハ甲之ヲ執行シ其ノ費用ヲ乙ヨリ辨償セシメ又ハ甲ハ乙カ其ノ收去スヘキ物件ニ對スル所有權ヲ抛棄シタルモノト看做シ之ヲ處分スルコトヲ得

第十二條　乙カ第十條第二項ノ義務ヲ履行セサル間ハ甲ニ於テ貸付料ヲ繼續徵收ス

第十三條　左ノ各號ノ一ニ該當スルトキハ乙ハ損害賠償ノ責ニ任ス

一　乙カ甲ノ承諾ヲ得スシテ貸付物件ノ原狀ヲ變更シ甲ニ損害ヲ生シタルトキ

二　乙カ保存上ノ義務ヲ怠リ貸付物件ヲ毀損若ハ滅失シ又ハ荒廢ニ歸セシメタルトキ

三　前二號ノ外乙カ契約ノ履行ヲ怠リ損害ヲ甲ニ及ホシタルトキ

右契約ノ締結ヲ證スル爲本證書貳通ヲ作リ記名捺印ノ上各自其ノ壹通ヲ所持ス

大正何年何月何日

貸渡人　官　氏　名（印）

借受人　原籍　住所　氏　名（印）

（第四號）

建物及敷地無料貸付契約書

所在地

一　建物及敷地名稱、數量
但シ別紙目錄及圖面ノ通

右物件ノ貸付ニ關シ貸渡人ヲ甲トシ借受人ヲ乙トシ左記條項ヲ契約ス

第一條　物件ノ使用ノ目的ハ何何トス

第二條　貸付期間ハ引渡ノ日ヨリ大正何年何月何日迄トス

第三條　乙ハ善良ナル管理者ノ注意ヲ以テ貸付物件ノ保存ノ責ニ任シ且其ノ使用及收益ニ必要ナル修繕ヲ爲スヘシ

乙ハ前項ノ修繕ニ要スル費用ニ付償還ノ請求ヲ爲スヲ得サルハ勿論民法第五百九十五條第二項ノ請求ヲ爲スコトヲ得ス

第四條　貸付物件ニ關スル一切ノ賦課金ハ乙ノ負擔トス

第五條　乙ハ甲ノ承諾アルニ非サレハ左ノ行爲ヲ爲スコトヲ得ス

一　貸付物件ノ原狀若ハ使用ノ目的ヲ變更スルコト

二　第三者ヲシテ貸付物件ノ使用又ハ收益ヲ爲サシムルコト

三　貸付地内ニ工作物ノ新築增築改築等ヲ爲スコト

第六條　乙ハ甲ノ承認ヲ得タル場合ノ外貸付地ニ附屬セシメタル物件ヲ他人ニ讓渡スヘカラス　但シ讓受人カ讓受後直ニ其ノ物件ヲ他ニ移轉スル場合ハ此ノ限ニ在ラス

第七條　左ノ各號ノ一ニ該當スルトキハ甲ハ何時ニテモ乙ニ對シ貸付物件ノ全部又ハ一部ニ付契約ヲ解除スルコトヲ得

一　貸付物件ニ付甲ニ於テ必要ヲ生シタルトキ

二　乙カ第五條第六條ニ違背シタルトキ

三　乙カ朝鮮ニ居住ノ事實ナキニ至リタル場合ニ於テ管理人ヲ置カサルトキ

四　前各號ノ外乙カ契約上ノ義務ヲ履行セサルトキ

前項ニ依リ契約ヲ解除シタル場合ニ於テ乙ニ損害アルモ甲ハ賠償ノ責ニ任セス

第八條　貸付期間滿了ニ至リタルトキ又ハ前條若ハ乙ノ請求ニ依リ契約ヲ解除シタルトキハ乙ハ甲ノ實地立會ヲ求メ貸付物件ヲ返還スヘシ

前項ノ場合ニ於テ乙ハ甲ノ指定シタル期限迄ニ貸付物件ヲ原狀ニ復スヘシ

但シ甲ニ於テ必要ナシト認メタル場合ハ此限ニ在ラス

第九條　乙カ前條第二項ノ義務ヲ履行セサルトキハ甲之ヲ執行シ其ノ費用ヲ乙ヨリ辨償セシメ又ハ甲ハ乙カ其ノ收去スヘキ物件ニ對スル所有權ヲ抛棄シタルモノト看做シ之ヲ處分スルコトヲ得

第十條　左ノ各號ノ一ニ該當スルトキハ乙ハ損害賠償ノ責ニ任ス

一　乙カ甲ノ承諾ヲ得スシテ貸付物件ノ原狀ヲ變更シ甲ニ損害ヲ生シタルトキ

二　乙カ保存上ノ義務ヲ怠リ貸付物件ヲ毀損若ハ滅失シ又ハ荒廢ニ歸セシメタルトキ

三　前二號ノ外乙カ契約ノ履行ヲ怠リ損害ヲ甲ニ及ホシタルトキ

右契約ノ締結ヲ證スル爲本證書貳通ヲ作リ記名捺印ノ上各自其ノ壹通ヲ所持ス

大正何年何月何日

貸渡人　官　氏　名(印)

借受人

原籍

住所　氏　名(印)

(第五號)

土地又ハ土地建物共賣拂契約書

所在地

一　土地又ハ土地建物名稱及數量

但シ別紙目錄及圖面ノ通

一　契約保證金　何程

但シ何金庫保管證書第何號又ハ何何ヲ以テ納付

右物件ノ賣拂ニ關シ賣渡人ヲ甲トシ買受人ヲ乙トシ左記條項ヲ契約ス

第一條　賣拂代金ハ何程トス

第二條　乙ハ甲ノ指定シタル期限迄ニ代金ヲ納付スヘシ

第三條　代金納付濟ノ上ハ雙方實地立會ノ上賣拂物件ノ授受ヲ爲スヘシ

賣拂物件ノ所有權ハ前項ノ授受ノ時ヲ以テ甲ヨリ乙ニ移轉スルモノトス

第四條　賣拂物件ノ所有權移轉ニ關シ證明又ハ登記等ニ要スル費用ハ乙ノ負擔トス

第五條　乙カ甲ノ指定シタル期限迄ニ代金ヲ納付セサルトキハ甲ハ乙ニ對シ契約ヲ解除スルコトヲ得

第六條　前條ニ依リ契約ヲ解除シタルトキハ契約保證金ハ政府ノ所得トス

右契約ノ締結ヲ證スル爲本證書貳通ヲ作リ記名捺印ノ上各自其ノ壹通ヲ

所持ス

大正何年何月何日

賣渡人　官　氏　名(印)

買受人

住所　氏　名(印)

(第六號)

建物賣拂契約書

所在地

一 建物名稱及數量

但シ別紙目錄及圖面ノ通

一 契約保證金　何程

但シ何金庫保管證書第何號又ハ何何ヲ以テ納付

右物件ノ賣拂ニ關シ賣渡人ヲ甲トシ買受人ヲ乙トシ左記條項ヲ契約ス

第一條 賣拂代金ハ何程トス

第二條 乙ハ甲ノ指定シタル期限迄ニ代金ヲ納付スヘシ

第三條 代金納付濟ノ上ハ雙方實地立會ノ上賣拂物件ノ授受ヲ爲スヘシ

賣拂物件ノ所有權ハ前項ノ授受ノ時ヲ以テ甲ヨリ乙ニ移轉スルモノトス

第四條 乙ハ前條ノ授受ノ日ヨリ何日以内ニ賣拂物件ノ全部ヲ引取ルヘシ

第五條 賣拂物件ノ所有權移轉ニ關シ證明又ハ登記等ニ要スル費用ハ乙ノ負擔トス

第六條 左ノ各號ノ一ニ該當スルトキハ甲ハ乙ニ對シ契約ヲ解除スルコトヲ得

一 乙カ甲ノ指定シタル期限迄ニ代金ヲ納付セサルトキ

二 乙カ第四條ノ期間内ニ賣拂物件ヲ引取ラサルトキ

第七條 乙カ第四條ノ期間内ニ賣拂物件ノ引取ヲ了セサルトキハ甲ハ乙カ殘存シタル物件ニ對スル權利ヲ拋棄シタルモノト看做シ之ヲ處分スルコトヲ得

第八條 第六條ニ依リ契約ヲ解除シタルトキハ契約保證金ハ政府ノ所得トス

右契約ノ締結ヲ證スル爲本證書貳通ヲ作リ記名捺印ノ上各自其ノ壹通ヲ所持ス

大正何年何月何日

賣渡人　官　氏　名(印)

買受人

住所　氏　名(印)

八 國有林野産物及土石採收等ノ件

明治四十四年九月
官通第二百七十三號

政務總監

國有林野産物及土石採收等ノ如キ法令ノ規定ニ依リ出願スヘキ事項ニ關

シ所屬官署ヨリ往々公文ノ照會ニ依リ本府ニ申出ツル向モ有之候處右ハ箇人出願ノ場合ト等シク夫々規定ノ手續ヲ爲スヘキ義ニ有之候條爲念此段及通牒候也

九　監獄所屬ノ土地建物ノ坪數等增減變更ノ場合通報方ノ件

明治四十四年五月
司刑發第三百二十三號

司法部刑事課長

監獄所屬ノ土地及建物ノ坪數等ニ增減變更ヲ生シタルトキハ其ノ都度客年十二月二十八日附刑第九一九號照會ノ例ニ準シ御通報相成度此段及通牒候也

（參照）

刑第九一九號

朝鮮總督府司法部刑事課長　草場林五郎

京城監獄典獄富山要次郎殿

調査上必要有之候ニ付別紙書式ニ依リ本年十二月三十一日現在ノ監獄所屬ノ土地及建物坪數等御取調ノ上二百分ノ一平面圖一葉取添ヘ明治四十四年一月三十一日迄ニ御回報相成度此段及照會候也

追テ圖面調製方ハ朝鮮總督府所屬官廳會計事務章程記載例第三十七號地圖調製標準第四項ノ例ニ準シ尚建物ニハ其名稱圖面ノ間尺及室割ヲ記載シ用紙ハ礬水引美濃紙トシ精確ニ調製相成度申添候

明治四十三年十二月二十八日

明治四十三年十二月三十一日現在土地建物坪數調

何監獄（分監若ハ出張所）

名稱	構造	坪數				摘要
		前年ヨリ	本年ノ增	本年ノ減	現在	
土地ノ部						
構內敷地						
構外敷地						
耕耘地						
埋葬地						
何々						
建物ノ部						

已決男監	監房 廊下 何々	朝鮮式 建物又ハ 何々	何房何坪 何坪 何坪				
女監	監房 廊下 何々	何々	何房何坪				
工場	就業場 物置其他 附屬物	何々	何坪 何坪				
炊場		何々	何々				
何々	何々	何々	何々				
廳舍	事務室 何々	何々	何々				
何々	何々	何々	何々				

備考

一、本年間ニ於テ增シタルモノニ付テハ買入、借入、新築、增築及改築等ノ事由ヲ摘要欄ニ記入スヘシ

一、本年間ニ於テ減シタルモノニ付テハ賣却、改築等ノ事由ヲ摘要欄ニ記入スヘシ

一、借入ニ係ル土地建物ニ付テハ官有民有ノ區別ヲ記入スヘシ

一、各建物ハ一棟毎ニ區別記入スヘシ

一、監房ニ付テハ獨居房及雜居房ノ房數及坪數ヲ附記スヘシ

一、一時ノ必要上建物ヲ目的以外ノ用ニ充テツツアルモノアルトキハ（例セハ工場ヲ以テ監房ニ充テタルノ如キ類）其旨ヲ附記スヘシ

一〇　朝鮮總督府官舍規程

大正二年七月
總訓第四〇號

第一章　保管

第一條　各官署ノ長ハ其ノ所屬官舍ノ保管及取締ヲ爲スヘシ

京城所在ノ官舍ニ付テハ警察官署、鐵道局及遞信官署所屬ノモノ其ノ他特ニ定ムルモノヲ除クノ外朝鮮總督官房總務局長ノ保管及取締ニ屬スルモノトス

第二條　各官署ニ官舍主任ヲ置キ其ノ官署ノ長（第一條第二項ノ場合ニハ總務局長以下同シ）之ヲ命免ス

官舍主任ハ其ノ官署ノ長ノ命ヲ承ケ官舍ノ保存及衞生其ノ他ノ取締ヲ爲スヘシ

第三條　官舍ノ居住又ハ退居ハ各官署ノ長之ヲ命ス

第四條　官舍主任ハ定期又ハ臨時ニ官舍ノ檢査ヲ爲スヘシ

定期檢査ハ毎年四月之ヲ行ヒ臨時檢査ハ官舍居住者ノ入舍又ハ退居ノトキ及特ニ必要アリト認メタルトキ之ヲ行フ

檢査ヲ行フ場合ハ豫メ官舍居住者ニ通知スヘシ

第五條　官舍居住者ニ於テ自費ヲ以テ官舍ノ建增、加工又ハ敷地ニ施工

セムスルトキハ事由ヲ具シ官署ノ長ノ許可ヲ受クヘシ

第二章　貸　渡

第六條　官舍ニ居住ヲ命セラレタル者ハ受命ノ日又ハ前居住者退居ノ日ヨリ七日以內ニ入舍スヘシ

病氣其ノ他ノ事故ニ依リ前項ノ期間內ニ入舍スルコト能ハサルヘキハ其ノ事由ヲ具シ相當期間ノ猶豫ヲ請フコトヲ得

第七條　官舍ニ居住ヲ命セラレタル者入舍セムトスルトキハ豫メ其ノ期間ヲ申出テ入舍ノ際物品會計官吏立會ノ上官舍主任トノ間ニ官舍及備品ノ授受ヲ爲スヘシ

第八條　官舍居住者官舍ヲ退去スル場合ニハ前二條ノ例ニ準シ返納ノ手續ヲ爲スヘシ

前項ノ場合ニ於テ官舍居住者ノ自費ヲ以テ建增其ノ他ノ施工ヲ爲シタルモノアルトキハ總テ原形ニ復スヘシ但シ許可ヲ受ケタルモノハ此ノ限ニ在ラス

第九條　官舍居住者故意又ハ過失ニ因リ官舍若ハ備品ヲ毀損シ又ハ亡失シタルトキハ辨償ノ責ニ任スヘシ

第十條　左ニ揭クル事故アル場合ニハ官舍居住者ハ速ニ官舍主任ニ申報スヘシ

一　官舍若ハ備品ヲ毀損シ又ハ亡失シタルトキ

二　官舍又ハ其ノ附近ニ於テ傳染病患者發生シタルトキ

三　火災、水災其ノ他異變アリタルトキ

第十一條　官舍居住者家族及使用人以外ノ者ヲ同居セシムルトキハ其ノ旨屆出ツヘシ

官舍取締上必要アリト認ムルトキハ前項同居者ノ退去ヲ命スルコトアルヘシ

第十二條　官舍居住者轉地療養、歸省其ノ他ノ事故ニ因リ全家ヲ擧ケ一時官舍ヲ離ルルトキハ監守人ヲ定メ之ヲ監守セシムヘシ其ノ事故七日以上ニ及フトキハ豫メ其ノ旨屆出ツヘシ

前項ノ監守人ヲ不適當ト認メタルトキハ其ノ更替ヲ命スルコトアルヘシ

第三章　設備及修繕

第十三條　官舍ニ設備スヘキ電燈、水道給水栓及備品定數ハ別表ニ依ル

但シ洋室ヲ有スル官舍ニ在リテハ其ノ室ノ用度ニ應シ備品ノ定數ヲ增加スルコトヲ得

各官署ノ長ハ前項ノ定數ヲ減シ又ハ之ヲ設備セサルコトヲ得

第十四條　官舍ノ修繕ハ別段ノ規定アルモノヲ除クノ外官費支辨トス但シ疊表ノ裏返シハ新調後一年以上同表替ハ裏返シ後六箇月以上襖張替ハ新調又上張替後二年以上ヲ經タルモノニ限ル

新ニ入舍スル場合又ハ傳染病患者アリタル場合ニハ前項但書ノ規定ニ拘ラス臨時施工スルコトアルヘシ

第十五條　左ニ揭クルモノハ官舍居住者ノ自辨トス但シ新ニ入舍スル場合ハ此ノ限ニ在ラス

一　椅子覆及窓用レース洗濯

一　障子張替

別表ノ一

電燈、水道定數表

名稱		電燈	水道給水栓
勅任官舍	初度設備	二〇箇	一
	限度	—箇	二
奏任官舍	初度設備	一〇箇	一
	限度	一五箇	一
判任官舍	初度設備	三箇	一
	限度	五箇	一

備考

一 電燈「コード」ハ長サ十尺以內トス

二 洋室ニハ必要ニ依リ「サンデーリア」ヲ附スルコトヲ得

三 勅任官舍ニ在リテハ家屋ノ構造ニ從ヒ電燈ノ定數ヲ增加スルコトヲ得

別表ノ二

備品定數表

備附場所	名稱	數量 單位ノ稱	數量 勅任官舍	數量 奏任官舍	摘要
玄關	帽子掛	箇	一		奏任官舍ニハ建物ニ造附ノ設備ヲ爲ス
	靴拭	同	一	一	洋式應接室ヲ有スル官舍ニ限ル
	泥落シ	同	一	一	同上
洋式應接室	長椅子覆共	脚	一	一	
	肱掛椅子同	同	一	一	
	女椅子同	同	一	一	
	小椅子同	同	四	四	
	丸卓子	同	一	一	
	卓子掛	枚	一	一	
	置暖爐	箇	一	一	
	暖爐附屬器具	組	一	一	暖房ノ裝置ナキモノニ限ル
	石炭入	箇	一	一	
	兩袖卓子	脚	一	一	
	廻轉椅子覆共	同	一	一	
	茶卓子	同	一		
	書棚兼飾棚	箇	一		
	隅棚	同	一		
	洋燈	同	一		電燈ノ設備ナキモノニ限ル
洋式控室	丸椅子	脚	一		
	卓子掛	枚	一		
	小椅子覆共	脚	四		

其ノ他				
窓掛組	各窓一	各窓一	洋室ニ限ル
電鈴	同	一	一	表門、玄關及應接室ニ取附ク勅任官舍ハ十箇以内ノ標示器ヲ附ス

備考

一　竈(瓦斯竈共)瓦斯七輪、消火器、水流シ、塵溜箱ハ官舍ノ現狀ニ應シ適當ノ數ヲ備附クヘシ

二　建物ハ風呂場水槽取附ナキトキハ風呂桶ヲ備附クルコトヲ得又井戸車、釣瓶(釣瓶縄又ハ鐵鎖共)ハ井戸ニ取附ナキトキニ限リ之ヲ備附クルコトヲ得

三　判任官舍ニハ前二項ノ物品ニ限リ備附クヘシ

四　官舍居住者其ノ官等ニ相當セサル官舍ニ居住スル場合ト雖其ノ備品定數ハ增減セサルモノトス

五　官舍ニ現在スル備品ニシテ本表ノ定數ヲ超ユルモノハ當分ノ内其ノ儘之ヲ備附クルコトヲ得

一一　監獄典獄官舍電話官給ニ關スル件

大正十年五月
庶務部長通牒

從來官舍電話官給ニ付テハ本府ノ承認ヲ經ル事ニ相成居候處本年度以降ハ配賦豫算ノ範圍内ニ於テ貴官限リ適宜經理差支無之候條右了知相成度此段及通牒候也

一二　營繕工事進捗程度報告ニ關スル件

明治四十三年十二月
刑第九二〇號

總督府ノ直營施行ニ係ル監獄ノ營繕工事ニ付テハ毎月末日ノ現況ニ依リ翌月十日迄ニ工事進捗程度(別紙書式ニヨリ)御通報相成度此段及照會候也

監獄(新築)(修繕)(何何)工事進捗程度調

何年何月何日現況

全工事進捗程度何分何厘

内譯

名稱	進捗程度	摘要
敷地地均	何分何厘	
何何監	何分何厘	

一三　獄務ト獄舍ノ設備

大正五年
典獄會議訓示

監獄ノ事務ハ獄舍ノ設備ト最モ緊切ノ關係ヲ有シ彼此相俟ツニ非サレハ改善ヲ期シ難キヲ以テ年々巨額ノ國費ヲ投シテ獄舍ヲ新築シ其事業モ亦日ヲ逐フテ整頓シ兩者共ニ之ヲ數年前ノ狀態ニ比スレハ大ニ面目ヲ改メタリト雖尚獄舍中舊來ノ建物ヲ襲用セルモノアリ其新營ニ係ルモノ亦必スシモ完全ナリト謂フヘカラス而シテ他ノ一方ニ於テ囚徒益々增加スルノ傾向アリ之カ爲實際ノ不便尠ナカラサルハ諒トスル所ナルモ現下ノ財政ハ專ラ力ヲ監獄ニ效スコト能ハサル事情アルカ故ニ設備ノ缺陷ハ職員ノ奮勵ニ依リテ之ヲ補フノ覺悟ヲ以テ其刷新ノ實效ヲ收ムルコトニ努ムヘシ

一四　廳舍其ノ他現在調提出方ノ件

明治四十五年四月
監第七六號
司法部長官

廳舍及附屬建物竝敷地現在調別紙書式ニ依リ各廳別調製至急提出相成度尚將來ニ於ケル異動ハ其ノ都度通知相成樣致度此段及照會候也

（別紙）

廳舍及附屬物竝敷地現在調書　月　日調

廳名	區別	構造	坪數	來歷	摘要
何廳	廳舍	木造瓦葺（內地式温突別）			
	附屬物				
	敷地				
	奏任官舍				
	敷地				

備考

一　本調書ニハ見取圖添付ヲ要ス

一　參考トナルヘキ事項ハ摘要欄ニ記載スヘシ

一五　監獄構內ノ空地使用ノ件

大正七年
典獄會議注意

各監獄ノ構內ニ存スル若干ノ空地ニ對シテハ未タ適當ニ之ヲ使用スルモノ少キカ如シ然ルニ之カ利用ハ其ノ方法ノ如何ニ依リテハ一般獄務ノ上ニ好影響ヲ及ホシ又經濟上ノ稗益モ尠少ナラサルヲ以テ各位ハ宜シク戒護、衞生及作業ノ關係竝將來ノ建築計畫等ヲ案シテ相當利用ノ途ヲ講センコトヲ望ム

第八編　監獄

第八編 監獄

第一章 監獄令及監獄令施行規則

一 朝鮮監獄令

明治四十五年三月
制令第一四號

第一條 監獄ニ關スル事項ハ本令其ノ他ノ法令ニ特別ノ規定アル場合ヲ除クノ外監獄法ニ依ル

第二條 監獄法中主務大臣ノ職務ハ朝鮮總督之ヲ行フ

第三條 拘置監ニハ笞刑ノ執行ヲ受クヘキ者ヲ留置スルコトヲ得

第四條 新ニ入監スル者傳染病ニ罹リタル者ナルトキハ入監セシメサルコトヲ得

第五條 在監者ニハ糧食ノ自辨ヲ許スコトヲ得

附　則

本令ハ明治四十五年四月一日ヨリ之ヲ施行ス

二 監獄法

明治四十一年三月
法律第二八號

第一章 總則

第一條 監獄ハ之ヲ左ノ四種トス

一 懲役監 懲役ニ處セラレタル者ヲ拘禁スル所トス

二 禁錮監 禁錮ニ處セラレタル者ヲ拘禁スル所トス

三 拘留場 拘留ニ處セラレタル者ヲ拘禁スル所トス

四 拘置監 刑事被告人及ヒ死刑ノ言渡ヲ受ケタル者ヲ拘禁スル所トス

拘置監ニハ懲役、禁錮又ハ拘留ニ處セラレタル者ヲ一時拘禁スルコトヲ得

警察官署ニ附屬スル留置場ハ之ヲ監獄ニ代用スルコトヲ得但シ懲役又ハ禁錮ニ處セラレタル者ヲ一月以上繼續シテ拘禁スルコトヲ得ス

第二條 二月以上ノ懲役ニ處セラレタル十八歲未滿ノ者ハ特ニ設ケタル監獄又ハ監獄內ニ於テ特ニ分界ヲ設ケタル場所ニ之ヲ拘禁ス

前項ノ規定ニ依ル者ハ滿二十歲ニ至ルマテ又滿二十歲ニ至リタル後三月內ニ刑期終了スヘキ者ハ其ノ殘刑期間仍ホ繼續シテ之ヲ拘禁スルコトヲ得

心身發育ノ狀況ニ因リ必要ト認ムル者ハ前二項ノ適用ニ付キ年齡ニ拘ハラサルコトヲ得

第三條 監獄ニ男監及女監ヲ設ケ之ヲ分隔ス

懲役監、禁錮監、拘留場及拘置監ノ同一區劃內ニ在ルモノハ之ヲ分界ス

第四條 主務大臣ハ少クトモ二年每ニ一回官吏ヲシテ監獄ヲ巡閲セシムヘシ

判事及檢事ハ監獄ヲ巡視スルコトヲ得

第五條 監獄ノ參觀ヲ請フ者アルトキハ學術ノ研究其ノ他正當ノ理由アリト認ムル場合ニ限リ命令ノ定ムル所ニ依リ之ヲ許スコトヲ得

第六條 本法ニ依リ沒入シ又ハ國庫ニ歸屬シタル物ハ之ヲ監獄慈惠ノ用

ニ充ツ

第七條　在監者監獄ノ處置ニ對シ不服アルトキハ命令ノ定マル所ニ依リ主務大臣又ハ巡閲官吏ニ情願ヲ爲スコトヲ得

第八條　勞役場ハ之ヲ監獄ニ附設ス

前五條ノ規定ハ之ヲ勞役場ニ準用ス

第九條　本法中別段ノ規定アルモノヲ除ク外刑事被告人ニ適用ス可キ規定ハ死刑ノ言渡ヲ受ケタル者ニ之ヲ準用シ懲役囚ニ適用ス可キ規定ハ勞役場留置ノ言渡ヲ受ケタル者ニ之ヲ準用ス

第十條　本法ハ陸海軍ニ屬スル監獄ニ之ヲ適用セス

第二章　收監

第十一條　新ニ入監スル者アルトキハ令狀又ハ判決書及執行指揮書其他適法ノ文書ヲ査閲シタル後入監セシムヘシ

第十二條　新ニ入監スル婦女其ノ子ヲ携帶セムコトヲ請フトキハ必要ト認ムル場合ニ限リ滿一歲ニ至ルマテ之ヲ許スコトヲ得

監獄ニ於テ分娩シタル子ニ付テモ亦前項ノ例ニ依ル

第十三條　新ニ入監スル者傳染病豫防法ニ依リ豫防方法ノ施行ヲ必要トスル傳染病ニ罹リタルモノナルトキハ之ヲ入監セシメサルコトヲ得

第十四條　新ニ入監スル者アルトキハ其ノ身體及ヒ衣類ノ檢査ヲ爲スヘシ在監中ノ者ニ付キ必要ト認ムルトキ亦同シ

第三章　拘禁

第十五條　在監者ハ心身ノ狀況ニ因リ不適當ト認ムルモノヲ除ク外之ヲ獨居拘禁ニ付スルコトヲ得

第十六條　雜居拘禁ニ在テハ在監者ノ罪質、性格、犯數、年齡等ヲ斟酌シテ其ノ監房ヲ別異ス

第一條第二項及ヒ第三項ノ場合ニ於テハ在監者ノ種類ニ依リ其ノ監房ヲ別異ス

十八歲未滿ノ者ハ第二條第二項ノ場合ヲ除ク外十八歲以上ノ者ト其ノ監房ヲ別異ス但シ心身發育ノ狀況ニ因リ其ノ必要ナシト認ムルトキハ此ノ限ニ在ラス

前三項ノ規定ハ工場ニ於ケル就業ノ場合ニ之ヲ準用ス

第十七條　刑事被告人ニシテ被告事件ノ相關連スルモノハ互ニ其ノ監房ヲ別異シ監房外ニ於テモ其ノ交通ヲ遮斷ス

第十八條　懲役監、禁錮監、拘留場、拘置監及ヒ勞役場ノ同一區劃ニ在ル場合ニ於テハ同性者ニ付キ同一ノ病監又ハ教誨堂ヲ使用スルコトヲ得

前項ノ場合ニ於テハ在監者ノ種類ニ因リ監房若クハ座席又ハ診察若クハ教誨ノ時間ヲ異ニス

病監ニ在テハ第二條及ヒ第十六條ヲ適用セサルコトヲ得

第四章　戒護

第十九條　在監者逃走、暴行若クハ自殺ノ虞アルトキ又ハ監外ニ在ルトキハ戒具ヲ使用スルコトヲ得

戒具ノ種類ハ命令ヲ以テ之ヲ定ム

第二十條　法令ニ依リ監獄官吏ノ携帶スル劍又ハ銃ハ左ノ各號ノ一ニ該ル場合ニ限リ在監者ニ對シ之ヲ使用スルコトヲ得

一　人ノ身體ニ對シテ危險ナル暴行ヲ爲シ又ハ爲スヘキ脅迫ヲ加フルトキ

二　危險ナル暴行ノ使用ニ供シ得ヘキ物ヲ所持シ其ノ放棄ヲ肯セサルトキ

三　逃走ノ目的ヲ以テ多衆騷擾スルトキ

四　逃走ヲ企テタル者暴行ヲ爲シ捕拿ヲ免カレントシ又ハ制止ニ從ハスシテ逃走セントスルトキ

第二十一條　天災事變ニ際シ必要ト認ムルトキハ在監者ヲシテ應急ノ用務ニ就カシムルコトヲ得

前項ノ用務ニ就キタル者ニハ第二十八條ノ規定ヲ準用ス

第二十二條　天災事變ニ際シ監獄内ニ於テ避難ノ手段ナシト認ムルトキハ在監者ヲ他所ニ護送スヘシ若シ護送スルノ遑ナキトキハ一時之ヲ解放スルコトヲ得

解放セラレタル者ハ監獄又ハ警察官署ニ出頭スヘシ解放後二十四時間内ニ出頭セサルトキハ刑法第九十七條ニ依リ處斷ス

第二十三條　在監者逃走シタルトキハ監獄官吏ハ逃走後四十八時間内ニ限リ之ヲ逮捕スルコトヲ得

前項ノ規定ハ刑事訴訟法第六十條ノ適用ヲ妨ケス

第五章　作業

第二十四條　作業ハ衞生、經濟及ヒ在監者ノ刑期、健康、技能、職業、將來ノ生計等ヲ斟酌シテ之ヲ課ス

十八歳未滿ノ者ニ課スヘキ作業ニ付テハ前項ノ外特ニ教養ニ關スル事項ヲ斟酌ス

第二十五條　大祭祝日、一月一日二日及ヒ十二月三十一日ニハ就業ヲ免ス

父母ノ訃ニ接シタル者ハ三日間其ノ就業ヲ免ス

主務大臣ハ必要ト認ムルトキハ臨時就業ヲ免スルコトヲ得

炊事、洒掃、看護其ノ他監獄ノ經理ニ關シ必要ナル作業ニ就ク者ニ付テハ就業ヲ免セサルコトヲ得

第二十六條　刑事被告人、拘留囚又ハ禁錮囚作業ニ就カンコトヲ請フトキハ其ノ選擇スルモノニ就キ之ヲ許スコトヲ得

第二十七條　作業ノ收入ハ總テ國庫ノ所得トス

在監者ニシテ作業ニ就クモノニハ命令ノ定ムル所ニ依リ作業賞與金ヲ給スルコトヲ得

作業賞與金ハ行狀、作業ノ成績等ヲ斟酌シテ其ノ額ヲ定ム

第二十八條　在監者就業ニ因リ創傷ヲ受ケ又ハ疾病ニ罹リ之カ爲メニ死亡シ又ハ業務ヲ營ミ難キニ至リタルトキハ情狀ニ因リ手當金ヲ給スルコトヲ得

前項ノ手當ハ釋放ノ際本人ニ之ヲ給シ死亡ノ場合ニ於テハ死亡者ノ父母、配偶者又ハ子ニ之ヲ給ス

第六章　教誨及ヒ教育

第二十九條　受刑者ニハ教誨ヲ施スヘシ其ノ他在監者教誨ヲ請フトキハ之ヲ許スコトヲ得

第三十條　十八歳未滿ノ受刑者ニハ教育ヲ施スヘシ其ノ他ノ受刑者ニシテ特ニ必要アリト認ムルモノニハ年齡ニ拘ハラス教育ヲ施スコトヲ得

第三十一條　在監者文書、圖畫ノ閲讀ヲ請フトキハ之ヲ許ス

文書、圖畫ノ閲讀ニ關スル制限ハ命令ヲ以テ之ヲ定ム

第七章　給養

第三十二條　受刑者ニハ一定ノ衣類臥具ヲ著用セシム但シ拘留囚ニハ自衣ノ著用ヲ許シ其ノ他ノ者ニハ襯衣ノ自辨ヲ許スコトヲ得

第三十三條　刑事被告人及ヒ勞役場留置ノ言渡ヲ受ケタル者ノ衣類臥具ハ自辨トシ其ノ自辨スルコト能ハサル者ニハ之ヲ貸與ス

自辨ノ衣類臥具ニ關スル制限ハ命令ヲ以テ之ヲ定ム

第三十四條　在監者ニハ其ノ體質、健康、年齡、作業等ヲ斟酌シテ必要ナル糧食及ヒ飲料ヲ給ス

第三十五條　刑事被告人ニハ糧食ノ自辨ヲ許スコトヲ得

第八章　衞生及ヒ醫療

第三十六條　在監者ノ頭髮鬚髯ハ之ヲ翦剃セシムルコトヲ得但シ刑事被告人ノ頭髮鬚髯ハ衞生上特ニ必要アリト認ムル場合ヲ除ク外其ノ意思ニ反シテ之ヲ翦剃セシムルコトヲ得ス

第三十七條　在監者ハ其ノ拘禁セラルル監房ノ清潔ヲ保ツニ必要ナル用務ニ服ス可シ

第三十八條　在監者ニハ其ノ健康ヲ保ツニ必要ナル運動ヲ爲サシム

第三十九條　在監者ニハ種痘其ノ他傳染病豫防ニ必要ト認ムル醫術ヲ行フコトヲ得

第四十條　在監者疾病ニ罹リタルトキハ醫師ヲシテ治療セシメ必要アルトキハ之ヲ病監ニ收容ス

第四十一條　傳染病者ハ嚴ニ之ヲ離隔シ健康者及ヒ他ノ病者ニ接近セシムルコトヲ得ス但シ懲役囚ヲシテ看護セシムルハ此ノ限ニ在ラス

第四十二條　病者醫師ヲ指定シ自費ヲ以テ治療ヲ補助セシメンコトヲ請フトキハ情狀ニ因リ之ヲ許スコトヲ得

第四十三條　精神病、傳染病其ノ他ノ疾病ニ罹リ監獄ニ在テ適當ノ治療ヲ施スコト能ハスト認ムル病者ハ情狀ニ因リ假ニ之ヲ病院ニ移送スルコトヲ得

前項ニ依リ病院ニ移送シタル者ハ之ヲ在監者ト看做ス

第四十四條　姙婦、產婦、老衰者及ヒ不具者ハ之ヲ病者ニ準スルコトヲ得

第九章　接見及ヒ信書

第四十五條　在監者ニ接見セントコトヲ請フ者アルトキハ之ヲ許ス

受刑者ニハ其ノ親族ニ非サル者ト接見ヲ爲サシムルコトヲ得ス但シ特ニ必要アリト認ムル場合ハ此ノ限ニ在ラス

第四十六條　在監者ニハ信書ヲ發シ又ハ之ヲ受クルコトヲ許ス

受刑者ニハ其親族ニ非サル者ト信書ノ發受ヲ爲サシムルコトヲ得ス但シ特ニ必要アリト認ムル場合ハ此ノ限ニ在ラス

第四十七條　受刑者ニ係ル信書ニシテ不適當ト認ムルモノハ其ノ發受ヲ許サス

前項ニ依リ發受ヲ許ササル信書ハ二年ヲ經過シタル後之ヲ廢棄スルコトヲ得

第四十八條　裁判所其ノ他ノ公務所ヨリ在監者ニ宛テタル文書ハ披閱シテ之ヲ本人ニ交付ス

第四十九條　在監者ニ交付シタル信書及ヒ前條ノ文書ハ本人閱讀ノ後之ヲ領置ス

第五十條　接見ノ立會、信書ノ檢閱其ノ他接見及ヒ信書ニ關スル制限ハ命令ヲ以テ之ヲ定ム

第十章　領置

第五十一條　在監者ノ携有スル物ハ點檢シテ之ヲ領置ス
保存ノ價値ナク又ハ保存ニ不適當ト認ムル物ハ其ノ領置ヲ爲サス又ハ之ヲ解クコトヲ得
領置ヲ爲サス又ハ之ヲ解キタル物ニ付キ在監者相當ノ處分ヲ爲サザルトキハ之ヲ廢棄スルコトヲ得

第五十二條　在監者領置物ヲ以テ其ノ父、母、配偶者又ハ子ノ扶助其ノ他正當ノ用途ニ充テンコトヲ請フトキハ情狀ニ因リ之ヲ許スコトヲ得

第五十三條　在監者ニ差入ヲ爲サムコトヲ請フ者アルトキハ命令ノ定ムル所ニ依リ之ヲ許スコトヲ得
在監者ニ宛テ送致シ來リタル物ニシテ其ノ差出人ノ氏名若クハ居所不明ナルトキ、其ノ差入ヲ許スヘカラスト認ムルトキ又ハ在監者ニ於テ其ノ受領ヲ拒ミタルトキハ之ヲ沒入又ハ廢棄スルコトヲ得

第五十四條　在監者ノ私ニ所持スル物ハ之ヲ沒入又ハ廢棄スルコトヲ得

第五十五條　領置物ハ釋放ノ際之ヲ交付ス

第五十六條　死亡者ノ遺留物ハ請求ニ因リ相續人、家族又ハ親族ニ之ヲ交付ス

第五十七條　死亡者ノ遺留物ハ死亡ノ日ヨリ一年內ニ前條ニ掲ケタル者ノ請求ナキトキハ國庫ニ歸屬ス
逃走者ノ遺留物ニシテ逃走ノ日ヨリ一年內ニ居所分明セサルトキ亦同シ

第十一章　賞罰

第五十八條　受刑者改悛ノ狀アルトキハ賞遇ヲ爲スコトヲ得
賞遇ノ種類及ヒ方法ハ命令ヲ以テ之ヲ定ム

第五十九條　在監者紀律ニ違ヒタルトキハ懲罰ニ處ス

第六十條　懲罰ハ左ノ如シ
一　叱責
二　賞遇ノ三月以內ノ停止
三　賞遇ノ廢止
四　文書、圖畫閱讀ノ三月以內ノ禁止
五　請願作業ノ十日以內ノ停止
六　自辨ニ係ル衣類臥具著用ノ十五日以內ノ停止
七　糧食自辨ノ十五日以內ノ停止
八　運動ノ五日以內ノ停止
九　作業賞與金計算高ノ一部又ハ全部減削
十　七日以內ノ減食
十一　二月以內ノ輕屏禁
十二　七日以內ノ重屏禁
屏禁ハ受罰者ヲ罰室內ニ晝夜屏居セシメ情狀ニ因リ就業セシメサルコトヲ得重屏禁ニ在テハ仍罰室ヲ暗クシ臥具ヲ禁ス
第一項各號ノ懲罰ハ之ヲ併科スルコトヲ得

第六十一條　前條第一項第十號ノ懲罰ハ刑事被告人及ヒ十八歲未滿ノ在監者ニ之ヲ科セス

第六十二條　懲罰ニ處セラレタル者疾病其ノ他特別ノ事由アルトキハ其ノ懲罰ノ執行ヲ停止スルコトヲ得
懲罰ニ處セラレタル者改悛ノ狀著シキトキハ其ノ懲罰ヲ免除スルコト

ヲ得

第十二章　釋　放

第六十三條　在監者ノ釋放ハ恩赦、職權アル者ノ命令又ハ刑期ノ終了ニ因リ關係文書ヲ査閲シテ其ノ手續ヲ爲スヘシ

第六十四條　恩赦ヲ受ケ又ハ假出獄若クハ假出場ヲ許サレタル者ハ其ノ裁可状又ハ許可書ノ監獄ニ達シタル後二十四時間内ニ之ヲ釋放ス

第六十五條　前條ノ場合ヲ除ク外命令ニ因リ釋放ヲ爲スヘキ者ハ命令書ノ監獄ニ達シタル後十時間内ニ之ヲ釋放ス

第六十六條　假出獄又ハ假出場ヲ許サレタル者ヲ釋放スルトキハ之ニ證票ヲ交付ス

第六十七條　假出獄ヲ許サレタル者ハ其ノ期間左ノ規定ヲ遵守スヘシ

一　正業ニ就キ善行ヲ保ツコト

二　警察官署ノ監督ヲ受クルコト但シ警察官署ハ監獄ノ意見ヲ聽キ他ニ其ノ監督ヲ委任スルコトヲ得

三　住居ヲ移轉シ又ハ十日以上旅行ヲ爲サムトスルトキハ監督者ノ許可ヲ請フコト

主務大臣ニ假出獄ヲ許サレタル者ノ帝國外ニ旅行ヲ爲スヲ許スコトヲ得

第六十八條　滿期ノ者ハ其ノ刑期終了ノ翌日午後六時マテニ之ヲ釋放ス

第六十九條　釋放セラルヘキ者重キ疾病ニ罹リ監獄ニ於テ醫療中ナルトキハ其ノ請求ニ因リ仍在監セシムルコトヲ得

第七十條　釋放セラルヘキ者歸住旅費若クハ相當ノ衣類ヲ有セサルトキ又ハ監獄行政ノ便宜ニ因リ移監セシメタルカ爲歸住旅費ノ增加ヲ要スルニ至リタルトキハ衣類又ハ旅費ヲ給與スルコトヲ得

第十三章　死　亡

第七十一條　死刑ノ執行ハ監獄内ノ刑場ニ於テ之ヲ爲ス

大祭祝日、一月一日二日及ヒ十二月三十一日ニハ死刑ヲ執行セス

第七十二條　死刑ヲ執行スルトキハ絞首ノ後死相ヲ檢シ仍五分時ヲ經ルニ非サレハ絞繩ヲ解クコトヲ得ス

第七十三條　在監者死亡シタルトキハ之ヲ假葬ス

死體又ハ遺骨ハ假葬後二年ヲ經テ之ヲ合葬スルコトヲ得

第七十四條　死亡者ノ親族故舊ニシテ死體又ハ遺骨ヲ請フ者アルトキハ何時ニテモ之ヲ交付スルコトヲ得但シ合葬後ハ此ノ限ニ在ラス

第七十五條　受刑者ノ死體ハ命令ノ定ムル所ニ依リ解剖ノ爲病院、學校又ハ其ノ他ノ公務所ニ之ヲ送付スルコトヲ得

附　則

本法ハ刑法施行ノ日ヨリ之ヲ施行ス

監獄則ハ之ヲ廢止ス但シ懲治人ニ關スル規定ハ當分ノ内仍其ノ效力ヲ有ス

三　朝鮮監獄令施行規則

明治四十五年三月
總令第三四號

第一章　總　則

第一條　逃亡犯罪人引渡條例ニ依リ拘禁スヘキ者ハ之ヲ拘置監ニ拘禁ス

外國艦船乘組員ノ逮捕留置ニ關スル援助法ニ依リ監獄ニ拘禁シタル者ハ刑事被告人ニ準ス

第二條　監獄ノ參觀ハ男子ニハ男監、女子ニハ女監ニ限リ之ヲ許ス但シ朝鮮總督ヨリ特別ノ許可ヲ得タルトキハ此ノ限ニ在ラス

未成年者ニハ監獄ノ參觀ヲ許サス

外國人監獄ヲ參觀スルニハ朝鮮總督ノ許可ヲ受クヘシ

第三條　監獄ノ參觀ヲ請フ者アルトキハ典獄ハ其ノ氏名、身分、職業、住所、年齢及參觀ノ目的ヲ調査シ許可ヲ與ヘタル者ニハ參觀者心得事項ヲ告知スヘシ

第四條　朝鮮總督ニ情願ヲ爲スニハ其ノ旨趣ヲ記載シタル書面ヲ差出スヘシ

情願書ハ本人ヲシテ之ヲ封緘セシメ監獄官吏ハ之ヲ披閲スルコトヲ得ス

情願書ヲ差出シタルトキハ典獄ハ速ニ之ヲ朝鮮總督ニ進達スヘシ

第五條　巡閲官吏ニハ書面又ハ口頭ヲ以テ情願ヲ爲スコトヲ得

巡閲官吏ニ情願ヲ爲サムコトヲ豫告スル者アルトキハ典獄ハ其ノ氏名ヲ情願簿ニ記載シ置クヘシ

前條第二項ノ規定ハ本條ノ情願書ニ之ヲ適用ス

第六條　巡閲官吏情願ヲ聽クニハ必要アル場合ヲ除クノ外監獄官吏ヲシテ之ニ立會ハシムルコトヲ得ス

第七條　巡閲官吏情願ヲ審査シタルトキハ自ラ裁決ヲ爲シ又ハ朝鮮總督ノ裁決ヲ乞フコトヲ得

巡閲官吏自ラ裁決ヲ爲シタルトキハ情願簿ニ其ノ要旨ヲ記載スヘシ

第八條　情願ニ對スル裁決ハ典獄ニ於テ速ニ之ヲ本人ニ告知スヘシ

第九條　典獄ハ毎週一回以上面接日ヲ定メ監獄ノ處置又ハ一身ノ事情ニ付申立ヲ爲サムコトヲ請フ在監者ニ面接スヘシ

前項ノ申立ヲ爲サムコトヲ豫告スル者アルトキハ其ノ氏名ヲ面會簿ニ記載シ其ノ順序ニ從ヒ面接シ本人ニ開示シタル意見ノ要旨ハ之ヲ面會簿ニ記載スヘシ

第十條　本令中別段ノ規定アルモノヲ除クノ外懲役囚ニ適用スヘキ規定ハ勞役場留置ノ言渡ヲ受ケタル者ニ之ヲ準用ス

第二章　收監

第十一條　新ニ入監スル者ヲ領收シタルトキハ入監者ノ氏名、領收ノ年月日時及領收官吏ノ氏名ヲ記載シタル領收書ヲ護送者ニ交付スヘシ

第十二條　新ニ入監スル婦女ニ子ノ携帶ヲ許サヽル場合ニ於テ相當ノ引取人ナキトキハ其ノ子ヲ監獄所在地ノ警察官署ニ引渡スヘシ携帶ヲ許シタル子カ滿一歳ニ達シ又ハ他ニ在監ヲ許スヘカラサル事情アル場合ニ於テ相當ノ引取人ナキトキ亦同シ

第十三條　新ニ入監スル者ハ監獄醫其ノ健康ヲ診査スヘシ

第十四條　監獄ニ於テ避病監其ノ他傳染病者ノ收容ニ適當ノ設備アルトキハ傳染病ニ罹リタル者ト雖之ヲ入監セシムヘシ

第十五條　監獄令第四條ニ依リ入監セシメサル場合ニ於テハ直ニ其ノ旨ヲ入監ヲ指揮シタル官廳及監獄所在地ノ警察官署ニ通報シ且其ノ事情ヲ朝鮮總督ニ申報スヘシ

第十六條　新ニ入監スル者刑事訴訟法第三百十九條第二項各號ニ該當スルモノト認ムルトキハ之ヲ入監セシメタル上監獄醫ノ診斷書ヲ添ヘ直ニ其ノ旨ヲ檢事ニ通報スヘシ

前項ノ規定ハ在監者ニ之ヲ準用ス

第十七條　新ニ入監スル者ハ疾病其ノ他已ムコトヲ得サル場合ヲ除クノ

外入浴ヲ爲サシムヘシ

婦女ノ入浴ニハ女監取締之ニ立會ヒ婦女ノ身體及衣類ノ檢査ハ女監取締之ヲ爲スヘシ

前項ノ規定ハ在監中ノ婦女ノ入浴及身體衣類ノ檢査ニ之ヲ準用ス

第十八條 入監者ニハ番號ヲ附シ在監中其ノ番號票ヲ上衣ノ襟又ハ胸部ニ附著セシムヘシ但シ本人監外ニ在ル間ハ番號票ヲ除去セシムルコトヲ得

第十九條 典獄ハ在監者ノ遵守スヘキ事項及刑期ノ起算並終了ノ日ヲ入監者ニ告知スヘシ

典獄ハ入監者ノ身上ニ關スル事情ヲ調査シ其ノ結果ヲ身上票ニ記載スヘシ

前項ノ調査ヲ爲スニ付必要アリト認ムルトキハ裁判所、警察官署其ノ他ノ官廳公署又ハ本人ニ緣故アル者ニ照會ヲ爲スヘシ

第二十條 典獄ニ於テ必要アリト認ムルトキハ入監者ノ撮影ヲ爲スヘシ在監者ニ付亦同シ

第二十一條 新ニ入監シタル者ハ疾病其ノ他已ムコトヲ得サル場合ヲ除クノ外三日以內之ヲ獨居拘禁ニ付スヘシ

前項ノ受刑者ニハ文書、圖畫ノ閱讀ヲ許サス懲役囚ニハ作業ヲ課セサルコトヲ得

第二十二條 入監者ノ身分帳簿、名籍原簿、在監人人名簿及放免曆簿ハ收監後三日以內ニ之ヲ整理シ必要ナル事項ヲ記載スヘシ

在監者遵守事項ハ冊子トシテ之ヲ監房內ニ備ヘ置クヘシ

第三章 拘禁

第二十三條 獨居拘禁ニ付セラレタル者ハ他ノ在監者ト交通ヲ遮斷シ召喚、運動、入浴、接見、教誨、診療又ハ已ムコトヲ得サル場合ヲ除クノ外常ニ一房ノ內ニ獨居セシムヘシ

第二十四條 刑事被告人ハ之ヲ獨居拘禁ニ付スヘシ

第二十五條 受刑者ハ本令ニ規定スル場合ヲ除クノ外成ルヘク左ノ順序ニ從ヒ之ヲ獨居拘禁ニ付スヘシ

一 刑期二月未滿ノ者

二 二十五歲未滿ノ者

三 初犯者

四 入監後二月ヲ經過セサル者

餘罪又ハ刑期限內ノ犯罪ニ因リ審問中ニ在ル受刑者ハ成ルヘク之ヲ獨居拘禁ニ付スヘシ

獨居監房ニ殘餘アルトキハ前二項ニ該當セサル受刑者ト雖之ヲ獨居拘禁ニ付スルコトヲ得

第二十六條 在監者ノ精神又ハ身體ニ害アリト認ムルトキハ獨居拘禁ニ付スルコトヲ得ス

第二十七條 獨居拘禁ノ期間ハ二年ヲ超ユルコトヲ得ス但シ特ニ繼續ノ必要アル場合ニ於テハ爾後六月每ニ其ノ期間ヲ更新スルコトヲ妨ケス

十八歲未滿ノ者ハ特ニ必要アリト認メタル場合ヲ除クノ外六月以上繼續シテ之ヲ獨居拘禁ニ付スルコトヲ得ス

第二十八條 典獄及監獄醫ハ少クトモ三十日每ニ一回、其ノ他ノ監獄官吏ハ每日數次獨居禁拘ニ付セラレタル在監者ヲ巡視スヘシ

第二十九條 典獄、監獄醫、教誨師及女監取締ヲ除クノ外監獄官吏ハ單獨

ニテ獨居拘禁ニ付セラレタル婦女ヲ巡視スルコトヲ得ス夜間獨居監房ニ拘禁セラレタル婦女ノ巡視ニ付亦同シ

第三十條　獨居拘禁ニ付セラレタル在監者ヲ巡視シタル監獄官吏ハ其ノ視察シタル事項ヲ典獄ニ報告スヘシ

第三十一條　獨居拘禁ノ期間滿了後必要アリト認ムルモノハ之ヲ夜間獨居監房ニ拘禁スヘシ

第二十五條第三項ノ規定ハ夜間獨居監房ニ之ヲ準用ス

第三十二條　夜間獨居監房ニ拘禁セラレタル者作業ニ就カサルトキハ晝間ト雖仍在房セシムヘシ

第三十三條　勞役場留置ノ言渡ヲ受ケタル者ト受刑者トハ已ムコトヲ得サル場合ヲ除クノ外之ヲ同一ノ監房又ハ工場ニ雜居セシムルコトヲ得ス

第三十四條　病者又ハ不具者ト健康者トハ已ムコトヲ得サル場合ヲ除クノ外之ヲ同一監房ニ拘禁スルコトヲ得ス但シ看護ニ從事スルモノハ此ノ限ニ在ラス

第三十五條　雜居監房ニハ三人以上ヲ拘禁スヘシ但シ療養其ノ他已ムコトヲ得サル場合ハ此ノ限ニ在ラス

第三十六條　雜居監房、工場、教場及教誨堂ニ於テハ在監者ノ席次ヲ定メ交談ヲ禁止スヘシ

第三十七條　監房ニハ疊ヲ敷クコトヲ得ス但シ拘置監、女監及病監ハ此ノ限ニ在ラス

第三十八條　雜居監房ハ已ムコトヲ得サル場合ヲ除クノ外之ヲ工場ニ代用スルコトヲ得ス

第三十九條　監房ノ前ニハ小札ヲ揭ケ其ノ上部ニ在房者ノ氏名、年齡、罪質、刑名、刑期、留置期間及犯數其ノ下部ニ番號及入監ノ年月日ヲ記載シ上部ハ之ヲ蔽掩シ置クヘシ

第四十條　雜居監房ニハ其ノ容積、定員及現在人員ヲ記載シタル小札ヲ揭ケ置クヘシ

第四章　戒護

第四十一條　監獄ニ於テハ出入ノ警戒ヲ嚴ニシ必要アリト認ムルトキハ出入者ノ携帶品ヲ檢査スヘシ

開監前閉監後ハ典獄ノ許可ヲ受クルニ非サレハ監獄官吏以外ノ者ヲ出入セシムルコトヲ得ス

第四十二條　監獄ノ外門、各出入口、監房、工場及現ニ在監者ヲ拘禁スル場所ハ之ヲ閉鎖シ置クヘシ若必要ニ因リ一時開放スルトキハ其ノ要所ヲ守衞スヘシ

鑰匙ハ一定ノ監獄官吏之ヲ保管シ必要アル場合ヲ除クノ外其ノ授受ヲ爲スコトヲ得ス

第四十三條　監獄官吏ハ典獄ノ命令アルニ非サレハ他ノ監獄官吏ノ立會ナクシテ監房ヲ開扉シ又ハ在監者ヲ出房セシムルコトヲ得ス但シ病監ニ在リテハ此ノ限ニ在ラス

第四十四條　監獄ノ構內ニ於テハ常ニ視察ノ便ヲ計リ觀望ヲ妨ケ其ノ他戒護ノ障礙ト爲ルヘキ物ヲ置クヘカラス

已ムコトヲ得サル場合ニ於テ梯子其ノ他攀越ノ用ニ供シ得ヘキ物ヲ構內ニ置クトキハ之ニ鎖鑰ヲ施スヘシ

第四十五條　典獄ハ監獄官吏ヲシテ少クトモ毎日一回監房ノ檢査ヲ爲サ

シムヘシ

第四十六條 典獄ハ監獄官吏ヲシテ工場又ハ監外ヨリ還房スル在監者ノ身體及衣類ノ檢査ヲ爲サシムヘシ

第四十七條 在監者ニシテ戒護ノ爲離隔ノ必要アルモノハ之ヲ獨居拘禁ニ付スヘシ

第四十八條 戒具ハ左ノ六種トス

一　窄衣
二　鈦
三　手錠
四　足鎖
五　聯鎖
六　捕繩

鈦ヲ使用ルスニハ鐵丸ヲ屬シタル鐵索ヲ之ニ貫キ腰間ニ緤帶セシメ緤帶ノ所ニ下鍵ス

聯鎖ヲ使用スルニハ之ヲ腰間ニ緤帶セシメ緤帶ノ所ニ下鍵シ二人毎ニ連絆ス

第四十九條 戒具ハ典獄ノ命令アルニ非サレハ之ヲ使用スルコトヲ得ス

第五十條 窄衣ハ危險ナル暴行ヲ爲ス懲役囚、鈦ハ逃走又ハ暴行ノ虞アル懲役囚、手錠、足鎖及捕繩ハ暴行、逃走若ハ自殺ノ虞アル在監者、聯鎖ハ監房外ノ作業ニ就ク在監者ニシテ必要アリト認ムルモノニ限リ之ヲ使用スルコトヲ得

窄衣ハ六時間以上、兩脚施鈦ハ六月以上、一脚施鈦ハ一年以上繼續シテ之ヲ使用スルコトヲ得ス

護送中ノ者ニハ窄衣、鈦及足鎖ヲ使用スルコトヲ得ス

第五十一條 監獄官吏在監者ニ對シテ劍又ハ銃ヲ使用シタルトキハ典獄ハ直ニ其ノ旨ヲ朝鮮總督ニ申報スヘシ

第五十二條 典獄ハ刑期一年以上ノ懲役囚ニシテ刑期ノ半ヲ經過シタル者ノ中ニ就キ豫メ消防ノ用務ニ就カシムヘキモノヲ指定スルコトヲ得

第五十三條 監獄法第二十二條ニ依リ在監者ヲ解放スルトキハ出頭スヘキ時期及場所ヲ告知スヘシ

第五十四條 在監者ヲ他所ニ護送スヘキ場合ニ於テハ監獄醫ヲシテ之ヲ診斷セシメ健康ニ害アリト認ムルトキハ其ノ護送ヲ停止スヘシ

護送ヲ停止シタルトキハ其ノ旨ヲ關係官廳ニ通報スヘシ

第五十五條 護送中ハ男女ヲ同行セシムヘカラス刑事被告人ニシテ被告事件ノ相關連スル者ニ付亦同シ

刑事被告人及十八歲未滿ノ者ハ護送ノ際他ノ在監者ト區分スヘシ

第五十六條 在監者逃走シタルトキハ典獄ハ速ニ監獄所在地及其ノ附近竝逃走者ノ立寄ルヘキ見込アル地方ノ警察官署ニ逃走者ノ人相書ヲ添ヘ逃走ノ事實ヲ通報スヘシ

第五十七條 前條ノ場合ニ於テハ典獄ハ其ノ事實ヲ朝鮮總督ニ申報スヘシ逃走者ヲ逮捕シタルトキ亦同シ

逃走者刑事被告人ナルトキハ前項ノ外逃走及逮捕ノ事實ヲ檢事ニ通報スヘシ

第五章　作業

第五十八條　在監者ノ作業時間ハ左ノ如シ

但シ典獄ハ地方ノ状況、監獄ノ構造又ハ作業ノ種類ニ因リ朝鮮總督ノ認可ヲ受ケ之ヲ伸縮スルコトヲ得

請求ニ因リ作業ニ就ク者ノ作業時間ハ二時間以内之ヲ短縮スルコトヲ得

一月、十二月	七時間
二月、十一月	八時間
三月、九月、十月	九時間
四月、五月、八月	十時間
六月、七月	十一時間

教育、教誨及運動ニ要スル時間ハ之ヲ作業時間ニ通算スルコトヲ得

第五十九條　作業ノ種類ハ朝鮮總督ノ認可ヲ受クヘシ

第六十條　在監者ニ課スル作業ハ其ノ種類及一日ノ科程ヲ指定シ之ヲ本人ニ告知スヘシ

第六十一條　作業科程ハ普通一人ノ仕上高及第五十八條第一項ノ作業時間ヲ標準トシテ等一ニ之ヲ定ムヘシ

仕上高ヲ標準トスルコト能ハサル作業ニ付テハ第五十八條第一項ノ作業時間ヲ以テ作業科程トス

十八歳未滿ノ受刑者、老者、病弱者及不具者ハ前二項ニ依ラス各就業者ニ付相當ノ作業科程ヲ定ムルコトヲ得

第六十二條　作業時間ノ全部ヲ通シテ就業セシムルコト能ハサル作業ハ之ヲ他ノ作業ト併課スルコトヲ得

第六十三條　一日ノ作業科程ヲ終了シタル者ト雖作業時間内ハ繼續シテ作業ニ就カシムヘシ

第六十四條　請求ニ因リ作業ニ就ク者ハ正當ノ事由アルニ非サレハ其ノ作業ヲ中止シ若ハ之ヲ廢止シ又ハ作業ノ種類ヲ變更スルコトヲ得ス

第六十五條　典獄ハ朝鮮總督ノ認可ヲ受ケ在監者ヲ受負作業ニ就カシムルコトヲ得

第六十六條　刑事被告人ハ之ヲ監外ノ作業ニ就カシムルコトヲ得ス

第六十七條　典獄ハ監獄官吏ヲシテ毎日一回各就業者ニ就キ作業ノ成績ヲ檢査セシムヘシ

第六十八條　仕上高ハ毎月末日ニ其ノ月分ヲ積算シ一日ノ平均高ト一日ノ科程トヲ對照シ作業科程ノ了否ヲ定ムヘシ

第六十一條第二項ノ作業ニ付テハ一月毎ニ其ノ就業時間ヲ積算シ前項ノ例ニ依リ作業科程ノ了否ヲ定ムヘシ

第六十九條　前條ニ依リ作業科程ノ了否ヲ定メタルトキハ作業賞與金ノ計算ヲ爲スヘシ

第七十條　左ニ掲クル期間ハ作業賞與金ノ計算ヲ爲サス

一　累犯ノ懲役囚ニ付テハ入監後三月間
二　監獄法第六十條第六號乃至八號及第十號乃至第十二號ノ懲罰ニ處セラレタル者ニ付テハ其ノ執行中
三　初メテ業ニ就キタル日ヨリ現業日數三十日
四　釋放ノ日ヨリ前五日間

第七十一條　作業賞與金計算高ハ各就業者ノ成績ヲ普通ノ傭工錢ニ見積リ行状、犯數及作業科程ノ了否ヲ斟酌シ左ノ割合ヲ以テ之ヲ定ムヘシ

シ

一　刑事被告人、拘留囚及禁錮囚ハ見積額ノ十分ノ四乃至十分ノ七

二　懲役囚ハ見積額ノ十分ノ一乃至十分ノ四

第七十二條　監獄法第二十五條第四項ニ依リ作業ニ就キタル者ニハ就業ノ當日ニ限リ前條ニ掲ケタル割合ノ外見積額ノ十分ノ三以内ヲ增加スルコトヲ得

第七十三條　在監者惡意又ハ重過失ニ因リ器具、製品、素品其ノ他ノ物ニ損害ヲ加ヘタルトキハ其ノ賠償ニ相當スル金額ヲ作業賞與金計算高ノ内ヨリ控除スルコトヲ得

第七十四條　就業者ニハ毎月十五日迄ニ前月分ノ作業賞與金計算高ヲ告知スヘシ

第七十五條　作業賞與金ハ就業者釋放ノ際之ヲ給與スヘシ

第七十六條　十圓以上ノ作業賞與金計算高ヲ有スル受刑者其ノ父、母、妻若ハ子ノ扶助、犯罪被害者ニ對スル賠償又ハ書籍ノ購求ヲ爲ス必要アル場合ニ於テハ情狀ニ因リ在監中ト雖作業賞與金計算高ノ三分ノ一ヲ超エサル金額ヲ給スルコトヲ得

受刑者ノ爲特ニ必要アリト認ムヘキ場合ニ於テハ前項ノ規定ニ依ラス之ニ作業賞與金ヲ給スルコトヲ得

第七十七條　作業賞與金計算高ヲ有スル刑事被告人其ノ父、母、妻又ハ子ノ扶助其ノ他正當ノ費用ヲ要スル場合ニ於テハ情狀ニ因リ在監中ト雖之ニ作業賞與金ヲ給スルコトヲ得

第七十八條　作業賞與金計算高ヲ有スル在監者逃走後六月内ニ其ノ居所分明セサルトキハ其ノ計算高ヲ抹消スヘシ

第七十九條　監獄法第二十一條及二十八條ニ依リ手當金ヲ給スヘキ情狀アリト認ムルトキハ典獄ハ調査書類ヲ添ヘ其ノ旨ヲ朝鮮總督ニ具申スヘシ

第六章　教誨及教育

第八十條　教誨ハ休業日又ハ日曜日ニ於テ之ヲ爲スヘシ

典獄ハ必要アリト認ムルトキハ休業日又ハ日曜日以外ノ日ニ於テモ教誨ヲ爲サシムルコトヲ得

第八十一條　病監又ハ獨居監房ニ拘禁スル受刑者及刑事被告人ニハ其ノ居所ニ就キ教誨ヲ爲スヘシ

第八十二條　受刑者父母ノ訃ニ接シ就業ヲ免セラレタルトキハ之ヲ獨居拘禁ニ付シ毎日教誨ヲ爲スヘシ

前項ノ場合ニ於テハ本人ノ希望ニ因リ其ノ亡父母ノ爲讀經ヲ爲サシムルコトヲ得

第八十三條　恩赦、假出獄若ハ假出場ノ申渡ヲ爲シ又ハ賞表ヲ付與スルトキハ其ノ式場ニ受刑者ノ全部又ハ一部ヲ集メテ教誨ヲ爲スヘシ

第八十四條　受刑者死亡シタルトキハ本人ト緣故アル受刑者ヲ集メ棺前ニ於テ教誨ヲ爲スヘシ

第八十五條　監獄法第三十條ニ依リ教育ヲ施ス受刑者ニハ毎日四時間以内其ノ教育ノ程度ニ應シ修身、讀書、算術、習字其ノ他必要ノ學科ヲ教授スヘシ

第八十六條　文書、圖畫ノ閲讀ハ監獄ノ紀律ニ害ナキモノニ限リ之ヲ許ス

新聞紙及時事ノ論説ヲ記載スルモノハ其ノ閲讀ヲ許サス

第八十七條　雜居拘禁ニ付セラレタル在監者ニハ同時ニ三箇以上ノ文書圖畫ヲ閲讀セシムルコトヲ得ス但シ字書ハ必要ニ因リ其ノ册數ヲ增加スルコトヲ得

第八十八條　獨居拘禁ニ付セラレタル在監者ニハ情狀ニ因リ其ノ監房內ニ於テ自辨ニ係ル筆墨紙ノ使用ヲ許スコトヲ得

第七章　給養

第八十九條　在監者ノ使用ニ供スル衣類、臥具及雜具ノ品目左ノ如シ

衣類

一　單衣
二　袷
三　綿入
四　襯衣
五　帶
六　褌
七　股引

婦女ニハ股引ニ代ヘ前垂ヲ用ヰシム

臥具

一　蒲團又ハ毛布
二　敷布
三　莞莚
四　枕
五　蚊幮

雜具

一　手巾
二　雨具
三　冠物
四　履物

股引又ハ前垂ハ作業ニ就ク者ニ限リ之ヲ交付ス

用紙ハ之ヲ給與ス

典獄ニ於テ必要アリト認ムルトキハ朝鮮總督ノ認可ヲ受ケ雜具ノ品目ヲ增加スルコトヲ得

第九十條　在監者ノ使用ニ供スル衣類、臥具及雜具ノ數ハ一人ニ付一箇トス但シ蚊幮ハ此ノ限ニ在ラス

作業ニ就ク者ニハ別ニ作業衣一組ヲ交付ス

用紙ノ數量ハ典獄ニ於テ適宜之ヲ定ム病者ノ使用ニ供スル衣類、臥具及雜具ノ數ハ必要ニ因リ之ヲ增減スルコトヲ得

已ムコトヲ得サル事情アルトキハ典獄ハ朝鮮總督ノ認可ヲ受ケ第一項及第二項ニ定メタル箇數ヲ增減スルコトヲ得

第九十一條　受刑者ニ著用セシムル衣類ハ赭色トス

左ニ掲クル衣類、臥具ハ淺葱色トス

一　刑事被告人ニ貸與スル衣類
二　勞役場留置ノ言渡ヲ受ケタル者ニ貸與スル衣類
三　十八歲未滿ノ受刑者ニ著用セシムル衣類
四　蒲團

第九十二條　自辨ノ衣類、臥具ハ時季ニ適シ且監獄ノ紀律及衛生ニ害ナキ物ニ限ル

自辨ノ衣類、臥具ノ品目及箇數ハ典獄之ヲ定ム

第九十三條　自辨ノ衣類、臥具ハ時時之ヲ交換、補綴又ハ澣濯セシムヘシ

監獄ニ於テ自辨ノ衣類、臥具ヲ補綴又ハ澣濯シタルトキハ其ノ費用ハ本人ノ負擔トス

第九十四條　在監者ニ給與スル糧食ノ種類及分量ハ左ノ如シ

一　飯（下白米十分ノ四　麥十分ノ六）　一人一回三合以下

二　菜　一人一回九錢以下

地方ノ狀況若ハ物價ノ高低ニ因リ又ハ在監者ノ健康保全ノ爲必要アルトキハ典獄ハ朝鮮總督ノ認可ヲ受ケ糧食ノ種類ヲ變更スルコトヲ得

作業ノ種類ニ因リ必要アルトキハ典獄ハ朝鮮總督ノ認可ヲ受ケ飯ノ分量ヲ增加スルコトヲ得

第九十五條　在監者ニ給與スル飲料ハ白湯ヲ用ウ但シ必要アルトキハ麥湯又ハ茶ヲ用ウルコトヲ得

第九十六條　在監者ニハ酒類又ハ煙草ヲ用ウルコトヲ許サス

第九十七條　病者ノ糧食及飮料ハ典獄ニ於テ適宜之ヲ定ムルコトヲ得

第九十八條　自辨糧食ノ種類及分量ハ典獄之ヲ定ム

第九十九條　自辨糧食ノ販賣又ハ取扱ヲ爲ス者不正ノ行爲アリト認ムルトキハ典獄ハ其ノ者ノ出入ヲ禁止スヘシ

典獄ハ必要ニ因リ自辨糧食ノ販賣又ハ取扱ヲ爲ス者ヲ指名スルコトヲ得

第百條　自辨糧食ハ監獄官吏立會ノ上監獄醫其ノ檢査ヲ爲スヘシ

第百一條　雜居拘禁ニ付セラレタル者ノ自辨糧食ハ成ルヘク一定ノ場所ニ於テ之ヲ用ヰシムヘシ

第八章　衞生及醫療

第百二條　監獄ニ於テハ清潔ヲ旨トシ衣類、臥具及雜具ハ期限ヲ定メ蒸汽其ノ他適當ノ方法ヲ用ヰテ之ヲ清淨ナラシムヘシ

第百三條　受刑者ノ頭髮ハ少クトモ一月每ニ一回、鬚髯ハ少クトモ十日每ニ一回之ヲ翦剃セシムヘシ但シ特別ノ事情アル者ニ付テハ此ノ限ニ在ラス

婦女ノ頭髮ハ必要アル場合ヲ除クノ外之ヲ翦剃セシムルコトヲ得ス

第百四條　頭髮、鬚髯ヲ翦剃セシメサル場合ニ於テハ常ニ之ヲ梳理セシムヘシ

婦女ニハ膏油ノ使用ヲ許スコトヲ得

第百五條　在監者ノ入浴ノ度數ハ作業ノ種類及其ノ他ノ事情ヲ斟酌シテ典獄之ヲ定ム但シ六月ヨリ九月迄ハ五日每ニ一回、十月ヨリ五月迄ハ七日每ニ一回ヲ下ルコトヲ得ス

第百六條　在監者ニハ雨天ノ外每日三十分以內戶外ニ於テ運動ヲ爲サシムヘシ但シ作業ノ種類ニ因リ運動ノ必要ナシト認ムヘキ者ニ付テハ此ノ限ニ在ラス

前項ノ運動時間ハ獨居拘禁ニ付セラレタル者ニ限リ一時間以內ニ伸長スルコトヲ得

受刑者ニハ戶外運動トシテ體操ヲ爲サシムルコトヲ得

第百七條　獨居拘禁ニ付セラレタル在監者ニシテ十八歲未滿ノモノハ少クトモ三十日每ニ一回、其ノ他ノモノハ少クトモ三月每ニ一回、獨居拘禁ニ付セラレタル受刑者ニシテ刑期一年以上ノモノハ少クトモ六月

毎ニ一回監獄醫ヲシテ健康診斷ヲ爲サシムヘシ

第百八條 十八歳未滿ノ者ハ成ルヘク治療ノ時間及病監ニ於ケル居室ヲ其ノ他ノ者ト異ニスヘシ

第百九條 獨居拘禁ニ付セラレタル者疾病ニ罹リタルトキハ病監ニ移ス必要アル場合ヲ除クノ外其ノ監房ニ於テ治療セシメ病監ニ移シタルトキハ成ルヘク病監内ノ獨居監房ニ拘禁スヘシ

第百十條 傳染病流行ノ兆アルトキハ其ノ豫防ヲ嚴ニシ流行地ヲ發シ又其ノ地方ヲ經過シタル入監者ハ一週日以上他ノ者ト離隔シ其ノ携帶物ニハ消毒方法ヲ行フヘシ

第百十一條 傳染病豫防ノ爲必要アル場合ニ於テハ在監者ニ種痘又ハ血精注射ヲ施スコトヲ得

第百十二條 傳染病流行ノ際ニハ飲食物ノ差入及購求ヲ停止スルコトヲ得

第百十三條 在監者傳染病ニ罹リタルトキハ直ニ之ヲ離隔シ嚴ニ消毒方法ヲ行ヒ其ノ狀況ヲ朝鮮總督ニ申報スヘシ

前項ノ場合ニ於テハ監獄所在地ノ警察官署ニ其ノ事實ヲ通報スヘシ

第百十四條 監獄法第四十三條ニ依リ在監者ヲ病院ニ移送スヘキトキハ典獄ハ監獄醫ノ診斷書及移送スヘキ病院トノ協議書ヲ添ヘ朝鮮總督ノ認可ヲ受クヘシ

第百十五條 在監者ヲ病院ニ移送シタルトキハ典獄ハ監獄官吏ヲシテ毎日其ノ狀況ヲ視察セシムヘシ

第百十六條 病院ニ移送シタル者在院ノ必要ナキニ至リタルトキハ典獄ハ速ニ之ヲ還送セシメ朝鮮總督ニ其ノ旨ヲ申報スヘシ

第百十七條 治療ノ爲特ニ必要アリト認ムルトキハ典獄ハ監獄醫ニ非サル醫師ヲシテ治療ヲ補助セシムルコトヲ得

分娩ノ際必要アリト認ムルトキハ典獄ハ産婆ヲ附スルコトヲ得

第百十八條 在監者ノ疾病危篤ナルトキハ其ノ旨ヲ本人ノ家族又ハ親族ニ通知シ刑事被告人ナルトキハ仍檢事ニ通報スヘシ

第百十九條 姙婦ハ受胎後七月以上ノ者産婦ハ分娩後一月ヲ經過セサル者ニ限リ之ヲ病者ニ準スルコトヲ得

第九章 接見及信書

第百二十條 十四歳未滿ノ者ニハ在監者ト接見ヲ爲スコトヲ許サス

第百二十一條 接見ノ時間ハ三十分以内トス但シ辯護人トノ接見ハ此ノ限ニ在ラス

第百二十二條 接見ハ執務時間内ニ非サレハ之ヲ許サス

第百二十三條 接見ノ度數ハ拘留囚ニ付テハ十日毎ニ一回、禁錮囚ニ付テハ一月毎ニ一回、懲役囚ニ付テハ二月毎ニ一回トス

第百二十四條 典獄ニ於テ已ムコトヲ得サル事情アリト認ムルトキハ前四條ノ制限ニ依ラサルコトヲ得

第百二十五條 在監者ニ接見センコトヲ請フ者アルトキハ其ノ氏名、身分、職業、住所、年齡、在監者トノ續柄及面談ノ要旨ヲ聞取リ許可ヲ與ヘタル者ニハ接見者心得事項ヲ告知スヘシ

接見センコトヲ請フ者辯護人ナルトキハ其ノ氏名、職業及住所ノミヲ聞取リ裁判所ノ允許ヲ得テ辯護人ト爲リタル者ニハ仍其ノ旨ヲ證明セシムヘシ

第百二十六條 接見ハ接見室ニ於テ之ヲ爲サシムヘシ

在監者疾病ノ爲接見室ニ赴クコト能ハサルトキハ其ノ居所ニ於テ接見ヲ爲サシムルコトヲ得

第百二十七條　接見ニハ監獄官吏之ニ立會フヘシ

第百二十八條　外國語ハ典獄ノ許可アルニ非サレハ接見ノ際之ヲ使用スルコトヲ得ス

第百二十九條　受刑者ノ發受スル信書ノ數ハ拘留囚ニ付テハ十日毎ニ各一通、禁錮囚ニ付テハ一月毎ニ各一通、懲役囚ニ付テハ二月毎ニ各一通ヲ超ユルコトヲ得ス

典獄ニ於テ已ムコトヲ得サル事情アリト認ムルトキハ前項ノ制限ニ依ラサルコトヲ得

第百三十條　在監者ノ發受スル信書ハ典獄之ヲ檢閲スヘシ

發信ハ封緘ヲ爲サスシテ之ヲ典獄ニ差出サシメ受信ハ典獄之ヲ開披シ檢印ヲ押捺スヘシ

第百三十一條　外國文ヲ用ヰタル信書ハ檢閲ノ爲在監者ノ費用ヲ以テ之ヲ翻譯セシムルコトヲ得

在監者前項ノ費用ヲ負擔スル資力ナク又ハ其ノ負擔ヲ肯セサルトキハ信書ノ發受ヲ許ササルコトヲ得

第百三十二條　受刑者ノ發送スル信書ハ急速ヲ要スル場合ヲ除クノ外日曜日休業日又ハ休憩時間内ニ非サレハ之ヲ作成セシムルコトヲ得ス

第百三十三條　在監者信書ヲ自書スルコト能ハサルトキハ本人ノ求ニ因リ監獄官吏之ヲ代書スヘシ

第百三十四條　在監者ノ發送スル信書ノ郵便稅ハ自辨トス裁判所其ノ他公務所ニ對シ返信ヲ要スル場合ニ於テ郵便稅ヲ自辨スルコト能ハサルトキハ監獄ニ於テ之ヲ支辨スヘシ

書信用紙及封筒ハ監獄ニ於テ之ヲ給與スルコトヲ得

第百三十五條　在監者ニ交付シタル信書及其ノ他ノ文書ハ必要ニ因リ十日以内本人ノ手ニ留置セシムルコトヲ得

第百三十六條　信書ノ檢閲、發送及交付ノ手續ハ成ルヘク速ニ之ヲ爲スヘシ

第百三十七條　信書ノ發送、交付及廢棄ノ年月日ハ之ヲ本人ノ身分帳簿ニ記載スヘシ

第百三十八條　第百二十九條ニ定メタル度數ヲ超エタル信書ニシテ發信ニ係ルモノハ直ニ之ヲ本人ニ返付シ其ノ受信ニ係ルモノハ假ニ身分帳簿ニ添附シ置キ次ノ期間ニ於テ順次之ヲ本人ニ交付スヘシ

監獄法第四十七條第一項ニ依リ發受ヲ許ササル信書ハ身分帳簿ニ添附シ置キ廢棄スヘキモノヲ除クノ外釋放ノ際之ヲ本人ニ交付スヘシ

第百三十九條　接見ノ立會及信書檢閲ノ際行刑上參考ト爲ルヘキ事項ヲ發見シタルトキハ其ノ要旨ヲ本人ノ身分帳簿ニ記載スヘシ

第十章　領　置

第百四十條　領置物ハ其ノ品目及數量ヲ領置金品臺帳ニ記載シ領置品臺帳ニハ典獄之ニ證印スヘシ

第百四十一條　金錢ニ非サル領置物ハ本人ノ請求ニ因リ之ヲ賣却シテ其ノ代金ヲ領置スルコトヲ得

領置ヲ爲サス又ハ領置ヲ解キタル物ニ付本人相當ノ處分ヲ爲ササルトキハ請求ナキトキト雖前項ノ處分ヲ爲スコトヲ得

第百四十二條　在監者ニハ新聞紙、時事ノ論説ヲ記載シタル文書及監獄

ノ紀律ヲ害スヘキ物ノ差入ヲ為スコトヲ得ス

第百四十三條 受刑者ニハ法令其ノ他典獄ニ於テ有益ト認ムル文書、筆墨紙、印紙、郵便切手、郵便葉書、金錢、飲食物及朝鮮總督ニ於テ認可シタル物ヲ除クノ外差入ヲ為スコトヲ得ス但シ自辨ヲ許シタル物ハ此ノ限ニ在ラス

第百四十四條 刑事被告人ニハ前項ニ掲ケタル物ノ外衣類、臥具、手巾及履物ニ限リ差入ヲ為スコトヲ得

第百四十五條 衣類、臥具ノ差入ニ付テハ第九十二條、飲食物ノ差入ニ付テハ第九十八條ノ規定ヲ準用ス

第百四十六條 在監者ニ差入ヲ為サンコトヲ請フ者アルトキハ其ノ氏名身分、職業及住所ヲ調査スヘシ

第百四十七條 在監者ニ宛テ送致シ來リタル物及差入ヲ為シタル物ハ看守長立會ノ上看守之ヲ檢査スヘシ飲食物ノ檢査ニハ監獄醫ヲシテ立會ハシムヘシ

第百四十八條 自辨又ハ差入ヲ許シタル物ハ本人ニ交付セサルトキト雖携有物ノ例ニ依リ領置ノ手續ヲ為スヘシ

第百四十九條 飲食物ニ付テハ領置ニ關スル規定ヲ適用セス

第百五十條 沒入又ハ廢棄ノ處分ヲ為シタルトキハ沒入廢棄簿ニ品目、數量竝處分ヲ為シタル理由及年月日ヲ記載シ典獄之ニ證印スヘシ

第百五十一條 死亡者ノ遺留物ノ交付ヲ受クヘキ者遠隔地ニ在ルトキハ其ノ請求ニ因リ遺留物ヲ賣却シテ代金ヲ送付スルコトヲ得但シ進送費ハ請求者ノ負擔トス

第十一章 賞罰

第百五十二條 賞遇ヲ為スヘキ者ニハ賞表ヲ付與スヘシ

賞表ハ加ヘテ三箇ヲ超ユルコトヲ得ス

第百五十三條 賞表ハ曲尺長二寸幅一寸ノ白色ノ布ヲ用ヰ上衣ノ左袖肩臂間ノ表面ニ縫著セシムヘシ

第百五十四條 賞遇ハ左ノ如シ

一 第百二十三條ニ定メタル接見ノ度數及第百二十九條ニ定メタル信書發受ノ度數ヲ一回宛增加スルコト

二 襯衣ノ自辨ヲ許スコト

三 作業ノ變更ヲ許スコト

四 第七十一條ニ定メタル作業賞與金計算高ノ割合ヲ賞表一箇每ニ十分ノ一宛增加スルコト

五 賞表一箇ヲ有スル者ニハ一週間ニ一回、賞表二箇ヲ有スル者ニハ一週間ニ二回、賞表三箇ヲ有スル者ニハ一週間ニ三回菓ヲ增給スルコト但シ其ノ代價ハ一回三錢以下トス

第百五十五條 賞遇ヲ廢止セラレタル者ニハ賞表ヲ褫奪シ賞遇ヲ停止セラレタル者ニハ其ノ期間賞表ヲ除去スヘシ

第百五十六條 在監者左ノ各號ニ該ル行為アルトキハ五十錢以下ノ賞金ヲ給スルコトヲ得

一 在監者ノ逃走セントスルヲ密告シタルトキ

二 人命ヲ救護シ又ハ在監者ノ逃走セントスル者ヲ捕拿シタルトキ

三 天災事變又ハ傳染病流行ノ際監獄ノ用務ニ服シ功勞アリタルトキ

第百五十七條 減食ハ本人ニ給與スル糧食ノ一回ノ分量ヲ二分ノ一乃至三分ノ一ニ減ス

第百五十八條　懲罰事犯ニ付取調中ノ者ハ成ルヘク之ヲ獨居拘禁ニ付シ又ハ夜間獨居監房ニ拘禁スヘシ

第百五十九條　懲罰ノ言渡ハ典獄之ヲ爲スヘシ

第百六十條　懲罰ハ言渡ノ後直ニ之ヲ執行スヘシ

戸外運動ノ停止、減食又ハ屏禁ニ處セラレタル者ニ付テハ監獄醫ヲシテ本人ヲ診斷セシメ其ノ健康ニ害ナシト認メタルトキニ非サレハ懲罰ヲ執行スルコトヲ得ス

第百六十一條　減食又ハ屏禁ノ執行中ニ在ル者ハ監獄醫ヲシテ時時其ノ健康ヲ診斷セシムヘシ

第百六十二條　減食又ハ屏禁ニ處セラレタル者裁判所ノ呼出ニ因リ出頭スルトキハ當日ニ限リ懲罰ノ執行ヲ停止スヘシ

前項ニ揭ケタル者ヲ移監ノ爲他所ニ護送スルトキハ護送ノ前日、其ノ當日及護送中懲罰ノ執行ヲ停止スヘシ停止ノ日數ハ之ヲ懲罰期間ニ算入セス

第百六十三條　戸外運動ノ停止、減食又ハ屏禁ニ處セラレタル者ハ懲罰ノ執行ヲ終リタル後速ニ監獄醫ヲシテ其健康ヲ診斷セシムヘシ

第百六十四條　懲罰ニ處セラレタル者ヲ移監ニ因リ受領シタル監獄ノ典獄ハ收監後三日以内ニ懲罰ノ執行ヲ開始スヘシ

收監後執行開始ニ至ル迄ノ日數ハ之ヲ處罰期間ニ算入セス

第百六十五條　在監者護送ノ途中ニ於テ紀律違反ノ行爲アリタルトキハ本人ヲ受領シタル監獄ノ典獄ニ於テ之ヲ懲罰ニ處スルコトヲ得

第百六十六條　在監者ノ賞罰ニ關スル事項ハ身分帳簿及懲罰簿ニ記載スヘシ

第十二章　釋放

第百六十七條　刑期ノ終了ニ因リ釋放セラルヘキ受刑者ハ成ルヘク釋放前三日以内獨居拘禁ニ付シ典獄自ラ釋放後ノ心得ニ付諭告ヲ爲スヘシ

第百六十八條　刑期ノ終了ニ因リ釋放セラルヘキ受刑者ニ付テハ釋放ノ十日前迄ニ釋放後ノ保護ニ關スル事項ヲ調査スヘシ

第百六十九條　典獄ニ於テ必要アリト認メタルトキハ釋放セラルヘキ者ノ性格及行狀竝保護ニ關スル意見ヲ本人居住地ノ警察官署又ハ本人ノ保護ヲ引受クヘキ者ニ通知スヘシ

第百七十條　釋放セラルヘキ者ノ領置物及作業賞與金ハ豫メ交付ノ準備ヲ爲シ置クヘシ

第百七十一條　釋放ノ際著用スヘキ衣類ヲ有セサル者ニハ豫メ本人ノ領置金若ハ作業賞與金又ハ其ノ他ノ方法ヲ以テ之ヲ調達セシメ若調達スルコト能ハサルトキハ監獄ニ於テ之ヲ給與スヘシ

第百七十二條　受刑者ヲ釋放シタル場合ニ於テ必要アリト認ムルトキハ典獄ハ監獄官吏ヲシテ停車場又ハ乘船所迄同行セシメ本人ニ代リ其ノ歸住地又ハ歸住地ニ最近ノ場所ニ至ル迄ノ乘車券又ハ乘船切符ヲ購求シ之ヲ本人ニ交付セシムヘシ

第百七十三條　受刑者ニ付假出獄ヲ許スヘキ事情アリト認ムルトキハ典獄ハ判決書及執行指揮書ノ謄本竝行狀錄及身上調査書類ヲ添ヘ朝鮮總督ニ具申スヘシ

第百七十四條　假出獄ニ依リ釋放スヘキ場合ニ於テハ一定ノ式ニ依リ典獄釋放ノ申渡ヲ爲シ本人ニ證票ヲ交付スヘシ

第百七十五條　假出獄ニ因リ釋放セラレタル者刑法第二十九條第一號乃至第三號ニ該ルコトヲ知リタルトキハ典獄ハ速ニ意見ヲ具シ其ノ旨ヲ朝鮮總督ニ申報スヘシ

第百七十六條　第百七十三條及第百七十四條ノ規定ハ刑法第三十條ニ依ル假出場ノ場合ニ之ヲ準用ス

第十三章　死亡

第百七十七條　在監者死亡シタルトキハ典獄ハ其ノ死體ヲ檢視スヘシ

病死ノ場合ニ於テハ監獄醫ハ其病名、病歷、死因及死亡ノ年月日時ヲ死亡帳ニ記載シ之ニ署名スヘシ

自殺其ノ他ノ變死ノ場合ニ於テハ其ノ旨ヲ警察官署ニ通報シテ檢視ヲ受ケ檢視者及立會者ノ官氏名竝檢視ノ結果ヲ死亡帳ニ記載スヘシ

第百七十八條　死亡者ノ病名、死因及死亡ノ年月日時ハ速ニ之ヲ死亡者ノ家族又ハ親族ニ通報スヘシ死亡者刑事被告人ナルトキハ仍檢事ニ通報スヘシ

第百七十九條　受刑者ノ死體ハ死亡後二十四時間ヲ經テ交付ヲ請フ者ナキ場合ニ限リ解剖ノ爲官公立ノ病院學校又ハ其ノ他ノ公務所ニ之ヲ交付スルコトヲ得

死亡後二十四時間ヲ經テ交付ヲ請フ者ナキ場合ト雖其ノ後ニ至リ交付ヲ請フ者アリト思料スルトキ又ハ本人カ生前ニ於テ解剖ヲ肯セサル意思ヲ表示シタルトキハ前項ノ處分ヲ爲スコトヲ得ス

第百八十條　死體ヲ請求者ニ交付シ又ハ解剖ノ爲送付シタルトキハ其ノ旨ヲ死亡帳ニ記載スヘシ

第百八十一條　死亡後二十四時間ヲ經テ死體ノ交付ヲ請フ者ナキトキハ第百七十九條ノ場合ヲ除クノ外之ヲ監獄ノ墓地ニ假葬スヘシ

火葬ニ付シタル場合ニ於テハ其遺骨ニ付亦同シ

假葬ノ場所ニハ死亡者ノ氏名及死亡ノ年月日ヲ記シタル木標ヲ立ツヘシ

第百八十二條　死體又ハ遺骨ヲ合葬シタルトキハ合葬者ノ氏名及死亡ノ年月日ヲ合葬簿ニ記載シ合葬ノ場所ニハ墓標ヲ立ツヘシ墓標ニハ石ヲ用ウヘシ

附　則

本令ハ明治四十五年四月一日ヨリ之ヲ施行ス

四　監獄令等發布ニ關シ注意ノ件

明治四十五年三月
司刑第八七一號

司法部長官

監獄典獄殿

今回朝鮮監獄令及朝鮮監獄令施行規則發布相成候結果自然從前ノ取扱ニ對シ變更ヲ來タシ候廉モ有之候處就中左記事項ニ付テハ其ノ施行上ノ適否如何ニ依リ影響スルトコロ尠少ナラサルヲ以テ特ニ御注意相成度此段及通牒候也

一　在監者ニ對シ糧食ノ自辨及差入ヲ許スノ途ヲ開カレタルハ特ニ朝鮮ノ實狀ニ鑑ミ之ニ依リテ處遇ノ適實ヲ期セムトスルノ趣旨ニ出テタルモノニ付在監者ノ内地人タルト朝鮮人タルト將タ外國人タルトハ之ヲ問ハサルモ其種類及分量竝差入人トノ關係等ニ付テハ特ニ愼重ナル注意ヲ要ス

一　受刑者ノ監外就業ニ關シ何等ノ制限的ノ規定ヲ存セサル所以ハ其制限ノ必要ナキヲ認メラレタルニ由ルモノニ非ラスシテ全ク出役者ノ撰擇ヲ典獄ノ裁量ニ委シ作業施行上機宜ノ措置ヲ採ラシメムトスルノ趣旨ニ出テタルモノニ付之カ實施ニ付テハ豫メ相當ノ標準（刑名、刑期、入監後經過スヘキ期間、出役者ノ種類、業種等ニ付制限ヲ設クルノ類）ヲ設ケ常ニ之ニ依リテ施行シ以テ遺算ナキヲ期スルヲ要ス

第二章 收監 名籍

一 監獄及監獄分監ノ名稱、位置

明治四三年一〇月
總令第一一一號

改正 大正元年九第一一號 八年五、第八六號 九年一〇、第一五八號
一〇年三、第四一號

朝鮮總督府監獄及監獄分監ヲ設置シ其名稱、位置ヲ別表ノ通定ム
監獄及監獄分監ハ明治四十三年十月一日ヨリ其ノ事務ヲ取扱フ

附 則

本令ハ公布ノ日ヨリ之ヲ施行ス
明治四十二年統監府令第三十一號ハ之ヲ廢止ス

附 則

本令ハ大正十年四月一日ヨリ之ヲ施行ス

(別表)

朝鮮總督府監獄及監獄分監名稱、位置表

名稱	位置
京城監獄	朝鮮京城(孔德里)
同 同 開城分監	同 京畿道開城
西大門監獄	同 京城峴底洞
同 同 仁川分監	同 京畿道仁川
同 同 春川分監	同 江原道春川
永登浦監獄	同 京畿道永登浦
公州監獄	同 忠清南道公州
同 同 清州分監	同 忠清北道清州
大田監獄	同 忠清南道大田
咸興監獄	同 咸鏡南道咸興
同 同 元山分監	同 咸鏡南道元山
同 同 江陵分監	同 江原道江陵
清津監獄	同 咸鏡北道清津
平壤監獄	同 平安南道平壤
同 同 鎭南浦分監	同 平安南道鎭南浦
同 同 金山浦分監	同 黃海道金山浦
新義州監獄	同 平安北道新義州
海州監獄	同 黃海道海州
同 同 瑞興分監	同 黃海道瑞興
大邱監獄	同 慶尙北道大邱
同 同 金泉分監	同 慶尙北道金泉
同 同 安東分監	同 慶尙北道安東
釜山監獄	同 慶尙南道釜山
同 同 馬山分監	同 慶尙南道馬山
同 同 晋州分監	同 慶尙南道晋州

光州監獄	同 全羅南道光州
木浦監獄	同 全羅南道木浦
同 濟州分監	同 全羅南道濟州
全州監獄	同 全羅北道全州
同 群山分監	同 全羅北道群山

二 朝鮮軍陸軍軍法會議處斷囚徒ヲ普通監獄ニ拘禁スル件

大正八年四月
官通第五六號
司法部長官

各監獄典獄宛

朝鮮軍陸軍軍法會議處斷囚徒中普通監獄ニ拘禁スヘキ者ノ收容監獄ヲ朝鮮軍司令官ト左ノ通協定致候條依命此段及通牒候也

記

一 龍山陸軍軍法會議處斷囚中內地人ハ京城監獄永登浦分監其ノ他ハ西大門監獄

二 羅南陸軍軍法會議處斷囚ハ（咸興監獄）（淸津分監）

三 本人所在地ニ接近シタル監獄ニ於テ執行スルヲ便宜ト認ムル場合ハ前二項ノ規定ニ依ラサルコトヲ得

三 浦鹽臨時軍法會議判決囚收監ニ關スル件

大正九年七月
監第一四一一號
法務局長

各監獄典獄
分監長 殿

左記甲號ノ通咸興監獄典獄ヨリ伺出有之乙號ノ通同答致候條爲念及通牒候也

記

收第七一四號（甲號）
大正九年六月二十九日
咸興監獄典獄

法務局長殿

浦潮臨時軍法會議判決囚收監ニ關スル件

在浦潮第十三師團臨時軍法會議ニ於テ判決ヲ受ケタル左記受刑者ハ同地囚禁場長藤井熊太郎ノ囑託書ニ依リ本月二十五日元山分監ニ於テ不取敢收監取計候趣同分監長ヨリ報告ニ接シ候處右ハ相當命令アルニアラサレハ規定ノ監獄收容區分ニ照シ收容スヘキモノニアラスト認ムルモ既ニ事後ニ屬シ尙將來所管本分監ヲ通シ同樣ノ場合ヲ期シカタキ事情モ想像セラレ候條之カ拒受ニ就キ如何措置可然哉何分ノ御指示相成度此段相伺候也

記

京城府大平町二丁目六番地
詐欺懲役一年六月 李明華
三十六年

監第一四一一號（乙號）
大正九年七月二十八日

法務局長

咸興監獄典獄殿

浦潮臨時軍法會議判決囚收監ニ關スル件

大正九年六月二十九日附收第七一四號ヲ以テ首題ノ件申出ノ趣了承右ハ一應第十三師團長ト協議致候處囚人ヲ搭載セル船舶ノ內地港灣到着地ノ普通監獄ニ收監スルコトニ相成居候旨回答有之候條御了知相成度候

四 監獄收容區分變更ニ關スル件

大正六年三月
官通第六七號

改正 大正一〇年、八、官通第六七號　大正一一、九第八五號

司法部長官

高等法院檢事長　各覆審法院檢事長
各地方法院檢事正　各監獄典獄　宛

大正二年五月三十日附官通牒第百七十號ヲ以テ監獄收容區分ノ件依命及通牒置候處今般別紙ノ通變更シ來ル四月一日ヨリ施行スルコトニ決定相成候條依命此段及通牒候也

（別紙）

收容スヘキ監獄名	判決廳名		
	覆審法院	地方法院	地方法院支廳
西大門監獄	京城	京城	開城、驪州、水原、鐵原
西大門監獄仁川分監			仁川
西大門監獄春川分監			春川、原州
公州監獄		公州	大田、洪城、瑞山
公州監獄清州分監			清州、天安、忠州
咸興監獄		咸興	北青
咸興監獄江陵分監			江陵、蔚珍
咸興監獄元山分監			元山、永興
清津監獄			清津、城津、會寧、慶興
平壤監獄	平壤	平壤	安州、德川
平壤監獄鎭南浦分監			鎭南浦
新義州監獄			新義州、定州、寧邊、江界、楚山
海州監獄		海州	載寧、松禾
海州監獄瑞興分監			瑞興
大邱監獄	大邱	大邱	慶州
大邱監獄金泉分監			金泉、尙州
大邱監獄安東分監			安東、義城、盈德
釜山監獄		釜山	蔚山、密陽
釜山監獄馬山分監			馬山、統營

釜山監獄晋州分監		晋州、居昌
光州監獄	光州	順天
木浦監獄		木浦、長興
木浦監獄濟州分監		濟州
全州監獄		全州、錦山、南原
光州監獄群山分監		群山、井邑、江景（公州地方法院管内）

高等法院ノ判決ニ係ル者ハ現ニ其ノ在監スル監獄ニ之ヲ收容ス

犯罪即決例施行手續第四條ニ依リ監獄ヘ送致スヘキ受刑者ハ其ノ即決官所最寄ノ監獄ニ之ヲ收容ス

本收容區分ニ依リ西大門監獄ニ收容スヘキモノ及仁川、大田、天安ノ各法院支廳ノ判決ニ係ルモノノ中内地人及外國人（支那人ヲ除ク）男受刑者ハ（京城監獄永登浦分監）ニ之ヲ收容ス

新ニ入監スヘキ受刑者ノ收容ハ檢事本收容區分ニ準シ之ヲ指揮ス

五 受刑者收容區分ニ關スル件

大正九年九月九日
官通第八十號

法務局長

公州地方法院大田支廳檢事
光州地方法院錦山支廳檢事
事務取扱、大田及公州監獄
典獄並光州監獄全州分監長 宛

受刑者ノ收容區分ニ付テハ大正六年三月三十日官通牒第六十七號ヲ以テ通牒候處當分ノ内公州地方法院大田支廳及光州地方法院錦山支廳ニ於テ懲役ニ處セラレタル者（十八歳未滿者及女ヲ除ク）ハ之ヲ大田監獄ニ收容スルコトニ決定相成候條依命此段及通牒候也

六 特殊受刑者集禁ニ關スル件

大正一一年九月
官通第八六號

法務局長

高等法院檢事長、各覆審法院檢事長
各地方法院檢事正、監獄典獄 宛

監獄ニ收容スヘキ受刑者中十八歳未滿ノ男受刑者及女受刑者ニ付左記ノ通集禁スルコトト決定相成候條依命此段及通牒候也

記

押送監獄又ハ分監名	拘禁スヘキ者ノ種類 年齢	性	刑期	集禁監獄
西大門、仁川、春川、公州、清州、大田、咸興、元山	十八歳未滿	朝鮮人男	六月以上	京城監獄開城分監
瑞興、平壤、新義州、鎭南浦、海州、清津、江陵、金山浦	同		一年以上	
大邱、釜山、馬山	同	同	六月以上	大邱監獄金泉分監
安東、晋州	同	同	一年以上	
木浦、全州、群山	同	同	六月以上	光州獄監
濟州	同	同	一年以上	
平壤、新義州、瑞興、大邱、金泉、釜山	同	内地人男	六月以上	

公州、清州、咸興、元山、鎮南浦、馬山、光州、木浦、全州、群山	同	同	十月以上	永登浦監獄
清津、江陵、海州、安東、晋州	同	同	一年以上	
西大門		女	一年以上 （春川、原州兩法院支廳管內居住者）	西大門監獄 春川分監
清州		同	三月以上	公州監獄
元山		同	同	咸興監獄
鎮南浦、瑞興		同	同	平壤監獄
新義州		同	六月以上	
金泉		同	三月以上	大邱監獄
大邱		同	一年以上 （安東方面居住者）	大邱監獄安東分監
釜山		同	三月以上	釜山監獄馬山分監
晋州		同	六月以上	
木浦		同	六月以上	光州監獄
木浦		同	六月以上 （濟州島居住者）	木浦監獄濟州分監
群山		同	三月以上	全州監獄

新ニ入監セシムヘキ受刑者カ本通牒ニ定メタル特殊受刑者ナルトキハ檢事ハ一般ノ監獄收容區分ニ依ラス直接集禁監獄ニ入監ヲ指揮スヘシ

犯罪卽決例施行手續第四條ニ依リ監獄ヘ送致スヘキ受刑者カ本通牒ニ定メタルモノナルトキハ犯罪卽決例官署ノ長ハ前項ニ準シテ受刑者ヲ送致スヘシ

監獄ノ長本通牒ニ依リ移監スヘキ十八歲未滿ノ男受刑者カ歸住地ノ關係ニ依リ他ノ同種ノ集禁監獄ニ移監スルヲ適當ト認メタルトキハ其ノ判定ヲ爲シ當該監獄ニ移監スヘシ又受刑者カ監獄法第二條末項ニ該當スルモノト認ムルトキハ其ノ判定ヲ爲シ其成年處遇ヲ相當ナリトスルモノニ在リテハ之ヲ移監セス其少年處遇ヲ必要ナリトスル者ニ在リテハ之ヲ移監スルコトヲ得

七　特殊受刑者ノ集禁區分ニ關スル件

大正一一年一二月
官通第一〇九號

首題ノ件ニ關シテハ本年九月官通牒第八十六號ヲ以テ及通牒候處其ノ取扱ニ關シ左記ノ通注意相成度此段及通牒候也

記

一　刑ノ執行指揮アリタルトキ其ノ實際年齡ノ疑ハシキモノハ單ニ判決又ハ民籍面ニ於ケル年齡ノミニ依據スルコトナク身心ノ發育狀況等ヲ精査シ其ノ年齡十八歲未滿相當ト認メラルルモノハ之ヲ少年監ニ送致スヘク又十八歲以上二十歲未滿相當ト認メラルルモノハ其ノ量定刑カ少年四トシテ教育其ノ他ノ處遇ヲ爲スニ適當ナラサルモノノ外ハ亦少年監ニ送致シ以テ官通牒第八十六號取扱例第三項末段ノ趣旨ヲ愆ラサルコト

二　一旦少年監ニ收容セル受刑者ノ年齡ニ付テハ監獄法第二條第二項ノ制限ニ達スル迄繼續拘禁スヘク而シテ之ヲ超過スル場合ニ於テハ開城分監以外ノ監獄ニ在リテハ適當ナル分類ノ下ニ成年監ニ移スヘク開城分監ニ在リテハ具情シテ本官ノ指揮ヲ求ムルコト

三 監獄所在地外ノ檢事ノ指揮又ハ即決官署ノ長ノ囑託ニ依リ送致シタル少年囚中身心ノ發育刑期其ノ他ノ關係ニ依リ少年處遇ヲ爲スヲ適當ナラスト認メタルモノニ付テハ一旦之ヲ收監シ開城分監ニ在リテハ具情シテ本官ノ指揮ヲ求ムヘク其ノ他ノ少年監獄ニ於テハ相當ノ判定ヲ爲シテ適當ノ處遇ヲ爲スコト

八 分類集禁ニ關スル件

大正十年典獄會議局長指示

分類集禁ハ行刑ノ組織ヲ簡約ニシ其ノ效果ヲ擧クルニ付必要アルヲ認メ將來監房ノ設備ヲ參酌シテ漸次之ヲ實行セムトス、近ク幼年監ヲ開城ニ特設シ主トシテ忠淸道以北ノ者ヲ收容シ別ニ全羅道慶尙道ニ於テ各一箇所ノ本分監ヲ選定シ幼年囚ヲ收容シ女囚亦交通ノ便否等ヲ參酌シテ適當ニ集禁スル計畫中ニアリ、其ノ實施ニ至ル前ニ於テモ所管本分監ノ間ニ於テハ交通ノ便否監房設備等ヲ考察シテ適當ニ分類集禁ヲ爲サムコトヲ望ム

九 刑事被告人滯獄日數調査ノ件

大正三年九月
通牒

京城覆審法院檢事長

監獄典獄殿

調査上必要有之候條自今毎月末日現在ニ於テ滯獄日數六ケ月ヲ超過スル刑事被告人アルトキハ其氏名、罪名、收監ノ月日、事件繋屬廳名及檢事調、豫審調又ハ公判調ノ區別等ヲ取調ヘ翌月十日迄ニ到達ノ見込ヲ以テ報告相成度此段及通牒候也

追テ該當事項ナキトキハ其旨報告相成度候

一〇 收監ノ際書類帳簿ノ對照ニ關スル件

大正四年
典獄會議指示

收監出廷及釋放ノ際ニ於テ時ニ人違ノ失態ヲ生スルコトアルハ遺憾トスル所ナリ將來書類帳簿ノ對照ヲ密ニシ本人ノ審問ヲ嚴ニシ以テ苟モ錯誤ナカラムコトヲ期スヘシ

一一 囑託婦女又ハ外國人ノ拘禁費用ニ關スル件

大正七年八月
官通第一三九號

政務總監

各典獄宛

陸軍監獄令第十三條ニ依リ婦女又ハ外國人ヲ拘禁スル場合ニハ一日一人金三十錢ノ割ヲ以テ朝鮮衛戍監獄ヘ御請求相成度此段及通牒候也

一二 監獄ニ於テ入監簿其ノ他備付ノ件

大正四年二月
總訓第六號

朝鮮總督府監獄

監獄ニ於テハ入監簿、出監簿、共犯簿、教誨簿、教育簿、健康診斷簿及診療簿ヲ備フヘシ

朝鮮監獄令施行規則及前項ノ規定ニ依ル帳簿ハ別ニ定ムルモノヲ除クノ外別冊ノ様式ニ依ルヘシ

身分帳簿ハ之ヲ名籍原簿ニ代用スヘシ

附　則

本令ハ大正四年四月一日ヨリ之ヲ施行ス

朝鮮總督府令第六號別冊

目　次

身分帳簿取扱例

一、本簿ハ一人毎ニ別冊トス

一、甲紙及名籍表ハ硬質紙、諸表ハ美濃紙又ハ同判ノ洋紙ヲ用フ

一、甲紙ハ本簿ノ終結シタルトキニ於テ之ヲ取外シテ更ニ之ヲ使用ス

一、本簿ニハ様式ニ定ムルモノノ外拘禁、行狀、身分、疾病及通信等ニ關スル文書ヲモ編綴ス

一、現用ニ係ル身分帳簿ハ稱呼番號順ニ依リ一定ノ場所ニ備フ

一、本簿ハ釋放又ハ死亡ニ依リ之ヲ終結ス

一、在監者ヲ他ノ監獄（朝鮮外ノ監獄ヲ除ク）ニ移送スル場合ニ於テハ名

籍表ノ副本ヲ作成シテ保存シ其ノ身分帳簿ハ之ヲ移送先ニ送付ス

一、在監者中同氏名ノ者アルトキハ各氏名ノ上部ニ適宜ノ符號ヲ附シ尚關係帳簿ニモ同一ノ符號ヲ付シテ同名異人ナルコトヲ明ニス

一、本簿ハ左ノ順序ニ依リ之ヲ編綴ス

一、名籍表　二、刑執行指揮書及判決書　三、身上票　四、作業表
五、視察表　六、賞譽表　七、懲罰表　八、行狀表　九、接見表
十、書信表　十一、其他ノ書類

一、監房作業其他處遇方法ノ指定及變換視察ノ判定等ハ職員會議ニ於テ本簿ニ依リ各關係課所ニ周知セシム但シ會議ノ時間外ニ於テハ便宜ノ方法ニ依ル

一、本簿ヲ終結シタルトキハ名籍表上部ニ「終結」ノ印ヲ押捺シ典獄之ニ檢印ス

一、分監ニ於テ用フル身分帳簿ハ本樣式ニ準シ調製ス以下ノ簿冊亦之ニ倣フ

樣式第一號ノ一

稱呼第　　號

身分帳簿

何監獄

樣式第一號ノ二

共犯符號	

稱呼第	號

名籍表　　何監獄

典獄　　庶務係主任　　係

拘置監入監	大正　年　月　日
被告事件	
令狀發付	大正　年　月　日
當該檢事又ハ判事	
豫審終結	大正　年　月　日
闕席判決告知	大正　年　月　日
故障申立	大正　年　月　日
第一審對席判決	大正　年　月　日
上訴權拋棄	大正　年　月　日
上訴控 申立	大正　年　月　日
上訴控 取下	大正　年　月　日
上訴控 判決	大正　年　月　日

囚人監又ハ勞役場入監	大正　年　月　日
判決罪名	
刑名刑期	
刑期算入ノ勾留日數	
裁判所名	
確定判決	大正　年　月　日
判決確定	大正　年　月　日
刑期起算	大正　年　月　日
刑期終了	大正　年　月　日
刑期三分ノ一當日	大正　年　月　日

國籍	本籍	住所	出生地	身分職業	氏名	年齡

終結

上訴	
申立	大正　年　月　日
取下	大正　年　月　日
判決	大正　年　月　日

未決勾留期間

犯數	
入監度數	
犯管刑犯度數	

交付官署	
大正　年　月　日	ヨリ送致

變名綽名	

出監時及事由	
大正　年　月　日午前後　時	

備考

大正　年　月　日撮影

體格身長	尺　寸　分

特徵

指紋番號	
左	
右	

取扱例

一、刑期三分ノ一應當日ハ無期刑者ニ付テハ刑期十年ニ相當スル日ヲ記載ス
一、國籍ハ內地人、朝鮮人等ノ區別ヲモ記載ス國籍判明セサル者又ハ數箇ノ國籍ヲ有スルモノニ付テハ其旨ヲ記載ス
一、住所ノ知レサル者ニ付テハ入監前ノ居所ヲ記載ス
一、身分ハ華族、士族及貴族ノ別位階勳功學位ヲ記載ス
一、婦女ハ其ノ氏名ヲ朱記ス
一、携帶兒ハ母ノ氏名ノ左側ニ其名及生年月日ヲ朱記ス
一、犯數ハ累犯處刑ノ度數ニ依ル但シ懲役ニ處セラレタル者其執行ヲ終リ又ハ執行ノ免除アリタル日ヨリ五年ヲ經過シテ更ニ罪ヲ犯シタル爲初犯ノ例ニ依リ處斷セラレタル者ニ付テハ犯數欄ノ上部ニ其ノ犯數ヲ朱記ス
一、特別ノ必要ニ依リ撮影シタルトキハ撮影欄ニ其ノ寫眞ヲ貼附ス
一、特徴ハ著シキ畸形、瘢痕、文身其ノ他ニ付種類、形狀及部位ヲ記載ス

様式第一號ノ三

身上票　大正　年　月調査

氏名	

一	出生別及經歷	
二	性行	
三	飲酒ノ量及酒癖ノ有無	
四	宗教及所屬寺院教育ノ程度竝兵役ノ關係	
五	財產ノ有無及生活ノ狀態	
六	戶主トノ續柄及本人家庭ノ狀況竝重ナル親族	

七	八	九	十
本人ノ家族ト親族、故舊及近隣トノ交際狀態	出獄後ノ歸住地及引受人	前科	其ノ他參考ト爲ルヘキ事項

記載例

一、本表ハ監獄ノ認定ニ依リ記載シ疑アル事項ニ付テハ警察官署其ノ他ノ官公署ニ照會シテ調査ス

第一欄

出生別ハ嫡出子、庶子、私生子ノ區別ヲ記シ棄子又ハ收養子ナルトキハ其ノ旨ヲ附記ス經歷ハ出生後入監時ニ至ル迄ノ一身一家ノ變遷、浮沈、社會ニ於ケル地位、信用及四圍ノ境遇等ヲ詳ニ記載ス

第二欄

性質行狀ノ外常ニ懷抱スル思想及其傾向等ヲモ記載ス

第三欄

酒癖ノ種類及酒癖上匡正ノ見込ノ有無等ヲモ記載ス

第四欄

宗教ハ宗派別及信仰ノ程度ヲモ記載シ教育ハ高等ノ教育アルモノ中學卒業程度(高等普通學校卒業程度)ノ教育アルモノ、小學全科卒業程度(普通學校卒業程度)ノ教育アル者、簡易ナル文書ヲ讀ミ得ル程度ノ者、無教育ノ者ニ區別シ尙修習シタル學校、塾舍等ヲ記載ス專門ノ學術、技藝ニ關スル科目ヲ修メタルモノハ之ヲ附記

ス兵役ハ其兵役別、兵種、等級及勳功等ヲ記載シ兵役ニ服セサル者ナルトキハ其事由ヲ記載ス

第五欄

財產ハ之ヲ金錢ニ見積リテ其額ヲ揭ケ金錢ニ見積ルコトヲ得サル不動產ニ付テハ面積、地價竝之ヨリ生スル收入額等ヲ記載ス負債アルトキハ其ノ額ヲ記載ス

同一家族中ニ財產又ハ負債ヲ有スル者アルトキハ其額ヲ附記ス

生活ノ狀態ハ上中下及生活困難ナル者ニ區別シ父兄等ノ財產ニ依リテ生活スル者ハ其父兄等ノ生活程度ニ從ヒ記載ス

第六欄

親族ハ父母(養父母、繼父母、收養父母、嫡母等ヲ含ム)配偶者及子孫ノ氏名、住所、職業、年齡、存亡、素行、生活狀態竝現存スル兄弟姉妹、祖父母及伯叔父母ノ氏名、職業、素行、生活狀態ニ付記載ス但シ伯叔父母ニ付テハ特ニ必要ナキモノニ限リ其ノ記載ヲ省略スルコトヲ得

繼父母ニ從ヒタル者ナルトキハ其時ノ年齡及因由ヲ記載ス本人ノ家庭ニ付テハ其ノ良否、員數等ヲ記載ス

第七欄

本人又ハ本人ノ家族ニ對スル親族、故舊及近隣ノ感情ヲモ記載ス

第九欄

前科ハ罪名刑名、刑期、判決年月日、處斷、裁判所名及執行監獄名ヲ記載シ恩赦又ハ假出獄、假出場若ハ執行猶豫ニ係ルモノナルトキハ其旨ヲ附記ス

一、本表ハ記載事項ニ異動ヲ生シタル都度訂正ス

一、再入監者ナルトキハ前回ノ身上票ヲ訂正シテ之ヲ利用スルコトヲ得

樣式第一號ノ四

作業表

氏名	

年月日	作業名	科程	工場名	監房名	備考
大正　年　月　日					
大正　年　月　日					
大正　年　月　日					
大正　年　月　日					
大正　年　月　日					
大正　年　月　日					
大正　年　月　日					

大正 年 月 日	大正 年 月 日	大正 年 月 日

取扱例

一、無科程業ヲ課シタルモノニ付テハ科程欄ニ工錢ノ等級ヲ記載ス

一、素修業ヲ課シタルトキ、轉業又ハ休業シタルトキハ其事由ヲ備考欄ニ記載ス

様式第一號ノ五

視察表

氏名	

年月日	報告及意見	判定
大正 年 月 日		

取扱例

一、看守長、監獄醫、教誨師ニ於テ在監者ノ處遇其ノ他ニ關シ報告スヘキ事項又ハ意見アルトキハ報告及意見欄ニ記載ス

一、前項ノ報告又ハ意見ニ對スル典獄ノ判定ハ判定欄ニ記載ス典獄ニ於テ在監者ノ處遇其ノ他ニ關シ各職員ニ指示スルトキ亦同シ

樣式第一號ノ六

賞　譽　表

氏名	

年月日	事由	賞表賞金	執行

樣式第一號ノ七

懲　罰　表

氏名	

年月日	犯行及意見	判定	懲罰執行前後診斷ノ狀況、意見及體量	懲罰執行ノ開始、停止及終了時
大正　年　月　日				

取扱例

一、監獄法第六十條第一項第一號乃至第四號及第九號ノ懲罰ニ付テハ診斷ノ状況及體量ノ記載ヲ要セス

樣式第一號ノ八

行状表

氏名	

審査期間 行状	大正　年　月　日乃至大正　年　月　日（　）	大正　年　月　日乃至大正　年　月　日（　）
獄則及紀律ニ關スル事項		
親族及故舊ニ關スル事項		
教誨及教育ニ關スル事項		

行状表　何監獄

作業ニ關スル事項	衞生ニ關スル事項	行状ニ關シ著シク注意ヲ惹キタル事項	賞罰	査定
				大正　年　月　日
				大正　年　月　日

取扱例

一、行状ニ關スル事項ハ看守長ニ於テ毎六月刑期三分ノ一應當日、移監又ハ釋放ノ時職員ヨリ提出シタル行状報告書ヲ參酌シテ具體的ニ之ヲ記載シ職員會議ノ審査ニ付ス

一、査定欄ニハ行状ノ良否及改悛ノ有無等ニ關スル決定ノ要領ヲ記載ス

一、捺印ハ列席者全員ニ於テ之ヲ爲ス

樣式第一號ノ九

接見簿

在監者ノ種別、稱呼番號及氏名

許否	接見時	接見願ノ要旨	談話ノ要領	接見者ノ住所、職業、氏名年齡及在監者トノ續柄	備考	立會官吏印
	大正 年 月 日					
	大正 年 月 日					
	大正 年 月 日					
	大正 年 月 日					
	大正 年 月 日					
	大正 年 月 日					
	大正 年 月 日					

取扱例

一、回數ノ制限ニ依ラサルモノニ付テハ其ノ旨ヲ備考欄ニ記載ス

一、本表ハ便宜別册ト爲スコトヲ得但シ終結後ニ於テ身分帳簿ニ合綴ス

様式第一號ノ十

書信表

在監者ノ種別、稱呼番號及氏名

許否	受付時	發信又ハ受信	番號	摘要	發信、受信者ノ氏名及本人トノ續柄	發送又ハ交付時	廢棄時	備考	取扱者捺印
	大正　年　月　日					大正　年　月　日	大正　年　月　日		
	大正　年　月　日					大正　年　月　日	大正　年　月　日		
	大正　年　月　日					大正　年　月　日	大正　年　月　日		
	大正　年　月　日					大正　年　月　日	大正　年　月　日		
	大正　年　月　日					大正　年　月　日	大正　年　月　日		
	大正　年　月　日					大正　年　月　日	大正　年　月　日		
	大正　年　月　日					大正　年　月　日	大正　年　月　日		

取扱例

一、番號ハ書信發受ノ順ニ從ヒ之ヲ附シ封皮ニモ同一番號ヲ記載ス

一、通數ノ制限ニ依ラサルモノ又ハ期限ノ到來ヲ待テ交付スヘキモノニ付テハ備考欄ニ其旨ヲ記載ス

一、封入物アルトキハ備考欄ニ其ノ名稱員數ヲ記載シテ取扱者ニ引繼キ證印ヲ徵ス

一、本表ハ便宜別册ト爲スコトヲ得但シ終結後ニ於テ身分帳簿ニ合綴ス

様式第二號

稱呼番號	罪名	刑名刑期	入監時	氏名	備考
第　號			拘置監大正　年　月　日 囚人監大正　年　月　日		大正　年　月　日
第　號			拘置監大正　年　月　日 囚人監大正　年　月　日		大正　年　月　日
第　號			拘置監大正　年　月　日 囚人監大正　年　月　日		大正　年　月　日
第　號			拘置監大正　年　月　日 囚人監大正　年　月　日		大正　年　月　日
第　號			拘置監大正　年　月　日 囚人監大正　年　月　日		大正　年　月　日
第　號			拘置監大正　年　月　日 囚人監大正　年　月　日		大正　年　月　日
第　號			拘置監大正　年　月　日 囚人監大正　年　月　日		大正　年　月　日
第　號			拘置監大正　年　月　日 囚人監大正　年　月　日		大正　年　月　日
第　號			拘置監大正　年　月　日 囚人監大正　年　月　日		大正　年　月　日
第　號			拘置監大正　年　月　日 囚人監大正　年　月　日		大正　年　月　日
第　號			拘置監大正　年　月　日 囚人監大正　年　月　日		大正　年　月　日
第　號			拘置監大正　年　月　日 囚人監大正　年　月　日		大正　年　月　日

取扱例

一、本簿ハイロハ別トシ入監順ニ記載ス
一、在監者婦女ナルトキ又ハ携帶兒アルトキハ身分帳簿名籍表ノ取扱例ニ依ル
一、出監又ハ死亡シタルトキハ其年月日ヲ備考欄ニ記載ス

樣式第三號

満期　大正　年　月　日

典獄	第一課長	主任	刑名刑期	刑期起算日	稱呼番號	氏名	備考
				大正　年　月　日	第　號		
				大正　年　月　日	第　號		
				大正　年　月　日	第　號		
				大正　年　月　日	第　號		
				大正　年　月　日	第　號		
				大正　年　月　日	第　號		
				大正　年　月　日	第　號		
				大正　年　月　日	第　號		
				大正　年　月　日	第　號		
				大正　年　月　日	第　號		
				大正　年　月　日	第　號		
				大正　年　月　日	第　號		

取扱例

一、本簿ハ刑期終了ノ日依リ記載ス

一、本簿ハ毎一年ニ別册トス

一、満期日ノ變更ニ因リ移記シタルトキ釋放又ハ移監ヲ爲シタルトキ若ハ死亡シタルトキハ其旨ヲ備考欄ニ記載ス

様式第四號

典獄	懲罰 種類	懲罰 期間	懲罰執行時	糧食	體量 執行前	體量 執行後	體量 増減	犯行ノ概要	稱呼番號	氏名年齢	備考
			自大正年月日時分 至大正年月日時分								
			自大正年月日時分 至大正年月日時分								
			自大正年月日時分 至大正年月日時分								
			自大正年月日時分 至大正年月日時分								
			自大正年月日時分 至大正年月日時分								
			自大正年月日時分 至大正年月日時分								
			自大正年月日時分 至大正年月日時分								
			自大正年月日時分 至大正年月日時分								
			自大正年月日時分 至大正年月日時分								

取扱例

一、懲罰ノ種類及期間ハ言渡シタルモノヲ記載ス
一、監獄法第六十條第一項第一號乃至第四號及第九號懲罰ニ付テハ糧食及體量ノ記載ヲ要セス
一、懲罰ノ執行ヲ停止シ又ハ免除シタルトキハ備考欄ニ記載ス

様式第五號

第　　號	稱呼第　　號
本籍 氏名 年齢	年　月　日生
發病時 死亡時	大正　年　月　日 大正　年　月　日　時　分
病名病歴及死因	監獄醫　氏　名　印
死體、遺骨ノ交付假葬、解剖其ノ他處分時期及顛末死體、遺骨受領者ノ住所、氏名、緣故竝捺印	
典獄死體檢視時	大正　年　月　日　時　分
變死者ノ死體檢視時及檢視者立會者ノ官職氏名	大正　年　月　日　時　分 檢視者　職　氏　名 立會者　職　氏　名
檢視ノ結果	
摘要	
備考	

取扱例

一、氏名ノ上部ニ刑事被告人、受刑者及勞役場留置者ノ區別ヲ記載ス

合葬時	死亡時	假葬時	罪名	刑名刑期	本籍	氏名	死體、遺骨ノ區別	備考
大正　年　月　日	大正　年　月　日	大正　年　月　日						
大正　年　月　日	大正　年　月　日	大正　年　月　日						
大正　年　月　日	大正　年　月　日	大正　年　月　日						
大正　年　月　日	大正　年　月　日	大正　年　月　日						
大正　年　月　日	大正　年　月　日	大正　年　月　日						
大正　年　月　日	大正　年　月　日	大正　年　月　日						
大正　年　月　日	大正　年　月　日	大正　年　月　日						

取扱例

一、遺骨ノ容器ニ番號ヲ附シタルトキ合葬ノ爲火葬ニ附シタルモノナルトキハ其旨ヲ備考欄ニ記載ス

樣式第八號

項目			
情願時	大正　年　月　日	大正　年　月　日	大正　年　月　日
要旨			
裁決			
告知時	大正　年　月　日	大正　年　月　日	大正　年　月　日
稱呼番號	第　號	第　號	第　號
氏名			

様式第八號

出願時	大正　年　月　日	大正　年　月　日	大正　年　月　日
要旨			
本人ニ開示シタル意見			
面接時	大正　年　月　日	大正　年　月　日	大正　年　月　日
稱呼番號　氏名	第　號	第　號	第　號

様式第九號

年月日	典獄	品目	數量	處分ノ理由	在監者氏名	備考	取扱者捺印
大正　年　月　日							
大正　年　月　日							
大正　年　月　日							
大正　年　月　日							
大正　年　月　日							
大正　年　月　日							
大正　年　月　日							
大正　年　月　日							
大正　年　月　日							
大正　年　月　日							
大正　年　月　日							

取扱例

一、處分ヲ爲シタルモノカ通貨ナルトキハ其種類ヲ品目欄ニ記載ス

様式第十號

入監時	大正　年　月　日　時　分	大正　年　月　日　時　分
典獄		
第一課		
第二課		
第三課		
醫務所		
教務所		
主任		
摘要		
稱呼番號	第　號	第　號
本籍氏名年齡	年　月　日生	年　月　日生

取扱例

一、入監者有ルトキハ本簿ニ記載シ直ニ各課所ニ回覽ス

一、本簿ハ刑事被告人ト受刑者（勞役留置者ヲ含）トノ二口座ニ別ツ

一、摘要欄ニハ刑事被告人ニ付テハ被告事件、管轄裁判所名共犯符號、受刑者ニ付テハ、罪名刑名、刑期、犯數及入監事由ヲ記載ス

一、入監者婦女ナルトキ又ハ携帶兒アルトキハ身分帳簿名籍表ノ取扱例ニ依ル、

様式第十一號

項目				
出監時	大正　年　月　日	大正　年　月　日	大正　年　月　日	大正　年　月　日
典獄				
第一課				
第二課				
第三課				
醫務所				
教務所				
主任				
摘要				
稱呼番號	第　號	第　號	第　號	第　號
氏名	年	年	年	年

取扱例

一、出監者アルトキハ本簿ニ記載シ豫メ各課所ニ回覽ス

一、本簿ハ刑事被告人ト受刑者(勞役場留置者ヲ含ム)トノ二口座ニ別ツ

一、出監者婦女ナルトキ又ハ携帶兒有ルトキハ身分帳簿名籍表ノ取扱例ニ依ル

様式第十二號

共犯符號

入監時	被告事件名	指定時及監房名	稱呼番號	氏名	備考
大正 年 月 日		月 日 月 日 月 日 月 日			
大正 年 月 日		月 日 月 日 月 日 月 日			
大正 年 月 日		月 日 月 日 月 日 月 日			
大正 年 月 日		月 日 月 日 月 日 月 日			
大正 年 月 日		月 日 月 日 月 日 月 日			
大正 年 月 日		月 日 月 日 月 日 月 日			
大正 年 月 日		月 日 月 日 月 日 月 日			
大正 年 月 日		月 日 月 日 月 日 月 日			
大正 年 月 日		月 日 月 日 月 日 月 日			

取扱例

一、共犯符號ハ「イロハ」ヲ用ヒ同一事件ノ犯人ニ付テハ同一符號ヲ附ス
一、本簿ハ一符號毎ニ用紙ヲ改ム
一、共犯人中釋放移監又ハ判決確定等ニ因リ出監シタルモノアルトキハ備考欄ニ記載ス

樣式第十三號

典獄　教務係主任　教誨師

罪名	犯數	刑名	刑期	犯由	犯罪事實	素行及入監前ノ經歷	出監時
	犯						信仰
	入監　大正　年　月　日		滿期　大正　年　月　日	刑期三分ノ一應當日　大正　年　月　日			學力
							技能
							改悛有無
							所持金　領置金　作業賞與金
							生活ノ方法
							歸住地

生育關係	性質	職業	宗教	教育	財産	特技	嗜好	飲酒	健康	家族ノ感狀	近隣ノ感狀及風評	家族ノ良否	一家ノ生活狀態	引受人ノ氏名又續柄	出獄保護ニ關スル事項

稱呼第　號	本籍　住所　身分　戸主又ハ戸主ト續柄ノ氏名　年齡	親族
	年　月　日生	

教誨簿

教數

誨ノ經過及其他ノ記事

取扱例

一、身分帳簿ニ依リ明ナル事項ハ之ニ依リ其他ハ教誨師ニ於テ調査記載ス

一、出監其他ノ事由ニ因リ終結シタルモノハ別ニ之ヲ編綴ス

一、犯由ハ概ネ左ノ區分ニ從ヒ記載ス但シ數箇ノ犯由アルトキハ之ヲ併記ス

強慾、奢侈、虛榮、射倖、遊蕩、習性、誘惑、懶惰、痴情、荒淫、耽酒、酒癖、醉狂、忿怒、短慮、怨恨、嫉妬、任俠、娯樂、貧困、負債、失職、營業ノ失敗、刑餘ノ不信用、惡戯迷信、出來心、不時ノ災難、生育ノ不良、家庭ノ不良、家庭ノ不和、政治上ノ關係、

一、性質ハ概ネ左ノ區分ニ從ヒ記載ス但シ數箇ヲ兼有スルトキハ之ヲ併記ス

陰險、剛愎、傲慢、殘忍、粗暴、短慮、頑冥、執拗、佞奸、狡猾、放縱、疎放、懦弱、魯鈍、愚直、偏狹、陰鬱、輕躁、浮薄、怜悧、溫和、謙遜、沈着、質朴、快活、淡泊、誠實、細心、

一、教誨ノ感否、個人教誨施行ノ經過、及處遇上參考トナルヘキ事項ハ記事欄ニ記載ス

樣式第十四號

典獄

教務主任

教師（又ハ教誨師）

就業前ノ經歷			就學	就學時學力	體格	健康	卒業	退學	退學事由	退學時學力	備考
學歷	退學事由	犯時境遇									
			大正 年 月 日				大正 年 月 日	大正 年 月 日			

稱呼第 號 犯

罪名犯數

刑名刑期

入監 大正 年 月 日

滿期 大正 年 月 日

氏名

年齡 年 月 日生

就學中ノ狀況

學業成績ノ評定

出席及闕席日數

科目＼學年	第　學年 第　學期	第　學期	第　學期	概評	第　學年 第　學期	第　學期	第　學期	概評	第　學年 第　學期	第　學期	第　學期	概評	第　學年 第　學期	第　學期	第　學期	概評
操行																
概評																
出席																
闕席 病氣																
闕席 事故																

取扱例

一、身分帳簿ニ依リ明ナル事項ハ之ニ依リ、其他ハ教師（又ハ教誨師）ニ於テ調査記載ス

一、出監其他ノ事由ニ因リ終結シタルモノハ別ニ之ヲ編綴ス

一、就學中ノ言語、動作、訓戒事項、學業ノ勉否、學科學年變更、其ノ他、教育及處遇上參考ト爲ルヘキ事項ハ就學中ノ狀況欄ニ記載ス

一、學業成績ノ評定ハ甲、乙、丙、丁ニ分ツ

様式第十五號

刑名	
刑期	
拘置監入監	大正　年　月　日
囚人監入監	大正　年　月　日
滿期	大正　年　月　日
稱呼第　號	
氏名	
年齡	年　月　日生

項目／診斷期	拘置監入監	大正　年　月　日	囚人監入監時	大正　年　月　日	大正　年　月　日	大正　年　月　日	大正　年　月　日	出監時
典獄								
體格								
營養								
體量								
身長								
胸圍								
四肢完否								
視力								
聽力								
精神狀態								
疾病有無								
種痘濟否								
備考								

取扱例

一、種痘ヲ施行シタルトキハ其ノ年月日及感否ヲ記載ス

様式第十六號ノ甲

刑名 刑期		入監 大正　年　月　日 滿期 大正　年　月　日	稱呼第　　號	氏名 年齡	年　月　日生
年月日	病名	處方及經過ノ概要		轉歸事由	備考
大正　年 月　日					

取扱例

一、本簿ハ輕症患者ノ診療ニ關スル事項ヲ記載ス

一、頓服劑又ハ塗布劑若ハ點眼劑ヲ與フル等、臨時投藥ノ場合ニ於テハ別ニ帳簿ヲ設ケテ之ヲ整理シ本簿ヲ使用セサルコトヲ得

一、病監ニ入リタルトキ又ハ之ト同等ノ取扱ヲ爲シタルトキハ轉歸事由欄ニ其旨ヲ記載シ本簿ハ乙號診療簿ニ合綴ス

一、休役又ハ糧食ノ變更其他特別ノ處遇ヲ施シタルトキハ備考欄ニ其旨ヲ記載ス

樣式第十六號ノ乙

刑名	
刑期	
拘置監入監	大正　年　月　日
囚人監入監	大正　年　月　日
滿期	大正　年　月　日
稱呼第　號	
氏名	
年齡	年　月　日生

病名	發病時	病監收容時	病監轉歸時及事由	發病ヨリ轉歸迄ノ日數
	大正　年　月　日	大正　年　月　日	大正　年　月　日	日
	大正　年　月　日	大正　年　月　日	大正　年　月　日	日
	大正　年　月　日	大正　年　月　日	大正　年　月　日	日

既往症	現症

典獄	
年月日	大正　年　月　日
經過	
處方	
備考	
監獄醫	

大正　年　月　日			
大正　年　月　日			
大正　年　月　日			
大正　年　月　日			
大正　年　月　日			
大正　年　月　日			
大正　年　月　日			
大正　年　月　日			

取扱例

一、本簿ハ病監ニ收容シ又ハ之ト同等ノ取扱ヲ爲ス患者ノ診療ニ關スル事項ヲ記載ス

一、二種以上ノ疾病ニ罹リタルモノニ付テハ其主症名ヲ記載シ他ノ病名ハ之ヲ其ノ左側ニ朱書ス

一、原症ヨリ重キ併發症ニ罹リタルトキハ一旦轉歸トナシ更ニ併發症名ヲ記載ス

一、病監收容時欄ニハ病監ニ收容シ又ハ之ト同等ノ取扱ヲ爲シタル年月日ヲ記載ス

一、既往症欄ニハ既往症名、發病及治癒ノ年月遺傳竝健康狀態等ヲ詳記ス

一、現症欄ニハ原因、徴候及病狀ヲ記載ス

一三 身分帳簿名籍表中氏名記載方ノ件

大正七年十一月
監第一千四百八十三號
司法部長官

監獄典獄宛

首題ノ件ニ關シ釜山監獄典獄ヨリ別紙甲號寫ノ通請訓有之乙號寫ノ通回答致置候條爲參考及通牒候也

（甲號寫）

釜監發第一七六一號

大正七年十一月七日　釜山監獄典獄

司法部長官宛

身分帳簿氏名記載方ノ件請訓

身分帳簿名籍表中氏名欄記載方ニ付左ノ二説有之當監獄ハ從來甲説ヲ採用致來候ヘ共聊疑義相生候ニ付何分ノ御指示相成度此段及請訓候也

記

甲説　氏名ハ終始判決書及刑執行指揮書ト一致スルヲ要ス故ニ身元調査ノ結果僞名ナルコトヲ發見シタル場合ニハ便宜其ノ本姓ヲ氏名ノ肩ニ「何々コト」ト記載シ置クヲ相當ト認ム

乙説　氏名ハ常ニ其ノ本姓ヲ記載スルヲ要ス故ニ身元調査ノ結果僞名ナルコトヲ發見シタル場合ニハ其ノ氏名ヲ訂正シ判決氏名ハ便宜其ノ肩ニ「何コト」ト記載シ置クヲ相當ト認ム

一四 在監者ノ身分帳簿中人相表ニ關スル件

大正五年六月
司法部長官通牒

各監獄典獄宛

今回ノ會同ニ於ケル典獄提出協議事項決議ニ對スル本官ノ意見ハ別紙ノ通ニ有之候條了知相成度此段及通牒候也

別紙（抄）

司法部提出在監者ノ身分帳簿ニハ人相表ヲ作製シテ添附シ置クノ必要アリ決議ニ對スル司法部長官意見

認可

一五 無籍者就籍ニ關スル件

大正六年七月
法第三百二十八號
司法部長官

監獄典獄宛

在監者中無籍ノ者往々有之趣ニ候處中ニハ本籍アルニ拘ラス故ラニ之ヲ隱匿セル者モ可有之ニ付調査ノ結果本籍ナキ事判明シタルトキハ本人ヨリ就籍地府尹又ハ面長ニ宛テ姓名、生年月日、就籍スヘキ地、本貫、前戸主ノ姓名、戸主ト爲リタル原因及年月日、父母ノ姓名、出生別竝就籍スヘキ事由ヲ具シテ就籍申告ヲ爲サシメラルヘク若本人カ家族ナルトキハ當該戸主ニ對シ就籍申告ヲ爲スヘキ樣照會セシメラルヘク此段及通牒候也

追テ本文ノ趣旨貴官内各分監長ニ通達相成度添候
各分監長ニ通達相成度申添候

一六 證明令第三條ノ四親等内ノ親族ニ關スル件

明治四十五年七月
官通牒第二百四十六號

本件ハ既ニ廢止セラレタルモノナルモ參考ノ爲

慣習ニ依ル四親等內ノ親族圖ヲ左ニ示ス

一、父母ニハ嫡母、繼母、嫁母、出母、庶母、慈母、乳母、收養父母、今不同居繼父、同居繼父ヲ含ム但シ嫁母以下ハ其ノ一身ニ止マル

一、兄弟姉妹ニハ異父兄弟、姉妹ヲ含ム但シ其ノ一身ニ止マル

一、子ニハ養子、義子、收養子ヲ含ム但シ義子、收養子ハ其ノ一身ニ止マル

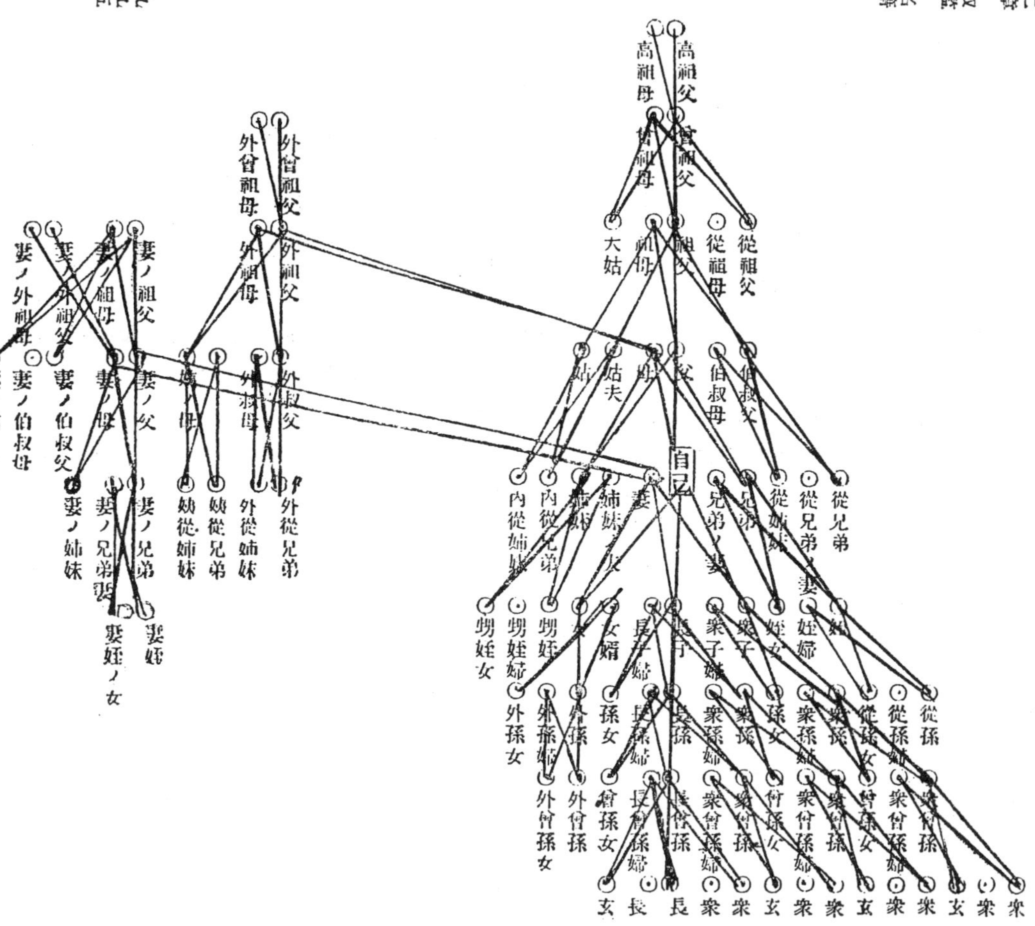

一七　行狀錄ノ記載方ノ件

大正二年
典獄會議指示

行狀錄ノ記載方ハ往々形式ニ流レ或ハ疎漫ニ失スルモノアルカ如シ一層正確ノ記載ヲ爲シ行狀錄ニヨリ在監者ノ情狀ヲ判明ナラシムヘシ

一八　身分帳簿ノ整理ニ關スル件

大正四年
典獄會議長官注意

身分帳簿ハ左記各號ニ依リ整理セラレタシ

（一）　名籍表

イ、未決勾留時期ハ初メテ入監シタル日ヨリ起算シ判決確定又ハ釋放ノ各前日迄ノ日數中ヨリ保釋又ハ責付ニ因リ在監セサリシ日數ヲ加除シタルモノヲ掲クルコト

ロ、二個以上ノ刑ヲ有スルモノニ付テハ各關係欄ハ刑執行ノ順序ニ從ヒ併記スヘシ此ノ場合ニ於テハ一刑ニ對スルモノ毎ニ順番ヲ付シ關係各欄トノ對照ニ使ナラシムルコト

ハ、刑期三分ノ一應當日ハ刑執行ノ順序ニ依リ一刑毎ニ算出シテ記載スルコト

（二）　作業表

作業名ノ欄ニハ左ノ例ニ依リ業名及種目ヲ記載スルコト

機織工（木綿又ハ絹紬織）　革工（靴工又ハ革細工）等ノ類

（三）　行狀表

二個以上ノ刑ヲ有スル者ニ對スル毎六月ノ行狀審査ハ刑執行ノ順序ニ依リ各刑ヲ通シテ審査期ヲ定ムルコト

（四）　接見表

イ、接見者ノ住所、職業、年齢及在監者トノ續柄ハ二回目以後ノ接見ニ在リテハ其ノ變更ナキ限リ記載ヲ省略スルコトヲ得

ロ、當該判檢事ニ於テ接見ヲ禁シ又ハ其解除ヲ爲シタルトキハ備考欄ニ記載シ置クコト

（五）　書信表

發信、受信者ト在監者トノ續柄ノ配載及當該判檢事ニ於テ書信ノ授受ヲ禁シ又ハ其解除ヲ爲シタル場合ハ接見表ノ例ニ依ルコト

一九　身上票ノ作成ニ關スル件

大正五年
典獄會議注意

身分帳簿中ノ身上票ハ其ノ作製方粗略ニ流ルルノミナラス記載方亦規定ニ反シ或ハ作成後事實異動ニ伴フ加除訂正ヲ爲ササルモノ等少カラサルヲ以テ將來ハ調査ノ正確ヲ期シ且整理ヲ怠ラサル樣注意セラレタシ

二〇　身上票ノ作成ニ關スル件

大正六年
典獄會議注意

身上票ノ作成ニ當リテハ判決ニ認メラレタル犯由、犯情、個性、親族關係等ニ注意シテ參酌セラレタシ

二二 短刑期者及未成年者ニ對ルス身上照會ノ件

大正六年
典獄會議注意

受刑者ニ對スル身上照會ハ短刑期囚ト雖成ルヘク之ヲ行フヘク就中未成年囚ニ對シテハ其家庭學校等ニモ照會スル等細心ノ調査ヲ施サレタシ

二三 笞刑ノ前科ヲ名籍表ニ記載ノ件

大正四年七月
通牒監第二百九十一號
司法部長

典獄提出協議事項決議ニ對スル司法部長官意見

提出監獄	決議	決議ニ對スル司法部長官意見
公州監獄	笞刑ノ前科アル者ニ付テハ處遇及統計上必要ナルヲ以テ名籍表取扱例第七項但書ニ準シ名籍表犯數欄ノ上部ニ朱書スルコト	適當ト認ム

二四 民籍ノ身位ニ關スル件

大正六年五月
官通牒第百七號
政務總監

各道長官宛

黄海道長官ヨリ司法部長官宛照會首題ノ件左記ノ通了知相成度此段及通牒候也

記

問 民籍ノ身位欄ニ記載スル戸主ヲ中心トスル續柄ノ名稱往往一致セサル虞有之候條御回示相成度

答 左ノ例ニ依リ記載セシメラルヘシ

但シ從前ノ取扱ニ係ルモノニシテ本記載例ト異ナルモノハ戸主變更等ノ事由ニ因リ新ニ民籍ヲ編製スル際之ヲ改ムヘキモノトス

一 直系尊屬ニ對スル場合

母	實母
嫡母	戸主カ庶子ナル場合
養母	
繼母	父ノ後妻
父ノ妾	
祖母	祖父ノ妻
祖父ノ妾	
曾祖母	曾祖父ノ妻
曾祖父ノ妾	
高祖母	高祖父ノ妻
高祖父ノ妾	
高祖父ノ母	
高祖父ノ祖母	

二　直系卑屬ニ對スル場合

長　男（女）貳　男（女）等
庶子男（女）
私生子男（女）
養　子
孫
曾　孫　孫ノ子
玄　孫　曾孫ノ子
來　孫　玄孫ノ子
弟　孫　來孫ノ子

三　傍系親族ニ對スル場合

兄
弟
姉
妹
姪　兄、弟ノ子
甥　姉、妹ノ子
姪ノ子
甥ノ子
姪ノ孫
甥ノ孫
姪ノ曾孫
甥ノ曾孫

伯　父　父、母ノ兄
伯　母　父、母ノ姉
叔　父　父、母ノ弟
叔　母　父、母ノ妹
從　兄　伯、叔父、母ノ子ニシテ自己ヨリ年長ナル男
從　弟　同上自己ヨリ年少ナル男
從　姉　同上自己ヨリ年長ナル女
從　妹　同上自己ヨリ年少ナル女
從　兄（弟）ノ子
從　姉（妹）ノ子
從　兄（弟）ノ孫
從　姉（妹）ノ孫
伯祖父（母）祖父ノ兄（姉）
叔祖父（母）祖父ノ弟（妹）
從伯父（母）伯祖父、母ノ子
從叔父（母）叔祖父、母ノ子
再從兄（弟）從伯、叔父、母ノ男子
再從姉（妹）從伯、叔父、母ノ女子
曾祖伯父（母）曾祖父ノ兄（姉）
曾祖叔父（母）曾祖母ノ弟（妹）
從祖伯父（母）曾祖伯父、母ノ子
從祖叔父（母）曾祖叔父、母ノ子
高祖父ノ兄、弟、姉妹、

四　配偶者ニ對スル場合

妻凵シ家族ノ妻ハ其ノ關係ヲ記載スヘシ例ヘハ長男某ノ妻孫某ノ妻ト記載スルカ如シ

（注意）親子ヲ除クノ外ハ嫡、庶、私生及養子緣組ニ因ル親族關係ノ區別ヲ爲サス又身位欄ノ記載例ニ於テ男女ノ區別ナキモノハ其ノ區別ヲ爲ササルモノトス例ヘハ孫、姪、甥、從兄（弟）ノ子ト云フカ如シ

二四　在監者行狀視察ニ關スル件

大正四年
典獄會議指示

在監者行狀ノ査定ハ行刑效果ノ有無ヲ認識シ之ニ依リテ將來ニ於ケル處遇ノ適正ヲ得ムトスルニアルカ故ニ其正確ヲ期セサルヘカラサルヤ勿論ナリ然ルニ審査ニ當ル職員中往々ニシテ在監者ノ實狀ヲ詳悉セサル者アリト聞ク斯クノ如クンハ行狀ノ審査ハ其ノ肯綮ヲ失シ延テ遇囚ノ方法ヲ誤ルニ至ルヘシ故ニ部下職員ヲシテ常ニ在監者ニ對スル視察ノ精密ナラムコトヲ期セシメ且審査ヲ行フニ際シテハ事情ニ精シキ受持ノ看守等ヲ列席セシメ其意見ヲ徵シ以テ審査ヲシテ一層的確ナラシムルコトニ注意スヘシ

二五　在監者ノ行狀審査ノ査定標準一定ノ件

大正五年八月
通牒監第八百五十九號
司法部長官

先般典獄會同ノ際ニ於ケル提出意見中詮議又ハ調査スヘキ旨内示アリタル分ニ對シ左記ノ通決定相成候條依命此段及通牒候也

左　記（抄）

三、在監者ノ行狀審査ノ査定標準一定ノ件

決定　在監者行狀ノ良否及改悛ノ有無ノ程度ニ付査定ノ標準ヲ左ノ如ク一定ス

（一）行狀ニ付テハ善良、良、普通、不良

（二）改悛ノ狀ニ付テハ顯著、有リ、認メ難シ、無シ

二六　短期囚ノ行狀表作製省略ノ件

大正五年八月
通牒監第八百五十九號
司法部長官

各監獄典獄宛

先般典獄會同ノ際ニ於ケル提出意見中詮議又ハ調査スヘキ旨内示アリタル分ニ對シ左記ノ通決定相成候條依命此段及通牒候也

左　記（抄）

五　刑期六月ニ滿タサル短期囚ノ行狀表作製省略ノ件

決定刑期六月未滿者ニ付テハ行狀表ノ作製ヲ略シ職員ヨリ提出シタル行狀報告書ヲ以テ代用スルコトヲ得

二七　行狀審査期算出方ノ件

大正四年十月
司秘第二官六十九號
司法部長官

各監獄典獄宛

大正四年二月朝鮮總督府訓令第六號別册樣式第一號ノ八、行狀表取扱例

第一項中每六月ノ計算方往々區々ニ渉リ居候處右ハ入監日ヲ起算點トシテ審査期ヲ算出スヘク若シ其ノ期間內ニ於テ刑期三分ノ一應當又ハ移監ノ審査ヲ行ヒタルトキハ之ヲ更新スヘキ義ニ有之尙刑期三分ノ一應當日審査ト每六月審査ト期日ヲ同フシタル場合ニ於テハ每六月審査ヲ又刑期一年以下ノ者ニ對シテ三分ノ一應當日審査ヲ各省略スルモ差支無之候條此段及通牒候也

第三章　參觀、情願

一　情願書進達ニ關スル件　大正六年典獄會議注意

情願書進達ノ場合ニ於テハ情願書ノ罪名、刑名、刑期（刑期起算日及刑ノ終了日共）犯數行狀其他參考ト爲ルヘキ事項ヲ具セラレタシ

第四章 領置

一 領置品ノ評價格ニ關スル件

大正四年
典獄會議注意

領置品中若干ノ價格ヲ有スルモノヲ無價物トシテ取扱フモノ少カラサルカ如シ將來ハ必ス相當ノ評價格ヲ付シ且其記入ヲ脫漏セサルコトヲ望ム

二 領置品ノ評價格ニ關スル件

大正六年
典獄會議注意

領置品ノ評價ニシテ甚タ低廉ニ失スルモノアリ或ハ相當價格アルモノニ對シ全ク評價ヲ附セサルモノアリ注意セラレタシ

三 携入品ノ消毒厲行ニ關スル件

大正七年
典獄會議注意

入監者ノ携入シタル物品中消毒ノ必要アルモノニ對シ之ヲ行ハス其儘領置セル向アリ衞生及保存上適當ナラサルヲ以テ厲行セラレタシ

四 交付洩領置品處分ニ關スル件

大正四年一月
官通第八號

各監獄典獄宛　政務總監

西大門監獄典獄請訓首題ノ件左記ノ通了知相成度此段及通牒候也

記

問 在監者ノ領置品ニシテ釋放時誤テ交付洩ト爲リ釋放者ノ處在不明ナルトキハ監獄法第五十七條遺留物ノ例ニ依リ一箇年經過後國庫ニ歸屬スルモノトシ處分致シ可然哉

答 見解ノ通

五 領置金交付洩ニ關スル件

大正四年六月
海發第五百四十九號

海州監獄典獄請訓(抄)

在監者ノ領置金ニシテ釋放ノ際誤テ交付洩ト爲リ釋放者所在分明セサルトキハ監獄法第五十七條ノ例ニ依リ處分スヘキヤ將タ民法第二百四十條遺失物法第十二條ニ依リ處理シ可然哉

大正四年七月
會第二千五百六十八號
總務局長通牒

保管金規則第一條ニ依リ處理スヘキモノトス

六 沒入品、廢棄品ノ利用ニ關スル件

大正二年
典獄會議指示

在監者ノ私ニ所持シタルモノニシテ沒入又ハ廢棄ノ處分ヲ爲スヘキモノノ內反則品及之ニ類スル物品ハ別ニ之レヲ保存シ獄務ノ研究或ハ監獄職員ニ對スル教習訓練ノ資ニ供スル等之カ利用ノ途ヲ講スルコトニ注意スヘシ

七　期間ヲ經過シタル遺留品ハ速ニ處分スヘキ件

大正四年
典獄會議注意

遺留品ニシテ法定ノ期間ヲ經過シタルモノハ速ニ相當處分ヲ了シ停滯ナカラシメラレタシ

八　煙草器械卷紙ノ引繼ニ關スル件

大正十年八月
專庶第五百八十七號
政務總監

各監獄典獄宛

煙草器械卷紙ノ引繼ニ關スル事務左記ニ依リ取扱相成度此段及通牒候也

記

一　左ニ記載シタル場合ハ最近距離ノ專賣官署（專賣官署トハ專賣支局及專賣支局出張所ヲ略稱ス以下皆同シ）ニ對シ有償ニテ之カ引繼ヲ爲スヘシ

一　關稅法ニ依リ收容シタル煙草器械（器械トハ煙草製造專用ノ器具機械ヲ略稱ス以下皆同シ）及卷紙ニシテ稅關官署ニ於テ公賣ヲ要スルトキ

二　間接國稅犯則者處分令、關稅法違失物令、水難救護令其ノ他法令ノ規定ニ依リ當該官署ニ於テ公賣ヲ要スル物品カ煙草器械及卷紙ナルトキ

三　監獄令ニ依リ監獄ニ於テ在監者ヨリ沒入シタルトキ製造煙草ニシテ品質惡變包裝破損汚損又ハ表裏ノ色彩變褪スル等ノコトナク且政府ノ證票アリテ其ノ販賣ニ適スルモノナルトキ

二　前項ニ記載スル場合ノ外煙草器械及卷紙ヲ所有所持又ハ保管スル官公署ニ於テ該物品ヲ處分ヲ要スルトキハ最近距離ノ專賣官署ニ對シ無償ニテ之レカ引繼ヲ爲スヘシ朝鮮外ヨリ渡來セル旅客カ稅關構內ニ抛棄シタル同種物件ヲ稅關官署ニ於テ引繼ク場合ニ於ケル取扱方ニ付テモ亦同シ

三　第一項ニ依リ專賣官署ニ對シ煙草器械及卷紙ヲ有償引繼ノ場合ニ於ケル價格ハ專賣官署ノ鑑定シタル金額ニ據ルヘシ但シ引繼ヘキ物品カ普通ノ眼識ニ依リ使用ニ堪ヘスト認メタルトキ若ハ運搬費ヲ要スルモノニシテ其ノ物品ノ價格カ運搬費ヲ償ハスト認メタルトキハ當該官署ニ於テ之ヲ廢棄シ其ノ旨專賣官署ニ通知スヘシ

九　沒入廢棄簿ニ關スル件

大正八年三月
監第四百七十二號
司法部長官

各監獄典獄宛

身分帳簿其ノ他ノ取扱方ニ付テハ實際ノ便宜上左記ノ通取扱相成度此段及通牒候也

記

沒入廢棄簿ハ之ヲ設ケサルコトヲ得此ノ場合ニ於テハ「假留品書留簿」ヲ以テ處理スルニト

參照　大正一一、四總訓第二三號會計事務章程ノ改正ニ依リ假留金書留簿及假留品書留簿ニ改マル

第五章　戒護、處遇、押送

一　監獄員銃器携帯ニ關スル件

明治四十二年十月
統令第四十八號

改正　四四年五總令第五五號

朝鮮總督府監獄職員ニシテ巡警、監外ノ作業ニ就ク受刑者ノ戒護、要所ノ警備及護送ニ従事スル者ニハ常ニ銃ヲ携帯セシム

前項ノ外典獄ニ於テ必要ト認メタル場合ニ於テハ戒護ニ従事スル監獄職員ニ臨時ニ銃ヲ携セシムルコトヲ得

附　則

本令ハ明治四十二年十一月一日ヨリ之ヲ施行ス

二　豫審廷ニ於テ看守退廷ノ件

明治四五年一月
司刑第一百七十五號

客年十二月二十五日附京監祕收第一九二號ノ一ヲ以テ豫審廷ニ於ケル刑事被告人ノ戒護看守退廷ニ付御質疑ノ趣了承看守ハ其職責上審問中ト雖豫審廷ニ在ルハ當然ト被存候得共豫審判事ニ於テ審問上看守ヲ退廷セシモムルノ必要モ可有之斯ル場合ニ於テハ戒護上差支ナキ限リハ退廷セシムル方穏當ト被存候ニ付事ニ當リ豫審判事ト協商ノ上幾宜ノ御措置相成度此段及回報候也

三　豫審廷ニ方テ看守退廷ノ件

大正四年十一月
監第六百六十五號
司法部長官

釜山監獄典獄宛

八月分典獄訓授中豫審判事ヨリ豫審密行ノ必要上戒護看守ニ對シ退廷ノ請求アリタルトキハ戒護看守ハ直ニ之ニ應シ歸監後之ヲ上官ニ申告スヘキ旨ノ記載有之右請求ニ對スル應否ヲ全ク戒護看守ノ自由ニ委シタルハ穏當ナラス斯ル場合ニ於テハ當該看守ヲシテ典獄ノ指揮ヲ得セシムル様取扱ハレ度此段及通牒候也

四　監房別異ニ關スル件

大正二年
典獄會議訓示

監房別異ハ行刑效果ニ至大ノ影響ヲ及ホスヲ以テ等閑ニ付スヘカラス

五　在監人文身取締方ノ件

大正二年十一月第三千二百六十八號
京城覆審法院検事長

管内典獄宛

朝鮮人囚徒ニシテ在監中身体ニ文身ヲ爲スモノ往々有之其文身ヲ爲スニハ種々ノ原因アルヘシト雖モ中ニハ暴擧其他不正ノ行爲ヲ共ニスルノ誓約ニ出ツルモノ亦尠ラサル形跡アルニ付常ニ囚徒ヲシテ文身ノ機會ヲ得セシメサルコトニ努ムルハ勿論現在文身者ニ對シテハ警戒相成度此段及通牒候也

六　拘禁ニ關スル件

大正三年
典獄會議指示

一、在監者ノ別異ハ未タ適當ニ施行セラレサルモノノ如シ畢竟設備ノ十分ナラサルニ由ルモノアルヘシト雖雜合拘禁ノ弊害甚大ナルヲ思ハハ須臾モ苟且ニ安スヘキニ非ス且現在ノ狀態ニ於テスルモ尙改善ヲ爲スノ餘地アルヲ以テ宜シク相當ノ方法ヲ講シ實行シ得ヘキ限リ之カ厲行ヲ圖ラサル可カラス一監房若クハ一工場内ニ在テ性行、犯由年齡等ノ關係ヲ斟酌シテ適當ニ座席ヲ定ムルカ如キモ亦其一策ニシテ要ハ惡習傳播ノ機會ヲ杜絶シ處遇ヲ有效ナラシメムトスルニ在ルカ故ニ分類拘禁ノ趣旨ニ則リ鋭意企畫セムコトヲ望ム

二、監獄ニ於ケル警備ハ絶對ニ之ヲ確保セサルヘカラス然ルニ昨年中盜難ニ罹リタルノ實例數多アリ此等ハ既ニ警備ノ周到ナラサルコトヲ證スルモノニシテ侵入ノ容易ナルヲ知ルト同時ニ脱出ノ亦困難ニ非サルヲ感セシメ延テ在監者檢束ノ本義ヲ空フスルノ虞レナシトセス依テ深ク此ニ鑑ミ其取締方法ヲ嚴ニシ再ヒ失態ヲ演出セサラムコトヲ期スヘシ

三、在監者ノ行狀視察方法ハ未タ盡ササル所アルノミナラス其審査モ亦形式ニ失シ殊ニ審査ノ決定ト處遇方法トノ連絡ニ付テハ殆ト其用意ヲ缺ケルニアラサルカヲ疑ハシムルモノアリ斯クノ如キハ行刑ノ的確ヲ期スル所以ニ非サルヲ以テ努メテ其ノ周到ト適實トヲ圖ルヘシ

七　工場其ノ他ノ建物ヲ監房ニ代用スル場合ハ報告ヲ要スル件

大正四年
典獄會議注意

在監者ノ増加等ニ依リ工場其ノ他ノ建物ヲ以テ監房ニ代用セントスル時ハ豫メ事由ヲ具シテ報告セラレタシ

八　入監釋放時ノ獨居拘禁ニ關スル件

大正四年
典獄會議指示

新ニ入監シタルモノ及刑期終了ニ因リ釋放セラルル者ハ其ノ入監後及釋放前三日以内獨居拘禁ニ付スルヲ要スルモ監房其他設備ノ十分ナラサル爲之ヲ實行セサル所尠シトセス然ルニ入監及釋放ノ時ニ於テ熟慮反省ノ機會ヲ與ヘ其ノ間又特別教誨ヲ施シ以テ此等ノモノヲシテ境遇ノ變化ニ付キ心的準備ヲ爲サシムルハ行刑ノ效果ヲ收ムルニ緊要ノ手段タリ故ニ適宜監房ノ差繰ヲ爲シ成ルヘク之レヲ實行セムコトヲ期スヘシ

九　刑事被告人ヲ既決監ニ移ストキノ措置處遇ニ關スル件

大正四年
典獄會議指示

刑事被告人ヲ既決監ニ移ストキハ啻ニ處遇方法ノ劇變ヲ來スノミナラス本人ノ心理狀態亦著シキ動搖ヲ生スヘキヲ以テ此ノ際ニ於ケル監獄ノ措置ハ最モ愼重ナラサルヘカラス故ニ刑執行ノ申渡、心得事項ノ說示ハ典獄親ラ之レヲ行ヒ監房及作業ノ指定ハ成ルヘク本人ノ事情ニ適應セシムル等一層其ノ取扱ノ眞摯ナラムコトヲ期スヘシ

一〇 監房工場ニ於ケル在監者ノ座席ニ關スル件

大正四年
典獄會議指示

監房及工場内ニ於ケル各囚ノ座席ハ單ニ稱呼番號ノ順序或ハ作業ノ便宜ノミニ偏セス宜シク別異ノ精神ニ則リ隣席者トノ關係ヲ顧慮シテ之ヲ定ムヘク殊ニ行狀ノ不良ナルモノ又ハ犯罪手段ニ巧妙ナルモノノ如キ苟モ他囚ノ感化ヲ妨クル虞アル者ハ之ヲ隔離スルノ方法ヲ講シ以テ惡習傳播ノ防遏ニ努ムヘシ

一一 監獄ニ於ケル事故ハ即報ヲ要スル件

大正五年
典獄會議注意

監獄ニ於ケル天災事變(風水害出火等)及監獄官吏ノ重大ナル紀律違反ノ行爲並戒護上稍重大ナル事故例セハ在監者ノ自殺(未遂已遂共)暴行其ノ他不穩ノ行爲アリタルトキハ漏ナク即報セラレタシ

一二 非常時ニ處スル演習ニ關スル件

大正五年
典獄會議注意

非常時ニ處スルノ方法及召集ニ付テハ平時ニ於テ能ク之ヲ演習シ事變ニ當リテ些ノ遺憾ナキヲ期セサルヘカラス然ルニ往往其ノ演習ヲ等閑ニ付スル向アリ又演習ヲ行ヒタルモノト雖其ノ成績ノ甚タ良好ナラサルモノナキニ非ス深ク注意セラレタシ

一三 非常時ニ處スル設備及訓練、演習ニ關スル件

大正五年
典獄會議指示

戒具、銃器、鎖鑰及消防其ノ他ノ非常用具ノ設備檢査等ニ付テハ用意未タ足ラサルモノアリ速ニ常備員數ノ充實ヲ圖リ又時時其ノ適否ヲ檢査シ操法ヲ演習スル等平時ニ於テ非常時ニ處スルノ注意周到ナラムコトヲ要ス

一四 監房工場ノ取締ヲ嚴ニスヘキ件

大正五年
典獄會議指示

監房及工場等ニ於ケル在監者ノ雜談ニ對スル取締ノ弛緩ハ啻ニ紀律ヲ紊ルノミナラス惡習傳播ノ機會ヲ與フルニ至ルヲ以テ之カ監視ヲ嚴ニシテ紀律ノ振肅ニ努ムヘシ

一五 經費節約及戒護上ニ關スル件

大正七年一月
監第二〇九號
司法部長官

兩分監長殿

西大門監獄ノ事務報告中ニ首題ニ關スル件別紙寫ノ通リ記事有之候條爲參考此段及通牒候也

(寫)

西大門監獄事務報告拔萃

從來一般在監者ノ朝食ハ炊夫ノ早起就業ニ因リ食物ヲ調理シ起床一時間後ニ於テ喫食セシメタル後就業セシメ來リシモ燃料節約ト戒護上ノ安全ヲ期スル爲炊夫ノ早起就業ヲ廢シ一般起床ト同時ニ就業セシメ一般在監者ニ對シ朝食前就業セシメタル後喫食セシムルコトトシ晝食時間又ハ其ノ後ノ就業時間等ヲ變更スヘコトハ前月所報ヲ如クナルカ本月中右施行ニ依リ前年同期ニ比シ燃料(石炭)一日平均四百斤時價五圓六十錢ヲ節約シ得タリ而シテ之カ爲因情作業及保健等ニ付何等ノ影響ヲ認メサルモ尚一層精密ナル調査ヲ遂ケ各般ノ事項ニ付惡影響ナキ限リ引續キ實施ノ見込ナリ

一六 監獄事務ノ改善ニ關スル件

大正七年
典獄會議訓示

監獄事務ノ改善ハ設備ノ完整ト戒護力ノ充實トニ待ツモノ多キヲ以テ本年度ニ於テハ新ニ大田ニ本監ヲ起シ安東ニ分監ヲ設ケ更ニ金山浦ニ出張所ヲ置クノ計畫ヲ樹テ一面職員ノ定員ヲ增加スルト共ニ西大門監獄ニ看守教習所ヲ附設シテ教習ノ普及ト統一トヲ圖ラムトス然レトモ在監者增加ノ趨勢ハ今尚底止スル所ヲ知ラサルガ故ニ各位ノ職務執行上ニ於ケル不便ト困難トハ將來尚減スルコトナカルヘシ各位ハ更ニ一段ノ努力ヲ加ヘ監務ノ刷新ヲ圖ク行刑ノ內容ヲ充實シ以テ刑政ノ目的ヲ達成センコトヲ期スヘシ

一七 監獄搆內出入者ノ檢查監督ヲ嚴ニスヘキ件

大正七年
典獄會議注意

監獄搆內ヨリ物品ヲ持出スニ當リテハ其檢查監督ヲ嚴ニスルノ必要アルニ拘ラス其檢查ヲ粗略ニシ或ハ監督方法ヲ設ケサル結果往往不測ノ失態ヲ演シタル例ナシトセス將來一層其ノ檢查監督ヲ嚴重ニシ未タ其ノ方法ノ定メナキ向ニ在リテハ速ニ之ヲ定メテ勵行セラレタシ

一八 在監者衣類檢查監房及工場ノ搜檢ニ關スル件

大正五年
典獄會議指示

在監者ノ衣體檢查、監房及工場ノ搜檢ハ其ノ施行概シテ周到ヲ闕キ監督方法亦未タ備ハラサルモノアルカ如シ斯クノ如クムハ終ニ檢束上不測ノ害ヲ生スルノ虞アルヲ以テ常ニ注意シテ其ノ施行ノ確實ナラムコトヲ期スヘシ

一九 戒護職員士氣ノ振作及戒具ニ關スル件

大正十年
典獄會議指示

受刑者ノ逃走ハ本年中已ニ數回ニ及ヘルハ甚遺憾トスル所ナリ右ハ看守配置定員ノ十分ナラサリシ事情アルヘシト雖戒護者ノ動作ノ敏活ナラサリシト聯鎖ノ使用及施錠ノ不完全ナリシトニ原因セルモノト認メラルルヲ以テ職員ニ對スル士氣ノ振作及戒具ノ整頓使用方ニ付テハ特ニ留意セラレムコトヲ望ム

二〇　支那人在監者斷髮ニ關スル件

大正六年九月
監第千六十一號　司法部長官

各監獄典獄宛（咸興監獄典獄ヲ除ク）

首題ノ件ニ關シ咸興監獄典獄ヨリ別紙甲號ノ通リ照會有之乙號ノ通回答候條了知相成度此ノ段及通牒候也

（別紙）

甲號　支那人薙髮ノ件

大正六年八月
咸發第千百五十二號　咸興監獄典獄請訓

支那人在監者ニ對シテハ從來本人ノ請求又ハ承諾アルニアラサレハ國風ヲ尊重スル關係上辮髮ヲ貯ヘシメタル處傳聞スル處ニ依レハ關東地方ニ於テハ帝國領事館監獄ハ勿論皆本國監獄ト雖モ總テ在監者ニ對シ斷髮ヲ勵行シツツアリト云フ又聞支那民國一般ニ斷髮令ヲ布カレアリト果シテ然ラハ不衞生的ナル蓄髮ハ其理由ナクシテ反ツテ斷髮ヲ勵行スルヲ以テ當然ノ處置ナリト思料セラレ候ニ付テハ裁判ノ審理檢證上必要アル者ヲ除キ本人ノ意思如何ニ拘ハラス斷髮ヲ施行シ可然哉何分ノ御意見承知致度此段及照會候也

乙號

大正六年九月
監第千六十一號　司法部長官指令

本年八月二十三日附發第一一五二號ヲ以テ支那人在雜者ニ對スル薙髮方ニ關シ照會ノ趣了承右ハ支那人在監中受刑者ニ對シテハ特ニ必要アル場合ヲ除クノ外斷髮ヲ行ヒ差支無之候條此段及回答候也

二一　累犯者處遇ニ關スル件

大正二年
典獄會議指示

累犯者中慣行犯罪者殊ニ習慣性ニ趨カムトスル者ニ對スル處遇方法ハ現時尙他ノ偶發的犯罪者ニ對スルト殆ント異ルトコロナキカ如シ右ハ監獄設備ノ現狀ニ於テ已ムヲ得サル所ナシト雖、一層處遇ノ周到ヲ圖リ以テ行刑ノ效果ヲ空フセサルコトヲ努ムヘシ

二二　紀律アル慣習養成ニ關スル件

大正二年
典獄會議指示

在監者ヲシテ常ニ遵守事項ヲ熟知勵行セシムルハ當ニ監獄ノ紀律ヲ保持スル上ニ於テ必要ナルノミナラス本人ヲシテ紀律アル慣習ヲ養成セシムル所以ニシテ遇囚上最モ緊要ノ事ニ屬ス然ルニ各監獄ノ實況ハ此ノ点ニシ未タ周到ナラサル所アルカ如シ將來新入監者ニ對シテハ必ス典獄又ハ對看守長ニ於テ懇切ニ該事項ヲ說示シ其勵行ヲ努ムヘシ

二三　遇囚ニ付キ注意ノ件

大正二年
典獄會議訓示

遇囚ノ途ハ實ニ獄務ノ眞髓ニシテ其ノ適正ヲ得ルト否トハ直ニ裁判ノ權威ト刑罰ノ效果トニ至大ノ影響ヲ及ホスモノトス在監ノ囚徒ハ老幼男女又ハ初犯者再犯者等多種異類ノモノヲ網羅スルカ故ニ之レカ處遇ニ付キ守株ノ見膠柱ノ弊ニ陷ルコトナク機ニ觸ニ時ニ應シ克ク各人ノ性質境遇ニ適當スル方法ヲ採擇シ以テ其性格ヲ陶冶シ改悛ヲ爲サシメサルヘカラス尙罪囚ニ對シテ常ニ矜哀ノ心ヲ持スヘキハ勿論ナリト雖之レカ爲メ其處遇優柔ニ流ルルニ至ラハ遂ニ行刑ノ本旨ヲ沒了スルヲ以テ嚴ニ紀律

厲行シ懲戒ノ實ヲ擧ケシムルノ注意アルヲ要ス卽遇囚ノ方法ハ寛嚴宜シキヲ得恩威竝ヒ行ハルルコトヲ期スヘキニ拘ラス從來各監獄ニ於ケル實況ヲ觀ルニ猶未タ備ハラサルモノアルヲ以テ遺憾トス

各位ハ宜シク如上ノ大本ニ遵由シ其措置ニ誤リナキヲ努ムヘシ

二五 在監者處遇ニ關スル件

大正四年 總督訓示

惟フニ獄務ハ各位ノ拮据精勵ニ依リ逐年改善ノ歩ヲ進メタリト雖仔細ニ之ヲ觀察スレハ猶改正スヘキ事項尠シトセサルノミナラス其ノ進歩ノ事蹟ハ多ク施設ノ形式ニ止マリ其ノ實質ニ至リテハ間然スル所ナキヲ得ス斯クノ如キハ獄務草創ノ際ニ於ケル徑路トシテ亦已ムヲ得サル所ナリト雖宜シク內務ヲ整理シ簡捷事ヲ處シ秩序整然一絲紊レサルノ心懸アルヲ要ス就中注意スヘキハ遇囚ノ改善ニシテ勗メテ行刑ノ本旨ヲ全フスルノ覺悟ナカルヘカラス囚情ハ一般ニ平靜ニ趨キ逃走反獄ノ如キ殆ント其ノ跡ヲ絕ツニ至レルハ最喜フヘシト雖漸ク之レニ馴レテ戒護ヲ弛緩セハ時ニ不慮ノ失態ヲ釀スノ虞ナキ能ハス殊ニ將來ノ監獄ノ建築ハ成ルヘク囚徒ヲ使役シテ之ヲ施行セントスルヲ以テ勢ヒ外役囚ヲ增加スルニ至ルヘク隨テ此ノ憂ヲシテ更ニ深カラシムルモノアリ各位ハ鋭意部下職員ヲ督勵シ常ニ檢束ノ嚴正ヲ保持スルノ覺悟アルヲ要ス

近來累犯入監者ノ漸次增加スルノ傾向アルハ頗ル憂フヘキノ現象ナリトス其ノ原因固ヨリ一ニシテ足ラスト雖初犯時ニ於ケル行刑ノ效果未タ擧ラサルノ憾ナキ能ハス仍テ各位ハ常ニ遇囚上寛嚴宜シキヲ制シ全幅ノ注意ヲ拂ヒヲ改過遷善ノ實績ヲ收ムルニ努ムヘク特ニ累犯者ニ對シテハ極力矯正ノ手段ヲ盡スヘシ又刑期ノ終了ニヨリ釋放セラルル者ニ對シテハ最後ノ刺戟トシテ剴切ナル教誨ヲ施シ深ク之ヲ其ノ肺肝ニ徹セシメ以テ犯罪自制ニ對スル義務的觀念ヲ喚起スルト共ニ周到ナル指導ヲ加ヘテ出獄後ノ處世ノ道ヲ講セシメ行刑有終ノ效果ヲ完フスルニ遺算ナカラシムコトヲ期スヘシ

二六 未成年者ノ特別處遇ニ關スル件

大正四年 典獄會議指示

十八歳未滿ノ受刑者ニ對スル特別處遇ハ未タ充分ナラス殊ニ分監ニ於テ其甚タシキヲ見ル故ニ將來此等ノ受刑者ハ成ルヘク之ヲ本監又ハ相當ノ設備ヲ有スル管內ノ分監ニ集禁シ尙其執行ノ任ニ當ルヘキ職員ニハ特ニ誠實嚴正ノ人ヲ簡拔シ且之ヲ專務配置ト爲シ以テ特別行刑ノ趣旨ヲ貫徹スヘシ

二七 獄務ノ改善ニ關スル件

大正五年 典獄會議指示

監獄ニ於ケル諸般ノ施設ハ時勢ト民度トニ背馳スヘカラサルハ言ヲ俟タス然ルニ獄務ノ改善進歩ヲ圖ルニ熱中スルノ餘動モスレハ理想ノ高キニ趨リテ社會ノ實情ニ遠ザカルノ傾向ナキニアラス斯クノ如キハ行刑ノ效果ヲ完フスル所以ノ道ニ非サルヲ以テ各位ハ克ク世情ヲ洞察シ之レニ適應スルノ範圍ニ最善ノ方策ヲ講セムコトヲ期スヘシ

二八 行刑內容充實シ其效果發揚スヘキ件

大正六年 典獄會議訓示

監獄ノ事務ハ各位ノ努力ニ因リ逐次改善ノ續ヲ示シ往年ノ面目ヲ一新シタルノ觀アルハ寔ニ喜フヘキモ近時犯罪ハ日ヲ逐フテ愈々增加シ累犯亦益

多キヲ加フルノ趨勢ニ在ルハ憂慮ニ堪ヘス各位深ク此ニ鑑ミ發奮勵精シテ行刑ノ内容ヲ充實シ以テ其ノ效果ノ發揚ニ努メサルヘカラス若夫レ行刑ノ内容ヲ充實スル所以ノ道ニ至リテハ固ヨリ一ニシテ足ラスト雖其最主要ナルモノハ實ニ遇囚ノ適實ナルニ在リ遇囚ノ適實ハ各囚ノ罪質、犯由、刑期、犯數、性格、年齡及健康狀態等ニ依リ其ノ處遇ヲ別異スルニ非スンハ之レヲ得ヘカラス然ルニ監獄ニ於ケル實況ハ未タ之ニ副ハサルモノアルカ如シ蓋諸般ノ設備ノ完カラサル其ノ主因タルヘキモ現下尚改善ノ餘地尠シトセス各位ハ須ク機宜ノ措置ヲ採リ設備ノ足ラサル所ヲ補フト共ニ仔細ニ罪囚各般ノ事情ヲ洞察シ之ニ應スル別異ノ方法ヲ盡シテ遇囚ノ適實ヲ圖リ依リテ以テ行刑ノ效果ヲ完フセムコトヲ努ムヘシ

今ヤ世運ノ進歩頗ル著シキモノアリ此ノ時ニ當リ司獄ノ任ニ在ル者徒ニ舊套ニ泥ミ因循爲スナカラムカ獄務ハ社會ノ實情ニ背馳シ遂ニ其目的ヲ誤ルニ至ラム各位ハ常ニ時勢ノ要求ヲ察シ施爲其ノ宜ヲ制シ以テ獄務ノ刷新ヲ圖ルヘシ

二九　累犯入監ノ處遇ニ關スル件

大正七年
典獄會議指示

累犯入監者ニ付テハ前科刑ノ執行方法及釋放後ニ於ケル監督保護ノ狀況竝累犯ノ原因、經路等ヲ調査シテ處遇ノ參考ニ資シ以テ行刑ノ適實ヲ期スヘシ

三〇　長期囚ニ對スル保護監督ニ關スル件

大正七年
典獄會議指示

長期ノ受刑者ニアリテハ多年社會ト隔離セラレタル結果其實情ニ暗ク爲メニ出獄後處世ノ方途ニ迷ヒ累ネテ犯罪ニ陷ルノ危險多シ各位ハ此等ノ受刑者ニ對シテハ在監中適當ノ機會ニ於テ社會變遷ノ實情ヲ知悉セシムルト共ニ情狀ノ許ス限リ刑期滿了前假出獄ヲ許シ適當ノ保護監督ノ下ニ漸次社會生活ニ馴致セシムルノ策ヲ講シ以テ豫メ出獄後ニ於ケル處世上ノ用意ヲ爲サシムル等累犯ノ防遏ニ付キ十分ノ考慮ヲ要ス

三一　政治的犯罪囚ニ對スル處遇ノ件

大正十年
典獄會議指示

政治的犯罪囚ノ處遇ニ付テハ努メテ新政ノ趣旨ノ徹底ヲ期シ彼等ヲシテ衷心其ノ非ヲ悟ラシメサルヘカラス、然レトモ彼等ノ中ニ特殊ノ待遇ヲ受クル權利アルモノノ如ク誤信シテ監規ヲ無視スルカ如キ者アラハ嚴ニ之ヲ戒メ紀律ニ準シテ之ヲ矯正セラルヘシ、又笞刑廢止ニ伴ヒ當然增加スヘキ短期囚及勞役場留置者ハ在監ノ期間短ク敎化懲治ノ成績ヲ擧クルニ困難ナルヘシト雖最嚴正ニ紀律ヲ勵行シ勞役ヲ賦課强行シテ刑威ノ峻嚴ヲ示シ以テ行刑ノ目的ヲ達セラレムコトヲ望ム

三二　刑事被告人ニ對スル處遇ノ件

大正十年
典獄會議指示

刑事被告人ハ被告事件取調ノ必要上拘禁スルモノニシテ罪ノ有無黑白ハ判決ニ因リ始メテ定マルヘキモノナレハ其ノ名譽ノ保持ト辯護權ノ伸長トニ關シテハ常ニ相當ノ注意ヲ爲シ其ノ書面ノ發受接見等ニ付遲滯ナキ

ヲ期セラルヘク。又滯獄淹留ハ被告人ノ利害ニ至大ノ關係アルノミナラス監獄ノ經濟ニモ重大ナル交渉ヲ有スルヲ以テ常ニ事件ノ審理進行ノ狀況ニ注意シ時々滯獄日數ヲ調査シ檢事ニ通知シ其ノ參考ニ供シ取調及裁判ノ進行ニ關シ注意ヲ促スノ用意アラムコトヲ望ム

三三　囚人及被告人護送規則

明治四十二年十月
統令第五十一號

改正　大正八年六総令第一一二號九年六第八四號

第一條　囚人及被告人ノ護送ハ警察官吏ヲシテ之ヲ行ハシム但シ特ニ必要アル場合ニ於テハ憲兵下士卒ヲシテ行ハシムルコトヲ得

監獄間ニ於ケル囚人ノ護送ハ看守長、看守ヲシテ之ヲ行ハシムルコトヲ得

第二條　護送ハ總テ被護送者ノ交付ヲ受クヘキ官署ニ直送スヘキモノトス但シ時宜ニ依リ沿道警察官署ノ遞傳ニ付スルコトヲ得

第三條　護送ヲ爲ストキハ發送官署ハ別紙樣式ノ護送狀ヲ作リ必要ノ書類ヲ添ヘ被護送者ト共ニ護送官吏ニ交付スヘシ但シ直送ノ方法ニ依リ囚人ノ監獄間ノ護送ヲ爲ス場合ニ於テハ身分帳其ノ他ノ書類ヲ以テ護送狀ニ代フルコトヲ得

第四條　發送官署ハ豫メ被護送者ノ交付ヲ受クヘキ官署ニ其ノ氏名、發送ノ日時、護送ノ事由及方法ヲ通報スヘシ

第五條　被護送者ノ所持スル金品ハ左ノ例ニ依リ之ヲ取扱フ

一　金錢ハ發送官署ヨリ被護送者ノ交付ヲ受クヘキ官署ニ之ヲ直送ス但シ金額五圓ニ滿タサルトキ、即日ニ護送ヲ終了スヘキトキ又ハ被告人ニ屬スル金錢ニシテ本人ノ請求アルトキハ護送官吏ニ依リ託送スルコトヲ得

二　物品ハ護送官吏ニ依リ之ヲ託送ス但シ危險ノ虞アル物品又ハ護送官吏ノ携帶ニ適セサル物品ハ發送官署ヨリ被護送者ノ交付ヲ受クヘキ官署ニ直送スルコトヲ得

送致中ノ金品ハ護送官吏ニ依リ託送スル場合ニ於テハ護送官署ノ保管ニ屬シ其ノ他ノ場合ニ於テハ發送官署ノ保管ニ屬ス

第六條　護送ハ日出前日沒後ニ於テハ之ヲ爲スコトヲ得ス但シ汽車、汽船ニ依ル場合若ハ特別ノ事由アル場合ハ此ノ限ニ在ラス

第七條　被護送者ハ汽車、汽船中ニ在ル場合ノ外警察官署ニ宿泊セシム但シ囚人及拘留狀ニ依リ拘留スヘキ被告人ハ監獄所在地ニ於テハ監獄ニ宿泊セシムルコトヲ得

警察官署又ハ監獄ニ宿泊セシメ難キトキハ他ニ宿所ヲ定ムルコトヲ得

第八條　被告人護送ノ場合ニ於テハ監獄ノ規程ニ從ヒ護送中ニ必要ナル物品又ハ飲食物ノ購求若ハ差入ヲ許スコトヲ得

前項ニ依リ購求シタル物品又ハ飲食物ノ代價ハ保管ノ金錢ヲ以テ之ヲ支辨シ本人ノ證認書ヲ徴スヘシ

第九條　護送中逃走者アルトキハ護送官吏ハ直ニ其ノ地ノ警察官吏、憲兵及附近ノ警察官署竝護送官署ニ通報シ護送官署ハ之ヲ發送官署及被護送者ノ交付ヲ受クヘキ官署ニ通報スヘシ

前項ノ場合ニ於テハ書類及金品ハ之ヲ發送官署ニ返付ス

第十條　護送中被護送者疾病ニ罹リタルトキハ相當ノ手當ヲ加ヘ若シ護送ヲ繼續スヘカラサルモノト認メタルトキハ被護送者ヲ書類及金品ト

共ニ附近ノ警察官署ニ交付スヘシ但シ第七條第一項但書ニ該當スル者ニ付テハ之ヲ附近ノ監獄ニ交付スルコトヲ得

前項ニ依リ交付ヲ受ケタル官署ハ直ニ疾病ノ狀況ヲ發送官署及被護送者ノ交付ヲ受クヘキ官署ニ通報スヘシ疾病治癒シテ更ニ護送ニ付シタルトキ亦同シ

第十一條　護送中被護送者死亡シタルトキハ其ノ死體ヲ書類及金品ト共ニ附近ノ警察官署ニ交付スヘシ

汽車、汽船中ニ於テ死亡シタルトキハ其ノ死體ハ最初ノ停車地又ハ著船地ノ警察官署ニ交付スヘシ但シ已ムヲ得サル場合ニ於テハ其ノ他ノ停車地又ハ著船地ノ警察官署ニ交付スルコトヲ得

死體ノ交付ヲ受ケタル警察官署ハ發送官署及被護送者ノ交付ヲ受クヘキ官署竝本人ノ住所地ヲ管轄スル警察官署ニ死亡ノ日時、原因等ヲ通報シ護送ニ關スル書類ハ之ヲ發送官署ニ返付スヘシ

死亡後二十四時間内ニ交付ヲ受クル者ナキトキハ死體ハ假リニ之ヲ埋葬シ遺留ノ金品ハ之ヲ發送官署ニ返付スヘシ

第十二條　護送官吏ノ旅費及被護送者ニ要スル　送ノ費用ハ護送官署ノ負擔トス但シ被護送者ヲ監獄又ハ警察官署ニ宿泊セシメタル場合ニ於ケル費用ハ其ノ監獄又ハ警察官署ノ負擔トス

第十條及第十一條ノ場合ニ於ケル費用ハ各其ノ交付ヲ受ケタル官署ノ負擔トス

第十三條　被護送者ヲ監獄又ハ警察官署以外ニ宿泊若ハ飲食セシメタル場合ニ於テハ其ノ費用ハ實費額ニ依ル但シ宿泊ノ費用ハ一夜金八十錢、飲食ノ費用ハ一回金五十錢ヲ超ユルコトヲ得ス

附　則

本令ハ明治四十二年十一月一日ヨリ之ヲ施行ス

（樣式）

護　送　狀

罪名		本籍地	
刑名刑期		住所	
被告事件		身分	
共犯者氏名		職業	
氏名及年齢			

相貌					
丈		體格	髮眉	鬚髯	額
腮		耳	目	口	齒
鼻		容貌	顏色	文身	特徵

本人ハ何何ノ事由ニ由リ何官署ニ交付スルカ為左記ノ書類、金錢及物品ト共ニ及引渡候條護送方御取計相成度候也

年　月　日　　發送官署

書類	本欄ニハ本書ニ添附ノ書類ノ名稱、通數（若ハ括數）ヲ記載ス
金錢	本欄ニハ護送官吏ニ託送ノ金錢ノ保管高仕拂高現在高仕拂ノ月日及事由ヲ記載ス
物品	本欄ニハ護送官吏ノ託送ノ物品ノ名稱、員數、護送中ニ生シタル物品ノ增減ニ關スル事由ヲ記載ス

護送官署名及主任官吏ノ認印	發送又ハ到著日時	護送ノ方法及注意スヘキ事項	被護送者ノ身體ノ狀況	備考
				本欄ニハ物品購入ノ許可、逃走、疾病、死亡其ノ他ノ事故ヲ記載ス

三四　護送中ノ在監者逃走ニ關スル件

大正五年八月　官通第百三十九號

政務總監

各監獄典獄宛

囚人及被告人護送規則第九條ニ依リ逃走ノ通報アリタルトキハ身柄ヲ交付シタル監獄ハ監獄令施行規則第五十七條ニ準據シ處理可相成此段及通牒候也

三五　鐵道乘車賃割引ニ關スル件

大正七年三月　官通第三十八號

政務總監

監獄ノ長
警察署（警察署ノ事務ヲ取扱フ憲兵分隊、憲兵分遣所）ノ長　宛

監守官吏ノ護送スル囚人及刑事被告人竝公務ノ爲往復スル監守官吏ニ對シテハ朝鮮內ニ於ケル官設鐵道其ノ乘車等級三等ニ限リ賃金五割引ト相成候條此段及通牒候也

追テ右乘車ノ際ハ別記雛形ニ依リ鐵道通劵ヲ發行シ證明ノ用ニ供セラレ度候

（用紙鳥ノ子）　三寸　二寸五分

表

第　號

發行　年　月　日

使用期限　年　月　日

乘車人「監守官吏氏名又ハ囚人若ハ刑事被告人何人」

官設鐵道通劵

三等

自何驛 至何驛　片道 又ハ往復

發行官署名　印

發行擔任者　印

發

此ノ通劵ハ囚人、刑事被告人又ハ監守官吏ノ乘車スルコトヲ證スル爲發行スルモノトス

此ノ通劵ニ事項ノ記入ヲ爲ストキハ墨汁又ハ黑インキヲ以テシ鉛筆ノ使用ヲ禁ス又加筆、改竄等ヲ施シタルトキハ必ス其ノ箇所ニ發行擔任者ノ認印ヲ押捺スヘシ

此ノ通劵ハ賃金ノ半額ト共ニ鐵道係員ニ差出シ之ト引換ニ乘車切符ヲ受取ルヘシ

注意

一、監守官吏ノ通劵ハ一名毎ニ一枚宛發行スルヲ要ス

三六　鐵道乘車賃割引ニ關スル件

大正七年七月
第千五十三號　司法部長官

各監獄典獄
分監長　宛

大正七年三月十一日附官通牒第三十八號ヲ以テ首題ノ件通牒候處該通劵ノ發行方區々ニ涉リ取扱上不便少カラサル趣右ハ監守官吏ハ各別ニ被押送者人員ノ多寡ヲ論セス一枚ヲ發行スルノ趣旨ニ有之候條取扱上御注意相成度爲念及通牒候也

三七　護送者取扱方ニ關スル件

大正八年五月
官通第六號　政務總監

各監獄ノ長
各警察署（警察署ノ事務ヲ取扱フ憲兵分隊、憲兵分遣所ヲ含ム）ノ長　宛

監獄ニ拘禁スル刑事被告人ヲ控訴申立又ハ其ノ他ノ事由ニ因リ他ノ監獄若ハ分監ニ移監スル場合ニ於テ作成スヘキ護送狀ハ氏名年齡ヲ除クノ外添附ノ身分帳簿其ノ他ノ書類ニ依リ明瞭ナル記載事項ノ記入ヲ省略シ其ノ旨附記シ置クコトニ取扱ハレ差支無之候條及通牒候也

三八　在監者移監ノ場合添付スヘキ書類ノ件

大正五年六月
典獄會議提出決議事項

西大門監獄提出決議意見ニ對スル決議

在監者移監ノ場合ニ於テハ當該者ノ教誨簿、教育簿及健康診斷簿ハ之ヲ身分帳ニ添附送付スルコト

決議ニ對スル司法部長官意見適當ト認ム

三九　受刑者移監ニ關スル件

大正九年九月
監第九百七十六號　法務局長

別紙甲號寫ノ通釜山監獄典獄ヨリ質疑有之乙號寫ノ通回答致置候條爲念及通牒候也

（甲號寫）

釜山監獄典獄問合

受刑者移監ニ關スル件質疑

首題ノ件ニ關シ左記二點ニ付疑義有之候條何分御指示相成度此段及質疑候也

記

一、賭博懲役八月河原須美（女大正十年三月二十日滿期）ハ岡山監獄ニ於テ刑執行中餘罪事件（賭博）ニ付蔚山法院支廳ノ缺席判決ニ對シ故

障中立チ爲シ岡山區裁判所檢事ノ移監指揮ニ依リ押送シ來リタルヲ以テ便宜之ヲ收監シタルモ（右餘罪事件ニ付テハ勾留狀發セラレス）當監ニ於テ收監スルハ果シテ相當ナルヤ

二、然ルニ蔚山支廳檢事々務取扱ハ本件ニ關シ更ニ之ヲ蔚山警察署ニ移監方指揮シ來リタルモ之ニ應スヘキモノナリヤ

（乙號寫）

法務局長回答

大正九年九月十一日附發第一三〇八號ヲ以テ首題ノ件質疑有之候處右ハ左記ノ通思料候條了知相成度此段及回答候也

一、收監スヘキモノトス

二、應スヘキモノニアラス

四〇 護送中ノ囚人ニ關スル件

大正六年
典獄會議注意

移監等ノ爲護送途中ニ在ル囚人ハ其引渡ヲ了セサル間ハ發送官署ノ在監者ト看做シ處理スヘキモノナルニ發送官署ニ於テハ事實上出監セシメタルノ故ヲ以テ揭表セサル爲メ護送途中ノ人員ハ在監人員表ニ脫漏スル事例アリ將來ハ引渡ヲ了スル前日迄ハ發送官署ノ在監人員トシテ必ス登記セラレタシ

四一 在監者民事訴訟ニ關シ出廷ノ件

明治四十四年六月三日　京城監獄典獄

司法部長官宛

問　在監者カ民事訴訟ニ關シ裁判所ヨリ呼出ヲ受ケタル場合ノ取扱方ニ關シ左記各項御指示ヲ得度此段請訓候也

一、在監者カ民事訴訟、原告被告若ハ證人又ハ參考人トシテ現ニ拘禁中ノ監獄所在地外ノ裁判所ヨリ召喚セラレタル場合ニ於テハ監獄ハ凡テ之ニ應シ出張セシムヘキモノニ有之候哉

二、前項出頭セシムヘキモノナリトセハ其ノ呼出ヲ受ケタルモノカ若シ刑事被告人ナルトキハ其ノ事件ノ繫屬スル裁判所ノ檢事ニ通報シ押送指揮ヲ俟ツモノニ有之候哉

三、呼出ヲ受ケタル在監者カ刑事被告人ナルト受刑者ナル等ヲ別タス護送ハ警察官署ヲシテ護送セシムルモ差支無之候哉

答　司刑發第三六七號

明治四十四年六月

司法部長官

典獄宛

民事訴訟ニ關シ在監者出廷方ノ件

本年六月三日附京監發第六三二號ヲ以テ在監者民事訴訟ニ付出廷ノ件ニ關シ御問合相成候處右ニ對シテハ左記ノ通リ御取扱相成可然ト思考候條此段及回答候也

第一　在監者カ民事訴訟ノ原告若ハ被告ト爲ル場合ニ於テハ訴訟代理人ヲ委任スルノ方法ヲ採ラシムヘク民事訴訟法第百十四條同第三百六十條ノ例ニ依ルモノヽ外自身出頭ヲ爲サシムルコトヲ得サルモノトス

證人トシテ呼出アリタルトキハ之ニ應シ出頭セシムヘキモノトス

第二　前項ニ依リ出頭スヘキモノヽ刑事被告人ナルトキハ檢事ノ指揮ヲ受クヘシ

第三右護送ニ關シテハ勿論囚人及被告人護送規則ニ依ルヘキモノトス

四二　民事訴訟ニ關シ裁判所ノ呼出ニ對シ在監者出廷ノ件

明治四十四年八月
司民第七號

司法部長官

在監者カ民事訴訟ニ關シ裁判所ノ呼出ヲ受クルコトアルモ左ノ場合ニ該當スルトキノ外出廷セシムルニ及ハサル儀ト心得可相成此段及通牒候也

一、證人參考人又ハ鑑定人トシテ呼出ヲ受ケタルトキ

二、民事訴訟法第百十四條第三百六十條人事訴訟手續法第十二條第一項、第二十六條、第三十九條第一項、第五十九條、第六十六條第二項、第六十七條第一項及第六十八條ニ依リ並朝鮮人ノミノ訴訟ニ於テハ本人訊問ノ決定ニ基キ裁判所カ本人出頭ヲ命シタルトキ

四三　自動車取締規則

大正十年七月
府令第百十二號

第一條　本令ニ於テ自動車ト稱スルハ原動機ヲ用ヰ軌條ニ依ラスシテ運轉スル車輛ヲ謂フ

第二條　自動車ハ市街地ニ在リテハ重量一千八百封度、全長十三尺、全幅六尺未滿ノモノハ幅員三間以上、其ノ他ノモノハ幅員四間以上、市街地外ニ在リテハ重量一千八百封度全身十三尺全幅六尺未滿ノモノハ幅員二間以上、其ノ他ノモノハ幅員三間以上ノ道路ニ非サレハ通行スルコトヲ得ス但シ警察官ノ承認ヲ受ケタル場合ハ此ノ限ニ在ラス

自家又ハ他人ノ家ニ出入スル場合ニ於テ前項ノ制限ニ適合スヘキ道路ナキトキハ五町以内ニ限リ警察官ノ承認ヲ受クルコトナク出入ニ必要ナル道路ヲ通行スルコトヲ得

第一項ノ幅員ハ歩道、車馬道ノ區別アル道路ニ在リテハ車馬道ノ幅員トス

前三項ノ規定ハ「サイドカー」附自動自轉車其ノ他之ニ類スル自動車ニ之ヲ適用セス

第三條　自動車ノ速度ハ市街地ニ在リテハ一時間二十哩、其ノ他ノ地ニ在リテハ二十五哩ヲ超ユルコトヲ得ス但シ「サイトカー」附自動自轉車其ノ他之ニ類スル自動車ノ速度ハ幅員二間未滿ノ道路ニ在リテハ十五哩ヲ超ユルコトヲ得ス

第四條　自動車ノ構造裝置ハ左ノ各項ニ該當スルコトヲ　ス但シ道知事ノ許可ヲ受ケタルトキハ第一號及第二號ニ依ラサルコトヲ得

一　車輛ハ全長十八尺二寸全幅七尺高サ十尺以上タルコト
二　轍ハ護謨製ノモノタルコト
三　各獨立ニ作用スヘキ二箇以上ノ制動機ヲ備フルコト
四　變速機、換向機、速度計及警音器ヲ備フルコト
五　蒸氣ヲ用ヰルモノニ在リテハ壓力計及水準計ヲ備フルコト
六　運轉ニ際シ甚シキ騷響ヲ發シ又ハ有臭若ハ有害ノ瓦斯若ハ煤煙ヲ多量ニ發散セサル構造タルコト
七　車輛ノ重量八百封度以上ノモノニ在リテハ短半徑ヲ以テ容易ニ方向ヲ轉シ且逆行シ得ヘキモノタルコト
八　車輛ノ前面ニハ二箇以上後面ニハ一箇以上ノ燈火ヲ備フルコト

九　前面燈火ハ車輛ノ左右兩端ニ之ヲ取附ケ前方十五間ノ距離ニ於テ地上四尺以下ヲ照射スヘキ光力ヲ有スルモノタルコト

十　後面燈火ハ兩面燈トシ車輛番號ヲ照射スヘキ方面ハ無色「レンズ」後方ヲ照射スヘキ方面ハ赤色「レンズ」ヲ用ヰ且運轉ノ座席ヨリ消燈シ得サル装置ヲ以テ之ヲ取附ケ三十間以上ノ距離ニ於テ明瞭ニ車輛番號ヲ認メ得ヘキ光力ヲ有スルモノタルコト

十一　第十三條ニ規定スル營業ノ用ニ供スル自動車ハ乘客一人ニ付幅一尺二寸以上ノ客座ヲ有スルコト

「サイドカー」附自動自轉車其ノ他之ニ類スル自動車ニ付テハ車輛重量八百封度、全長八尺ノ全幅五尺五寸未滿ノモノニ限リ道知事ノ許可ヲ受ケ前項ノ規定ニ依ラサルコトヲ得

自動自轉車（「サイドカー」附ノモノ及之ニ類スルモノヲ除ク）ノ構造装置ハ第一項第三號及第六號ニ該當スルコトヲ要ス

第五條　自動車ヲ使用セムトスル者ハ左ノ各號ノ事項ヲ具シ第十三條ニ規定スル營業ノ用ニ供スルモノニ在リテハ主タル營業所所在地其ノ他ノモノニ在リテハ主タル使用地ヲ管轄スル道知事ニ願出テ檢査ヲ受クヘシ

一　住所氏名生年月日（法人ニ在リテハ其ノ名稱、事務所所在地、代表者ノ住所、氏名）
二　使用ノ目的（營業用又ハ自家用ノ別）
三　車輛ノ種類（乘用又ハ貨物用ノ別）及名稱
四　車輛ノ構造、寸法及重量
五　原動機ノ種類、名稱、馬力數及構造ノ概要
六　制動機、變速機及警音器ノ種類及箇數
七　乘車定員又ハ積載定量
八　製造者ノ氏名又ハ名稱及製造ノ年

第六條　前條ノ檢査ニ合格シタルトキハ車輛番號ヲ定メ自動車檢査證ヲ交付ス

自動車檢査證ハ車內睹易キ箇所ニ之ヲ標示スヘシ

第七條　車輛番號ハ車輛ノ前面及後面ノ各中央部ニ之ヲ標示スヘシ但シ車輛ノ構造上之ニ依ルコト能ハサル場合ニ於テハ道知事ノ許可ヲ受ケ他ノ場所ニ之ヲ標示シ又ハ前面番號ヲ省略スルコトヲ得

車輛番號ハ左ノ各號ニ依リ黑地ニ白色ノ亞拉比亞數字ニテ方形ノ標板ニ之ヲ記載スヘシ但シ「サイドカー」附自動自轉車其ノ他之ニ類スル自動車ニ在リテハ文字ノ寸法ヲ二分ノ一以上ト爲スコトヲ得

一　前面番號ニ文字ノ大サ五分、幅二寸四分、高サ三寸、間隔六分以上
二　後面番號ハ文字ノ大サ六分　幅三寸二分、高サ四寸、間隔八分以上

車輛番號ニハ道知事ノ定ムル道ノ記號ヲ冠セシムヘシ但シ文字ハ前項第一號ノ寸法ノ二分ノ一以上トナスコトヲ得

第八條　第五條ノ規定ニ依リ檢査ヲ受クル爲自動車ヲ運轉スル場合ニ於テハ檢査通知書ヲ携帶スヘシ

第九條　前條ノ場合ヲ除クノ外試運轉其ノ他ノ事由ニ因リ檢査證ナキ自動車ヲ運轉セムトスル者ハ左ノ各號事項ヲ具シ所轄警察署長ニ願出テ許可ヲ受クヘシ

一　住所、氏名（法人ニ在リテハ其ノ名稱、事務所所在地、代表者ノ住所、氏名）
二　運轉ノ目的
三　運轉ノ日時、場所
四　運轉手ノ氏名
前項ニ依リ自動車ノ運轉ヲ許可スルトキハ許可證票ヲ交付ス
前項ノ許可證票ハ自動車ノ運轉ニ際シ車輛ノ前面及後面ノ各中央部ニ之ヲ標示スヘシ
許可證票ハ運轉終了後速ニ之ヲ返納スヘシ

第十條　第六條ノ自動車檢査證ノ交付ヲ受ケタル者自動車ノ左ノ各號ノ一ニ該當スル部分ヲ改造シ又ハ大修繕ヲ爲シタルトキハ第五條ノ區分ニ從ヒ道知事ニ願出テ檢査ヲ受クヘシ
一　原動機
二　爆發性又ハ可燃性物ノ容器
三　氣筩及曲柄
四　制動機、變速機及換向機
五　電氣裝置（電路ヲ除ク）
六　車臺
七　車體

第十一條　道知事ハ毎年四月及十月自動車ノ定期檢査ヲ行フ但シ必要ト認ムルトキハ臨時檢査ヲ行フ

第十二條　前二條ノ檢査ニ合格セサルトキハ道知事ハ自動車ノ使用ヲ禁止又ハ制限スルコトヲ得
前項ニ依リ自動車ノ使用ヲ禁示セラレタルトキハ自動車檢査證ヲ返納スヘシ

第十三條　自動車ニ依ル運送業又ハ自動車ノ賃貸業ヲ營マムトスル者ハ左ノ各號ノ事項ヲ具シ主タル營業所所在地ヲ管轄スル道知事ニ願出テ許可ヲ受クヘシ
一　本籍住所氏名生年月日（法人ニ在リテハ其ノ名稱、事務所所在地代表者ノ住所氏名）
二　營業ノ種別（乘合自動車營業、貨物自動車營業、賃貸自動車營業ノ別）
三　營業所
四　運賃又ハ賃貸料
五　營業開始年月日
六　一年間ノ收支概算
一定ノ路線又ハ區間ニ依ル自動車運送營業ノ願書ニ在リテハ前項各號ノ事項ノ外左ノ各號ノ事項ヲ記載スヘシ
一　營業路線又ハ營業區間
二　發着所、停留所、發着時間
三　車輛ノ構造ノ概要
第一項第二號乃至第四號又ハ前項第一號若ハ第二號ノ事項ヲ變更セムトスルトキハ道知事ニ願出テ許可ヲ受クヘシ

第十四條　前條ニ規定スル營業ヲ讓受ケムトスル者ハ當事者連署ノ上主タル營業所所在地ヲ管轄スル道知事ニ願出テ許可ヲ受クヘシ但シ連署スルコト能ハサルトキハ其ノ事由ヲ附記スヘシ
相續ニ因リ前條ニ規定スル營業ヲ承繼セムトスルトキ亦前項ニ同シ

第十五條　第十三條ニ規定スル營業者三輛以上ノ車輛ヲ格納スヘキ車庫ヲ建設セムトスルトキハ願書ニ構造ノ概要及圖面並其ノ位置及四隣ノ狀況ヲ明ニシタル見取圖ヲ添附シ建設地ヲ管轄スル警察署長ニ願出テ

許可ヲ受クヘシ其ノ位置又ハ構造ヲ變更セムトスルトキ亦同シ
市街地建築取締規則ニ依リ許可ヲ受クル場合ニ於テハ前項ノ規定ヲ適用セス

第十六條 自動車ノ運轉手タラムトスル者ハ願書ニ履歴書、戸籍又ハ民籍ノ抄本及寫眞二葉ヲ添付シ道知事ニ願出テ免許ヲ受クヘシ
左ノ各號ノ一ニ該當スルモノハ前項ノ免許ヲ受クルコトヲ得ス
一 十八歳未滿ノ者
二 精神病者、聾者、啞者又ハ盲者
三 前各號ノ外道知事ニ於テ不適當ト認ムル者
第一項ノ免許ヲ願出テタル者ニ對シテハ試驗ヲ行ヒ其ノ試驗ニ合格シタル者ニ對シ自動車運轉手免許狀ヲ交付ス但シ出願者ノ履歴ニ徴シ試驗ヲ行フ必要ナシト認ムルトキハ試驗ヲ省略スルコトヲ得
自動者運轉手免許證ハ五年間各道ニ於テ其ノ效力ヲ有ス

第十七條 前條第三項ノ試驗ハ自動車ノ構造裝置、運轉竝自動車取締及道路取締ニ關スル法令ニ就キ之ヲ行フ

第十八條 自動車ノ運轉手ヲ雇入レタル者ハ五日内ニ運轉手ノ住所氏名ヲ具シ自動車運轉手免許證ノ寫ヲ添ヘ第十條ニ規定スル營業者ニ在リテハ主タル營業所所在地其ノ他ノ者ニ在リテハ主タル使用地ヲ管轄スル道知事ニ屆出ツヘシ

第十九條 左ノ各號ノ一ニ該當スルトキハ五日内ニ第十三條ニ規定スル營業者ニ在リテハ主タル營業所所在地、其ノ他ノ者ニ在リテハ主タル使用地ヲ管轄スル道知事ニ屆出ツヘシ但シ第二號ノ場合ニ於テハ戸主又ハ家族ヨリ第三號ノ場合ニ於テ自動車ノ讓受ニ係ルトキハ讓渡人ト連署シテ之ヲ屆出ツヘシ
一 營業ヲ開始シ又ハ廢止シタルトキ
二 營業者又ハ自家用自動車使用者死亡シ又ハ行衞不明ト爲リタルトキ
三 自動車ヲ讓受ケ又ハ相續シタルトキ
四 自動車ノ使用ヲ廢止シタルトキ
五 自動車ノ運轉手死亡シ、行衞不明ト爲リ又ハ之ヲ解雇シタルトキ
前項第三號又ハ第四號ノ屆書ニハ自動車檢査證ヲ添附スヘシ

第二十條 左ノ各號ノ一ニ該當スルトキハ道知事ニ願出テ自動車檢査證又ハ自動車運轉手免許證ノ書換又ハ再交付ヲ受クヘシ
一 自動車檢査證又ハ自動車運轉手免許證ヲ滅失、毀損シタルトキ
二 第十三條ニ規定スル營業者又ハ自家用自動車使用者住所氏名ヲ變更シタルトキ
三 運轉手本籍住所又ハ氏名ヲ變更シタルトキ
四 自動車ノ定員又ハ定量ヲ變更シタルトキ
前項ノ願書ニハ滅失シタル場合ヲ除クノ外自動車檢査證又ハ自動車運轉手免許證ヲ添附スヘシ

第二十一條 一定ノ路線ニ依リ乘合自動車營業ヲ爲ス者休業セムトスルトキハ主タル營業所所在地ヲ管轄スル警察署長ニ願出テ許可ヲ受クヘシ但シ許可ヲ受クルノ遑ナキトキハ此ノ限ニ在ラス
前項但書ノ場合ニ於テハ休業後遲滯ナク之ヲ屆出ツヘシ

第二十二條 第十三條ニ規定スル營業者ハ左ノ各號ノ事項ヲ遵守スヘシ
一 自動車檢査證ヲ貸與シ又ハ之ヲ他ノ車輛ニ使用セサルコト

二　輛車ニハ運賃又ハ賃貸料及運轉手ノ氏名ヲ車內睹易キ箇所ニ掲示スルコト
三　運轉ノ際ハ轍其ノ他應急修理ニ必要ナル物品ヲ備フルコト
四　自動車運轉手免許證ヲ有セサル者ニ運轉セシメサルコト
五　名義ノ如何ニ拘ラス定額外ノ運賃又ハ賃貸料ヲ請求セサルコト
六　警察官ノ承認ヲ受ケタル場合ヲ除クノ外定員又ハ定量ヲ超過シテ乘車セシメ又ハ積載セサルコト
七　警察官ノ承認ヲ受ケタル場合ヲ除クノ外乘客ノ嫌忌スヘキ物品又ハ交通ノ障碍ト爲ルヘキ物品ヲ積載セサルコト
八　故ナク乘車ノ請求ヲ拒ミ又ハ所定ノ發車時刻ヲ變更セサルコト
九　許可ヲ受ケタル路線又ハ區間外ニ於テ運轉セサルコト

第二十三條　前條第一號、第四號、第六號及第七號ノ規定ハ自家用ノ自動車ヲ使用スル者ニ之ヲ準用ス

第二十四條　運轉手ハ就業中左ノ各號ノ事項ヲ遵守スヘシ
一　第二十二條第五號第九號ノ事項
二　濫ニ發著所又ハ停留所以外ニ停車セサルコト
三　故ナク乘客ニ對シ下車又ハ乘換ヲ要求セサルコト
四　酒氣ヲ帶ヒ又ハ喫煙セサルコト
五　自動車運轉手免許證ヲ貸與セサルコト
六　自動車運轉手免許證ヲ携帶シ警察官又ハ乘客ノ請求アリタルトキハ直ニ之ヲ提示スルコト
七　警察官停車ヲ命シタルトキハ直ニ之ニ應スルコト
八　街角、橋上、坂路其ノ他危險ノ虞アル場所ハ警音ヲ發シ徐行スルコト
九　步行者、牛馬、諸車ヲ追越サムトスルトキハ必要ニ應シ警音器ヲ鳴ラシ運轉スルコト
十　牛馬ヲ驚逸セシメサル樣注意スルコト
十一　規定ノ光力ヲ有スル燈火ヲ用井ルコト
十二　二輛連續通行スルトキハ後車ハ前車ニ對シテ十間以上ノ距離ヲ保ツコト
十三　濫ニ運轉手臺ヲ離ルヘカラサルコト但シ停車中其ノ位置ヲ離ルルトキハ危險防止ノ措置ヲ爲スコト
十四　二輛以上竝行セサルコト

第二十五條　自動車ニ依リ人ヲ傷害又ハ物件ヲ損壞シタルトキハ運轉手ハ直ニ其ノ運轉ヲ停止スヘシ
前項ノ場合ニ於テ運轉手其ノ他ノ從業員ハ被害者ノ救護其ノ他ニ付應急ノ措置ヲ爲スヘシ但シ警察官在ルトキハ其ノ指示ニ從フヘシ
運轉手其ノ他ノ從業員ハ前項ノ措置ヲ了シ自己及自動車使用者ノ住所氏名及車輛番號ヲ警察官又ハ被害者若ハ同伴者ニ申告シタル後ニ非サレハ運轉ヲ繼續スルコトヲ得ス
前項ノ場合ニ於テ警察官在ラサルトキハ遲滯ナク事故發生地ヲ管轄スル警察署長ニ屆出ツヘシ
乘用者ハ運轉手其ノ他ノ從業者カ前四項ノ措置ヲ爲スニ付之ヲ妨クルコトヲ得ス

第二十六條　乘合自動車ノ乘客ハ左ノ各號ノ事項ヲ遵守スヘシ
一　車內ニ於テ喫煙セサルコト

二　行進中ニ乘降セサルコト

三　車内ニ於テ放歌喧噪シ其ノ他他人ノ迷惑ト爲ルヘキ行爲ヲ爲ササルコト

第二十七條　自動車自轉車「サイドカー」附又モノ及之ニ類スルモノヲ除クニ付テハ第二條第五條乃至第二十三條及其ノ罰則ハ之ヲ適用セス

第二十四條第七號乃至第十號第二十五條ノ規定及其ノ罰則ハ前項ノ自動自轉車ヲ運轉スルモノニ之ヲ準用ス

第一項ノ自動自轉車ニハ本令ニ定ムルモノノ外自轉車取締規則ヲ準用ス

第二十八條　道知事ハ左ノ各號ノ一ニ該當スルトキハ第十三條ノ規定ニ依ル營業ヲ停止若ハ制限シ又ハ其ノ許可ヲ取消スコトヲ得

一　正當ノ事由ナクシテ許可ノ日ヨリ六月内ニ營業ヲ開始セス又ハ休業六月以上ニ亘ルトキ

二　營業ヲ繼續スルニ適セスト認メタルトキ

三　營業許可ノ條件ニ違反シタルトキ

四　公安上危害ヲ生スルノ虞アリト認メタルトキ

五　本令ノ規定ニ違反シタルトキ

第二十九條　道知事ハ左ノ各號ノ一ニ該當スルトキハ運轉手ノ免許ヲ取消シ又ハ其ノ就業ヲ停止スルコトヲ得

一　自動車ニ依リ人ヲ傷害シ又ハ物件ヲ損壞シタルトキ

二　第十六條第二項第二號又ハ第三號ニ該當スルニ到リタルトキ

三　本令ノ規定ニ違反シタルトキ

第三十條　警察署長ハ交通取締上其ノ他必要アリト認ムルトキハ第九條ニ依ル自動車運轉ノ許可証ヲ取消シ又ハ第十三條ニ規定スル營業者、自家用自動車使用者若ハ運轉手ニ對シ必要ナル指示ヲ爲スコトヲ得

營業用ノ自動車ニシテ運轉上危害ヲ生スルノ虞アリト認メタルトキハ警察署長ハ其ノ使用ヲ制限又ハ停止スルコトヲ得

第三十一條　本令ニ依リ道知事ニ提出スル願書又ハ届書ハ第十三條ニ規定スル營業者ニ在リテハ主タル營業所所在地、其ノ他ノ者ニ在リテハ主タル使用地ヲ管轄スル警察署長ヲ經由スヘシ

第三十二條　本令ニ依リ提出スル願書又ハ届書ハ民法第六條第一項又ハ第十五條ノ規定ニ依ル未成年者又ハ妻ヲ除クノ外未成年者ニ在リテハ法定代理人、準禁治産者又ハ妻ニ在リテハ保佐人又ハ夫ノ連署ヲ要ス

但シ運轉手ノ提出スルモノニ在リテハ此ノ限ニ在ス

第三十三條　第五條、第十三條第一項第三項、第十四條、第十六條第一項若ハ第二十五條ノ規定ニ違反シ又ハ第十二條第一項、第二十八條若ハ第二十九條ノ規定ニ依ル處分ニ違反シタル者ハ三月以下ノ懲役若ハ百圓以下ノ罰金又ハ拘留若ハ科料ニ處ス

第三十四條　第二條第一項、第三條、第六條第二項、第七條乃至第十條第十二條第二項、第十五條、第十八條乃至第二十四條、第二十六條ノ規定若ハ第三十條ノ規定ニ依ル處分、指示ニ違反シ又ハ第十一條ニ依リ道知事ノ定メタル檢査期日ニ自動車ノ檢査ヲ受クルコトヲ怠リタル者ハ五十圓以下ノ罰金又ハ拘留若ハ科料ニ處ス

第三十五條　第十三條ニ規定スル營業者ハ其ノ代理人、戸主、家族、同居人、雇人其ノ他ノ從業者カ其ノ營業ニ關シ本令又ハ本令ニ依ル處分指示ニ違反シタルトキハ自己ノ指揮ニ出テサルノ故ヲ以テ處罰ヲ免ル

ルコトヲ得ス

前項ノ規定ハ自家用ノ自動車ヲ使用スル者ニ準用ス

第三十六條　法人ノ代表者其ノ他ノ從業者法人ノ業務ニ關シ本令ノ規定ニ違反シタルトキハ其ノ罰則ハ之ヲ法人ニ適用ス

法人ヲ處罰スヘキ場合ニ於テハ法人ノ代表者ヲ以テ被告人トス

附　則

第三十七條　本令ハ大正十年七月十五日ヨリ之ヲ施行ス

第三十八條　大正四年警務總監部令第六號自動車取締規則ハ之ヲ廢止ス

第三十九條　本令施行前下付セラレタル自動車使用免許證ハ本令ニ依リ之ヲ交付セラレタル自動車檢査證ト看做ス

本令施行前交付セラレタル自動車運轉許可證ハ本令ニ依リ交付セラレタル自動車運轉手免許證ト看做ス但シ其ノ效力ハ本令施行ノ日ヨリ五年トス

前二項ノ外舊令ニ依ル許可處分手續其ノ他ノ行爲ニシテ本令中之ニ相當スル規定アル場合ニ於テハ本令ニ依リ之ヲ爲シタルモノト看做ス

第四十條　本令施行前第十五條ニ規定スル車庫ヲ建設シタル營業者ハ本令施行ノ日ヨリ一月内ニ第十五條ニ依ル書類及圖面ヲ添附シ管轄警察署長ニ屆出ツヘシ

四四　自轉車取締規則

大正十年七月
總令第百十三號

第一條　道路ニ於テ自轉車ヲ使用スルトキハ他人ニ警戒ヲ與ヘ得ヘキ警鈴其ノ他ノ音響器ヲ車體ニ装置スヘシ

第二條　夜間道路ニ於テ自動車ヲ使用スルトキハ車體ノ前面ニ燈火ヲ装置スヘシ

第三條　轉車ノ所有者又ハ占有者ハ十二歳未滿ノ者ヲシテ道路其ノ他公衆ノ妨害ト爲ルヘキ場所ニ於テ乘車セシムルコトヲ得ス

第四條　自動車ヲ使用スルモノハ左ノ各號ヲ遵守スヘシ

一　車體ノ構造ニ依リ定マリタル人員ノ外乘車セシメサルコト

二　乘客中ハ兩手ヲ同時ニ把手ヨリ離サルコト

三　雜沓若ハ狹隘ノ場所又ハ街角、橋上、坂路其ノ他通行ノ妨害ト爲リ若ハ危險ノ虞アル場所ニ於テハ下車シ又ハ音響器ヲ鳴ラシテ徐行スルコト

四　道路其ノ他公衆ノ妨害ト爲ルヘキ場所ニ於テ乘車ノ練習又ハ競走若ハ曲乘ヲ爲サルコト

五　軍隊、學生、生徒又ハ祭典、葬儀等ノ列伍ヲ濫ニ横斷セサルコト

六　軌道ニ依ル諸車ノ行進ニ對シテハ軌道外ニ之ヲ避ケ軌道ヲ横切ラムトスルトキハ其ノ諸車ノ通過ヲ待チテ行進スルコト

七　警察官ニ於テ擧手其ノ他ノ方法ヲ以テ停車ヲ命シタルトキハ直ニ停車スルコト

第五條　自轉車ニ物品ヲ積載スルトキハ左ノ制限ニ從フヘシ

一　二輪車ニ在リテハ長サ二尺幅一尺五寸高サ地上三尺五寸以下

二　三輪以上ノ自轉車ニ在リテハ長サ二尺五寸幅車體ノ幅員迄高サ地上四尺以下

第六條　市街地ノ道路ニ於テ自轉車ヲ使用スル者ハ左ノ各號ヲ遵守スヘシ
一　運轉ヲ停止シ得ヘキ制動機ナキ自轉車ヲ使用セサルコト
二　自轉車ヲ並行セサルコト
三　脛ノ半以上ヲ露ハシテ乘車セサルコト
四　通行者ニ危害ヲ及ホスヘキ物品ヲ携帶シテ乘車セサルコト
第七條　警察署長必要アリト認ムルトキハ自轉車ノ檢査ヲ爲シ又ハ其ノ使用ノ制限ヲ爲スコトヲ得
警察官ハ自轉車ノ使用ニ熟達セサル者ニ對シ市街地ノ道路ニ於ケル乘車ノ制限ヲ爲スコトヲ得
第八條　第一條乃至第六條ノ規定ニ違反シタル者又ハ第七條ノ規定ニ依ル檢査ヲ拒ミ又ハ使用若ハ乘車ニ關スル制限ニ違反シタル者ハ拘留又ハ科料ニ處ス

附　則

本令ハ大正十年七月十五日ヨリ之ヲ施行ス
大正六年朝鮮總督府警務總監部令第一號自轉車取締規則ハ之ヲ廢止ス

第六章　作業

一　作業規程設定ノ件

大正五年八月
司法部長官監第八百五十九號

先般典獄會同ノ際ニ於ケル提出意見中詮議又調査スヘキ旨內示アリタル分ニ對シ左記ノ通決定相成候條依命此段及通牒候也

左記(抄)

二　作業規程設定ノ件

決定適當ノ時機ニ至ル迄詮議セス

但シ製作ノ命令及成工ノ手續、作業品ノ取扱、作業收支ノ精算等ニ付テハ從來ノ取扱例ニ依リ相當處理スヘシ

二　試行ニ係ル作業報告ニ關スル件

大正十一年七月
法務局長

各監獄典獄宛

試驗的ニ作業ヲ施行スルニ當リ何等ノ報告ヲ爲サス又ハ試行開始後久シキニ渉ルモ新設ノ手續ヲ爲ササル向モ有之差支不尠候條爾今作業ヲ試行セラルル場合ニ於テハ左記ニ依リ取扱相成度及通牒候也

記

一　試業開始ノ場合ハ其ノ都度業種、施行方法、就業ノ場所、就業者ノ種類、人員、科程、工錢、食糧、開始年月日、試業ノ期間及收支ニ關スル意見ヲ具シ報告スルコト

二　試行期間ハ長クモ六ケ月ヲ超ユヘカラサルコト

三　試行開始後滿五ケ月ニ達シタルトキハ其成績及將來官司業、委託業、請負業トシテ施行スヘキ見込ノ有無ニ關スル意見等ヲ具シ報告シ新設ニ適當ナリト認ムルモノニ付テハ認可申請ノ手續ヲ爲スコト

四　試行期間中ト雖新設ノ程度ニ達シタルトキハ直ニ認可申請ノ手續ヲ爲シ又試行ヲ見合セタルトキハ其都度報告スルコト

五　現在試行中ノ作業ニシテ前三項ニ該當スルモノアルトキハ速ニ相當手續ヲ爲スコト

三　日曜日ノ作業ニ關スル件

大正十一年六月
監第三十三號
法務局長

各監獄典獄宛

大正三年七月刑第七四四號通牒首題ノ件自今日曜日ノ作業ハ隔日曜全業全休ノ事ニ決定相成候條依命及通牒候也

四　日曜日ノ作業ニ關スル件

大正三年七月
刑第七百四十四號通牒
司法部長官

自今日曜日ノ敎誨ハ午後ニ於テ施行シ午前中ハ作業ニ從事セシムル樣取計相成度此段及通牒候也

五　日曜日ノ作業ニ關スル件

大正十一年六月
監第三十三號

法務局長

各監獄典獄宛

大正十一年六月二十日附監第三三號ヲ以テ通牒致置候首題ノ件從來日曜日ノ午後ハ教誨施行ノ爲メ休業セシメ半日ノ就業ハ準備及整理等ニ時間ト勞力ヲ要シ就業時間ノ割合ニ成績擧ラサルノミナラス午後ニ於ケル教誨ハ身体疲勞シ居レルヲ以テ倦怠ヲ來サシメ殊ニ夏期ニ於テハ炎暑ノ爲反テ苦痛ヲ感セシムルコトトナリ且戒護ノ任ニ當ル看守ハ殆ト全日勤務セシメサルヘカラサル狀態ナルヲ以テ此等ノ事情ヲ斟酌シ從來ノ半日就業ヲ隔日曜全業全休ニ改メラレタル次第ニ有之候條左記事項御了知ノ上施行上遺憾ナキヲ期セラレ度及通牒候也

追テ日曜日カ監獄法第二十五條第一項及第三項ノ免業日ニ當ルトキハ其ノ日ヲ除キ前後ノ日曜日ニ依リ全業全休ノ順序ヲ定ムヘキ義ニ有之候條御了知相成度爲念申添候

記

一　全休日ハ午前中ニ教誨ヲ施行シ午後ハ信書ノ作成入浴等ノ時間ニ充ツルコト

二　日曜日教誨度數ノ減少ハ休憩時間ヲ利用シ工場教誨又ハ個人教誨ヲ施行シテ之ヲ補ヒ以テ教誨ノ周到ヲ期スルコト

三　全業日ニ於テハ一層作業ノ督勵ヲ爲シ能率增進ニ努ムルコト

四　全休日ニ於ケル職員ノ配置ハ力メテ節約ヲ爲シ休暇ノ配置ヲ多カラシムルノ方法ヲ講シ勤勞ノ緩和ヲ圖ルコト

六　委託業ニ關スル件

大正七年七月
監第一千百六十九號
司法部長官

（抄）

公州監獄提出意見ニ對スル決議

委託者ニ於テ素品ノ一部ニテモ提供シタルモノハ委託業トシテ取扱フコト

決議ニ對スル司法部長官意見

委託者ニ於テ主要材料ヲ提供シタルモノニ限リ委託業トシテ取扱フヲ妥當ト認ム

七　作業ノ新設又ハ受負作業ニ關スル認可申請書ニ關スル件

大正二年
典獄會議指示

監獄作業ノ新設又ハ受負作業ニ關スル認可ノ申請書ニハ從前ノ例ニ依リ記載スル事項ノ外左ノ事項ヲ記載スヘシ

イ　業名ノミニ依リ其ノ業體ヲ知悉シ難キモノニ付テハ其ノ解説

ロ　新設ノ作業ニ付テハ其ノ就業者ニ給スル糧食ノ分量

ハ　新ニ受負契約ヲ結ヒ又ハ之ヲ更新スル場合ニ於テ從來ノ見積工錢ニ對比シ增減ノ差アルトキハ其ノ理由

八　監獄傭夫ノ使用人員減少ニ關スル件

大正二年
典獄會議指示

監獄傭夫ニ付テハ本分監相當ノ定員ヲ設ケ且ツ其ノ督勵ヲ嚴ニシテ成ル

ヘク使役人員ヲ減シ之ヲ他ノ作業ニ就カシムヘシ

九　監傭夫ノ選擇ニ注意ヲ要スヘキ件

大正七年
典獄會議注意

監傭夫ノ適否ハ一般紀律上ニ影響ヲ及ホスコト尠カラサルヲ以テ其ノ選擇ハ最モ注意ヲ要スヘキモノナルニ往往此ノ用意ヲ缺キ行狀不良ノ判定アル者等ヲ選擇スル向アリ各位ハ監傭夫ノ選擇ニ付更ニ一段ノ注意ヲ加ヘ之カ適正ヲ期セラレタシ

一〇　理髮工新設ニ關スル件

大正七年十二月
監千六百八十一號

司法部長官

大邱覆審法院檢事長宛

本年一月十四日附檢第一五五號ヲ以テ首題ノ件御照會ニ對シ曩ニ及回答置候次第モ有之候處右ハ充分ナル取締ノ下ニ施行相成候ハ差支無之ト思料候條御了知相成度爲念此段及通牒候也

一一　理髮工新設ニ關スル件

大正七年一月
監第六五號回答

司法部長官

大邱覆審法院長檢事宛

一月十四日附檢發第一五五號照會首題ノ件ハ貴見ノ通御取計可然ト思料候條此段及回答候也

一二　理髮工新設ニ關スル件

大正七年一月檢發
第百五十五號照會

大邱覆審法院檢事長

司法部長官宛

大邱監獄典獄ヨリ作業工錢ノ增收ヲ圖リ一面監獄職員ノ理髮ヲ勵行セントスル趣旨ニ於テ委託業理髮工新設方申請致來候處右ハ紀律保持上不許可ノ見込ニ有之候得共爲念一應御高見承知致度此段及照會候也

一三　在監者請負工事出役ニ關スル件

大正二年
典獄會議指示

官廳又ハ公共團體ノ經營ニ依ル工事等ニ在監者ヲ使役スル場合往往工事請負人ノ傭役ニ付スル向アリ右ハ成ルヘク直接ニ官廳又ハ公共團體ニ交涉シテ出役セシムルコトト爲スヘシ

一四　共進會出品物ニ關スル件

大正四年五月
法發十二號

司法部長官

咸興監獄典獄宛

四月二十八日附發第五八八號ヲ以テ照會相成候共進會出品物中委託作業ニ係ルモノハ整理上監獄ニ購入スルコトナク委託製品トシテ出品候方可然此段及回答候也

追テ本件ノ物品ヲ購入スルノ必要アラハ其ノ經費ノ支出科目及物品整

理ハ御意見ノ通又共進會出品ニ關スル注意事項中ノ五及十ニ要スル費用ハ何レモ臨時費通信運搬費ヨリ支出可然モ右購入ノ上出品シタルモノヲ賣却品トナスハ穩當ナラスト思考候爲念申添候

共進會出品物費用ノ件

大正四年四月發第五百八十八號
咸興監獄典獄照會

司法部長官宛

當監獄本分監ヨリ共進會出品物中委託作業ニ係ル物品ハ一旦監獄ヘ購入ノ上出品スルヲ以テ穩當ト認メ候處右購入ニ要スル費用ハ就役費ヲ以テ支辨シ差支ヘ無之哉又共進會出品ニ關スル注意事項五ニ要スル費用竝同十ノ運賃ハ何レモ臨時費備品費又ハ通信運搬費ヲ以テ支辨シ差支無之候哉目下差掛居候條及照會候也

追テ物品整理トシテ本府及所屬官署事務章程第百五十條第二類作業品器具機械ノ部ニテ整理差支ヘ無之哉申添候也

一五　監獄作業中危險豫防ニ關スル件

大正二年
典獄會議指示

近來監獄作業ニ從來スル受刑者中往々危險ニ遭遇スルモノアリ將來危險ノ虞レアル作業ニ從事セシムル場合ニ於テハ典獄又ハ看守長ニ於テ現場ヲ調査シ危險豫防ニ付遺算ナキヲ期スヘシ

一六　監獄作業ノ指導、督勵ニ關スル件

大正四年
典獄會議訓示

監獄作業ニ付テハ數次訓示スル所アリ各位ハ其ノ發達擴張ヲ圖ルニ於テ遺漏ナカルヘシト雖各囚就業ノ成績ニ至リテハ未タ稱スルニ足ルモノ鮮シ爾後各位ハ業種ノ選擇ニ付一段ノ工夫ヲ凝ラスト同時ニ平素克ク就業ノ狀況ヲ監視シ科程ヲ勵行シ懇切ナル指導ト嚴正ナル督勵トヲ加ヘ以テ成績ノ進歩ヲ促スヘシ然レトモ將ニ其ノ地方ニ興ラムトル工業ヲ阻碍セサルニ注意スルヲ要ス尙今回始政五年共進會ノ開設ニ方リ囚徒ノ作品ヲ出陳セシメントスルハ現今ニ於ケル監獄作業ノ一班ヲ世上ニ示シ併テ其ノ發達ニ資セントスルニ在ルカ故ニ徒ラニ華ヲ競ヒ巧ヲ衒ヒ一時ノ耳目ヲ惹カムカ爲メ故ラニ精巧ノ品種ヲ製作出陳スルカ如キハ本會開設ノ旨趣ニ非ラサルノミナラス却テ世人ヲシテ監獄作業ノ眞相ヲ誤ラシムルノ虞レアリ各位ハ特ニ此ノ意ヲ體シ品種ノ選擇蒐集ヲ爲スコトヲ要ス

一七　作業ノ施設ニ關スル件

大正四年
典獄會議指示

作業ノ振張ヲ圖リ若クハ經費節約ノ方法ヲ講スルハ何レモ緊要ノ事項タルヲ失ハスト雖行刑ノ效果ニ付亦大ニ顧慮セサルヘカラス故ニ此等ニ關スル施設ヲ爲サムトスルニ當リテハ單ニ一面ノ利益ニノミ趨ラス深ク諸般ノ關係ヲ調査シテ之ヲ實行シ以テ行刑ノ本旨ニ戻ラサラムコトニ注意スヘシ

一八　監獄作業ノ種類目的ニ關スル件

大正二年
典獄會議訓示

監獄作業ニ付テハ從來數次其ノ發達擴張ヲ促シタル所ニシテ近時殆ト四

徒全部ノ就業ヲ見ルニ至レルハ甚タ喜フヘシ抑監獄ニ於テ作業ヲ强制督勵スル所以ノモノハ就業者ヲシテ精神及身体ノ全力ヲ勞役ニ傾注セシメ以テ放縱懶惰ノ惡習ヲ除去シ勤勉刻苦ノ氣風ヲ涵養シ獨立自營ノ良民ト爲スニ在ルカ故ニ作業ノ種類ハ主トシテ此ノ目的ニ適合スルモノタルヲ要ス尙業種ニ付テハ努メテ生産的ノモノヲ選ミ其ノ收利ノ增加ヲ圖ルノ注意ナカルヘカラス蓋シ犯罪者ハ概ネ恒産無キモノナルカ故ニ之レニ適當ナル業ヲ授ケテ習熟セシムルトキハ其ノ獨立ノ生計ニ資スルト共ニ再犯ヲ豫防スルニ足ルヘク又收利ノ增加ハ國庫ヲ益シ併セテ就業者ヲシテ勞働ノ價値ヲ認識シテ就業ノ趣味ト必要トヲ自覺セシムルニ至ルヘシ各位ハ敍上ノ趣旨ヲ體シ適當ナル作業ノ種類ヲ選擇スルト同時ニ督勵方法ノ周到ヲ圖リ以其ノ效果ヲ收メムコトヲ期スヘシ

一九　作業選擇ニ關スル件

大正五年
典獄會議注意

五　作業ノ選擇等ニ關シテハ從來數次訓示セラレタルコトアルモ今尙適當ナラサルモノアリ就中綱工、紙袋貼工及莨工ノ如キハ其ノ地方ニ於テ特ニ之ヲ必要トセル事情アラサル限ハ漸次之ヲ廢シテ他ノ業ヲ以テ之ニ代フルノ道ヲ講スヘク又將來ニ於テ新ニ作業ヲ設置スルニ當リテハ調査ノ愼密ヲ期シ成ルヘク勞働ノ强キ業種ヲ選擇シ監獄作業ノ本旨ニ適セシムルニ努メラレタシ

二〇　作業ノ督勵及發展ニ關スル件

大正六年
典獄會議指示

監獄作業ニ付テハ稍進境ニ在ルヲ認ムルモ尙不振ノ狀態ヲ脫スルヲ得サルヲ遺憾トス各位ハ宜シク業種ノ選擇ヲ適當ニシ督勵ノ方法ヲ講究シ其ノ發展ニ勗ムヘシ

二一　作業ノ新設就役費ヲ有利ニ運用スヘキ件

大正六年
典獄會議注意

作業ノ新設ニ當リテハ比較的經費ノ多額ヲ要スヘキハ勢ヒ已ムヲ得サルヘシト雖官司業中就役者ノ數ニ比シ常ニ經費ノ多額ニ上ルモノアリ斯作ル業ハ成ルヘク之ヲ避ケ就役費ヲ有利ニ運用スルコトニ努ムヘシ

二二　作業ノ成績向上ヲ計ルヘキ件

大正六年
典獄會議注意

數量科程作業終了者ハ概シテ逐年增加ノ率ヲ示スモ各監獄ニ於ケル成績ヲ對照スレハ別表ノ如ク著シキ相違アリ蓋シ作業操作ノ熟否ハ其ノ一因タルヘシト雖各位ハ宜シク科程ノ量定ヲ適實ニシ督勵其ノ宜シキヲ制シテ以テ作業成績ノ益良好ナラムコトヲ期セラレタシ

二三　業種ノ選擇工錢料定施業及督勵ノ方法ニ關スル件

大正七年
典獄會議注意

監獄作業ニ付テハ業種ノ選擇、工錢ノ料定、施業及督勵ノ方法ヲシテ今一層其ノ宜シキニ適ハシメムコトヲ期スルト共ニ左記各號ニ對シテハ萬難ヲ排シテ之カ實行ヲ期シ以テ作業ノ發展ヲ圖ルコトニ努メラレタシ

（一）監獄需用品中監獄作業ニ付シテ調製シ得ヘキ物品ハ民間又ハ内地監獄ヨリ購入設スルコトハ力メテ之ヲ避ケ自作自給スルコト

イ　業種ノ新ヲ要スル場合ニ於テ其ノ業カ若干ノ新設費、維持費及授業者ヲ必要トスルトキハ成ルヘク現ニ其ノ業ノ設置アル監獄又ハ材料ノ供給製品ノ運搬等ニ便利ニシテ授業手ノ設置アル監獄ノ專業ト爲シ各監獄ニ同一業種ヲ置クコトハ之ヲ避クルコト

ロ　各監獄ニ於テ製作シ得ヘキ監獄需用品ニ付テハ其ノ品目、形質、價格、運送料生産力及製作所要日數等ヲ記載シタル目錄ヲ作成シテ時時監獄間ニ交換シテ需給上相互ノ參考ト爲スコト

ハ　本項ノ實行ニ當リ目前ノ利害ヨリ打算スレハ監獄外ヨリ供給ヲ仰クヲ以テ得策トスル場合ナキニアラサルヘキモ作業ノ助長及後日ノ經濟ノ爲ニ多少ノ不便ハ之ヲ忍フコト

（二）軍隊、警察官署、郵便局、鐵道、病院及學校等ノ需用品ニシテ監獄作業ニ於テ引受供給シ得ヘキモノアラハ監獄ハ自ラ進ンテ當局ト機宜ノ協商ヲ遂ケ成ルヘク其ノ委託ヲ受クルコト

（三）各監獄現下ノ設備ニ於テ夜間作業ノ開始ハ多少困難ナル事情アルヘシト雖現在ノ設備ノ容ルス範圍ニ於テ一部分タリトモ成ルヘク之ヲ實行スルコト

二四　工場增築ニ關スル件

大正七年
典獄會議注意

各監獄ニ於ケル工場ハ就業者ノ增加ト作業ノ振興トニ伴ヒ益狹隘ヲ告ケ作業施行上支障鮮カラサルヘシト雖之カ增築ハ俄ニ望ムヘカラサルヲ以テ各位ハ宜シク業種、戒護、衞生等ノ關係ニ顧ミ適當ナリト認ムルトキハ屋外ニ天幕其ノ他應急ノ設備ヲ爲シテ工場ニ代用スヘク又藁工ノ如キ塵埃ノ飛散スル作業ハ成ルヘク之ヲ屋外ニ移シテ衞生上ニ資スルト共ニ一面工場利用ノ增加ヲ圖ラレタシ

二五　豚ノ飼養奬勵ニ關スル件

大正七年
典獄會議注意

監獄ニ於ケル豚ノ飼養ハ在監者ノ給養及經濟上ニ補益スルトコロ尠カラサルヲ以テ監獄ノ構外又ハ其ノ他相當ノ場所ヲ劃シテ之ヲ實行セムコトヲ望ム

二六　作業ノ新設及請負作業ノ契約ニ關スル件

大正十年
典獄會議指示

作業ノ新設及施行ノ迹ヲ觀ルニ往々其ノ成績佳良ナラサルモノアリ殊ニ官司業中作業擴張費ヲ以テ施行スル作業及煉瓦工ニ於テ最然ルモノアルヲ認ム、是主トシテ其ノ計畫ノ粗漫ナルカ若ハ生産費、市價及販路ノ調査不十分ナルニ基因セルヲ以テ將來之等ノ點ニ付遺漏ナキヲ期セラルヘク、又請負作業ノ工錢及監獄製作品ノ代金ノ滯納ニ因リ動モスレハ國庫ノ損失ヲ招ク虞アルモノアリ將來請負作業ヲ契約スルニ際シテニ必ス工錢滯納ノ場合ヲ保スルニ足ルヘキ相當保證金ヲ徴シ常ニ毎月ノ工錢納入ノ實狀ニ注意シ、又製作品ノ賣却ハ可成現金收入ヲ爲シ徴收上遺算ナキヲ期セラレムコトヲ望ム

二七　製作品委託販賣ノ件

大正六年十月
會第三千百三十四號
總務局長

咸興監獄典獄宛

八月十八日附發第一一三八號ヲ以テ申請ニ係ル製作品委託販賣ノ件認可難相成候條此段及通牒候也

製作品委託販賣ノ件

大正六年八月
監第千百三十八號照會
咸興典獄

朝鮮總督宛

當監官司業トシテ先般開始致候石細工ハ漸次進展ノ狀況ニシテ其ノ製作品販賣方ニ關シ一々購求者ノ希望者ノ應答ニ接スルハ頗ル繁ニ不堪候ニ付寧ロ確實ナル商人ヲシテ販賣セシムルヲ得策トシ之カ調査ヲ遂ケ候處咸興本町ニ於テ文房具類商店ヲ經營スル玉置省二ハ相當資産ヲ有スルモノニシテ身元確實ナル者ニ付同人ニ對シ當監評定ノ賣價ヲ以テ販賣セシムルコトトシ其取扱方法ハ豫メ該製作品ヲ交付シテ其ノ預リ證ヲ徵シ置キ隨時現品檢査ヲ行ヒ賣却濟ニ係ル代金ノミヲ一ケ月一回若ハ二回纒メテ徵收シ販賣手數料トシテ賣上高ノ一割ヲ給與シ以テ右販賣方委託致シ度候條御認可相成度此段及申請候也

追テ御認可ノ上ハ本文販賣手數料ハ（雜給及雜費ノ項、雜費ノ目）（報告及手數料ノ節）ニテ支辨差支無之トハ思科候得共聊疑義有之候ニ付御敎示相仰度併セテ申請候也

二八　在監者用主食物及作業素品產出ニ關スル件

大正四年
典獄會議指示

逐年各監獄耕作地ノ擴張及收穫ノ增加ニ因リ稍經理及給養ニ好況ヲ呈スルニ至リタリト雖耕地ノ利用耕作ノ方法及作物ノ種類選擇並貯藏方法等ニ付テハ尙研究ノ餘地ヲ存スヘシ又在監者用主食物ノ如キ作業素品ノ如キ將來成ルヘク之ヲ監獄ニ於テ產出セムコトヲ期シ一層耕耘ノ振作ヲ圖ルヘシ

二九　製產品價格算定ニ關スル件

大正二年十月
會第六千一號
總務部長

各監獄典獄宛

改正　大正八、五會第二四〇四號

囚徒ヲ使役シ生產シタル物品ヲ監獄需用ニ充ツル場合ニ於ケル囚徒工錢ノ計算及就役費支辨ニ係ル物品ヲ其作業ニ使用スル場合ニ於ケル組替整理ノ件左記ノ通決定候條此段及通牒候也

一　監獄需用ノ物品ニシテ廳用卓子椅子等ヲ監獄ニ於テ製作又ハ修繕スル場合ハ就役費ニテ材料ヲ購入製作シ其材料代並ニ囚徒工錢ヲ計算シタル價格ヲ以テ更ニ廳費ニテ購入シ之ヲ收入ニ立ツヘシ

二　看守以下傭人ノ被服類ヲ調製スルニハ其主要材料即チ服地（表裏）釦（製式ノモノニ限ル）帽地（表裏）襦袢、袴下地及靴皮代ハ直ニ相當科目（被服及帶具費）ヨリ支出シ其他ノ附屬材料代並ニ小倉又ハ雲齊其他ノ織立ニ要スル原絲代ハ總テ一旦就役費ヨリ支出スヘシ

三　在監人被服調製ニ當リテハ原絲、綿、木綿及染料代ハ直ニ相當科

目（在監人費彼服費）ヨリ支出シ其他ノ附屬材料代ハ總テ一旦就役費ヨリ支出スヘシ

四　前二、三項ノ場合ニ於テ使役セシ囚徒ノ工錢並ニ就役費ヨリ購入シタル材料費ハ之ヲ合算シ相當科目ヨリ支出シ一方收入ニ立ツヘシ

五　就役費ノ目中器具機械、機關手役服等ヲ調製スル材料ハ同費目ヲ以テ整理シ成工後代價ノ仕拂ヲ爲サス製品ヨリ組替使用シ又製品ヲ農業材料ニ使用スル場合モ素品ニ組替ノ上使用スヘシ

六　農產物ノ賣價ハ種子代、肥料代、地料、耕耘夫ノ工錢及收穫費ヲ豫想シテ尙市價ヲ斟酌シ相當ノ利益ヲ加算シテ之ヲ定ム但シ凶作等ノ爲本文ニ依ル能ハサル場合ハ適宜評定スヘシ

三〇　製品賣價算定ニ關スル件

大正六年一〇月
監第千三百三十九號

司法部長官

監獄典獄宛

首題ノ件ニ關スル監獄ノ取扱區々ニ亙リ居候處自今左記方法ニ依リ取扱相成度此段及通牒候也

記

一　特定ノ賣價ナキ監獄ノ製品價格ハ素品代（消耗品代ヲ含ム）及工錢ヲ以テ原價トシ市價ヲ參酌シテ之ヲ算定スルコト但シ大正二年十月會第六、〇〇一號總務局長通牒ニ關スルモノヲ除ク

二　素品中消耗品ニシテ其ノ使用量ノ計算困難ナル爲原價算定シ難キモノハ其ノ價格ヲ概算シ雜品代トシテ素品代中ニ加算スルコト

三一　作業收支表ニ關スル件

大正六年六月
監第八百十八號

司法部長官

各監獄典獄宛

過日監獄會計主任會同ノ際作業收支表調製方ノ件ニ付質疑有之候處右ハ從前ノ通三月三十一日現在ニ依リ調製スヘキ儀ニ有之候條右樣御了知相成度此段及通牒候也

大正六年六月會計主任會議質疑事項

作業收支表ニ關スル件

本表收入濟額及未收入額ハ各監獄ニ於テ三月三十一日現在ニヨリ調製スルモノト本表調製時ノ現在ニ依リ調製スルモノトノ二樣アリ三月三十一日現在ニ依リ調製スルトキハ徵收額計算書ト符合セス之ヲ符合セシメントセハ歲入整理期限即チ（六月三十日）現在ニ依ラサル可ラス（六月三十日）現在ニ依ルトセハ本表ノ提出期限五月末日トアルヲ相當ノ日限ニ改正ノ必要ヲ生ス右ハ何レニ依リ調製スヘキヤ

三二　監獄作業收入額調ノ件

大正十年四月

法務局長

各監獄典獄宛

調査上必要有之候條監獄作業實收額等別紙樣式ニ依リ調査ノ上大正九年度以降每年前年度分ヲ翌年七月末日迄ニ提出相成度及通牒候也

（樣式）省略

三三　作業月表及全年表作成ニ關スル件

大正四年七月
官通牒第二九〇號

司法部長官

各監獄典獄宛

作業月表及全年表中就業延人員及賞與金計算延人員ノ揭記方ニシテ移監囚ニ係ルモノ區々ニ涉リ居リ候處右ハ移監ノ前日迄ノ就業延人員ハ原監獄ニ於テ全上賞與金計算延人員及賞與金ヲ計算セサル延人員ハ收監シタル監獄ニ於テ揭記シ両者共備考欄ニ其人員及事由ヲ詳記相成度此段及通牒候也

三四　作業工錢引上ニ關スル件

大正二年
典獄會議指示

作業工錢ハ概シテ低キニ失スルノ嫌ヒアリ地方ノ狀況及作業ノ成績ニ攷ヘ漸次適度ニ引上ケ以テ增收ヲ圖ルヘシ

三五　各監獄ニ於ケル見積工錢權衡ヲ保ツヘキ件

大正二年
典獄會議指示

各種ノ作業就中監獄傭夫及營繕夫ノ見積工錢ハ各監獄著シク高低ノ差アリ成ルヘク各監獄ヲ通シテ不權衡ナカラシムヘシ

三六　受負人ノ工錢滯納ノ措置ニ關スル件

大正四年
典獄會議指示

作業請負人中往々工錢ノ納付ヲ怠リ甚シキハ滯納數月ニ涉リ其額契約保証金ヲ超過スル者アリト聞ク斯クノ如キハ或ハ終ニ國庫ノ損失ヲ招クニ至ルナキヲ保スヘカラサルヲ以テ常ニ請負人ヲシテ契約ノ履行ヲ爲サシムコトニ注意シ若之ニ違反スル者アルトキハ直ニ相當ノ措置ヲ施スコトヲ怠ルヘカラス

三七　作業工錢ノ改廢ニ關スル報告ニ關スル件

大正五年
典獄議會注意

作業工錢ノ改廢ニ關スル報告中其ノ業種及細目ニシテ曩ニ認可シタル所ト名稱ヲ異ニスルモノアリ將來ハ區區ニ涉ラサル樣注意セラレタシ

三八　監獄傭夫ノ就業者監督ニ關スル件

大正五年
典獄會議指示

炊夫掃除夫看病夫理髮夫及工場雜役夫ハ他囚ニ接觸スルノ機會多ク隨テ其言動ハ一般ノ紀律感化ニ影響スルヲ以テ其選定ヲ爲スニ當リテハ特ニ愼重ナル注意アルヲ要ス

三九　在監人作業科程ノ了否查定ニ關スル件

大正四年二月
刑第一百三十九號通牒

司法部長官

各監獄典獄宛

朝鮮監獄令施行規則第六十八條作業料程ノ了否ハ其ノ月ノ暦日數ヨリ左記不就業日數ヲ控除シタルモノヲ以テ其ノ仕上又ハ就業時間積算高ヲ除シ一日ノ平均高ヲ算出シテ之レヲ一日ノ科程又ハ時間ニ對比シ定ムル事ニ決定致候條右ニ依リ取扱相成度此段及通牒候也

左　記

一　監獄法第二十五條ニ依リ就業ヲ免シタル日數

二　朝鮮監獄令施行規則第二十一條ニ依リ就業セシメサル日數

三　裁判所ヘ出廷又ハ他監ヘ護送ノ爲メ就業セシメサル日數

四　大正三年七月刑第七四四號司法長官通牒ニ依ル教誨ノ爲メ就業セシメサル日數

五　作業上ノ都合ニ依リ就業不能ノ日數

六　一定ノ時間在監者ニ教育ヲ施シ又ハ運動ヲナサシムル時間數（時間數ハ其ノ月ノ就業時間ニ依リ日ニ換算ノコト）

四〇　看病夫科程ノ良否ニ關スル件

大正四年第二百九十一號　司法部長官

釜山監獄提出決議

看病夫或一定ノ期間隔離ヲ要スル爲休業セシメタルトキハ其ノ日數ヲ控除シタル殘日數ニ付科程ノ良否ヲ定ムヘキモノトス

決議ニ對スル司法部長官意見

適當ト認ム

四一　即決官署ノ囑託ニ係ル留置者ノ作業ニ牒關スル件通

大正四年十二月監第八百二十五號　司法部長官

監獄監獄宛

即決官署ノ囑託ニ依リ留置シタル犯罪即決令第九條該當ノ被告人ニ對シテ役業ヲ科スル向有之候處右ハ留置者ノ請願ヲ俟ツテ就役セシムルヲ穩當ト認メ候條了知相成度此段及通牒候也

四二　作業賞與金不計算日ニ關スル件

明治四十四年二月司刑發第七十四號

四三　作業賞與金不計算ニ關スル件

大正五年典獄會議注意

朝鮮監獄令施行規則第七十條第四號ハ釋放ノ日ヲ含ミ五日間作業賞與金ノ計算ヲ爲ササル趣旨ニ解釋ヲ一定シタルヲ以テ右ニ依リ取扱ハレタシ

四四　假出獄ノ取消又ハ刑執行停止者再入ノ場合作業賞與金ノ計算ニ關スル件

大正五年六月
司法部長官

西大門監獄典獄提出決議

假出獄ノ取消又ハ刑執行停止ノ事故止ミ再入監シタル者ノ作業賞與金ノ計算ニ就テハ更メテ監獄令施行規則第七十條第三號ヲ適用スヘキモノニアラス

決議ニ對スル司法部長官意見

適當ト認ム

四五　刑ノ執行停止ニ依ル出獄者ノ作業賞與金等ニ關スル件

大正七年九月
監第千百六十八號
司法部長官

監獄典獄宛

從來刑ノ執行停止ニ因リ受刑者ヲ出監セシムル場合ハ之ヲ監獄法第二十八條及朝鮮監獄令施行規則第七十五條ニ所謂釋放ト解セス從テ手當金又ハ作業賞與金ヲ給與セサル取扱例ニ有之候處右ハ自今釋放ト解シ其ノ際手當金又ハ作業賞與金ヲ給與相成度此段及通牒候也

追テ明治四十四年十月二十四日附司刑第八〇一號刑ノ執行停止ニ依リ出監シタルモノノ作業賞與金給與方ニ關スル刑事課長通牒ハ自然消滅ニ歸シタル義ト了知相成度爲念申添候

四六　作業賞與金ノ計算ニ際シ行狀査定適正ヲ要スル件

大正二年
典獄會議指示

作業賞與金ノ計算高ハ在監者ノ行狀ヲ斟酌シテ之ヲ定ムヘキモノナル處其ノ行狀ノ査定或ハ形式ニ流ルヽモノアルカ如シ適正ニ之ヲ査定スルコトニ注意スヘシ

四七　刑事被告人中ノ就業日數ハ受刑後ニ通算スヘキ件

大正四年七月
第二百九十一號

今回ノ會同ニ於ケル典獄提出協議事項決議ニ對スル本官ノ意見ハ別紙ノ通ニ有之候條右了知ノ上相當處理相成度此段及通牒候也

別紙(抄)

公州監獄提出決議

刑事被告人中作業ニ從事セシ日數ハ受刑後作業賞與金ノ計算ヲ爲サヽル現業日數三十日ノ期間ニ通算スヘキモノニ非ス

決議ニ對スル司法部長官意見

前後ノ日數ヲ通算スルヲ至當トス

四八　累犯者ノ作業賞與金計算方ニ關スル件

大正四年八月
監第二百九十一號
司法部長官

監獄典獄宛

大正四年六月典獄會議ニ於ケル咸興監獄典獄提出協議事項中累犯者タルコトヲ發見シタル場合ニ於ケル受刑者ノ作業賞與金計算ニ關スル件ノ決議ニ對シ七月九日附監第二九一號ヲ以テ適當ト認ムル旨及通牒置候處監獄ニ於テ累犯者タルコトヲ認メタル受刑者ニ對シテハ裁判所ニ於テ加重刑決定ノ有無ニ拘ラス其ノ累犯者タル事ヲ認メタル時ヨリ之ヲ累犯者トシテ取扱フヘキ事ニ變更決定候條了知相成度尚右累犯ハ刑法第五十六條ニ該當スル場合タルヘキ事勿論ナルモ累犯加重ノ原因タル前科ヲ有スル無期懲役ノ受刑者ニ對シテモ累犯者トシテ之ヲ取扱フヲ以テ相當ト思考候條是亦了知相成度此段及通牒候也

四九　累犯者タルコト發見ノ場合ニ於ケル作業賞與金計算方ノ件

大正四年七月
第百九十一號
司法部長官

今回ノ會同ニ於ケル典獄提出協議事項決議ニ對スル本官ノ意見ハ別紙ノ通ニ有之候條右了知ノ上相當處理相成度此段及通牒候也

別紙(抄)

咸興監獄提出決議

懲役囚ニシテ累犯者タルコト發見ノ場合ニ於ケル作業賞與金ノ計算ハ加重決定確定シタル時ヨリ之ヲ停止シ三月經過ノ後ニ至リ引續キ計算スヘキモノトス

決議ニ對スル司法部長官意見

適當ト認ム

五〇　作業賞與金計算高ノ減削ニ關スル件

大正四年七月司法部長
官通牒監第二九一號

公州監獄提出決議

懲罰中作業賞與金計算高ノ減削ハ未タ其計算ヲ爲サヽル將來ノ額ニ對シテハ之レヲ爲スコトヲ得サルモノトス

決議ニ對スル司法部長官意見

適當ト認ム

五一　作業賞與金給與洩ノ場合ニ於ケル取扱方ノ件

明治四十四年七月
司刑發第四百六十三號
司法部長官

監獄典獄宛

監獄ノ作業ニ就キタル在監者ノ釋放ニ際シ給與スヘキコトニ決定シタル作業賞與金ヲ監獄ニ於テ誤テ給與ヲ洩シタル場合ニ在リテハ何時ニテモ之ヲ給與スルコトヲ得ヘキモノト解スヘク若シ本人ノ居所不明或ハ本人ノ死亡シタル場合ニテ之ヲ相續人アラサルカ爲ニ仕拂ヲ爲ス能ハサルトキハ會計法ノ期滿免除ノ期限ヲ過キタル後賞與金計算高ヲ抹消スヘキ義ト御承知相成度爲念此段及通牒候也

第七章　教誨　教育

一　教誨ノ方法ニ關スル件

大正五年
典獄會議訓示

教誨ノ現況ハ較形式ニ流レ實効乏シキノ感アリ凡ソ教誨ヲシテ有効ナラシメムニハ敢テ高遠ノ理論ヲ說クコトヲ要セス、受刑者ノ性行、智能、犯由、境遇其ノ他ノ事情ヲ斟酌シ之ニ適應スヘキ教誨ヲ加ヘ痛切ニ感動ヲ促スト共ニ深ク之レヲ銘記セシムルコトヲ努メサルヘカラス然レトモ現在ノ設備上專ラ個人教誨ニ依ルハ困難ニシテ多クノ場合總囚教誨ノ方法ヲ用フルハ亦已ムヲ得スト雖少モ受刑者ノ種類及理解力ノ程度等ヲ考量シテ相當ノ分類ヲ行ヒ尙進テ教誨ト處遇トノ連絡ヲ圖リ其ノ機宜ヲ誤ラサラムコトヲ期スヘシ而シテ教誨ハ固ヨリ教誨師ノ職責ニ屬スル事項ナルモ獨リ其主管者ニ放任スヘキモノニ非ス

彼ノ衞生、紀律、及勞働等ノ觀念ヲ注入スルカ如キ教誨ト相待テ感化ヲ助クルモノニ付テハ他ノ職員ニ於テ之ヲ行フヲ便宜ナリトスルヲ以テ典獄親ラ訓誨ノ勞ヲ採ルヘキハ勿論看守長及監獄醫亦共ニ其力ヲ合セ教誨ノ目的ヲ貫徹スルノ覺悟アルヲ要ス

二　鮮語及國語ノ習熟ニ關スル件

大正二年
典獄會議指示

教誨師ガ朝鮮人タル在監者ニ對シテ教誨ヲ爲スニハ現今尙通譯ヲ介スルモノ少カラサルカ如シ在監者ハ概シテ愚昧ナル者多キニ因リ朝鮮語ヲ用ヒテ教誨ヲ爲スモ彼等ヲシテ其趣旨ヲ領解シ改悛ノ念ヲ起サシムルハ容易ノ事ニ非ス況ンヤ通譯ヲ介シテ教誨ヲ爲スニ於テハ其ノ不便ナルハ言ヲ俟タス或ハ全ク教誨ノ效ヲ見サルコトアルヤモ亦測リ難シ故ニ成ルヘク朝鮮語ニ熟スル者ヲシテ教誨ノ任ニ當ラシメ以テ其ノ實效ヲ收ムルコトニ注意スヘシ又他ノ職員ニ於テモ內地人ハ朝鮮語ニ習熟シ朝鮮人ハ國語ニ習熟シ在監者ノ視察及處遇等ニ付キ言語不通ヨリ生スル各種ノ不便ヲ除去スルコトニ努ムヘシ

三　教師教誨師ハ鮮語ノ修習ヲ要スヘキ件

大正十年
典獄會議指示

囚徒ノ多數ハ其ノ教育程度低キモノナレハ之ニ對スル教誨ハ徒ニ難解ノ漢語ヲ使用シ高遠ナル教理ヲ說クモ何等益ナキニ因リ平易ナル言語ヲ用ヰ理解ヲ爲サシムルヲ以テ先トスヘシ往々個人教誨ノ必要ノミヲ認メテ動モスレハ集合教誨ヲ輕視シ其ノ內容ノ吟味ヲ缺ケル嫌アルヲ以テ教誨前ニ教誨師ヲシテ想ヲ練リ材料ヲ整ヘシムルコトニ注意シ又教育、教誨ニ際シ抽象的事項ノミヲ說キテ其ノ應用ヲ示ササルモノアリ、宜シク其ノ教材ノ如キハ實生活ニ適スルモノヲ選擇セシメ又實際問題ニ觸レテ歸納的ニ教示セシメ、特ニ鮮人ニ對スル教育、教誨ハ朝鮮語ヲ使用スルコト最必要ナルヲ以テ教師、教誨師ニ對シテ其ノ修習ヲ奬勵シ教務ノ徹底ヲ期セラレムコトヲ望ム

四　個人教誨ノ周到ヲ期スヘキ件

大正五年
典獄會議指示

教誨上比較的有效ナル個人教誨ノ普及セサル所アルハ教誨師定員ノ過少ナルニ由ルヘキモ特ニ教誨師ノ奮勵ヲ促シ之カ施行ニ關スル準則ヲ定メテ其ノ普及ト勵行トニ努メ而シテ之カ施行ニ方リテハ其ノ説ク所徒ニ高遠雜駁ニ流ルルコトナク罪囚個人ノ實情ニ適應セムコトヲ期セシメ一面教誨以外ノ附屬事務ノ如キハ成ルヘク他ノ職員ヲシテ補助セシムル等適宜ノ措置ヲ講シ以テ教誨ノ周到ヲ期スヘシ

五　教誨原簿ノ記載方ノ件

大正二年
典獄會議指示

教誨原簿ノ記載方宜シキヲ得ス教施誨行ノ經過ヲ詳ニスルコトヲ得サルモノ多キカ如シ接見、接信、遭喪等ノ機會ニ於テ個人教誨ヲ施シタルトキハ其ノ感否ノ狀況ヲ視察シテ之ヲ教誨簿ニ記載シ教誨ノ經過ヲ明カナラシムルコトニ注意スヘシ

六　受刑者ノ教育ニ關スル件

大正七年十二月
監第千六百五十七號
司法部長官

各監獄典獄宛

從來受刑者ノ教育ニ關シ朝鮮監獄令施行規則第八五條所定ノ學科目ハ刑期ノ長短個性ノ如何ニ拘ハラス必須科目トシテ實施スヘキモノナリト解スル向モ有之哉ニ聞及候處同條ノ科目ハ普通必要ノ科目ナルモ被教育者ノ事情ニ應シテハ適宜取捨スルヲ妨ケサルモノト解釋スルヲ妥當ナリト思考候條爲念及通牒候也

七　十八歲未滿ノ受刑者ノ教育ノ監督ニ關スル件

大正三年
典獄會議指示

十八歲未滿ノ受刑者ニ對スル教育ノ實況ヲ見ルニ之レヲ強制スル趣旨ニ副ハサルモノ多ク就中作業ノ勵行、動作ノ匡正ニ付テハ其監督ノ及ハサルモノ尠カラサルカ故ニ自今一層之ヲ注意シ以テ特別行刑ノ實效ヲ收ムヘシ

八　幼年者教育ノ適切ヲ期スヘキ件

大正三年
典獄會議指示

幼年受刑者ニ對スル教育ノ實況ハ一般教育ト選ムナキノ風アリテ其ノ主眼トスル所ノ惡癖矯正ヲ閑却スルノ嫌アルハ大ニ遺憾トスル所ナリ各位ハ宜シク教材ノ選擇教授及管理ノ方法ヲ適切ニシ以テ特別處遇ノ目的ヲ貫徹セムコトニ勗ムヘシ

九　鮮人受刑者ノ國語普及ヲ圖ルヘキ件

大正七年
典獄會議指示

朝鮮人タル受刑者ヲシテ國語ヲ修習セシムルコトハ同化及其ノ出獄後ノ處世上緊要ノ事タルヲ以テ看讀書籍ノ利用其ノ他機宜ノ方法ニ依リ漸次之カ普及ヲ圖ルヘシ

一〇　看讀書籍ノ選擇ニ關スル件

大正二年
典獄會議指示

在監者ニ閲讀セシムヘキ文書及圖書ニ付テハ特ニ愼重ナル選擇ヲ爲シ各人ノ境遇ニ適當ナルモノノ外之レヲ許可セサルコトニ注意スヘシ

二　教務主任會同協議事項決議ニ關スル件

大正六年十月
監第千三百三十五號
司法部長官

各監獄典獄宛

大正六年七月京城獄ノ主催ニ係ル教務主任會同ニ於ケル協議事項ニ對スル本官ノ意見別紙ノ通リニ候條了知相成度此段及通牒候也

（別紙）

教務主任會同協議事項ニ對スル司法部長官意見

議題番號	決議要旨	司法部長官意見
一、二 十一、 二十 二、	教誨簿ニ記スヘキ嗜好特技	認了
	飲酒、生育關係及教育ノ事項ハ大略左ノ標準ニ由テ之ヲ記スルコト	但シ第二號及第四號ニ付テハ左ノ如シ
	一　嗜好ハ特ニ好ムモノヲ記シ一般ノ好ム煙草ノ如キハ之ヲ略ス	
	二　特技ハ農家ノ副業ノ如キハ之カ記入ヲ略ス例ハ草鞋作等ノ如キハ記入セス即チ當人ノ職業ニ關係ナキ特種ノ技能ノミヲ記入ス	當人ノ職業ト雖特種ノ技能ハ之ヲ記入スルコト
	三　飲酒ハ鮮人ニ付テハ濁酒ヲ本位トシ「サバリヲ」以テ量ル即チ十杯ヲ飲ム者ハ濁酒「十サバリ」ト記入シ、內地人ニ付テハ清酒獨酌ノ量（外目）ヲ記入ス	
	四　生育ハ十四歳ヲ限度トシ其間最長キ生育關係ヲ擧ク	十四歳ト限定セサルコト
	五　教育ハ鮮人ハ普通學校ノ各學年級ヲ標準トシ其讀書力ニ依ルノ外諺文及無學ノ二階級ヲ定メテ記入シ內地人ハ其ノ就學セシ學年級又ハ之ニ相當スル學力程度ノ學年級ヲ記入ス尙例ハ高等小學二年級ニ就學セシモノニハ高小二或ハ尋常四年又ハ中學五年級等ニ其ノ就學セシコト等ヲ表示ス	
二	看讀書籍ハ積極的ニ讀マシムル方ヨリモ左ノ如ク消極的ニ禁スルモノヲ定ムルヲ適當トス 一　危險思想等思想ノ極端ニ趨ルモノ 二　娯樂一方ナルモノ 三　猥リニ他ヲ誹謗スル記事アルモ	認了

	ノ 四　現存者ノ成功經歴談等人物ノ眞價定ラサルモノ傳記類 五　陛下ノ御眞影ヲ附スル書籍 六　一般的ニ規律ヲ亂ス虞アルモノ	
三、三十四	改善ノ見込アル出監者ニ對シ保護ノ必要アルトキハ其歸住地ニ近キ監獄ニ託シテ保護スルコト 但シ歸住地ハ本監又ハ分監ノ所在地若ハ其ノ附近タルコト	
四、二十二	教誨ノ種類及名稱ヲ左ノ通リ一定スルコト 一、集合教誨 (1) 日曜日又ハ祝祭日教誨 (2) 式場教誨 (3) 棺前教誨 (4) 特別集合教誨 (5) 移監教誨 (6) 臨房教誨 二、個人教誨 (1) 入監教誨 (2) 恩典教誨	認了 但シ左ノ通リ追加スルコト
	(3) 假出獄教誨 (4) 釋放準備教誨 (5) 出監教誨 (6) 忌日教誨 (7) 遭喪教誨 (8) 受賞教誨 (9) 懲罰教誨 (10) 請願教誨 (11) 臨房教誨 (12) 通信教誨 (13) 死刑者教誨 (14) 信書教誨 (15) 接見教誨 (16) 移監教誨	
五、十、十一、二十、五、三、十、三、十七、六、	教育簿樣式ヲ別紙ノ通リ改メ度コト（別紙省略） 但シ犯由ヲ表示スルニハ取扱例ノ文字ヲ適當ニ配用スルコト （附記）教育簿ハ改正ノ要ナシ	調査中
	教誨簿ニ教海ト感想ヲ記スル標準左ノ如シ 著シ 有	認可

	稍有乏シ	
七	教誨簿ハ出監後身分帳簿ニ編綴シ之ニ代用スヘキ簿册ヲ備フル必要アルトキハ各監獄適宜ニ設クルコト	認了
八	新ニ看讀書籍ヲ設備シタルトキハ其ノ購入ニ必要ナル件ヲ記シテ互ニ通報スルコト	認了
	教誨參考用トシテ新ニ書籍ノ設備ヲ爲シタルトキ亦同シ	
十三	十八歳未滿受刑者ノ教育用教科書ハ別ニ之ヲ一定セス各監獄適宜タルコト	小學校又ハ普通學校ノ教科程度ニ準スルコト
十四	在監者遵守事項ハ各監獄適宜タルコト	認了
十五	入監時ノ教育程度ハ左ノ方法テ依テ之ヲ定ムルコト	認了
二十六	一、鮮人(新舊教育ヲ問ハス)ニハ普通學校用朝鮮語讀本ヲ用フルコト(第一項決議參照)	
	二、內地人ニハ本人ノ經歷ヨリ其學校及學年ニ相當スル書籍(讀本)ヲ用フルコト	
	三、考査ハ入監教誨ヲ施ス際ニ於テ爲スコト	
十六	日曜日ニ於テ施行スル集合教誨ハ季節ニ依リ午前中ニ行フヲ可トスルコト	其ノ必要アルトキハ事情ヲ具シ申出ラレ度キコト
十七	累犯者處遇上ニ看讀書籍ノ制限ヲ設クル要ナキコト	認了
十八	朝鮮監獄令施行規則第百十九條ニ所謂必要ト認ムル釋放者ノ範圍及通報スル其ノ樣式ヲ左ノ通定ムルコト	豫メ範圍ハ之ヲ一定シ難シ故ニ其ノ各場合ニ應シテ適宜ニ之ヲ認定スルノ外ナシ
	一、範圍 受恩典出獄者 賞遇ヲ受ケシ者 十八歳未滿ノ處遇ヲ受ケシ者 改悛ノ狀アリト査定セラレタル者 出監時特別ナル保護ヲ加ヘタル者 家族關係及就業上調査及教誨ニ必要トスルモノ	
	二、樣式 別紙ノ通(別紙省略)	
十九	現時ノ狀況ニ於テ適當ト認ムル通	各監獄適宜タルコト

	信教誨及行狀調査ヲ爲スヘキモノノ範圍及之カ時機左ノ通リ定メ度キコト 一、範圍 第十八項決議ノ範圍ニ同シ 二、時機 第一回出監後二ケ月第二回ハ第一回後六月第三回ハ第二回調査後六月トシ第三回ヲ以テ終了トス 三、教誨 調査ノ結果ニ依リ必要ト認メタルトキニ之ヲ爲ス	
二十七 三十二	十八歳未滿ノ受刑者ノ程度ハ内地人ハ小學校朝鮮人ハ普通學校ノ程度ニ應シ三時間以内教育ヲ施シ其學課科目ノ配當等ハ各監獄適宜トスルコト	各監獄適宜タルコト
二十八	釋放時ニ於ケル引取人ナキ病者不具者等ノ保護ハ各監獄適宜ニ取計フコト	認了
二十九	在監死亡者ノ追弔會ハ各監獄適宜ニ行フコト	認了
三十一	刑期三月未滿受刑者ノ教誨簿ハ教誨ノ經過及其ノ他ノ記事ニ關スル欄ニハ可成之ヲ簡單ニ記スルコト	認了
三十六	十八歳未滿受刑者ヲ拘禁スル特別監獄ヲ設置セラレタキコト	適當ノ時機ニ於テ詮議ス
九	朝鮮人受刑者看讀用精神修養ニ關スル書籍各監獄共同シテ編纂スルコト	認了
二十四 三十三	但シ各監獄トノ協議ニ關シテハ京城、西大門兩監獄典獄ニ委託スルコト	

附則

第十二項、第二十項、第三十五項ハ原案徹回並第三十八項第三十九項ハ否決事項ニ付記セス

第八章　給與

一　自辨糧食ノ許否ニ關スル件

大正四年
典獄會議指示

示在監者ニ於テ糧食ノ自弁ヲ請フモノアルトキハ能ク其ノ事情ヲ考察シテ之カ許否ヲ決スヘキハ言ヲ俟タサル所ナルニ動モレスハ單ニ經理上ノ關係ノミヲ顧慮シテ許可ヲ與フルノ傾ナキニ非ス斯クノ如キハ啻ニ遇囚ノ途ヲ誤ルノミナラス諸種ノ弊害ヲ釀スニ至ルヘキヲ以テ今後深ク其ノ利弊ヲ稽查シ苟モ濫許ニ渉ラサル樣注意スルヲ要ス

二　自辨糧食ノ許否ニ關スル件

大正五年
典獄會議指示

囚人ノ糧食自辨ノ許可ニ關シテハ昨年ノ會議ニ於テ特ニ注意スル所アリタルモ未タ適實ナルニ至ラス將來務メテ之ヲ緊縮シ疾病其ノ他特別ノ事情アリ止ムヲ得サルモノノ外之ヲ禁止スルノ方針ヲ執ルヘシ

三　留置中ノ囚人及刑事被告人ニ給與スル食料額

明治四十四年八月
總訓第六十九號

警察官署

改正　大正七年九、第四五號正八、九第三五號

留置中ノ囚人及刑事被告人ニ給與スル食料ハ一食二十錢以内ニ於テ一日三食トス但シ特別ノ事情アル場合ニハ一日一食分迄ヲ增給スルコトヲ得

四　留置中ノ囚人及刑事被告人タル朝鮮人ニ給與スル食料額

大正六年九月
警訓甲第二十五號

警察官署
同　事務ヲ取扱フ憲兵分隊
憲兵分遣所

留置ノ囚人及刑事被告人タル朝鮮人ニ給與スル食料額ニ明治四十四年朝鮮總督府訓令第六十九號囚人及刑事被告人ニ給與ノ食料ニ關スル件ニ據ル儀ト心得ヘシ

大正三年訓令甲第二十一號ハ之ヲ廢止ス

五　監獄事務報告附表ニ關スル件

大正十年四月
法務局長

各監獄典獄
各分監長　宛

典獄事務報告附表食糧表中一日一人平均食量ハ病者ニ對スル食量ヲ包含シ算出スヘキ筈ナルニ拘ラス之ニ據ラ子ル向アリ差支ノ廉有之候條右ハ必ス包含算出ノ上掲記相成度此段及通牒候他

六　在監者食料品出納ニ關スル件

大正五年七月
官通牒第一〇六號

在監者食料品出納簿及受拂簿ハ從來合未滿百匁未滿ノ端數ヲ掲上セシモ將來切捨ツルコトニ御取扱相成度而シテ全量ノ僅少ナルモノニアリテハ從前通リト御了知相成度此及通牒候也

七　糧食取扱方ニ關スル件

大正五年六月　司法部長官

各監獄典獄宛

今回ノ會同ニ於ケル典獄提出協議事項決議ニ對スル本官ノ意見ハ別紙ノ通ニ有之候條了知相成度此段及通牒候也

別紙(抄)

司法部提出

在監者ニ給與スル糧食ノ取扱ハ毎食工場擔當看守ヨリ請求スルモノト〔第三課〕ニ於テ請求ヲ待タス供給スルモノトノ二様ノ手續アルモ實際ノ取扱ハ前段ニ依ルヲ便利トス

決議ニ對スル司法部長官意見

認可

八　在監者保健上給養ノ改善ヲ期スヘキ件

大正七年　典獄會議注意

近來頓ニ在監人ノ死亡數及重病ニ因ル刑執行停止ノ處分數激增ヲ示セルハ監獄衞生上看過スヘカラサルノ現象ニシテ其ノ原因一ニシテ足ラスト雖主因ノ給養ニ存スルコト疑フヘカラズ近時食科品價格ノ暴騰ニ因リ既定豫算內ニ於テ食費ヲ辨スルコトノ倍困難ヲ加ヘタル結果監獄ハ專ラ經費ノ節約ニ腐心シ漸ク糧食ノ粗惡ニ趨クノ傾向ヲ示セルハ勢已ムヲ得サル所ナルヘキモ現ニ衞生狀態ニ於テ斯クノ如キ憂フヘキノ現象ヲ呈スルニ至リテハ須臾モ之ヲ等閑ニ付スヘキニアラス而モ目下物價ハ益昂騰ノ趨勢ニ在リテ其ノ順調ニ復スルノ時機猶逆睹スヘカラス殊ニ食費豫算一人當リ額ハ今ヤ甚シク實際ニ適セサルニ至リ隨テ豫算ノ不足ヲ告クルノ寧ロ當然ト認ムヘキモノアルニモ拘ラス唯タ之カ調節ヲ圖ルニ急ニシテ保健程度以下ニ給養ヲ減縮スルカ如キハ當ヲ得タルノ措置ト謂フヘカラス若夫食費豫算ノ不足ニ至テハ時機ヲ失セス狀ヲ具シテ豫備費ノ支出ニ待ツヘク且來年度ニ至ラハ食費一人當リ額ヲ增スノ見込ナルヲ以テ各位ハ宜シク開會初頭ニ於ケル總督訓示ノ趣旨ヲ體シ又現況ニ鑑ミ務メテ經費ノ節約ヲ圖ルト共ニ給養ノ適否ヲ調査シテ其ノ改善ノ策ヲ樹テ以テ罪囚ノ保健上ニ遺算ナキヲ期セラレムコトヲ望ム

九　副食物ノ献立ニ關スル件

大正二年　典獄會議指示

副食物ノ献立ニ付テハ概シテ單調ニ失スルノ嫌アルノミナラス甚タシキニ至リテハ一過間若クハ一旬間ノ献立ヲ繰返スニ過キサルモノアルカ如シ斯クノ如キハ營養ヲ保全スルノ途ニアラサルヲ以テ常ニ季節及地方ノ情況等ニ應シテ品種及其ノ配合並調理方法ノ變換ヲ行ヒ献立ノ適實ヲ期スルコトニ務ムヘシ

一〇　副食物ノ配合ニ關スル件

大正三年　典獄會議指示

副食物ノ配合ハ未タ宜シキヲ得サルモノアルノミナラス概シテ單調ニ失スル嫌ナキニ非ス殊ニ冬季野菜欠乏ノ時季ニ於テ其ノ甚タシキヲ認ム之カ爲メニ多數ノ壞血病者ヲ發生セシメタル例アルヲ以テ豫テ指示セル所ニ隨ヒ常時注意ヲ怠ラサルト共ニ野菜類ノ冬氣貯藏方法ヲ講シ之ニ依リ

テ一層給與上ノ適實ヲ圖ルヘシ

二　內鮮人糧食ノ差別撤廢ノ件

大正五年
典獄會議注意

監獄ニ於ケル在監者ノ糧食ニ付テハ內地人ト朝鮮人トノ間ニ其ノ品種ヲ同一ニシタルハ相當ノ措置ト認ム將來モ尙個人的ニ特別ノ必要アルモノヲ除クノ外ハ此ノ方針ヲ持續セラレタシ

三　在監者衣類臥具製式ニ關スル件

大正八年二月
官通第二十六百號
司法部長官

改正　大正十年六月第五九號

各監獄典獄宛

在監者衣類臥具製式左記ノ通決定候條爾今右ニ依リ御取扱相成度此段及通牒候也

記

在監者衣類臥具製式

品目		仕立寸法		綿量			製式
		長ケ	行又ハ巾	第一區	第二區	第三區	
長綿入	大	三尺六寸	一尺八寸	二百匁	百八十匁	百六十匁	衣類ハ內地式筒袖仕立トシ袖付八寸袖口四寸五分トス身体ノ特ニ長大又ハ短小ナル者若ハ女子又ハ幼年者用ノモノニ就テハ適宜寸法ヲ伸縮スルコトヲ得 第一區ノ綿入長短衣ノ長ケハ二寸以內行ハ一寸以內伸長スルコトヲ得
	中	仝五寸	仝七寸	百九十匁	百七十匁	百五十匁	
	小	仝四寸	仝六寸	百八十匁	百六十匁	百四十匁	
短綿入	大	二尺四寸	仝	百五十匁	百三十匁	百十匁	
	中	仝三寸	仝	百四十匁	百二十匁	百匁	
	小	同二寸	仝	百三十匁	百十匁	九十匁	
長袷	大	三尺六寸	仝	—	—	—	
	中	仝五寸	仝	—	—	—	

	小	仝　四寸	仝				
短袷	大	二尺四寸	仝				
	中	仝　三寸	仝				
	小	仝　二寸	仝				
長單衣	大	三尺六寸	仝				
	中	仝　五寸	仝				
	小	仝　四寸	仝				
短單衣	大	二尺四寸	仝				外役囚、炊事夫、掃除夫、便捨夫等ノ短單衣ハ行ヲ二寸以內短縮スルコトヲ得
	中	仝　三寸	仝				
	小	仝　二寸	仝				
[illegible]衣	大	二　尺	仝				
	中	一尺九寸	仝				
	小	仝　八寸	仝				
綿入股引	大	二尺六寸		百三十匁	百十匁		
	中	仝　五寸		百二十匁	百匁		
	小	仝　四寸		百十匁	九十匁		
	大	仝					

袴股引	中	仝					
	小	仝					
單股引	大	二尺五寸					外役囚、炊事夫、掃除夫、便捨夫等ノ單股引ハ半股引トシ其ノ長サハ大二尺中一尺九寸小一尺八寸トス
	中	仝　四寸					
	小	仝　三寸					
前垂		二尺	二巾				
男帶		三尺五寸	一巾				
女帶		八尺	一巾（二ツ折）				眞ニハ古木綿ヲ用ウルモノトス
男褌		一尺九寸	一巾				畚式トス
女褌		一尺五寸					猿股式ニシテ寛濶ナルモノトス
手巾		二尺二寸以内	一巾				白地トス
冬蒲團		五尺	四巾又ハ五巾	自一貫八百匁至二貫匁	自一貫五百匁至一貫八百匁	自一貫二百匁至一貫五百匁	蒲團ニハ一巾長サ蒲團丈ケノ掛襟ヲ付ス 冬蒲團ヲ貸與スル場合ノ敷蒲團ハ四巾トス
夏蒲團		四尺五寸	三巾	自六百匁至八百匁	自四百匁至六百匁	自二百匁至四百匁	
敷蒲團		四尺五寸	二巾	八百匁	七百匁	六百匁	

備考

一　袷長、短衣ハ單長、短衣ノ袷股引ハ單股引ノ重襲ヲ以テ之ニ代用スルコトヲ得

二　外國人（支那人ヲ除ク）ニ著用セシムル衣類ハ本製式ニ依ラサルコトヲ得

三　病者用ノ衣類臥具ハ白色ノモノヲ用ウルコトヲ得又必要アル場合ハ綿量及仕立寸法ヲ増減伸縮スルコトヲ得

四 病者ニハ敷蒲團ニ代ヘ藁蒲團ヲ用ウルコトヲ得

五 蒲團及綿入衣ニハ眞綿ヲ使用セサルモノトス

六 夏蒲團及敷蒲團ハ病者其ノ他特ニ必要ヲ認メタルモノノ外當分貸與セサルコトヲ得

七 綿量ノ地方區別ハ左ノ如シ

第一區 咸興監獄、及全監獄元山分監、平壤監獄及其分監、淸津監獄、新義州監獄

第二區 京城監獄、西大門監獄、海州監獄及各其ノ分監、永登浦監獄、大田監獄、咸興監獄、江陵分監、大邱監獄、金泉分監並安東分監

第三區 釜山監獄、木浦監獄、全州監獄其ノ分監、大邱監獄、光州監獄

八 綿入股引ハ第一區第二區、ニ限リ使用スルモノトス

九 現在設備シアル衣類臥具ニシテ本製式ニ適セサルモノハ其ノ改造ニ至ル迄現在ノ儘使用スルコトヲ得

一三 十八歳未滿囚衣類製式ニ關スル件

大正十一年五月
監第十二號

法務局長

京城、大邱、光州、監獄典獄宛

大正八年二月官通牒第二十六號在監者衣類臥具製式中十八歳未滿男囚ノ衣類ニ付左記ノ通リ特例決定相成候條爾今右ニ依リ取扱相成度依命及通牒候也

追テ監獄法第二條第二項及第三項ノ規定ニ依リ拘禁スル者ノ衣類ニ付テモ同樣ニ取扱フヘキ儀ト御了知相成度申添候

記

一 作業衣ハ洋服仕立トシ上衣（短綿入、短袷、短單衣）ハ竪襟一行釦物入ヲ附セス釦ハ徑六分黑色無地角釦五箇ヲ附ス股引ノ胴廻及裾口ニハ細紐ヲ附ス形狀圖ノ如シ

一 帽ハカキ色ノ布製鳥打帽トシ屋外ニ於ケル作業ノ種類ニ依リ笠ヲ用フルコトヲ得サル場合又ハ體操ヲ爲ス場合ニ之ヲ使用ス形狀圖ノ如シ

一 褌ハ猿股式トシ長サ一尺五寸以內トス

一四 在監人ノ使用ニ供スル團扇使用ノ件

明治四十四年八月
司刑第二十四號

司法部刑事課長

在監人ノ使用ニ供スル團扇備付ノ件ニ付別紙寫ノ通リ釜山監獄典獄ノ申請ニ對シ客月十四日認可相成候條此段及通牒候也

追テ貴監及分監ニ於テ團扇備付ノ必要アル場合ハ監獄法施行規則第八十九條第四項ニ準據シ申請相成度爲念申添候

（別紙寫）

釜發第五五四號　（四四、七、七）　釜山監獄典獄

朝鮮總督宛

監房ニ團扇備付ノ件ニ付申請

盛署中監房内ノ換氣ヲ十分ナラシムル爲一坪平均四人以上拘禁ノ監房ニハ四人ニ對シ一本ノ割合ヲ以テ團扇ヲ備付使用セシメ度尤モ之ニ對スル經費ハ配付豫算ノ範圍内ニテ處辨可致候間右特ニ御認可相成度此段禀申候也

一五　在監者雜具品目増加ノ件

明治四十五年二月
京城監獄伺

京監第一四五號ノ一

當監及所轄分監ニ於テハ從來在監者ニ對シ嚴寒ノ季節ニ於テ作業ニ服セシムル場合又ハ凍傷若ハ「ペスト」豫防上必要ト認ムル場合ニ限リ足袋ヲ貸與シ又耕耘夫其他汚體ノ業ニ就ク者ノニハ綿入衣着用ノ季節ニ限リ之レカ保存上單衣袴一組ヲ增貸シテ上被ニ使用セシメ炊夫ニハ食物取扱中清潔保持上看病夫消毒夫理髮夫ニハ病毒豫防上白布製ノ上覆ヲ着用セシメ土方業ニ就ク者及運搬夫等ニハ肩當、藁工ニ就ク者ニハ膝當若クハ前垂ヲ貸與シ被服ノ保持ヲ計リタル例ニ有之候處今後ニ於テモ尙使用致度候條監獄法第八九條末項ニ依リ雜具品目増加ノ義御認可相成候樣致度此段及禀申候也

司第二〇五號　（四五、二、一五）

明治四十五年二月九日附京監第一四五號ノ一禀申在監者ノ使用ニ供スル具ノ種類増加ノ件認可ス

一六　在監者使用雜具增加ノ件

大正五年八月
朝鮮總督

釜山監獄典獄宛

八月二日附監發第九四九號申請在監者使用雜具增加ノ件ハ認可ス

大正五年八月
釜山監獄

朝鮮總督府宛

一　胸當炊事夫看病夫理髮夫用

右ハ就業中衞生上ノ必要ニ基キ使用セシメ度所要ノ經費ハ配賦豫算ノ範圍内ニテ差繰支辨ノ見込ニ付品目增加方御認可相成樣致度及申請候也

第九章　衛生　醫療

一　傳染病豫防令

大正四年六月
制令第二號

第一條 本令ニ於テ傳染病ト稱スルハコレラ、赤痢、腸チフス、パラチフス、痘瘡、發疹チフス、猩紅熱、ヂフテリア及ペストヲ謂フ

前項ニ掲クルモノノ外本令ニ依リ豫防方法ノ施行ヲ必要トスル傳染病アルトキハ朝鮮總督之ヲ指定ス

第二條 傳染病流行シ又ハ流行ノ虞アルトキハ（警務部長）ハ其ノ傳染病ノ疑アル疾病ニ付本令ノ全部又ハ一部ヲ適用スルコトヲ得其ノ傳染病ノ病源體保有者ニ付亦同シ

第三條 醫師傳染病患者ヲ診斷シ又ハ其ノ死體ヲ檢案シタルトキハ消毒方法ヲ指示シ且直ニ警察官吏、憲兵又ハ檢疫委員ニ届出ツヘシ其ノ轉歸ノ場合亦同シ

第四條 傳染病又ハ其ノ疑アル患者又ハ死者アリタルトキハ一般民家ニ在リテハ戸主又ハ之ニ代ルヘキ者、社寺學校病院製造所各種事務所會社船舶貸席興行場其ノ他多數人ノ集合スル場所ニ在リテハ管理人又ハ之ニ代ルヘキ者直ニ醫師ノ診斷若ハ檢案ヲ求メ又ハ警察官吏、憲兵若ハ檢疫委員ニ届出ツヘシ

第五條 傳染病患者アリタル家若ハ場所又ハ傳染病ノ病毒ニ汚染シ若ハ汚染ノ疑アル家若ハ場所ニ於テハ前條ニ掲クル者ハ醫師又當該吏員ノ指示ニ從ヒ清潔方法又ハ消毒方法ヲ行フヘシ

第六條 清潔方法及消毒方法ハ朝鮮總督之ヲ定ム

第七條 當該吏員傳染病豫防上必要ト認ムルトキハ傳染病患者ヲ傳染病院又ハ隔離病舍ニ入ラシムルコトヲ得

第八條 當該吏員必要ト認ムルトキハ一定ノ日時間傳染病患者アリタル家若ハ場所又ハ傳染病ノ病毒ニ汚染シ若ハ汚染ノ疑アル家若ハ場所ノ交通ヲ遮斷シ又ハ病毒感染ノ疑アル者ヲ隔離所其ノ他適當ノ場所ニ隔離スルコトヲ得

第九條 傳染病患者又ハ其ノ死體ハ當該吏員ノ許可ヲ受クルニ非ラサレハ他ニ移スコトヲ得ス

第十條 傳染病ノ病毒ニ汚染シ又ハ汚染ノ疑アル物件ハ當該吏員ノ許可ヲ受クルニ非サレハ使用、授受、移轉、遺棄又ハ洗滌スルコトヲ得ス

第十一條 傳染病患者ノ死體ハ火葬スヘシ但シ警察官署ノ許可ヲ受ケタル場合ハ此ノ限ニ在ラス

傳染病患者ノ死體ハ當該吏員必要ト認ムル消毒方法ヲ施シタル後ニ非サレハ埋葬又ハ火葬スルコトヲ得ス

第十二條 傳染病ノ疑アル死體ヲ埋葬若ハ火葬シ又ハ埋葬若ハ火葬セムトスル場合ニ於テハ當該吏員ハ豫防上必要ナル處置ヲ爲サシムルコトヲ得

第十三條 當該吏員傳染病豫防上必要ト認ムルトキハ其ノ事由ヲ戸主若ハ管理人又ハ之ニ代ルヘキ者ニ告知シ家宅、船舶其ノ他ノ場所ニ立入ルコトヲ得

第十四條 傳染病流行シ又ハ流行ノ虞アルトキハ朝鮮總督ハ檢疫委員ヲ置キ檢疫豫防ニ關スル事務ヲ擔任セシメ及特ニ船舶、汽車、旅客ノ檢疫ヲ行ハシムルコトヲ得

第十五條　船舶汽車ノ檢疫ヲ行フ場合ニ於テハ其ノ船舶又ハ其ノ船舶汽車ノ乘客乘組人ニシテ病毒感染ノ疑アル者ヲ必要ノ日時間停留シ又ハ無償ニテ當該吏員若ハ醫師ヲ船舶汽車中ニ乘込マシムルコトヲ得

船舶汽車ノ檢疫ニ於テ傳染病患者ヲ發見シタルトキハ之ヲ附近ノ傳染病院若ハ隔離病舍ニ收容治療セシメ又ハ病毒感染ノ疑アル者ヲ附近ノ隔離所ニ入ラシムルコトヲ得

前二項ノ規定ハ檢疫ヲ施行セサル船舶、汽車中ニ傳染病患者又ハ病毒感染ノ疑アル者アリタル場合ニ之ヲ準用ス監獄ニ傳染病患者又ハ病毒感染ノ疑アル者アリタル場合ニ於テ出獄セシムヘキ者ニ付亦同シ

第十六條　前二條ニ定ムルモノノ外檢疫委員ノ設置及船舶、汽車、旅客ノ檢疫ニ關スル規定ハ朝鮮總督之ヲ定ム

第十七條　傳染病流行シ又ハ流行ノ虞アルトキハ(警務部長)ハ左ノ事項ノ全部又ハ一部ヲ施行スルコトヲ得

一　健康診斷又ハ死體檢案ヲ行フコト

二　市街部落ノ全部又ハ一部ノ交通ヲ遮斷シ又ハ人民ヲ隔離スルコト

三　祭禮、供養、興行、集會等ノ爲多數人ノ集合スルコトヲ制限シ又ハ禁止スルコト

四　古著、襤褸、古綿其ノ他病毒傳播ノ虞アル物件ノ移轉ヲ制限シ若ハ停止シ又ハ之ヲ廢棄スルコト

五　病毒傳播ノ媒介ト爲ルヘキ飲食物ノ販賣授受ヲ禁止シ又ハ之ヲ廢棄スルコト

六　船舶、汽車、製造所其ノ他多數人ノ集合スル場所ニ醫師ノ雇入其ノ他豫防上必要ノ施設ヲ爲サシムルコト

七　清潔方法若ハ消毒方法ヲ施行シ若ハ之カ施行ヲ命シ又ハ井戸、上水、下水、溝渠、芥溜、厠圊ノ新設、改造、變更、廢止ヲ命シ若ハ其ノ使用ヲ停止スルコト

八　一定ノ場所ニ於ケル漁撈游泳又ハ水ノ使用ヲ制限シ又ハ停止スルコト

九　鼠族ノ驅除又ハ之ニ關スル施設ヲ爲シ又ハ爲サシムルコト

第十八條　朝鮮總督傳染病豫防上必要ト認ムルトキハ種類ヲ限リ物件ノ移入又ハ輸入ヲ禁止スルコトヲ得

第十九條　傳染病ノ病毒ニ汚染シタル建物ニシテ消毒方法ノ施行ヲ不適當ト認ムルモノアルトキハ(警務部長)ハ朝鮮總督ノ認可ヲ受ケ其ノ建物ニ對シ適當ノ處分ヲ行ヒ及其ノ處分ノ爲必要ナル土地ヲ使用スルコトヲ得

前項ノ處分ヲ爲シタル場合ニ於テハ朝鮮總督ハ損害ヲ受ケタル建物ノ所有者ニ手當金ヲ交付スルコトヲ得

第二十條　官廳及官立ノ學校、病院、製造所等ニ傳染病患者發生シ又ハ發生ノ虞アルトキハ其ノ首長ハ(警務部長)ト協議シ本令ニ準シ豫防方法ヲ施行スヘシ

第二十一條　(警務部長)道長官ノ承認ヲ受ケ地域ヲ指定シ衛生組合ヲ設ケ汚物ノ掃除、清潔方法、消毒方法其ノ他傳染病豫防救治ニ關スル事項ヲ行ハシムルコトヲ得

第二十二條　傳染病豫防上必要ナル施設及費用ノ負擔ニ關スル地方公共團體ノ義務ニ付テハ朝鮮總督之ヲ定ム

第二十三條　醫師正當ノ事由ナクシテ十二時間內ニ第三條ノ屆出ヲ爲サ

ス又ハ虚僞ノ轉歸屆ヲ爲シタルトキハ百圓以下ノ罰金又ハ科料ニ處ス

第二十四條　左ノ各號ノ一ニ該當スル者ハ五十圓以下ノ罰金又ハ科料ニ處ス

一　第四條、第五條、第九乃至第十一條ノ規定ニ違反シタル者

二　埋葬後二年内ニ警察官署ノ許可ヲ受ケスシテ傳染病患者ノ死體ヲ改葬シタル者

三　交通遮斷ヲ犯シタル者

四　醫師ニ囑託シテ第三條ノ屆出ヲ爲サシメス又ハ其ノ屆出ヲ妨ケタル者

五　當該吏員ノ尋問ニ對シ答辯ヲ爲サス若ハ虚僞ノ陳述ヲ爲シ又ハ其ノ職務ノ執行ヲ拒ミ之ヲ妨ケ若ハ忌避シタル者

六　本令又ハ本令ニ基キテ發スル命令ノ規定ニ依リ當該吏員ノ指示命令シタル事項ヲ履行セサル者

第二十五條　本令中醫師ニ關スル規定ハ醫生及地域期間ヲ限リ醫業ヲ爲スコトヲ許サレタル者ニ之ヲ適用ス

附　則

本令施行ノ期日ハ朝鮮總督之ヲ定ム

傳染病豫防令施行期日　大正四年七月 總令第六十八號

傳染病豫防令ハ大正四年八月一日ヨリ之ヲ施行ス

二　傳染病豫防令施行規則　大正四年七月 總令第六十九號

改正 六年一二第八六號 八、四第六二號 八、八、第一三三號 八、九、第一四三號

第一條　道知事其ノ管内ニ傳染病流行ノ兆アリト認ムルトキハ其ノ性狀及豫防計畫其ノ他參考事項ヲ具シ速ニ（警務總長）ニ報告スヘシ

前項ノ場合ニ於テハ道知事ハ隣接地及船舶汽車交通ノ地ノ道知事最寄兵營竝最寄港灣ニ碇泊ノ軍艦等ニ通報スヘシ

第二條　警察官吏、又ハ檢疫委員傳染病若ハ其ノ疑アル患者又ハ死者アルコトヲ知リタルトキハ直ニ之ヲ府尹又ハ面長ニ通報スヘシ

第三條　警察官吏、又ハ檢疫委員傳染病豫防令第三條又ハ第四條ノ屆出ヲ受ケタル場合ニ於テ必要ト認ルトキハ醫師ヲシテ診斷セシメ又ハ檢案セシムルコトヲ得

第四條　警察官吏、又ハ檢疫委員傳染病ノ患者死者又ハ病毒汚染ノ事實アルコトヲ知リタルトキハ直ニ傳染病ノ患者死者アリタル家若ハ場所其ノ病毒ニ汚染シ若ハ汚染ノ疑アル家若ハ場所ニ清潔方法、消毒方法ヲ施行セシメ其ノ傳染病カペストナルトキハ特ニ鼠族ノ驅除ヲ施行セシムヘシ

第五條　警察官吏、又ハ檢疫委員豫防上必要ト認ムルトキハ傳染病患者ヲ傳染病院、隔離病舍又ハ相當ノ設備アル病院ニ入ラシムルヘシ

第六條　警察官吏、又ハ檢疫委員ハ傳染病豫防令第八條ニ依リコレラ、赤痢、發疹チフス、猩紅熱、ペストニ對シ左ノ事項ヲ施行スルコトヲ得

一　患者又ハ死者アル家若ハ場所竝患者ヲ入院若ハ入舍セシメ又ハ患

者治癒若ハ死亡シタル後消毒方法ノ施行ヲ了ル迄其ノ患者アリタル家若ハ場所ノ交通ヲ遮斷スルコト

二　前號ノ外病毒ニ汚染シ又ハ汚染ノ疑アル家若ハ場所ハ消毒方法ノ施行ヲ了ル迄交通ヲ遮斷スルコト

三　前二號ノ家ノ居住者其ノ他病毒感染ノ疑アル者ヲ消毒方法ノ施行ヲ了リタル時ヨリ起算シ左ノ期間隔離所若ハ消毒方法ノ施行ヲ了リタル家其ノ他適當ノ場所ニ隔離スルコト

コレラ、赤痢　滿五日間
發疹チフス、猩紅熱　滿七日間
ペスト　滿十日間

第七條　傳染病豫防令第九條又ハ第十條ノ許可ヲ受ケムトスルトキハ口頭又ハ書面ヲ以テ警察官吏、又ハ檢疫委員ニ願出ツヘシ

警察官吏、又ハ檢疫委員傳染病豫防令第九條ノ許可ヲ與ヘタルトキハ直ニ患者又ハ死體ヲ移スヘキ地ノ警察官吏、又ハ檢疫委員ニ通報スヘシ

第八條　傳染病豫防令第九條、第十條又ハ第十一條第二項ノ場合ニ於テハ警察官吏、又ハ檢疫委員ハ消毒方法ヲ施行セシムヘシ

第九條　檢疫委員傳染病豫防令第十三條ニ依リ家宅、船舶其ノ他ノ場所ニ立入ルニハ左ノ證票ヲ携帶シ戸主若ハ管理人又ハ之ニ代ルヘキ者ニ示スヘシ

凡三寸

檢疫委員之證

厚紙
表面
凡一寸

裏面

官廳印

第十條　傳染病豫防令第十七條第二號ニ依ル交通遮斷又ハ隔離ハ第六條各號ノ規定ニ準シ之ヲ施行スヘシ

第十一條　道知事傳染病豫防令第十九條ニ依リ傳染病ノ病毒ニ汚染シタル建物ニ對シ處分ヲ行ハムトスルトキ又ハ其ノ處分ノ爲必要ナル土地ヲ使用セムトスルトキハ其ノ旨ヲ建物又ハ土地ノ所有者若ハ管理者ニ通知スヘシ

第十二條　傳染病ノ豫防救治ニ關シ必要ト認メタルトキハ道知事ハ地域ヲ指定シ其ノ地域内ノ人民ヲシテ衞生組合ヲ設置セシムヘシ

第十三條　衞生組合ヲ設置セムトスルトキハ規約ヲ作リ道知事ノ認可ヲ受クヘシ之ヲ變更セムトスルトキ亦同シ(警務部長)前項ノ認可ヲ爲サムトスルトキハ道長官ノ承認ヲ受クヘシ

第十四條　道知事必要ト認ムルトキハ組合規約ノ變更ヲ命スルコトヲ得

第十五條　乃至第十七條削除

第十八條　傳染病豫防令第十四條ニ依リ檢疫委員ヲ置クノ必要アリト認ムルトキハ警察官署道府郡島ノ官吏及醫師等ノ中ヨリ之ヲ命ス檢疫委員中委員長一人ヲ置キ(警務部長)ヲ以テ之ニ充ツ

第十九條　檢疫委員ハ道知事ノ命ヲ受ケ傳染病豫防事務ノ監督、船舶汽車ノ檢疫其ノ他傳染病豫防救治ニ關スル事務ニ從事ス檢疫委員ノ職務章程ハ道知事之ヲ定メ朝鮮總督ニ報告スヘシ

第二十條　道知事其ノ管内ニ傳染病豫防令第一條第一項ニ揭ケルモノノ

外同令ニ依リ豫防方法ノ施行ヲ必要ト認ムル傳染病發生シタルトキハ直ニ其ノ性狀ヲ具シ朝鮮總督ニ申報スヘシ

附　則

本令ハ傳染病豫防令施行ノ日ヨリ之ヲ施行ス

三　傳染病豫防手續

大正四年七月
警訓甲第三十六號
改正　七年三第四號

警務部
警察署
憲兵分隊（警察署ノ事務ヲ取扱フ）
同　憲兵分遣所

第一條　傳染病蔓延ノ兆アルトキ又ハコレラペスト若ハ其ノ疑アル患者發生ノ場合ニ於テハ警察署長（警察署ノ事務ヲ取扱フ憲兵分隊又ハ憲兵分遣所ノ長ヲ含ム以下同シ）ハ左ノ事項ヲ具シ警務部長ニ報告スヘシ但シ此ノ場合ニ於テハ書面ニ先チ電報其ノ他急速ノ方法ニ依リ其ノ概要ヲ報告スヘシ

一　病性
二　原因系統及傳播ノ狀況
三　豫防措置
四　患者ノ收容、治療及死體ノ措置
五　部落交通遮斷ニ關スル意見
六　軍隊開港場其ノ他樞要地トノ交通關係
七　前各號ノ外必要ノ事項

前項ノ場合ニ於テ豫防上他ノ管轄内ニ關係アルモノニ付テハ直ニ所轄ノ警察署長ニ通報スヘシ

第二條　傳染病豫防令施行規則（以下施行規則ト稱ス）第一條第一項ノ場合又ハコレラペスト若ハ其ノ疑アル患者發生ノ場合ニ於テハ（警務部長）ハ前條第一項ノ手續ニ準シ（警務總長）ニ報告スヘシ

第三條　警察署長ハ其ノ管轄内ニ於テ傳染病豫防令（以下豫防令ト稱ス）第一條第一項ニ掲クルモノノ外同令ニ依リ豫防方法ノ施行ヲ必要ト認ムル傳染病發生シタルトキハ直ニ其ノ性狀及傳播ノ狀況其他參考事項ヲ具シ（警務部長）ニ報告スヘシ

第四條　警察署又ハ（警察署ノ事務ヲ取扱フ憲兵分隊、憲兵分遣所）ニ於テハ第一號樣式ニ依リ傳染病者名簿ヲ備ヘ傳染病ノ患者又ハ死者アルトキ之ニ記入シ其ノ發生及轉歸ニ付直ニ（警務部長）ニ報告スヘシ

第五條　（警務部長）ハ傳染病者ノ發生轉歸ニ付第二號樣式ニ依リコレラ、ペストニ在リテハ毎日其ノ他ニ在リテハ毎月分ヲ翌月十日迄ニ警務總長ニ報告スヘシ

第六條　傳染病患者ハ傳染病院又ハ隔離病舍ニ入ラシムヘシ但シ赤痢、腸チフス、パラチフス、ヂフテリア患者ニ在リテハ相當設備アル病院ニ入ラシメ又ハ左ノ各號ニ該當スルモノニ限リ自宅治療ヲ爲メシムルコトヲ得

一　病室ニ專用スヘキ適當ノ室アルトキ
二　專從スヘキ看護人アルトキ
三　主治醫アルトキ

四　患者ニ專用スヘキ什器臥具ヲ有スルトキ
五　消毒用器具藥品ヲ準備シ得ルトキ
六　營業及生活狀態並周圍ノ狀況ニシテ病毒傳播ノ虞ナシト認ムルトキ

第七條　自宅治療中ハ左ノ各號ヲ遵守セシムヘシ
一　患者ハ濫リニ病室外ニ出サシメサルコト
二　患者ノ使用シタル器具、排泄物、飲食物ノ殘餘其ノ病毒ニ汚染シ若ハ汚染ノ疑アル物ハ總テ適當ノ消毒ヲ行ハシメ且蚊蠅等ノ附著セサル樣適當ノ裝置ヲナサシムルコト
三　前號ノ物ハ消毒方法ヲ施行スルニ非サレハ病室外ニ出サシメサルコト
四　病室ニハ醫師看護人ノ外出入セシメサルコト
五　看護人病室ニ出入ノ際ハ消毒ノ後更衣セシムルコト
六　看護人ノ使用スル什器臥具等ハ一定シ置カシムルコト
七　病室內外ノ塵芥ハ燒却セシムルコト
八　濫リニ病室ヲ變更セシメサルコト
九　病室ハ消毒方法ヲ施行シタル後ニ非サレハ使用セシメサルコト

第八條　施行規則第六條ニ揭クル以外ノ傳染病ト雖其ノ患者又ハ死者アル間及患者ヲ入院若ハ入舍セシメ又ハ患者ノ治癒若ハ死亡シタル後消毒方法ヲ了ル迄濫リニ他人ヲシテ其ノ家若ハ場所ニ交通セシムヘカラス

第九條　交通遮斷施行中ハ警察官吏又ハ憲兵ヲ附シ取締ヲ爲サシムヘシ

但シ差支ナシト認ムルトキニ限リ巡行ノ際其ノ取締ヲ爲サシムルコトヲ得

第十條　施行規則第六條第三條ニ依リ隔離ヲ行フ場合ニ於テハ警察官吏又ハ憲兵ヲシテ之カ取締ヲ爲サシメ且每日健康狀態ヲ視察シ必要ニ應シ健康診斷ヲ行ハシムヘシ

第十一條　左ノ各號ニ該當スル場合ニ於テハ隔離所以外ニ隔離スルコトヲ得
一　內外ノ交通ヲ禁止シ得ヘキ場所ナルトキ
二　專用スヘキ什器及臥具ヲ有スルトキ
三　專用スヘキ便所及浴場ヲ有スルトキ

第十二條　交通遮斷又ハ隔離施行中左ノ各號ノ一ニ該當スル場合ニ於テハ事情已ムヲ得サルモノニ限リ相當消毒ノ上許可スルコトヲ得
一　交通遮斷又ハ隔離ノ場所ニ在ル物品ヲ他ニ搬出セムトスルトキ
二　交通遮斷又ハ隔離中ノ者ニ面會ヲ求ムル者アルトキ
三　交通遮斷又ハ隔離中ノ者ニシテ一時外出セムトスルトキ

第十三條　施行規則第七條第一項又ハ豫防令第十一條第一項但書ノ場合ニ於テハ其ノ事由及關係地ノ狀況等ヲ調査シ病毒傳播ノ虞ナシト認ムルトキニ限リ許可スヘシ

第十四條　左ノ場合ハ傳染病患者ノ移送ヲ猶豫スルコトヲ得
一　患者ノ病狀危篤ニシテ途中死亡ノ虞アルトキ
二　雨風降雪炎熱ノ際

第十五條　傳染病患者ヲ移送スル場合ニハ其ノ病狀ニ應シ必要ナル藥品飲料水其ノ他嗽盤、便器等ヲ準備セシムヘシ

第十六條 傳染病ノ患者又ハ死者ヲ移送スルトキ又ハ排泄物其ノ他病毒汚染ノ物品ヲ運搬スルトキハ成ルヘク警察官吏又ハ憲兵ヲシテ途上ノ監視ヲ爲サシムヘシ

第十七條 警察署長豫防令第十二條ニ依リ死體發掘ノ處分ヲ要スト認ムルトキハ其ノ事由ヲ具シ警務部長ノ指揮ヲ請フヘシ但シ急速ヲ要スル場合ハ處分ヲ爲シタル後直ニ警務部長ニ報告スヘシ

第十八條 病毒ニ汚染シ若ハ汚染ノ疑アル物件ニシテ現場ニ於テ消毒方法ヲ施行シ難シト認ムルトキハ之ヲ包容シ其ノ被包ニ消毒シタル上適當ノ場所ニ送リ施行セシムヘシ

第十九條 警察署長豫防令第十七條各號ノ全部又ハ一部ノ施行又ハ施行規則第十六條若ハ第十七條ニ依ル指示命令ノ必要アリト認ムルトキハ事情ヲ具シ（警務部長）ニ報告スヘシ衞生組合ノ設置又ハ其ノ地域若ハ規約ノ變更ヲ命スル必要アリト認ムルトキ亦同シ

（警務部長）前項ノ事項ヲ施行セムトスル場合ニ於テ重要ト認ムルトキハ實行前（警務總長）ノ指揮ヲ請フヘシ

第二十條 病毒河川又ハ井戸等ニ混入シタリト認ムルトキハ警察署長ハ假ニ左ノ各號ヲ施行シ（警務部長）ニ報告スヘシ但シ此ノ場合ニ於テ家用水供給ノ必要アルトキハ便宜ニ依リ其ノ取計ヲ爲スヘシ

一 飲用及使用ヲ止ムルコト

二 漁撈及游泳ヲ止ムルコト

附　則

明治四十三年八月訓令第十三號傳染病報告例ハ之ヲ廢止ス

第一號樣式（傳染病者名簿）

用紙美使形

第　號—病　　名—　　　—報告月日—大正　年　月　日

項目	記入	項目	記入
本籍		身分	
現住所		職業	
		男女別 氏名 年齡	男（女）　年　月　日生
發病月日	月　日　午　時	發病場所	
發見ノ事由	醫師ノ屆出、戸口調査、健康診斷、死體檢案、密告	診定月日	月　日　午　時
診定者職氏名		原因系統	
患者ノ收容竝遮斷及隔離ノ狀況		轉歸年月	月　日　午　時死亡、全治
		死體ノ處置	火葬　埋葬
		轉歸報告月日	
備考			

第　號
大正　年　月　日

(何何)病轉歸報告

隊署所 ㊞

氏名		發生月日即報	
轉歸月日		死體置處	
備考			

契印

第　號
大正　年　月　日

(何何)病發生即報

隊署所 ㊞

本籍		身分職業		男女別氏名年齡	男(女)　年　月　日生
現住所					
發病月日		發病場所			
發見ノ事由		診定月日			
診定者ノ職氏名		原因系統			
患者ノ收容並遮斷隔離ノ狀況		備考			

契印

第二號樣式（用紙美濃形）

何病月（日報）大正年月分（大正年月日）

何道警務部印

府郡名		何府 男	何府 女	何府 計	何府 累計	何郡 男	何郡 女	何郡 計	何郡 累計	合計 男	合計 女	合計 計	合計 累計
前期繰越患者	內地人												
	朝鮮人												
	支那人												
	外國人												
	計												
發生	內地人												
	朝鮮人												
	支那人												
	外國人												
	計												
全治	內地人												
	朝鮮人												
	支那人												
	外國人												
	計												
死亡	內地人												
	朝鮮人												
	支那人												
	外國人												
	計												
現在	內地人												
	朝鮮人												
	支那人												
	外國人												
	計												

備考（注意）左ノ事項ハ本欄ニ記入スヘシ

一　原因系統
二　傳染ノ媒介トナルヘキモノノ關係
三　同一部落ニ多數發生ノ場合ハ其ノ地名患者數及狀況
四　蔓延又ハ終熄ノ狀況
五　其ノ他參考事項

四　清潔方法及消毒方法

大正四年七月　總令第七十一號
改正　五年九第七九號

清潔方法及消毒方法左ノ通定ム

第一條　清潔方法ノ要項左ノ如シ

一　宅地及家屋ノ内外ヲ清潔ニ掃除シ雜草ヲ芟除スルコト
二　疊、建具、什器等ハ之ヲ取出シテ日光ニ曝シ屋内全部ヲ洒掃シ床下ハ成ルヘク床板ヲ取外シテ之ヲ掃除スルコト
三　濕潤セル床下ハ通氣ヲ充分ナラシメ濕潤甚シキトキハ乾燥セル石灰土砂若ハ石灰、殼ヲ撒布スルコト
四　井戸側、井戸流、臺所流、下水、汚水溜等ヲ掃除シ破損ノ箇所アルトキハ之ヲ修理シ必要ノ場合ニハ井戸浚ヲ爲スコト
五　便所、芥溜等ヲ掃除シ破損ノ箇所アルトキハ之ヲ修理スルコト
六　ペストニ對スル清潔方法トシテハ前各號ノ外屋根裏、天井、羽目板間、床下等ニ就キ鼠族ノ搜索驅除ヲ行フコト
七　清潔方法施行ノ爲生シタル汚泥、塵芥ハ直ニ之ヲ一定ノ運搬具ニ入レ健康上有害ナラサル樣一定ノ場所ニ投棄スルカ又ハ燒却スルコト

第二條　傳染病流行ニ際シ溝渠ヲ浚渫セムトスルトキハ必要ニ應シ適當ノ消毒藥ヲ投入スヘシ

第三條　傳染病ノ患者又ハ死者アリタル家又ハ病毒ニ汚染シ若ハ汚染ノ疑アル家ニ於テハ消毒方法ノ施行ヲ了リタル後清潔方法ヲ施行スヘシ

第四條　消毒方法ハ左ノ四種トス

記

一　燒却
二　蒸汽消毒
三　煮沸消毒
四　藥物消毒

第五條　燒却ニ適スルモノハ左ノ如シ

一　傳染病ノ患者又ハ死體ニ用ヰタル被服、臥具、布片、便器其ノ他ノ器具等ニシテ病毒ニ汚染シ消毒後再ヒ用ニ供スル目的ナキモノ
二　傳染病患者ノ吐瀉物其ノ他ノ排泄物及塵芥動物ノ死體等

第六條　蒸汽消毒ニ適スルモノハ左ノ如シ

一　絹布、綿布、麻布及毛織物類ノ被服、臥具、布片等

二　硝子器、陶器、其ノ他金屬製又ハ木製品類等ニシテ汽熱ニ堪ユルモノ

第七條　蒸汽消毒ヲ施行スルトキハ左ノ各號ニ注意スヘシ

一　皮革類、革製品、漆器其ノ他ノ塗物類、護謨製品、護謨附品、糊附品、膠附品、象牙、鼈甲、角ノ類ハ品質ヲ損スルヲ以テ蒸汽消毒ヲ避クルコト

二　被服類ニ蒸汽消毒ヲ施スニハ彈丸火藥等爆發又ハ發火シ易キ物品ノ混入セサルコト

三　消毒中他物ニ染色ノ虞アルモノハ成ルヘク蒸汽消毒ヲ避クルコト

四　蒸汽消毒ハ流通蒸汽ヲ用ヰ成ルヘク消毒器中ノ空氣ヲ驅逐シ衣服ノ類ニ在リテハ三十分間以上臥具ノ類ニ在リテハ一時間以上攝氏百度以上ノ濕熱ニ觸レシムルコト

第八條　煮沸消毒ニ適スルモノハ蒸汽消毒ニ適スルモノニ同シ

煮沸消毒ハ消毒スヘキ物品ヲ全部水中ニ浸シ沸騰十五分間以上煮沸スヘシ

第九條　藥物消毒ニ供スル藥劑竝其ノ用法ハ左ノ如シ

一　石炭酸水（約三十三倍）

石炭酸水ヲ製スルニハ防疫用石炭酸三分及普通食鹽五分ニ少量ノ水ヲ加ヘ攪拌又ハ振盪シツツ徐徐ニ九十二分ノ水ヲ注クヘシ溫湯ヲ用ウレハ其ノ溶解殊ニ速ナリトス

石炭酸水ハ各種物件ノ消毒ニ適ス但シ使用ノ際ハ毎回振盪シ左ノ諸件ニ注意スヘシ

イ　吐瀉物其ノ他排泄物ニハ同容量ヲ加ヘ能ク攪拌シタル後二時間以上放置スルコト

ロ　器具病室等ヲ消毒スルニハ擦拭又ハ撒布スルコト

ハ　衣類等ヲ消毒スルニハ二時間以上浸漬スルコト

二　アイゼル溶液（百倍）

アイゼル溶液ヲ製スルニハアイゼル液一分ニ九十九分ノ水ヲ加ヘ攪拌シ完全ニ水ニ溶解シ沈澱ヲ生セサル如ク爲スヘシ

アイゼル溶液ハ各種物件ノ消毒ニ適シ其ノ用量及應用ハ石炭酸水ニ準スヘシ

三　クレゾール水

クレゾール水ヲ製スルニハクレゾール石鹼液六分ニ水九十四分ヲ加フヘシ

クレゾール水ハ各種物件ノ消毒ニ適シ其ノ用量及應用ハ石炭酸水ニ準スヘシ

四　昇汞水（約千倍）

昇汞水ヲ製スルニハ昇汞一分及普通食鹽一分ヲ千分ノ水ニ溶解シ又ハ昇汞錠（一錠中昇汞〇・五瓦ヲ含ム）ヲ一錠ニ付水約五百瓦ノ割合ニ溶解スヘシ

昇汞水ハ猛毒ニシテ無色無臭ナルカ爲危險ヲ招キ易シ昇汞錠ヲ用ヒサルモノニ在リテハスカレツト又ハゾイレフクシン其ノ他適當ノ色素ヲ加ヘテ著色シ一見識別シ易カラシムヘシ使用貯藏ノ際充分ニ注意シ貯藏ニハ金屬製ノ器ヲ使用スヘカラス

昇汞水ハ手足、陶器、硝子器、木製器具又ハ室內ノ消毒ニ適ス飲食用器具、玩具ノ消毒飲料水ニ滲透スヘキ場所ノ消毒、及金屬製品、糞便、吐泄物ノ消毒ニ用ウヘカラヌ

五　生石灰末

生石灰末ヲ製スルニハ生石灰(煆製石灰)ニ少量ノ水ヲ加ヘ能ク崩壊セシムヘシ

生石灰末ハ用ニ臨ミテ之ヲ製シ吐瀉物其ノ他ノ排泄物、溝渠等ノ消毒ニ用ウヘシ吐瀉物其ノ他ノ排泄物ヲ消毒スルニハ少クモ其ノ容量五十分ノ一ヲ投シ能ク攪拌スヘシ

生石灰末ヲ得ルコト能ハサルトキハ代用トシテ其ノ倍量ノ石灰ヲ用ウヘシ

六　石灰乳(十倍)

石灰乳ヲ製スルニハ一分ノ生石灰ニ九分ノ水ヲ徐徐ニ加ヘ能ク攪拌スヘシ

石灰乳ハ用ニ臨ミテ之ヲ製シ使用ノ際攪拌スヘシ其ノ用量ハ吐瀉物其ノ他排泄物等ノ容量四分ノ一以上トス

石灰乳ヲ得ルコト能ハサルトキハ石灰一分ニ水四分ヲ加ヘタルモノヲ用ウヘシ

七　クロール石灰乳

クロール石灰乳ヲ製スルニハクロール石灰(漂白粉)一分ニ水五分ヲ徐徐ニ加ヘ能ク攪拌スヘシ

クロール石灰乳ハ用ニ臨ミ之ヲ製シ其ノ應用ハ石灰乳ニ同シ

八　カリ石鹸液又ハ緑石鹸液

カリ石鹸液又ハ緑石鹸液ヲ製スルニハカリ石鹸又ハ緑石鹸三分ヲ熱湯百分ニ溶解スヘシ

カリ石鹸液又ハ緑石鹸液使用ノ際加熱スヘシ

カリ石鹸液又ハ緑石鹸液ハ不潔ナル木製器具、戸、障子、床面等ノ消毒ニ適ス

九　フォルムアルデヒード

フォルムアルデヒードハフォルマリンヲ一定ノ装置ニ依リ蒸發若ハ噴霧セシメ又ハ適當ノ装置ニ依リ之ヲ發生セシムヘシフォルムアルデヒードヲ使用セムトスル際ニハ左ノ諸件ニ注意スヘシ

イ　氣密ニ閉鎖シ得ヘキ消毒函内又ハ土藏造、洋風建物、船舶、汽車等ニシテ戸扉、窓孔等ヲ密閉シ得ヘキ場所内ニ非サレハ之ヲ使用セサルコト

ロ　消毒函又ハ室内ノ容積百立方尺ニ付フォルマリン四十瓦以上ヲ蒸發若ハ噴霧セシメ又ハフォルムアルデヒード瓦斯十五瓦以上ヲ發生セシメ同時ニ約百瓦以上ノ水ヲ蒸發セシムル比例ヲ以テ處置シタル後七時間以上密閉シ置クコト

フォルムアルデヒードハ左ノ消毒ニ用ウルコトヲ得

イ　土藏造、洋風建物、船舶、汽車等ノ密閉シタル室内又ハ室内ニ定着セル器物等ニシテ他ノ消毒方法ヲ行フコト能ハサルモノ

ロ　他ノ消毒方法ヲ行フコト能ハサル貴重品其ノ他ノ物件ニシテ其ノ内部ニ至ルマテ消毒方法ヲ施スノ必要ナシト認ムルモノ

十　フォルマリン水(三十五倍)

フォルマリン水ヲ製スルニハフォルマリン一分ニ三十四分ノ水ヲ加ヘ用ニ臨ミテ製スヘシ

フォルマリン水ハ家屋、家具、什器及衣類等ノ消毒ニ適ス其ノ用法ハ石炭酸水ニ準スヘシ

屎尿、吐瀉物其ノ他排泄物ノ消毒ニ用ウヘカラス

第十條　消毒方法ノ應用ハ左ノ如シ

一　排泄物

イ　患者ノ糞便、尿及嘔吐物ハ之ヲ便器又ハ他ノ容器ニ受ケ直ニ之ト同量ノ石炭酸水アイゼル溶液若ハクレゾール水又ハ其ノ內容物ノ四分ノ一以上ノ石灰乳若ハクロール石灰乳又ハ五十分ノ一以上ノ生石灰末ヲ加ヘ充分混和シ二時間以上經過シタル後投棄スヘシ

ロ　患者ノ咯痰、各種粘液、含嗽水ハ之ヲ石炭酸水、アイゼル液、クレゾール水若ハ昇汞水ヲ盛リタル容器ニ受ケ充分混和シ二時間以上經過シタル後投棄シ又ハ其ノ內容物ノ約五十分ノ一ノ曹達ヲ混和シ容器ト共ニ煮沸消毒又ハ蒸汽消毒ヲ施シタル後投棄スヘシ

ハ　患者ノ潰瘍面ノ濃汁ハ之ヲガーゼ又ハ精製綿ヲ以テ拭ヒ直ニ燒却スルカ又ハ石炭酸水、アイゼル溶液、クレゾール水若ハ昇汞水ヲ以テ充分ニ浸漬シ二時間以上經過シタル後投棄スヘシ

ニ　患者ノ皮膚ノ病皮、落屑等ノ消毒ハ前號ニ準スヘシ

二　衣服及寢具類

イ　患者ノ襯衣、敷布其ノ他洗濯ニ堪エル衣服類、手布、手拭等ハ之ヲ約五十倍ノ曹達水ニ浸シ十五分間以上煮沸スルカ又ハ石炭酸水、アイゼル溶液若ハクレゾール水、フォルマリン水ヲ入レタル容器ニ二時間以上浸漬シタル後更ニ水ヲ以テ洗濯スヘシ

ロ　洗濯ニ堪エサル衣服類及蒲團、寢具、敷物等ハ蒸汽消毒又ハフォルムアルデヒード消毒ヲ施スヘシ

三　飲食用器具類

患者ノ使用セシ飲食用器具牛乳瓶藥瓶等ハ之ヲ約五十倍ノ曹達水中ニ於テ十五分間以上煮沸シタル後更ニ淸水ヲ以テ洗淨スヘシ

四　便器、尿器、痰壺、洗面器、浴槽

患者ノ使用セシ便器、尿器、痰壺、洗面器、浴槽ハ內容物ヲ消毒シ放流シタル後石炭酸水、アイゼル溶液、クレゾール水、フォルマリン水又ハ昇汞水ヲ以テ擦拭シ更ニ水ヲ以テ洗淨スヘシ但シ泑藥ヲ施ササル金屬製器ニ對シテハ昇汞水ヲ使用スヘカラス

五　患者

患者治癒シタルトキハ先ツカリ石鹼若ハクレゾール石鹼溶液ノ適量ヲ混シタル溫湯ニテ全身ヲ洗ヒ次ニ入浴ヲ行ヒ衣服ヲ更メシムヘシ場合ニ依リテハ上記藥品溶液ノ溫濕布ヲ以テ拭淨シ入浴ニ代フルモ妨ナシ

六　死體

患者ノ死體ヲ棺ニ斂ムルニハ其ノ被服ニ昇汞水、石炭酸水、アイゼル溶液若ハクレゾール水、フォルマリン水ヲ撒布シ棺底ニハ石灰、木灰、藁灰等ヲ敷クヘシ

七　看病人、病家ノ家人其ノ他病毒ニ接觸シタル者

看病人、病家ノ家人其ノ他消毒方法ノ施行又ハ患者、死體、排泄物ノ運搬等ノ爲病毒ニ接觸シタル者ハ時時若ハ其ノ都度手足及衣服ヲ消毒シ且入浴スヘシ

八　患者、死體、病毒汚染物等ノ運搬具

患者、死體、病毒汚染物等ヲ運搬シタル擔架、釣臺、車輛ノ類ハ使

用後毎回昇汞水、石炭酸水、アイゼル溶液若ハクレゾール水ヲ以テ擦拭スヘシ

九　便所芥溜溝渠等

イ　便所ノ消毒ハ先ツ戸、扉、引手、把手、內壁、床板、踏隱等ヲ石炭酸水、アイゼル溶液、クレゾール水、フォルマリン水若ハ昇汞水ヲ以テ拭淨スヘシ

ロ　糞壺及尿壺ノ內容物ハ生石灰末又ハ石灰乳ヲ以テ消毒スヘシ生石灰末ノ用量ハ其ノ內容物ノ五十分ノ一以上石灰乳ニ在リテハ四分ノ一以上トシ少クモ二十四時間ヲ經過シタ後汲出スヘシ

ハ　病毒ニ汚染シタル土地、敷石及病毒ノ混入シタル芥溜、溝渠ニハ多量ノ石灰乳若ハクロール石灰乳ヲ灌キ消毒スヘシ

十　病室

イ　病室其ノ他病毒ニ汚染シ若ハ汚染ノ疑アル室內ノ各部及物件ハ石炭酸水アイゼル溶液、クレゾール水、フォルマリン水若ハ昇汞水ヲ以テ拭淨シ消毒後ハ日光射入、空氣ノ流通ヲ良クシ乾燥シセムヘシ

ロ　土藏造、洋風建物等密閉シ得ヘキ室內ノ消毒ニハフォルムアルデヒードヲ用ウルコトヲ得

ハ　病室、廊下、便所等掃除及消毒ニ因リテ生シタル塵芥及不用ノ物件布片襤褸等ハ散逸セサル様之ヲ一所ニ纏メ置キ燒却スヘシ

十一　井戸、水槽等

病毒ニ汚染シ若ハ汚染ノ疑アル井戸、水槽等ニハ水量約五十分ノ一ノ生石灰末ヲ乳狀ト爲シテ投入シ能ク攪拌シ十二時間以上放置シタル後汲出スカ又ハ適當ノ裝置ニ依リテ三十分間以上蒸汽ヲ通スヘシ

十二　汽車

患者若ハ死體アリタル汽車內ノ消毒ハ第十ニ、同車室內ニ附屬スル便所ノ消毒ハ第九ニ準スヘシ

十三　船舶

患者若ハ死體アリタル船室內ノ消毒ハ第十ニ準スヘシ其ノ他ノ場所ニ對シテハ消毒藥ノ撒布、擦拭等適宜處置スヘシ

船底水、飲用水及雜用水ノ消毒ハ第十一ニ準スヘシ

附　則

本令ハ傳染病豫防令施行ノ日ヨリ之ヲ施行ス

五　肺結核豫防ニ關スル件　大正七年一月 總令第四號

肺結核豫防ニ關スル件左ノ通定ム

第一條　學校、病院、製造所、船舶發著待合所、鐵道停車場、劇場、寄席、宿屋、料理屋、飲食店貸座敷理髮店其ノ他(警務部長)ノ指示スル場所ニハ適當箇數ノ唾壺ヲ配置スヘシ

前項ノ唾壺不適當ナルカ又ハ其ノ箇數充分ナラスト認ムルトキハ警察署長(警察署ノ事務ヲ取扱フ憲兵分隊憲兵分遣所ノ長ヲ含ム以下同シ)ハ唾壺ノ變更ヲ命シ若ハ之ヲ增置セシムルコトヲ得

第二條　前條ノ唾壺ニハ唾痰ノ乾燥飛散ヲ防ク爲消毒藥液又ハ水ヲ容レ置クヘシ

唾壺內ノ唾痰ハ左ノ各號ノ一ニ依リ消毒シタル後投棄スヘシ

一　唾壺內容物ノ十分ノ一乃至二十分ノ一量ノ粗製炭酸曹達(洗濯曹達)ヲ投入攪拌シツツ更ニ唾壺內容物ト同量以上ノ熱湯ヲ注加シ

覆蓋ヲ施シ涼却セシムルコト

二　唾壺内容物ト同量以上ノアイゼル溶液（五十倍アイゼル液一分水四十九分）、石炭酸水（二十倍結晶石炭酸五分鹽酸一分水九十四分）又ハクレゾール十倍（クレゾール石鹼液十分水九十分）ヲ投入シ攪拌シタル後クレゾール水ニ付テハ十二時間其ノ他ノモノニ付テハ二十四時間以上放置スルコト

第三條　警務部長ノ指定シタル鑛泉場、海水浴場、轉地療養所ニ於ケル宿屋ハ左ニ掲クル事項ヲ遵守スヘシ

一　貸浴衣及寢具ニ附著スル白布ハ使用者ヲ更ムル毎ニ洗濯スルコト

二　肺結核又ハ其ノ疑アル患者ナルコトヲ知リタルトキハ其ノ患者ノ居室ハ消毒スルニ非サレハ他人ヲ宿泊セシメサルコト

三　肺結核又ハ其ノ疑アル患者ノ使用シタル物品ハ消毒スルニ非サレハ他人ニ使用セシメサルコト

第四條　病院ハ左ニ掲クル事項ヲ遵守スヘシ

一　肺結核患者ト他ノ患者トヲ同室ニ收容セサルコト

二　結核患者ヲ收容シタル病室ニハ消毒スルニ非サレハ他ノ患者ヲ收容セサルコト

三　結核病毒ニ汚染シ又ハ汚染ノ疑アル物品ハ使更者ヲ更ムル毎ニ消毒スルコト

第五條　前二條ノ消毒方法ハ大正四年朝鮮總督府令第七十一號ニ依ルヘシ

第六條　監獄、官公立ノ學校、病院、養育院育兒院、製造所、官設ノ鐵道ニ於テハ其ノ首長ハ本令ノ規定ニ準シ相當ノ措置ヲ爲スヘシ

第七條　第一條及第六條ノ場所ニ於テハ唾壺外ニ唾痰ヲ喀出スルコトヲ得ス

第八條　第四條ノ規定ニ違反シタル者ハ五十圓以下ノ罰金又ハ科料ニ處ス

第九條　左ノ事項ノ一ニ該當スル者ハ科料ニ處ス

一　第一條第一項第二條第三條又ハ第七條ニ違反シタル者

二　第一條第二項ノ命令ニ違反シタル者

第十條　第一條ニ規定スル場所ノ首長又ハ營業者ハ其ノ代理人、戸主、家族、同居者、雇人其ノ他ノ從業者カ其ノ業務ニ關シ本令ニ違反シタルトキハ自己ノ指揮ニ出テサルノ故ヲ以テ處罰ヲ以テ免ルルコトヲ得ス

附　則

本令ハ大正七年三月一日ヨリ之ヲ施行ス

六　種痘規則

開國五百四年十月
內令第八號

改正　光武九年七第一號

第一條　種痘ヲ要スルモノ左ノ如シ

一　凡小兒ハ生後七十日ヨリ滿一年以内ニ種痘ヲ行フ但天然痘ヲ經タル證明有ル者ハ此限ニ在ラス

二　成年男子及女子ト雖種痘ヲナササル者ニ行フ但シ天然痘ヲ經タル證明有ル者ハ此ノ限ニ在ラス

第二條　疾病或ハ事故アリ種痘定日ニ受クルコト能ハサルトキハ親戚或ハ近隣者ノ證明書ヲ副ヘ其ノ事由ヲ種痘所ニ告ク可シ

第三條 種痘醫不善感ヲ證明スル者ニハ一週年内再種ヲ行ヒ尚ホ不善感ノトキハ三年内ニ三種ヲ行フ可シ

第四條 種痘者ハ種痘後八日以内ニ種痘醫ノ檢診ヲ受クヘシ

第五條 天然痘流行ノ兆有ルトキハ第一條第三條ノ期限ニ拘ラス官吏ノ指定シタル期日内ニ種痘ヲ行フ可シ

第六條 官廳ハ種痘名簿ヲ調製シ種痘醫カ他日再種或ハ三種ヲ施スニ便ナラシムヘシ

第七條 種痘醫ハ養成所ノ卒業證書ヲ有シ(内部)試驗ヲ經テ認可ヲ得タル者ノ外ハ種痘術ヲ行フコトヲ得ス

第八條 痘苗ハ(廣濟院)或ハ(内部衞生局)ノ檢定ヲ經タル品ニ限ル

第九條 種痘醫ハ種痘ノ感不感ヲ檢シ左ノ樣式ニ從ヒ種痘證書ヲ與フ可シ

證書第　　號
初再三不善感
居住
姓名
生年月日
來年再種痘ヲ要ス
開國　年　月　日
種痘醫姓名　印

證書第　　號
初再三善感
居住
姓名
生年月日
來年再種痘ヲ免ス
開國　年　月　日
種痘醫姓名　印

第十條 官廳ノ召喚ニ依リ檢痘有ノ無ノ訊問ヲ受ケタルトキハ種痘證書ヲ以テ證明ス可シ

第十一條 軍籍ニ入ラムトスル者竝警務ニ就カムトスル者ハ種痘證書ノ檢定ヲ受ク可シ若シ種痘ヲ經サル者ハ種痘ヲ施ス但シ天然痘ヲ經タル證蹟アル者ハ此ノ限ニ在ラス

第十二條 種痘證書ヲ僞造シタル者ハ一元以上二元以下ノ罰金或ハ一日以上二日以内ノ拘留ニ處ス

第十三條 (朝鮮國臣民)ニシテ種痘及檢診ヲ怠リタル者ハ二十錢以上五十錢以下ノ罰金或ハ一日以内ノ拘留ニ處ス

第十四條 種痘醫ノ資格ナクシテ種痘術ヲ行ヒタル者ハ十元以上二十元以下ノ罰金或ハ十日以上二十日以内ノ拘留ニ處ス

第十五條 官ノ許可ナクシテ痘苗ヲ販賣スル者ハ十五元以上三十元以下ノ罰金或ハ十五日以上三十以内ノ拘留ニ處ス
第十六條 種痘醫ニシテ業務ヲ怠リタル者ハ二十元以下ノ罰金或ハ二十日以内ノ拘留ニ處ス
第十七條 本規則ハ開國五百四年十一月一日ヨリ施行ス右上奏シ裁可ヲ經タル後頒布スルコト

七 朝鮮總督府痘苗賣下規則

明治四十三年十二月
總令第六十八號

第一條 痘苗ハ朝鮮總督府ニ於テ賣下ク
第二條 痘苗一具五人分ノ定價ハ金五錢トス但シ運送料ヲ要セス
朝鮮總督府醫院、慈惠醫院及警察官署ニ於テ施行スル種痘ニ要スルモノハ代價ヲ徵セス
薬劑師(現ニ薬品營業ヲ為ス者)薬種商ノ請求ニ依リ賣下クルモノハ定價ノ二割ヲ減ス
第三條 薬劑師薬種商ハ定價以上ノ價格ヲ以テ痘苗ヲ販賣スルコトヲ得ス
第四條 痘苗ノ代價ハ收入印紙ヲ以テ納付スヘシ
納付收入印紙ニ過不足アルトキハ印紙相當ノ數量ヲ交付スルモノトス
但シ一具ノ代價ニ滿タサル端數ハ切捨トス
第五條 第三條ニ違背シタル者ハ拘留又ハ科料ニ處ス

附則

第六條 本則ハ明治四十四年一月一日ヨリ施行ス

八 受刑者ノ定期健康診斷ノ時期ニ關スル件

大正七年五月
監第六一〇號

司法部長官

監獄典獄宛

雜居拘禁ニ付セラレタル受刑者ニ對スル定期ノ健康診斷ノ時期ハ各監獄區々ニシテ監督上不便多キニ付大正六年典獄會同ノ際聽取シタル御意見ヲ參酌シ其ノ時期ヲ四月十月トシ同年醫務主任會同決議ニ係ル十八歲未滿ニ對スル定期健康診斷ノ時期ハ之ヲ一月四月七月及十月ノ四期ト決定相成候條將來右ニ依リ施行相成度此段及通牒候也

九 慈惠醫院長會議注意事項ニ關スル件

明治四十五年七月
刑第六二六號

司法部長官

監獄典獄宛

今回慈惠醫院長會議ニ於テ監獄事務ニ關シ別紙寫ノ通注意相成候條爲御心得此段及通牒候也

(別紙寫)

慈惠醫院長會議注意事項

現今監獄ノ設備未タ完全ナラス監獄醫ノ配置亦極メテ少數ナリ而シテ在監者ハ逐日增加シ醫務亦倍々繁劇ヲ加ヘ醫員ノ不足ト病監ノ不備ト

ハ各病監共ニ不便ヲ訴フル所ナリ殊ニ離隔ヲ要スル患者ノ如キハ其ノ取扱ニ付困難ヲ感スルコト最甚シキ趣ナルヲ以テ監獄ヨリ患者ノ診療收容等ニ付援助ノ要求アルトキハ成ルヘク其ノ要求ニ應スルコトニ注意スヘシ

一〇　鴉片モルヒネ中毒患者施療ニ關スル件

明治四十五年四月
刑第五十六號　司法部長官

各監獄典獄宛

從來在監者中阿片又ハ「モルヒネ」中毒患者ニ對シ阿片又「ハモルヒネ」ヲ服用若ハ注射シテ之カ治療ヲ爲ス向モ有之趣ニ候處向後ハ前記中毒患者ニ對シテハ可成該藥品ヲ服用又ハ注射ヲナササル樣御取計相成度若他ニ治療ノ方法ナシト診定シ之ヲ施シタル場合ハ一面其患者ノ氏名、年齡、病名、發病年月日、經過及診定等報告相成度此段及通牒候也

一一　傳染病者ノ隔離消毒ニ關スル件

大正二年
典獄會議指示

監獄ニ於ケル衛生施設ノ改善ニ從ヒ漸次病者ノ減少ヲ來シ虎列剌其ノ他劇烈ナル流行病ノ發生ヲ見ルコトナキニ至リタルハ喜フヘキ現象ナリ然レトモ清潔消毒ノ方法結核、黴毒、癩病、皮膚病等ノ如キ慢性傳染病ノ隔離等ニ付テハ尚適切ヲ缺クコト少ナカラサルカ如シ一層其改善ヲ圖ルコトニ注意スヘシ

一二　在監者健康狀態及保健的施設ニ關スル件

大正三年
典獄會議指示

在監者一般ノ健康狀態ハ逐年佳良ニ趨キツツアリト雖死亡者ノ員數ニ至テハ決シテ尠少ナリト言フヲ得ス而カモ消化器病及呼吸器病ニ因リ斃ルルモノ最モ多キヲ占ムルカ如キハ監獄衛生上忽諸ニ付シ難キ現象ナルヲ以テ常ニ罪囚ノ健康狀態及保健的施設ニ關スル査察ヲ周密ニシ處遇ノ方法ヲシテ克ク其ノ健康ニ適應セシメ殊ニ結核性病者ニ對スル措置ヲ誤ラサルコトニ努ムヘシ

一三　在監者保健的施設ヲ周到ナラシムヘキ件

大正四年
典獄會議指示

衛生ニ關シテハ昨年注意ヲ與ヘタル所アリ大體ニ於テ在監者健康狀態ノ佳良ニ趨キツツアルヲ認ムルモ二三ノ監獄ニ在リテハ著シク死亡數ノ增加ヲ示セルハ甚タ遺憾トスル所ナリ此等ノ監獄ニ深ク其原因ヲ探究シ保健的施設ヲ周到ナラシムヘシ

一四　監獄衛生上ノ施設ニ關スル件

大正七年
典獄會議注意

監獄衛生上ノ施設ハ逐年其ノ面目ヲ改メツツアリト雖之ヲ全般ヨリ觀ルトキハ未タ周到セサルモノアリ時ニ或ハ監房工場等ニ臨ミ或ハ囚人ニ接スルノ際著シク惡臭ヲ感スルモノアリ畢境監房、工場、便所等ニ於ケル清潔法、囚人ノ洗膚、被服、臥具、女囚理髮具等ノ引換、消毒、滌濯ノ不備ニ因ラスムハテラス爲ニ衛生上及紀律上ニ及ホス惡影響多大ナリト

謂フヘシ各位ハ宜シク洒掃、消毒、引換、補綴、淅濯等ノ順序方法ヲ定メ當該係員ヲシテ之ヲ勵行セシメ殊ニ中間監督者ノ多キ本監等ニ在リテハ衛生擔當者ヲ指定スル等監督方法ヲ改善シテ衛生的施設ノ完全ヲ期セムコトヲ望ム

一五 診療ニ偏セス一般衛生ノ周到ヲモ期スヘキ件

大正五年
典獄會議指示

監獄醫務ニ付テハ動モスレハ在監者ノ診療ニ偏シテ一般衛生ニ關スル注意ノ到ラサル傾アリ拘禁、勞動、給養其ノ他遇囚上諸般ノ施設ハ健康ニ影響スル所甚大ナルモノアルヲ以テ監獄醫ヲ督勵シテ常ニ此ノ點ニ對スル査察ヲ周密ナラシメ殊ニ壞血病、結核病及皮膚病ニ對スル豫防其ノ他ノ措置ニ注意シ監獄衛生ノ周到ヲ期スヘシ

一六 監獄醫ノ診察ニハ懇切ナル取扱ヲ爲スヘキ件

大正十年
典獄會議指示

近時病囚ノ取扱ニ付監獄醫診察ノ不親切ヲ訴フルモノ尠カラス其ノ訴フル所必シモ中ラスト雖懇切ナル取扱ヲ爲スハ治療上ノ效果アルノミナラス罪囚一般ノ感化上至大ノ效果ヲ齎スヘキカ故ニ深ク此ノ點ニ顧ミ監獄醫ノ措施ニシテ妥當ナラサルモノアラハ速ニ是正セシメラルヘシ又監獄中皮膚病患者多數ニ上リ或ハ肺及呼吸器患者少カラサルモノアリ其ノ多クハ一般在監者ノ衣類洗滌ノ不完全及室外運動ノ不十分ニ基因セルモノト認メラルルカ故ニ之カ施行ヲ完カラシメ一般健康ノ保持ニ關シ周到ナル注意アラムコトヲ望ム

一七 壞血病者ニ關スル件

大正五年
典獄會議注意

曩ニ新義州分監及京城監獄ニ於テ壞血病者ヲ出シ今又西大門監獄ニ於テ多數ノ壞血病様ノ患者發生セリ是等ハ其ノ原因未タ明確ナラサルモ一應菜品ノ適當ナラサルニ基因スルモノト認メサルヘカラス各監獄此ニ鑑ミ菜品獻立ニ注意シ其ノ適正ヲ期セラレタシ

一八 患者月報記載方ノ件

明治四十五年一月
司刑第三百九十三號

司法部長官

各監獄典獄宛

在監者ニシテ輕度ノ疾患ハ毎月御提出ニ係ル監獄事務報告ニ添付ノ患者月報ニ記載セラレタル向モ有之趣ニ候處右ハ現ニ患者トシテ取扱ヒタルモノニ對シテハ假令輕度ノ疾患ト雖モ全月報ニ記載相成可然尚備考ニ病監患者及休役患者ノ各月計累員ヲ掲記相成度此段及通牒候也

一九 監獄醫ノ帳簿整理ニ關スル件

大正五年
典獄會議注意

監獄醫ノ主管スル帳簿ハ概シテ整理十分ナラサルカ如シ監督上注意セラレタシ

二〇 死刑執行濟報告ニ關スル件

大正五年
官通牒第六十二號

司法部長官

高等法院檢事長、覆審法院檢事長
地方法院檢事正、地方法院支廳檢事　宛

死刑ノ判決確定シタル罪囚ニ對シ刑事訴訟法第三百十八條第二項ノ規定ニ依リ朝鮮總督ヨリ該刑執行ノ命令ヲ受ケ之カ執行ヲ了シタル場合ハ執行命令書到達ノ日時及被執行者ノ本籍、住所、氏名、罪名竝執行ヲ爲シタル日時場所等ヲ具シ監督上官ヲ經由セス直ニ朝鮮總督宛報告相成度依命及通牒候也

二一　刑死者ノ墳墓祭祀肖像等ノ取締ニ關スル件

大正九年十月
府令第百六十號

第一條　本令ニ於テ刑死者トハ死刑ヲ執行セラレタル者、死刑ニ處セラレ執行前死亡シタル者及無期ノ懲役又ハ禁錮ノ刑ニ處セラレ執行中死亡シタル者ヲ謂フ

第二條　刑死者ノ墳墓又ハ墓標ヲ建設セムトスル者ハ位置、構造及設備ヲ具シ道知事ノ許可ヲ受クヘシ之ヲ變更セムトスルトキ亦同シ

第三條　刑死者ノ爲公然葬儀又ハ祭祀ヲ行フコトヲ得ス

第四條　刑死者ノ寫眞其ノ他ノ肖像若ハ筆跡ノ類ヲ公然陳列シ若ハ頒布シ刑死者ヲ賞揚スル行爲ヲ爲シ又ハ刑死者ヲ追悼スル爲集會ヲ爲スコトヲ得ス

刑死者ノ形像又ハ紀念碑ヲ建設スルコトヲ得ス

第五條　道知事ハ第二條ノ規定ニ違反シテ建設シタル墳墓若ハ墓標又ハ第四條第二項ノ規定ニ違反シテ建設シタル形像若ハ紀念碑ノ撤去又ハ改造ヲ命スルコトヲ得

第六條　第二條乃至第四條規定ニ違反シタル者ハ一年以上ノ懲役、禁錮若ハ拘留又ハ二百圓以下ノ罰金若ハ科料ニ處ス

第七條　道知事ハ安寧秩序ヲ維持スル爲必要ト認ムルトキハ有期ノ懲役若ハ禁錮ノ刑ニ處セラレ執行中死亡シタル者、禁錮以下刑ニ該ルヘキ犯罪ニ關シ捜査、起訴若ハ拘留中死亡シタル者又ハ犯罪現行ノ際死亡シタル者ニ付第二條ノ許可ヲ受ケシメ、第三條及第四條ニ規定スル行爲ヲ禁止シ若ハ第五條ノ處分ヲ爲シ又ハ禁錮以上ノ刑ニ該ルヘキ犯罪ニ關シ捜査起訴若ハ拘留中ノ者ニ付第四條第一項ニ規定スル行爲ヲ禁止スルコトヲ得第六條ノ規定ハ前項ノ命令ニ違反シタル者ニ之ヲ準用ス

附　則

本令ハ發布ノ日ヨリ之ヲ施行ス

二二　流行性感冒豫防救治ニ從事シ感染又ハ死亡シタル者ニ對スル手當給與ニ關スル件

大正九年六月
官通牒第五十三號

庶務部長

本府各局部竝所屬官署ノ長宛

明治十九年閣令第三十三號、明治二十八年勅令第七十一號及明治三十三年法律第三十號ニ規程スル傳染病ニハ流行性感冒ヲモ包含スルモノ解シ取扱相成度依命此段及通牒候也

二三　死刑ノ執行又ハ拘禁中ノ死亡ニ因

ル民籍ノ取扱ニ關スル件

大正六年二月
官通牒第二九號

政務總監

（警務總長、）道長官、監獄ノ長宛

刑ノ執行ヲ受ケタル者又ハ拘禁中死亡シタル者アリタルトキハ監獄又ハ警察官署ノ長ハ死亡者ノ姓名、本籍、居住所、職業、死亡ノ年月日時及場所、死亡者カ家族ナルトキハ戸主ノ姓名及戸主トノ續柄ヲ具シ遲滯ナク本籍地府尹面長ニ通知スヘク若本籍外ニ居住シタル者ナルトキハ同時ニ居住地府尹面長ニモ之カ通知ヲ爲スヘク本籍地府尹面長ハ申告義務者ニ遲滯ナク死亡申告ヲ爲スヘキ旨ヲ催告シ通知書ハ往復書類ニ編綴セシメ若申告義務者ナキトキハ右通知ニ基キ除籍ノ手續ヲ爲シテ該通知書ハ申告書ト同樣ニ處置セシムヘク又居住地府尹面長ハ右民籍ノ取扱例ニ準據シ登錄簿及通知書ノ整理ヲ爲サシメラルヘク此段及通牒候也

追テ內地人ニシテ死刑ノ執行ヲ受ケタルトキ若ハ拘禁死亡シタル者ノ引取人ナキトキハ監獄又ハ警察官署ノ長ハ前同樣ノ事項ヲ具シ診斷書又ハ檢案書ヲ添ヘ（死刑執行ノ場合ハ之カ添附ヲ要セス）遲滯ナク死亡者ノ本籍地市町村長ニ通知セラルヘク申添候

備考　朝鮮戸籍令第百二條第百三條照參

二四　墓地火葬場埋葬及火葬取締規則

明治四十五年六月
總令第百二十三號

改正　大正四年七第七三號七年一第八號八年九第一五二號

墓地火葬場埋葬及火葬取締規則中左ノ通改正ス

第一條　共同墓地以外ニ於テ祖先又ハ配偶者ノ墳墓ヲ有スル者ハ其ノ境域ニ依リ又ハ之ニ接續シテ自己ノ所有地內ニ墓地ヲ設クルコトヲ得

前項ノ墓地ノ面積ハ三千坪以下トシ一家ニ付一箇所ニ限ル但シ左ノ各號ノ一ニ該當スル場合ニ於テ道知事ノ許可ヲ受ケタルトキハ此ノ限ニアラス

一、墓地ニ埋葬ノ餘地ナキニ至リタルトキ

二、土地ノ狀況ノ變更ニ依リ墓地タルニ適セサルニ至リタルトキ

三、前二號ノ外特別ノ事由アルトキ

第一項ニ依リ墓地ヲ設ケタルトキハ十日以內ニ墓地ノ位置及面積ヲ道知事ニ届出ヘシ

第二條　前條ニ規程スル場合ヲ除クノ外墓地ヲ新設セムトスルトキハ墓地ノ位置及面積ヲ記載シタル書類及圖面ヲ具シ道知事ニ願出許可ヲ受クヘシ其ノ之ヲ變更セムトスルトキ亦同シ

第三條　削除

第四條　火葬場ヲ新設セムトスルトキハ位置構造ヲ知ルニ足ルヘキ書面及圖面ヲ具シ道知事ニ願出許可ヲ受クヘシ改築又ハ增築セムトスルトキハ亦同シ火場ノ事業ヲ中止シ又ハ廢止セムトスルトキハ警察署長ニ届出スヘシ

第五條　火葬場ヲ設クル場合ニハ左ノ制限ニ依ルヘシ

一　道路、鐵道及河川ヲ距ルコト六十間以上人家及公衆輻輳ノ場所ヲ距ルコト百二十間以上ナルコト

二　市外及部落ニ對シ重ニ風上ニ位セサル土地ナルコト

三 火爐煙筒ヲ備ヘ臭煙ヲ防クノ裝置ヲ爲スコト

四 周圍ニ高サ六尺以上ノ墻塀ヲ設クルコト但シ山林、原野等人家ヲ隔ツル場所ナルトキハ此ノ限ニ在ラス

第六條 火葬場ノ工事落成シタルトキハ警察署長ニ届出テ檢査ヲ受ケ其ノ認可ヲ受クルニ非サレハ之ヲ使用スルコトヲ得ス

第七條 墓地及火葬場ノ外圍ニハ植樹ヲ爲スヘシ

第八條 共同墓地ノ管理者ハ其ノ管理ニ屬スル墓地ノ圖面及墓籍ヲ調製スヘシ

火葬場ニハ火葬臺帳ヲ備フヘシ

第九條 墓地及火葬場ハ常ニ清潔ヲ保持シ損壞ノ箇所アルトキハ直ニ修繕スヘシ

第十條 死體又ハ遺骨ハ墓地以外ニ埋葬又ハ改葬スルコトヲ得ス

死體火葬ハ火葬場以外ニ於テ之ヲ爲スコトヲ得ス但シ火葬場ノ存セサル府面ニ於テハ此ノ限ニ在ラス

第十一條 死體ハ死後二十四時間ヲ經過スルニ非サレハ埋葬又ハ火葬スルコトヲ得ス但シ傳染病者ノ死體ハ此ノ限ニ在ラス

第十一條ノ二 傳染病者ノ死体ノ埋葬又ハ火葬ニ關シテハ警察官吏又ハ檢疫委員ノ指揮ニ從フヘシ

第十二條 埋葬、改葬又ハ火葬セムトスル者ハ府尹、面長ノ認許證ヲ受クヘシ

第十三條 火葬場ノ經營者ハ前條ノ認許證ヲ受領スルニ非サレハ火葬ヲ爲サシムルコトヲ得ス

第十四條 削除

第十五條 火葬ハ日沒後之ヲ行フヘシ但シ警察官吏ノ認可ヲ得タルトキハ此ノ限ニ在ラス

第十六條 削除

第十七條 削除

第十八條 道知事ハ墓地又ハ火葬場ニシテ公衆衛生ニ害アリ又土地ノ變狀ニ因リ墓地若ハ火葬場タルニ適セスト認ムルトキハ其ノ移轉ヲ命スルコトヲ得

第十九條 警察署長ハ必要ト認ムルトキハ墓地又ハ火葬場ノ改良、修繕又ハ其ノ使用停止ヲ命スルコトヲ得

第二十條 管理者ノ知レサル墳墓アルトキハ警察署長ハ六月以上ノ期間ヲ定メ其ノ期間内ニ届出ヲ爲スヘキ旨ヲ告示スヘシ

前項ノ期間内ニ届出ナキモノハ無緣墳墓ト看做ス

第二十一條 他人ノ墓地又ハ墓地以外ニ埋葬シタル死體又ハ遺骨ハ警察署長ニ於テ之カ改葬ヲ命スルコトヲ得

前項ノ場合ニ埋葬者ノ知レサルトキハ土地ノ所有者又ハ其ノ管理者ハ警察署ノ許可ヲ得テ之カ改葬ヲ爲スコトヲ得

第二十二條 無緣墳墓ニ付テハ前條ノ規定ヲ準用ス

第二十二條ノ二 他人ノ墓地又ハ墓地以外ノ地ニ擅ニ死體又ハ遺骨ヲ埋葬又ハ改葬シタル者ハ一年以下ノ懲役又ハ二百円以下ノ罰金ニ處ス

第二十三條 左ノ各號ノ一ニ該當スル者ハ三月以下ノ懲役又ハ百圓以下ノ罰金ニ處ス

一 削除

二 第十條第二項ニ違反シタル者

三　死體又ハ死體ヲ納メタル棺槨ヲ山林原野其ノ他ノ場所ニ暴露シタル者

四　第十八條、第十九條又ハ第二十一條第一項ノ命令ニ違反シタル者

第二十四條　左ノ各號ノ一ニ該當スル者ハ拘留又ハ科料ニ處ス

一　第一條第三項、第四條、第六條第八條第二項、第十一條乃至第十三條又ハ第十五條ノ規定ニ違反シタル者

二　埋葬、火葬、改葬又ハ死體移送ヲ妨害シタル者

三　警察官吏ノ督促ヲ受ケテ墓地又ハ火葬場ノ掃除ヲ爲ササル者

附　則

本令施行ノ地域及期日ハ朝鮮總督之ヲ定ム

本令施行ノ際現ニ存スル共同墓地ハ本令ニ依リ設置シタルモノト看做ス但シ其ノ管理者ハ本令施行ノ日ヨリ三月内ニ圖面ヲ添ヘ其ノ所在地、位置及墓籍ヲ届出ツヘシ

前項ノ届出ヲ爲ササルモノハ其ノ墓地ヲ廢止シタルモノト看做ス

本令施行ノ際現ニ存スル共同墓地以外ノ墳墓ハ本令ニ依リ設置シタルモノト看做ス但シ其ノ管理者ハ本令施行ノ日ヨリ一年内ニ其ノ所在地、位置及墓籍ヲ届出ツヘシ

前項ノ届出ナキモノハ無緣墳墓ト看做ス

本令施行ノ際現ニ存スル火葬場ハ本令ニ依リ設置シタルモノト看做ス但シ其ノ經營者ハ本令施行ノ日ヨリ一月内ニ其ノ所在地、位置及構造ヲ届出ツヘシ

前項ノ届出ヲ爲ササルモノハ其ノ事業ヲ廢止シタルモノト看做ス

第四項ニ依リ届出タル墳墓ニハ其ノ墳墓ニ埋葬セラレタル者ノ配偶者ノ死體ニ限リ本令ノ規定ニ拘ラス之ヲ合葬スルコトヲ得

附　則　（大正八年九月府令第一五二號）

本令ハ大正八年十月十五日ヨリ之ヲ施行ス

墓地火葬場、埋葬及火葬取締規則施行細則ハ之ヲ廢止ス

二五　遺骸取扱埋葬方法ニ關スル件

大正五年
典獄會議注意

死亡囚ノ遺骸ノ取扱及埋葬方法ノ適否ハ一般在監者ノ感化上ニ影響スル所多キヲ以テ十分ニ其ノ適正ヲ期セラレタシ

二六　醫務主任會同協議事項ニ關スル件

大正六年八月
監九百八十八號
司法部長官

各監獄典獄宛

本年六月西大門監獄ノ主催ニ係ル醫務主任會同ニ於ケル協議事項決議ニ對スル本官ノ意見ハ別紙ノ通ニ有之候條了知相成度此段及通牒候也

醫務主任會同協議事項ニ對スル司法部長官意見

提出監獄	議題番號	決議要旨	司法部長官意見
京城	一	(一)他病罹患中自殺シタル場合ニ於ケル元病ノ轉歸ハ之ヲ未治出監トシ自殺當日ハ患者延人員ニ算	未治出監ノ取扱ハ之ヲ認ムルモ患者延人員ニハ之ヲ算

		入セサルコト	入スヘキモノトス
		(二)患者日表月表及年表ノ轉歸欄内ニ轉症欄ヲ設クルノ要アリ	調査スヘシ
仝	二	肺ヂストマハ之ヲ寄生虫欄ニ編入スルコト	一般病類別改正迄役前ノ扱取ニ依ル
仝	三	癩病患者ヲ癩収容所ニ収容ヲ望ム	調査中
西大門	二	健康診斷簿ノ控ハ必要ナルモ診療簿ニ代ユヘキ簿冊ヲ設ラルノ要ナシ	認了
仝	三	移監病囚ノ計上方ニ付テハ移送監獄ニ於テ入監時ノ病者トシテ取扱ヒタルモノノ外ハ之ヲ入監後ノ病者トシテ取扱フコト	認了
仝	四	各監獄毎月上旬糧食獻立表ヲ交換スルコト	認了
公州	四	妊婦、産婦ハ準病者トシテ處遇シタル場合ト雖患者表ニ掲記スルノ要ナシ	認了
平壤	二	診療簿(樣式第十六號甲)中作業欄ヲ設クルノ要ナシ	認了
海州	三	肺結核患者經過良好ニシテ傳染ノ虞ナク又治療ノ必要ナク病者	認了

		ノ取扱ヲ停止シタルトキノ轉歸ハ之ヲ全治トス	
大邱	一	患者月表診療簿、健康診斷簿ノ取扱規定ノ制定ヲ望ム	聽キ置ク
仝	二	癩病者及輕度ノ精神病者ハ出監時ニ所轄警察官署ニ保護方ヲ依頼スルコト	認了
仝	四	入監後發病者ニシテ入監時ノ病者トシテ取扱フヘキ期間ニ付テハ其標準期間ヲ二週間トシ他ハ監獄醫ノ意見ニ依ルコト	認了
釜山	一	在監者ノ休役及就業手續キハ視察表ニ依リ處理スルヲ可トス	認了
仝	二	削除	認了
仝	三	幼年囚ノ定期健康診斷ハ刑期ノ如何ニ拘ラス四期ニ施行スルヲ可トス其ノ施行時期ハ本年典獄會議協議事項ノ一般定期健康診斷ノ時期決定ト同時ニ本府ニ於テ一定セラレムコトヲ望ム	認了

第十章　接見　信書

一　刑事被告人ノ發受スル信書ニ關スル件

大正九年十月
監第二千三百八十三號
法務局長

各監獄典獄
各監獄分監長宛

刑事被告人ノ發受スル信書ノ檢閲ニ關シテハ監獄ト裁判所トノ間ニ於ケル取扱振區々ニ涉リ居候處今般會同ニ際シ右取扱方ニ關シ法院長檢事長及檢事正間ニ於テ左記ノ通リ打合セ相成候條右ノ趣旨ヲ以テ所在裁判所檢事局ト協議ノ上施行相成度此段及通牒候也

追テ裁判所檢事局ノ檢閲ヲ經サル書信ノ取扱ニ付テハ過誤ナキ樣一層注意相成度爲念申添候

記

刑事被告人ノ受發スル信書中被告事件ニ關係ヲ有シ若ハ關係ヲ有スルヤ否明白ナラサルモノニ限リ刑事訴訟法第八十五條ノ檢閲ヲ經ヘク其他ノ文書ハ監獄ニ於ケル成規ノ檢閲ヲ了シタル後發受セシムルコト

二　書信及接見ノ制限期間ニ關スル件

大正四年七月
第二百九十一號
司法部長官

今回ノ會同ニ於ケル典獄提出協議事項決議ニ對スル本官ノ意見ハ別紙ノ通ニ有之候條右了知ノ上相當處理相成度此段及通牒候也

別紙(抄)

公州監獄提出決議

書信及接見ノ制限期間ハ最近許可ノ時ヨリ曆ニ從ヒ法定期間ヲ計算シテ之ヲ定ムヘキモノトス

決議ニ對スル司法部長官意見

入監時ヲ起算點トシ曆ニ從ヒ法定期間ヲ計算シ其期間內ニ於テハ何時ニテモ之ヲ許スコトヲ得ト定ムルヲ至當トス但シ特別ノ事情ニ因リ許可シタルモノニ付テハ右計算ニ加ヘサルモノトス

三　廢棄スヘキ信書ニ關スル件

大正五年六月
司法部長官通牒

公州監獄提出決議

監獄法第四十七條第二項ニ依リ廢棄スヘキモノト決定シタル信書ニ付テハ縱令未タ二年ヲ經過セサル場合ト雖之ヲ本人ニ下付スヘキモノニ非ラス

決議ニ對スル司法部長官意見

適當ト認ム

第十一章 賞罰

一 在監者ニ對スル賞遇ニ關スル件

大正四年
典獄會議指示

近來在監者ニ對シ賞遇ノ停止及廢止ノ處分ヲ爲スモノ漸時增加スルノ傾向アルハ遇囚上實ニ憂フヘキ所ナリ賞罰ハ須ラク之ヲ苟且ニセス其實效アル如クシ賞遇ヲ爲サムトスルニ當リテハ特ニ其ノ調査ヲ嚴密ニスヘキハ勿論尙受賞者ヲシテ行賞ノ後一層其善行ヲ保抅セシムルニ勗メ苟モ紀律ニ違反スルカ如キ所爲ナカラシメムコトヲ期スヘシ

二 賞遇ハ假出獄又ハ刑執行停止ニ依リ效力ヲ失フヘキ件

大正四年
第七月二百九十一號
司法部長官

今回ノ會同ニ於ケル典獄提出協議事項決議ニ對スル本官ノ意見ハ別紙ノ通ニ有之候條右了知ノ上相當處理相成度此段及通牒候也

別紙(抄)

大邱監獄提出決議

賞遇ハ假出獄又ハ刑執行停止ニ依リ出監シタルトキハ當然其效力ヲ失フモノトス

決議ニ對スル司法部長官意見

適當ト認ム

三 懲罰期間計算ニ關スル件

大正年七月
監第千百六十九號
司法部長官

(抄)

光州監獄提出決議

監獄法第六十條第二號第四號乃至第六號ノ懲罰期間ヲ計算スルニ當リ執行初日ハ時間ヲ論セス一日トシテ計算スルコト

決議ニ對スル司法部長官意見

適當ト認ム

四 刑ノ執行ノ寛嚴宜シキヲ制スベキ件

大正四年
典獄會議指示

獄則違反者アルトキハ其處分ヲ敏速ニシ以テ紀律ノ峻嚴ナルヲ感知セシムルヲ要スルハ勿論科罰ニ際シテハ犯行ノ調査ヲ正確ニシ懲罰種類ノ選擇ヲ適當ニシ且單科或ハ併科ノ得失ヲ考慮シテ克ク犯情ニ適應セシメ又ハ其執行ニ付テモ寛嚴宜シキヲ制シテ懲罰ノ效果ヲ收ムルニ遺憾ナキヲ期スヘシ

五 在監者紀律違反ニ對スル措置ニ關スル件

大正五年
典獄會議注意

在監者ノ紀律違反ノ行爲ニ對シテハ之ヲ罰スルニ適法ノ方法ヲ以テスヘク苟モ私罰其ノ他粗暴ナル處置ヲ爲スカ如キコトナキ樣嚴ニ注意セラレタシ

六　在監者處罰執行ニ關スル件

大正六年九月
監第千百三十三號
司法部長官

（大正六年九月十二日釜監發第一、〇九六號釜山監獄典獄照會）

刑事被告人受刑後曩ニ被告人時代ニ於ケル紀律違反行爲發覺セシ場合ハ受刑後ト雖懲罰ヲ執行シ差支無之候哉差掛リタル事實有之候條何分ノ御指揮相仰度候也

（大正六年九月十九日監第一一三三號司法部長官回答）　（各典獄へ通牒）

九月十二日附釜監發第一、〇九六號ヲ以テ照會相成候首題ノ件ハ現在ノ身分ニ依リ適當ノ懲罰ヲ科シ差支無之ト思料致候條了知相成度候也

七　作業賞與金減削懲罰ニ關スル件

大正六年
典獄會議注意

作業賞與金減削ノ懲罰ヲ科スルハ作業ニ關スル犯則ニ限ルノ傾アルモ犯則ノ情狀ニ依リテハ作業ニ關セサルモノト雖本懲罰ヲ加ヘ以テ科罰ノ實效ヲ收メムコトヲ期セラレタシ

八　作業賞與金減削罰ノ適用ノ件

大正七年
典獄會議注意

作業賞與金減削罰ノ適用ニ付テハ昨年ノ會議ニ於テ注意シ置キタル所ナルモ未タ周到セサルモノ多キカ如シ即チ大正六年中仁川春川清州元山　清津　馬山　晋州及群山ノ八分監ニ於テハ全然之ヲ適用セサリシノミナラス最モ多ク之ヲ適用シタル西大門監獄ニ於テモ僅ニ二十三人ニシテ懲罰總人員ニ對スル七%ニ通キス之ヲ内地ノ各監獄ノ平均率一〇%ニ比シ頗ル低率ナリ更ニ之レヲ高知監獄ノ四七%六　水戸監獄ノ四三%七ニ比スル時ハ非常ノ懸隔アルヲ見ル仍テ將來之カ運用ニ付キ一層注意セラレタシ

第十二章 恩赦 假出獄 釋放

一 朝鮮舊刑所犯ノ罪四ニ對シ大赦ヲ行フノ件

明治四十三年八月
勅令第三百二十五號

第一條 本令公布前ニ於テ左ニ記載シタル舊韓國法令ノ罪ヲ犯シタル者ハ赦免ス

一 刑法大全第百九十一條ノ罪及同罪ニ關スル第百九十二條及第百九十三條ノ罪並第百九十四條ノ罪
二 刑法大全第百九十五條ノ罪及同條ニ該當スル犯人ノ情ヲ知リテ藏匿シ又ハ隱避セシメタル罪
三 刑法大全第百九十六條乃至第百九十九條ノ罪
四 刑法大全第二百條ノ罪
五 刑法大全第二百一條ノ罪
六 刑法大全第二百四十三條乃至第二百五十二條ノ罪
七 刑法大全第二百六十條ノ罪
八 刑法大全第二百六十三條及第二百六十四條ノ罪
九 刑法大全第二百六十五條ノ罪
十 刑法大全第二百六十六條ノ罪
十一 刑法大全第二百七十五條及第二百八十條ノ罪但シ人ヲ殺シタル罪ヲ除ク
十二 刑法大全第二百八十九條及第二百九十二條ノ罪
十三 刑法大全第二百九十三條第二百九十四條及第二百九十六條ノ罪
十四 刑法大全第三百三條及三百四條ノ罪但シ第三百四條但書ノ罪ヲ除ク
十五 刑法大全第三百六條ノ罪
十六 刑法大全第三百十二條ノ罪
十七 刑法大全第三百十八條ノ罪
十八 刑法大全第三百二十條乃至第三百二十七條ノ罪但シ第三百二十二條但書及第三百二十七條第五號ノ罪ヲ除ク
十九 刑法大全第三百三十四條乃至第三百三十七條ノ罪但シ死ニ致シタル罪ヲ除ク
二十 刑法大全第三百四十六條ノ罪
二十一 刑法大全第三百五十三條乃至第三百六十一條ノ罪但シ囚リテ所犯アリタル者ニシテ其ノ所犯本令ニ依リ赦免スヘカラサル罪ニ該當スルトキハ之ヲ除ク
二十二 刑法大全第三百六十七條乃至第三百七十條ノ罪
二十三 刑法大全第三百八十二條、第三百八十三條及第三百八十六條ノ罪
二十四 刑法大全第四百條乃至第四百三條ノ罪
二十五 刑法大全第四百四條乃至第四百七條ノ罪
二十六 刑法大全第四百八條及第四百九條ノ罪
二十七 刑法大全第四百十三條乃至第四百十六條ノ罪
二十八 刑法大全第四百二十條乃至四百二十八條ノ罪
二十九 刑法大全第四百二十九條乃至第四百三十二條及第四百三十四條乃至第四百三十六條ノ罪

三十　刑法大全第四百三十七條ノ罪
三十一　刑法大全第四百三十九條乃至第四百四十二條ノ罪但シ因リテ所犯アリタル者ニシテ其ノ所犯本令ニ依リ赦免スヘカラサル罪ニ該當スルトキハ之ヲ除ク
三十二　刑法大全第四百四十八條乃至第四百五十四條、第四百五十六條及第四百五十七條ノ罪但シ人ヲ殺シタル罪ヲ除ク
三十三　刑法大全第四百五十八條乃至第四百六十條、第四百六十三條及第四百六十四條ノ罪
三十四　刑法大全第四百六十六條　第四百六十七條及第四百六十九條乃至第四百七十二條ノ罪
三十五　刑法大全第四百八十三條ノ罪
三十六　刑法大全第四百八十四條ノ罪
三十七　刑法大全第四百九十三條ノ罪
三十八　刑法大全第四百九十五條及第四百九十六條ノ罪
三十九　刑法大全第四百九十八條第二號及第四百九十九條第六號乃至第八號ノ罪
四十　刑法大全第五百十一條及第五百十五條ノ罪
四十一　刑法大全第五百二十條及第五百二十一條ノ罪
四十二　刑法大全第五百三十條乃至第五百三十二條ノ罪
四十三　刑法大全第五百三十三條ノ罪
四十四　刑法大全第五百三十四條及第五百四十條ノ罪
四十五　刑法大全第五百四十三條ノ罪
四十六　刑法大全第五百五十七條及第五百五十八條ノ罪
四十七　刑法大全第五百五十九條乃至第五百七十六條ノ罪
四十八　刑法大全第六百二十三條及第六百二十四條ノ罪
四十九　刑法大全第六百三十一條乃至第六百三十五條ノ罪
五十　刑法大全第六百四十四條乃至第六百四十六條ノ罪
五十一　刑法大全第六百四十九條及第六百五十條ノ罪
五十二　刑法大全第六百五十二條乃至第六百五十六條ノ罪
五十三　刑法大全第六百六十條乃至第六百六十三條ノ罪
五十四　刑法大全第六百六十七條及第六百六十九條ノ罪
五十五　刑法大全第六百七十條及第六百七十一條ノ罪
五十六　刑法大全第六百七十二條及第六百七十三條ノ罪
五十七　刑法大全第六百七十四條ノ罪
五十八　刑法大全第六百七十六條ノ罪
五十九　刑法大全第六百七十七條ノ罪
六十　刑法大全第六百七十八條ノ罪
六十一　陸軍法律ノ罪但シ第二百七十八條、第二百八十一條、第二百八十九條、第二百九十條及第三百八條ノ罪竝第二百七十九條、第二百九十一條、第二百九十二條、第二百九十六條、第二百九十七條及第三百九條中死刑ニ該當スル罪ヲ除ク
六十二　會計法違犯ノ罪
六十三　開國五百四年法律第十九號違犯ノ罪
六十四　電報事項犯罪人處斷例ノ罪
六十五　郵遞事項犯罪人處斷例ノ罪
六十六　典當舖規則違犯ノ罪

六十七　鐵道事項犯罪人處斷例ノ罪但シ第三條ノ罪及同例ノ罪ヲ犯スニ因リ人ヲ死ニ致シタル罪ヲ除ク
六十八　度量衡法及度量衡法施行規則違犯ノ罪
六十九　新聞紙法違犯ノ罪
七十　保安法違犯ノ罪
七十一　銃砲及火藥類取締法違犯ノ罪
七十二　森林法違犯ノ罪但シ第十五條ノ罪ヲ除ク
七十三　人蔘稅法違犯ノ罪
七十四　紅蔘專賣法違犯ノ罪
七十五　漁業法及漁業法施行細則違犯ノ罪
七十六　家屋稅法違犯ノ罪
七十七　酒稅法違犯ノ罪
七十八　煙草稅法違犯ノ罪
七十九　國稅徵收法違犯ノ罪
八十　出版法違犯ノ罪
八十一　民籍法違犯ノ罪
八十二　漁業稅法違犯ノ罪
八十三　屠獸規則違犯ノ罪
八十四　船舶法及船舶法施行細則違犯ノ罪
八十五　船舶檢査法及船舶檢査法施行細則違犯ノ罪
八十六　檢疫規則違犯ノ罪
八十七　銀行條例違犯ノ罪
八十八　農工銀行條例違犯ノ罪
八十九　鹽稅規程違犯ノ罪
九十　寄附金募集取締規則違犯ノ罪
九十一　種痘規則違犯ノ罪
九十二　檢疫停船規則違犯ノ罪
九十三　敎科用圖書檢定規程違犯ノ罪
九十四　痘苗賣下規則違犯ノ罪
九十五　水道給水規則違犯ノ罪
九十六　船準牌規則違犯ノ罪
九十七　警務部令警視廳令及各道令違犯ノ罪
九十八　前記法令ヲ比附援引シテ處罰シタル罪及處罰スヘキ罪

第二條　前條ノ外舊韓國隆熙二年法律第十六號及第十九號施行前同法律ヲ以テ廢止又ハ削除シタル法律ノ條項ニ依リ又ハ其ノ條項ヲ比附援引シテ處斷セラレタル者ハ之ヲ赦免ス

第三條　二罪以上倶發例ニ依リ處斷セラレタル者最重ノ罪前二條ニ該當スルトキハ他ノ罪亦之ヲ赦免ス

第四條　赦免ヲ得ルト雖既ニ徵收シタル罰金、科料收贖金、追徵金及沒入シタル物件ハ之ヲ還付セス

附　則

本令ハ公布日ヨリ之ヲ施行ス

二　赦免ノ恩典ニ浴シタルモノニ關シ更ニ犯罪事件ヲ受理セシ場合ノ報告

明治四十四年一月
司刑發第六十號

司法部長官

客年八月勅令第三五號大赦令宛ニ依リ赦免ノ恩典ニ浴シタルモノニ關シ更ニ犯罪事件ヲ受理シタル場合ニ依ケル報告方別紙ノ通リ豫メ各地方裁判所檢事正ヘ通牒致置候得共或ハ裁判確定ニ至ル迄該事實ヲ發見セスシテ行刑中ニ至リ偶發覺スルコト可有之候條右ノ場合ニ於テハ前顯檢事正ニ爲シタル通牒ノ趣旨ニ依リ總督宛報告相成度此段及通牒候也（別紙省略）

三 朝鮮舊刑所犯ノ罪囚ニ對シ大赦ヲ行フノ件施行手續

明治四十三年八月
統訓第十七號

第一條 本年勅令第三百二十五號ニ依リ赦免ヲ得ヘキ罪ヲ犯シタル者ハ既ニ判決ヲ經タルト否トヲ問ハス又既ニ刑ノ執行ヲ終リタルト否トヲ別タス總テ赦免ヲ得ルモノトス

第二條 赦免ヲ得ヘキ罪ニ付刑ノ言渡ヲ受ケ其ノ言渡未タ確定セサル者言渡確定スルモ未タ其ノ執行ニ著手セサル者及其ノ執行中ニ係ル者ニ對シテハ刑ノ言渡ヲ爲シタル裁判所ノ檢事ヨリ速ニ赦免ヲ得タル旨ヲ通知シ在監中ノ者ハ之ヲ放免スヘシ

第三條 赦免ヲ得ヘキ者刑ノ言渡ヲ爲シタル裁判所ノ管轄地外ノ監獄ニ在ルトキハ監獄ノ長ヨリ其ノ罪名、刑名、刑期、刑ノ言渡ヲ爲シタル裁判所名、言渡年月日及氏名ヲ其ノ監獄所在地ヲ管轄スル地方裁判所又ハ地方裁判所支部ノ檢事ニ通知スヘシ

檢事前項ノ通知ヲ受ケタルトキハ第二條ノ處分ヲ爲シ其ノ旨刑ノ言渡ヲ爲シタル裁判所ノ檢事ニ通知スヘシ

第四條 大赦ノ施行ニ關スル處分ハ檢事ヨリ迅速且明細ニ統監ニ報告スヘシ

四 恩赦令

大正元年九月
勅令第二十三號

第一條 大赦、特赦、減刑及復權ハ本令ノ定ムル所ニ依ル

第二條 大赦ハ勅令ヲ以テ罪ノ種類ヲ定メ之ヲ行フ

第三條 大赦ハ別段ノ規定アル場合ヲ除クノ外大赦アリタル罪ニ付左ノ效力ヲ有ス

一 刑ノ言渡ヲ受ケタル者ニ付テハ其ノ言渡ハ將來ニ向テ效力ヲ失フ

二 未タ刑ノ言渡ヲ受ケサル者ニ付テハ公訴權ハ消滅ス

第四條 特赦ハ刑ノ言渡ヲ受ケタル特定ノ者ニ對シ之ヲ行フ

第五條 特赦ハ刑ノ執行ヲ免除ス但シ特別ノ事情アルトキハ將來ニ向テ刑ノ言渡ノ效力ヲ失ハシムルコトヲ得

第六條 減刑ハ刑ノ言渡ヲ受ケタル者ニ對シ勅令ヲ以テ罪若ハ刑ノ種類ヲ定メ之ヲ行ヒ又ハ刑ノ言渡ヲ受ケタル特定ノ者ニ對シ之ヲ行フ

第七條 勅令ニ依ル減刑ハ別段ノ規定アル場合ヲ除クノ外將來ニ向テ刑ヲ變更ス

特定ノ者ニ對スル減刑ハ刑ノ執行ヲ減輕ス但シ特別ノ事情アルトキハ刑ヲ變更スルコトヲ得

第八條 刑ノ執行猶豫ノ言渡ヲ受ケタル者ニ對シテハ刑ノ言渡ノ效力ヲ失ハシムル特赦若ハ刑ヲ變更スル減刑ヲ行ヒ又ハ其ノ減刑ト共ニ猶豫ノ期間ヲ短縮スルコトヲ得

第九條 復權ハ刑ノ言渡ヲ受ケタル爲法令ノ定ムル所ニ依リ資格ヲ喪失シ又ハ停止セラレタル特定ノ者ニ對シ之ヲ行フ

第十條　復權ハ將來ニ向テ資格ヲ回復ス

復權ハ特定ノ資格ニ付之ヲ行フコトヲ得

第十一條　刑ノ言渡ニ基ク旣成ノ效果ハ大赦、特赦、減刑又ハ復權ニ因リ變更セラルルコトナシ

第十二條　特赦、特定ノ者ニ對スル減刑又ハ復權ハ司法大臣之ヲ上奏ス

第十三條　刑ノ言渡ヲ爲シタル裁判所ノ檢事又ハ受刑者ノ在監スル監獄ノ長ハ司法大臣ニ特赦又ハ減刑ノ申立ヲ爲スコトヲ得

監獄ノ長前項ノ申立ヲ爲ス場合ニ於テハ刑ノ言渡ヲ爲シタル裁判所ノ檢事ヲ經由スヘシ

第十四條　特赦又ハ減刑ノ申立書ニハ左ノ書類ヲ添附スヘシ

一　判決ノ謄本又ハ抄本

二　刑期計算書

三　犯罪ノ情狀、本人ノ性行、受刑中ノ行狀、將來ノ生計其ノ他參考トナルヘキ事項ニ關スル調査書類

第十五條　刑ノ言渡ヲ爲シタル裁判所ノ檢事ハ職權ヲ以テ又ハ本人ノ出願ニ依リ司法大臣ニ復權ノ申立ヲ爲スコトヲ得

復權ノ出願ハ刑ノ執行ヲ終リ又ハ執行ノ免除アリタル日ヨリ三年ヲ經過シタル後ニ非サレハ之ヲ爲スコトヲ得ス

第十六條　復權ノ申立書ニハ左ノ書類ヲ添附スヘシ

一　判決ノ謄本又ハ抄本

二　刑ノ執行ヲ終リ又ハ執行ノ免除アリタルコトヲ證スル書類

三　刑ノ執行ヲ終リ又ハ執行ノ免除アリタル後ニ於ケル本人ノ行狀、現在及將來ノ生計其ノ他參考トナルヘキ事項ニ關スル調査書類

本人ノ出願ニ依リ申立ヲ爲ス場合ニ於テハ前項ノ書類ノ外其ノ願書ヲ添附スヘシ

第十七條　特赦、減刑又ハ復權ノ裁可アリタルトキハ司法大臣ハ刑ノ言渡ヲ爲シタル裁判所ノ檢事ニ特赦狀減刑狀又ハ復權狀ヲ送付シ之ヲ本人ニ下付セシムヘシ

第十八條　大赦特赦減刑又ハ復權アリタルトキハ刑ノ言渡ヲ爲シタル裁判所ノ檢事ハ判決ノ原本ニ其ノ旨ヲ附記スヘシ

第十九條　本令中司法大臣ノ職務ハ軍法會議ニ於テ刑ノ言渡ヲ受ケタル者ニ付テハ陸軍大臣又ハ海軍大臣、朝鮮臺灣關東州又ハ帝國カ治外法權ヲ行使スル地域ニ於テ刑ノ言渡ヲ受ケタル者ニ付テハ朝鮮總督臺灣總督關東都督又ハ外務大臣之ヲ行ヒ檢事ノ職務ハ刑ノ言渡ヲ爲シタル軍法會議ヲ管轄スル長官其ノ軍法會議ノ理事若ハ主理、法院ノ檢察官、民政署長、領事館又ハ即決官廳之ヲ行フ

附　則

本令ハ公布ノ日ヨリ之ヲ施行ス

明治四十一年勅令第二百十五號、第二百十六號及第二百三十號ハ之ヲ廢止ス

五　恩赦令施行規則

大正元年十月
總令第二十號

第一條　恩赦令第十三條ニ依リ監獄ノ長特赦又ハ減刑ノ申立ヲ爲ス場合ニ於テハ申立書ノ送付ヲ受ケタル檢事ハ必要ナル事項ニ付調査ヲ爲シタル上意見ヲ附シ之ヲ進達スヘシ

第二條　恩赦令第十條第二項ニ依ル復權ノ申立書ニハ回復スヘキ資格ノ種類ヲ明記スヘシ

第三條　特赦、減刑又ハ復權ノ申立ヲ理由ナシト認ムルトキハ其ノ旨ヲ檢事又ハ檢事ヲ經由シテ監獄ノ長ニ通知ス

第四條　恩赦狀ノ送付ヲ受ケタル檢事ハ直ニ之ヲ本人ニ下付スヘシ但シ本人在監中ナルトキハ監獄ノ長ヲ經由スヘシ

檢事假出獄中ノ者ニ恩赦狀ヲ下付シタルトキハ其ノ旨ヲ住居ノ地ヲ管轄スル地方法院ノ檢事、監獄ノ長及監督警察官署ニ通知スヘシ

本人他ノ裁判所ノ管轄區域內ニ在ルトキハ其ノ裁判所ノ檢事ニ恩赦狀ノ下付及前項ノ通知ヲ囑託スルコトヲ得

第五條　恩赦狀ノ送付ヲ受ケタル檢事恩赦令第十八條ニ依リ附記ヲ爲シタル場合ニ於テ訴訟記錄他ノ裁判所ノ檢事局ニ在ルトキハ其ノ裁判所ノ檢事ニ其ノ旨ヲ通知スヘシ

前項ノ通知書ハ是ヲ訴訟記錄ニ添附スヘシ

第六條　恩赦狀ヲ本人ニ下付シタルトキハ檢事ハ速ニ其ノ旨ヲ朝鮮總督ニ申報スヘシ

附　則

本令ハ發布ノ日ヨリ之ヲ施行ス

六　大赦令

大正元年九月
勅令第二十四號

第一條　大正元年七月三十日前左ニ記載シタル罪ヲ犯シタル者ハ之ヲ赦免ス

一　刑法第七十四條及第七十六條ノ罪
二　刑法第七十七條乃至第七十九條ノ罪
三　刑法第九十條乃至第九十四條ノ罪
四　刑法第百六條及第百七條ノ罪
五　明治十三年第三十六號布告刑法第百四十一條ノ罪
六　陸軍刑法第二十五條、第二十六條及第三十條乃至第三十二條ノ罪
　但シ第三十一條及第三十二條ノ罪ノ中敵國ヲ利スル目的ヲ以テ犯シタルモノヲ除ク
七　陸軍刑法第三十五條乃至第三十九條ノ罪
八　陸軍刑法第五十七條乃至第五十九條ノ罪
九　陸軍刑法第七十三條及第七十四條ノ罪
十　陸軍刑法第百三條ノ罪
十一　明治十四年第六十九號布告陸軍刑法第七十一條及第百九條ノ罪
十二　海軍刑法第二十條、第二十一條及第二十五條乃至第二十七條ノ罪但シ第二十六條及第二十七條ノ罪ノ中敵國ヲ利スル目的ヲ以テ犯シタルモノヲ除ク
十三　海軍刑法第三十條乃至第三十四條ノ罪
十四　海軍刑法第五十五條乃至第五十七條ノ罪
十五　海軍刑法第七十一條及第七十二條ノ罪
十六　海軍刑法第百四條ノ罪
十七　治安妨害ノ目的ヲ以テ犯シタル爆發物取締罰則ノ罪
十八　明治二十二年法律第三十四號ノ罪
十九　保安條例違反ノ罪
二十　治安警察法違反ノ罪
二十一　新聞紙法違反ノ罪

二十二　出版法違反ノ罪

二十三　朝鮮、臺灣又ハ關東州ニ行ハルル法令ノ罪ニシテ前各號ニ記載シタル罪ト性質ヲ同クスルモノ

二十四　匪徒刑罰令ノ罪但シ强竊盜ノ目的ヲ以テ犯シタルモノヲ除ク

第二條　前條第一號乃至第二十三號ニ記載シタル罪ト性質ヲ同クスル舊法ノ罪ヲ犯シタル者ハ之ヲ赦免ス

第三條　前二條ノ場合ニ於テ既ニ徴收シタル罰金、科料、沒收物、追徴金、收贖金及訴訟費用ハ之ヲ還付セス

附　則

本令ハ公布ノ日ヨリ之ヲ施行ス

七　赦免證明

大正元年九月
總告第四十六號

大正元年勅令第二十四號大赦令ニ依リ赦免ヲ得ヘキ罪ニ付刑ノ言渡ヲ受ケ既ニ其ノ執行ヲ終リ若ハ執行ノ免除ヲ得タル者又ハ其ノ遺族ニシテ赦免ヲ得タル旨ノ證明ヲ受ケントスル者ハ刑ノ言渡ヲ爲シタル裁判所ノ檢事又ハ即決ノ言渡ヲ爲シタル官署ノ長ニ申出ツヘシ

八　減刑ニ關スル件

大正三年五月
勅令第百四號

第一條　大正三年四月十一日前刑ノ言渡ヲ受ケタル者ニシテ其ノ執行前ニ係ルモノ、刑ノ執行猶豫中、執行中若ハ執行停止中ノモノ又ハ假出獄中ノモノハ本令ニ依リ其ノ刑ヲ減輕ス但シ其ノ執行ヲ逭ルル者ハ此ノ限ニ在ラス

第二條　死刑ハ之ヲ無期懲役トス

第三條　無期懲役ハ之ヲ有期懲役二十年トシ無期禁錮ハ之ヲ有期禁錮二十年トス

第四條　有期ノ懲役又ハ禁錮ハ左ノ例ニ依ル

一　刑ノ執行ヲ始メサル者ニ付テハ刑期ノ四分ノ一ヲ減シタルモノトス

二　刑ノ執行ヲ始メタル者ニ付テハ殘刑期ノ二分ノ一ヲ減シタルモノトス但シ其ノ執行刑期ノ二分ノ一ニ至ラサルトキハ前號ノ例ニ依ル

前項ノ計算ヲ爲スニ當リ年又ハ月ノ端數ヲ生スルトキハ一年ヲ十二月、一月ヲ三十日トシ日ノ端數ヲ生スルトキハ之ヲ除棄ス

第五條　舊法ノ刑ハ之ニ相當スル刑法ノ刑ノ例ニ依リ減輕ス

舊法ノ刑ヲ減輕シタルトキハ其ノ刑名ハ之ニ相當スル刑法ノ刑名ニ變更ス

第六條　左ニ記載シタル罪ニ付テハ其ノ刑ヲ減輕セス

一　刑法第七十三條及第七十五條ノ罪

二　刑法第百三十一條第二項ノ罪及其ノ未遂罪

三　刑法第百八十一條ノ罪ノ中人ヲ死ニ致シタル罪

四　刑法第二百條ノ罪及其ノ未遂罪

五　刑法第二百五條第二項ノ罪

六　刑法第二百十八條第二項ノ罪及其ノ罪ヲ犯シ因テ人ヲ死傷ニ致シタル罪

七　刑法第二百二十條第二項ノ罪及其ノ罪ヲ犯シ因テ人ヲ傷死ニ致シタル罪

八　刑法第二百四十條ノ罪ノ中人ヲ死ニ致シタル罪及第二百四十一條ノ罪竝其ノ未遂罪

九　軍機保護法第一條乃至第三條ノ罪及其ノ未遂罪

十　朝鮮、臺灣又ハ關東州ニ行ハルル法令ノ罪ニシテ前各號ニ記載シタル罪ト性質ヲ同クスルモノ

十一　前各號ニ記載シタル罪ト性質ヲ同クスル舊法ノ罪

第七條　大正元年九月十三日ノ詔書ニ基キ大赦、特赦、減刑又ハ復權ヲ得タル後罪ヲ犯シ禁錮以上ノ刑ノ言渡ヲ受ケタル者ニ付テハ減刑ヲ爲サス

附　則

本令ハ公布ノ日ヨリ之ヲ施行ス

九　減刑ニ關スル件

大正四年十一月
勅令第二百五號

第一條　大正四年十一月十日前刑ノ言渡ヲ受ケタル者ニシテ其ノ執行前ニ係ルモノ、刑ノ執行猶豫中執行中若ハ執行停止中ノモノ又ハ假出獄中ノモノハ本令ニ依リ其ノ刑ヲ減輕ス但シ其ノ執行ヲ遁ルル者ハ此ノ限ニ在ラス

第二條　死刑ハ之ヲ無期懲役トス

第三條　無期懲役ハ之ヲ有期懲役二十年トシ無期禁錮ハ之ヲ有期禁錮二十年トス

第四條　有期ノ懲役又ハ禁錮ハ左ノ例ニ依ル

一　刑ノ執行ヲ始メサル者ニ付テハ刑期ノ四分ノ一ヲ減シタルモノトス

二　刑ノ執行ヲ始メタル者ニ付テハ殘刑期ノ二分ノ一ヲ減シタルモノトス但シ其ノ執行刑期ノ二分ノ一ニ至ラサルトキハ前號ノ例ニ依ル

前項ノ計算ヲ爲スニ當リ年又ハ月ノ端數ヲ生スルトキハ一年ヲ十二月、一月ヲ三十日トシ日ノ端數ヲ生スルトキハ之ヲ除棄ス

第五條　舊法ノ刑ハ之ニ相當スル刑法ノ刑ノ例ニ依リ減輕ス

舊法ノ刑ヲ減輕シタルトキハ其ノ刑名ハ之ニ相當スル刑法ノ刑名ニ變更ス

第六條　左ニ記載罪シタルニ付テハ其ノ刑ヲ減輕セス

一　刑法第七十三條及第七十五條ノ罪

二　刑法第百三十一條第二項ノ罪及其ノ未遂罪

三　刑法第百八十一條ノ罪ノ中人ヲ死ニ致シタル罪

四　刑法第二百條ノ罪及其ノ未遂罪

五　刑法第二百五條第二項ノ罪

六　刑法第二百十八條第二項ノ罪及其ノ罪ヲ犯シ因テ人ヲ死傷ニ致シタル罪

七　刑法第二百二十條第二項ノ罪及其ノ罪ヲ犯シ因テ人ヲ死傷ニ致シタル罪

八　刑法第二百四十條ノ罪ノ中人ヲ死ニ致シタル罪及第二百四十一條ノ罪竝其ノ未遂罪

九　軍機保護法第一條乃至第三條ノ罪及其ノ未遂罪

十　朝鮮、臺灣又ハ關東州ニ行ハルル法令ノ罪ニシテ前各號ニ記載シタル罪ト性質ヲ同クスルモノ

十一　前各號ニ記載シタル罪ト性質ヲ同クスル舊法ノ罪

第七條　大正元年九月十三日ノ詔書ニ基キ大赦、特赦、減刑又ハ復權ヲ得タル後罪ヲ犯シ禁錮以上ノ刑ノ言渡ヲ受ケタル者ニ付テハ減刑ヲ爲サス

第八條　本令ニ依リ減刑ヲ爲シタル者ト雖特別ノ事情アルトキハ特赦ヲ行フコトヲ得

第九條　第六條ノ規定ニ依リ減刑ヲ爲サザル者ト雖特別ノ事情アルトキハ減刑ヲ行フコトヲ得但シ第六條第一號ニ記載シタル罪及之ト性質ヲ同クスル朝鮮、臺灣若ハ關東州ニ行ハルル法令又ハ舊法ノ罪ニ付テハ此ノ限ニ在ラス

附　則

本令ハ公布ノ日ヨリ之ヲ施行ス

一〇　在監人員表ニ恩赦出獄者數掲記方ノ件

大正四年十一月
官通第三百十五號

政務總監

各監獄典獄宛

朝鮮總督府報告例別册第八十四號在監人員表備考欄ニ大正四年十一月十日勅令第二百五號ニ依リ特赦及減刑セラレ出監シタルモノ及受刑者ニシテ右恩赦ニ依ラス出獄シタルモノノ數（內地者共本監及各分監別トシ且國籍及男女ヲ區別スルコト）ヲ掲記相成度此段及通牒候也

一一　王世子李垠ト方子女王トノ結婚ニ丁リ

惠澤ヲ施サムカ爲朝鮮人ニ對シ特ニ恩赦ヲ行フノ件

大正九年四月
勅令百二十號

第一條　大正九年四月二十八日前左ニ記載シタル罪ニ付刑ノ言渡ヲ受ケタル朝鮮人ニシテ刑ノ執行前ニ係ル者、刑ノ執行猶豫中執行中若ハ執行停止中ノ者又ハ假出獄中ノ者ニ對シテハ本令ニ依リ其ノ刑ヲ減輕ス但シ其ノ執行ヲ遁ルル者ハ此ノ限ニ在ラス

一　朝鮮刑事令ニ依ル刑法第七十四條及第七十六條ノ罪

二　朝鮮刑事令ニ依ル刑法第九十五條、第百六條及第百七條ノ罪ノ中政治上ノ目的ヨリ出テタルモノ

三　大正八年制令第七號ノ罪

四　光武十一年法律第二號保安法ノ罪

五　隆熙三年法律第六號出版法第十一條及第十四條ノ罪但シ風俗ヲ壞亂スル文書圖畫ヲ出版、發賣、頒布又ハ輸入シタル罪ヲ除ク

六　光武十一年法律第一號新聞紙法第十二條ノ規定ニ違反シタル罪、第二十五條及第二十六條ノ罪但シ風俗壞亂ノ事項ヲ記載シタル罪ヲ除ク

七　朝鮮刑事令ニ依ル爆發物取締罰則ノ罪ニシテ治安ヲ妨クル目的ヲ以テ犯シタルモノ

八　前各號ニ記載シタル罪ニ關スル犯人藏匿、證憑煙滅又ハ僞證ノ罪

前項各號ニ記載シタル罪ヲ犯シタル朝鮮人ニシテ刑法第五十四條第一項ノ規定ニ依リ他ノ罪ヲ以テ處斷セラレタル者ニ付亦前項ニ同シ但シ殺人、放火若ハ强盜ノ罪又ハ其ノ未遂罪ヲ以テ處斷セラレタル者ニ付

テハ此ノ限ニ在ラス

第二條 死刑ハ之ヲ有期懲役二十年トス

無期懲役ハ之ヲ有期懲役十五年トシ無期禁錮ハ之ヲ有期禁錮十五年トス

第三條 有期ノ懲役又ハ禁錮ハ左ノ例ニ依ル

一 刑ノ執行ヲ始メサル者ニ付テハ刑期ノ二分ノ一ヲ減シタルモノトス

二 刑ノ執行ヲ始メタル者ニ付テハ其ノ殘刑期ヲ減輕シタルモノトス但シ其ノ執行刑期ノ二分ノ一ニ至ラサルトキハ前號ノ例ニ依ル

前項ノ規定ニ依ル計算ヲ爲スニ當リ年又ハ月ノ端數ヲ生スルトキハ一年ヲ十二月、一月ヲ三十日トシ日ノ端數ヲ生スルトキハ之ヲ除棄ス

第四條 大正元年九月十三日若ハ大正四年十一月十日ノ詔書ニ基キ大赦、特赦、減刑若ハ復權ヲ得又ハ大正三年勅令第百四號ニ依リ減刑ヲ得タル後刑ヲ犯シ禁錮以上ノ刑ノ言渡ヲ受ケル者ニ對シテハ本令ニ依ル減刑ヲ爲サス

第五條 本令ニ依リ減刑ヲ爲シタル者ト雖特別ノ事情アルトキハ特赦ヲ行フコトヲ得

第六條 第一條第二項但書ノ規定ニ依リ減刑ヲ爲ササル者ト雖特別ノ事情アルトキハ減刑ヲ行フコトヲ得

附 則

本令ハ公布ノ日ヨリ之ヲ施行ス

一二 李王世子殿下ト梨本宮方子女王殿下トノ御婚儀ニ關スル件

大正九年四月
総訓第二十號

朝鮮總督府檢事
朝鮮總督府典獄
朝鮮總督府警察署長

茲ニ李王世子殿下ト梨本宮方子女王殿下トノ御婚儀ニ方リ勅令ヲ發布シ政治ニ關スル罪ヲ犯シタル朝鮮人ニ對シテ恩赦ノ惠澤ヲ施シ給フ聖恩溥大洵ニ感激ノ至ニ堪ヘス本總督奉行ノ任ニ膺リ兢兢トシテ其ノ差失アラムコトヲ是レ懼ル當局ノ諸官亦宜シク聖旨ヲ奉體シ愼重事ヲ執リ毫モ遺憾ナキヲ期スヘシ而シテ一般減刑ヲ得ヘキ罪囚ハ速ニ其ノ恩澤ニ霑ハシメ仍特赦、減刑及復權ノ恩典ニ浴セシムヘキ者ニ付テハ其ノ罪狀及性行ヲ稽査シ狀ヲ具シテ裁ヲ待ツヘシ又是等赦典ヲ被ムリタル者ニ對シテハ懇々訓誡ヲ加ヘ將來忠良ノ臣民トシテ內鮮共存ノ大義ニ悖戾スルコトナキヲ期セシメ以テ皇恩ノ萬一ニ報ユル所アラシムヘシ

右訓令ス

一三 無期刑ノ恩赦減刑ヲ得タル者ニ係ル他ノ有期刑ノ執行ニ關スル件

大正五年六月
司秘第三百七十號

司法部長官

高等法院檢事長　覆審法院檢事長　地方法院檢事正
地方法院支廳檢事事務取扱　典獄　分監長　宛

併合罪ニ付刑法第五十一條但書ニ該當スル二個以上ノ自由刑ノ一タル無期刑カ恩赦減刑ニ因リ有期刑（二十年以下）ニ變更アリタル場合ニ於テ他

ノ有期刑ハ之ヲ執行スヘキヤ否ヤニ付往々疑義ヲ懷ク向有之候處右ハ執行セサル儀ト御了知相成度若既ニ他ノ有期刑ノ全部又ハ一部ノ執行ヲ了シタル時ハ其執行濟ノ刑期ヲ無期刑ヲ減刑シタル有期刑ノ執行ニ計上スル事ニ御取扱相成度依命此段及通牒候也

一四 恩赦出獄人員ニ關スル件

大正九年七月
法秘第八百六十三號
法務局長

各監獄典獄分監長宛

大正九年勅令第百二十號ニ依ル恩赦出獄人員報告方ニ付テハ四月二十七日附法秘第八六三號ヲ以テ及通牒置候處八月一日以後釋放ノ分ニ對シテハ毎月之ヲ取纏メ事務報告ニ掲載スルコトニ決定候條了知相成度及通牒候也

一五 假出獄取締規則

明治四十五年三月
總令第三十三號

第一條 假出獄ヲ許サレタル者ハ住居ノ地ヲ管轄スル警察署(警察署ハ分署及警察署ノ事務ヲ取扱フ憲兵分隊、憲兵分遣所ヲ含ム以下同シ)ノ監督ヲ受ク

第二條 典獄假出獄ヲ許サレタル者ヲ釋放スルトキハ其ノ旨ヲ假出獄ヲ許サレタル者ノ住居ノ地ヲ管轄スル地方法院ノ檢事、刑ノ言渡ヲ爲シタル裁判所ノ檢事及監督警察署ニ通報スヘシ

釋放セラルヘキ者ニ交付スル證票ニハ住居ノ地及監督警察署ニ到著スヘキ期間ヲ定メ之ヲ記載スヘシ

第三條 假出獄ヲ許サレタル者ハ前條ニ依リ證票ニ記載セラレタル期限迄ニ監督警察署ニ出頭シ證票ニ認印ヲ受クヘシ

天災、疾病其ノ他ノ事故ニ因リ前項ノ規定ニ從フコト能ハサルトキ又ハ其ノ虞アルトキハ遲滯ナク其ノ事由ヲ最寄ノ地ノ警察官ニ具申シ證明書ヲ受クヘシ

前項ノ證明書ハ監督警察署ニ提出スヘシ

第四條 假出獄ヲ許サレタル者ハ遲滯ナク監督警察署ニ職業其ノ他生計ニ關スル見込ヲ立テ之ヲ屆出ツヘシ

假出獄ヲ許サレタル者ノ保護ヲ引受ケタル者アルトキハ前項ノ屆出ニハ連署ヲ要ス

第五條 監督警察署ハ假出獄ヲ許サレタル者ヲシテ正業ニ就キ善行ヲ保タシムル爲必要ナル訓示ヲ爲シ又ハ之カ爲必要ナル行爲ヲ命スルコトヲ得

前項ノ命令ヲ發シタルトキハ居住ノ地ヲ管轄スル地方法院ノ檢事及釋放シタル監獄ニ通報スヘシ

第六條 監督警察署ハ六月毎ニ假出獄ヲ許サレタル者ノ行狀ノ良否、職業ノ種類及勉否、生活ノ狀況、親族トノ關係其ノ他ノ事項ニ付キ調査書ヲ作リ之ヲ住居ノ地ヲ管轄スル地方法院ノ檢事及釋放シタル監獄ニ通報スヘシ

第七條 假出獄ヲ許サレタル者ノ監督ハ釋放シタル監獄ノ典獄ノ意見ヲ聽キ適當ナル者ニ之ヲ委任スルコトヲ得

前項ニ依リ委任ヲ受ケタル者ハ毎月末日前條ニ揭ケタル事項ヲ屆出ツヘシ

第八條 假出獄ヲ許サレタル者轉住又ハ十日以上ノ旅行ヲ爲サムトスル

トキハ其ノ事由、轉住地又ハ行先地及旅行日數ヲ記載シテ監督警察署ノ許可ヲ受クヘシ

第九條　轉住又ハ十日以上ノ旅行ヲ許可シタルトキハ監督警察署ハ旅券ヲ交付スヘシ但シ監督警察署ノ管轄區域内ニ轉住又ハ旅行スル場合ハ此ノ限ニ在ラス

第二條第二項及第三條ノ規定ハ前項ノ場合ニ之ヲ準用ス

第十條　轉住ヲ許可シタルトキハ監督警察署ハ其ノ旨ヲ第二條第一項ノ檢事、釋放シタル監獄並新ナル住居ノ地ヲ管轄スル地方法院ノ檢事及警察署ニ通報スヘシ

前項ノ場合ニハ關係書類ヲ新ナル監督警察署ニ送致スヘシ

第十一條　假出獄ヲ許サレタル者旅行ヲ爲シ住居ノ地ニ歸著シタルトキハ遲滯ナク監督警察署ニ出頭シ旅券ヲ還納スヘシ轉住又ハ旅行ヲ中止シタルトキ亦同シ

第十二條　假出獄ヲ許サレタル者朝鮮外ニ轉住又ハ旅行ヲ爲サムトスルトキハ其ノ事由、轉住地又ハ行先地及旅行日數ヲ記載シ監督警察署及釋放シタル監獄ヲ經由シテ朝鮮總督ノ許可ヲ受クヘシ

警察署及監獄ハ事實ヲ調査シ意見ヲ附スヘシ

第十三條　朝鮮外ニ轉住又ハ旅行ヲ許可セラレタルトキハ監督警察署ハ其ノ證明書ヲ交付スヘシ

前項ノ場合ニ於テハ監督警察署ハ其ノ旨ヲ第二條第一項ノ檢事及釋放シタル監獄ニ通報スヘシ

第十四條　朝鮮外ニ轉住又ハ旅行ヲ許可セラレタル者轉住又ハ旅行ヲ中止シタルトキハ遲滯ナク其ノ旨ヲ監督警察署ニ屆出ツヘシ

第十五條　朝鮮外ニ旅行シタル者住居ノ地ニ歸著シタルトキハ遲滯ナク其ノ旨ヲ監督警察署ニ屆出ツヘシ

朝鮮外ニ轉住シタル者再ヒ朝鮮ニ來リタルトキハ遲滯ナク住居ヲ定メ前項ノ手續ヲ爲スヘシ

第十六條　前二條ノ屆出ヲ受ケタル警察署ハ其ノ旨ヲ朝鮮總督ニ報告シ且第二條第一項ノ檢事及釋放シタル監獄ニ通報スヘシ

第十七條　檢事及警察署ハ假出獄ヲ許サレタル者刑法第二十九條第一項ニ該ルコトヲ知リタルトキハ意見ヲ具シ朝鮮總督ニ報告スヘシ

警察署ノ爲ス報告ハ住居ノ地ヲ管轄スル地方法院ノ檢事ヲ經由スヘシ

第十八條　朝鮮總督假出獄ノ處分ヲ取消シタルトキハ假出獄ヲ許サレタル者ノ所在ノ地又ハ居住ノ地ヲ管轄スル地方法院若ハ地方法院支廳ノ檢事又ハ其ノ在監スル監獄ニ通報シテ其ノ執行ヲ爲サシム

前項ノ場合ニ於テハ證票ヲ還納セシムヘシ

第十九條　假出獄ヲ取消サレタル者在監者ニ非サルトキハ檢事ハ刑事訴訟法第三百十九條第三項ニ依リ逮捕狀ヲ發スヘシ

第二十條　第十八條ノ執行ヲ爲シタル檢事又ハ監獄ハ其ノ旨ヲ第二條第一項ノ檢事監督警察署及釋放シタル監獄ニ通報スヘシ

第二十一條　假出獄ヲ許サレタル者死亡シタルトキハ監督警察署ハ之ヲ第二條第一項ノ檢事及釋放シタル監獄ニ通報スヘシ

前項ノ通報ヲ受ケタル監獄ハ其ノ旨ヲ朝鮮總督ニ報告スヘシ

第二十二條　本令ニ依リ交付スヘキ證明書及旅券ハ別記樣式ニ依ルヘシ

附　則

本令ハ明治四十五年四月一日ヨリ之ヲ施行ス

明治四十三年統監府令第十九號ハ之ヲ廢止ス

第一號樣式（第三條及第九條ニ依リ交付スルモノ）用紙寸法適宜

假出獄者滯在證明書

本籍
住所（假出獄後住居ノ地）
氏　名
年月日生

一　滯在ノ事由
一　滯在ノ場所
一　滯在ノ地ニ到著シタル　年　月　日
一　滯在期間

假出獄取締規則第　條ニ依リ此ノ證明書ヲ交付ス

年　月　日
警察署名
官氏名　印

第二號樣式（第九條ニ依リ轉住者ニ交付スルモノ）用紙鳥ノ子竪五寸横七寸

假出獄者旅券

本籍
住所（假出獄後住所ノ地）
氏　名
年月日生

一　罪名
一　刑名刑期
一　假出獄期間　年　月　日　自明治　年　月　日　至明治　年　月　日
一　轉住許可　年　月　日
一　移轉先地名

明治　年　月　日迄ニ移轉先ニ到著スヘシ

假出獄取締規則第八條ニ依リ此ノ旅券ヲ交付ス

年　月　日
警察署名
官氏名　印

注意事項

一　移轉先ニ著シタルトキハ（何）日以内ニ監督警察署ニ出頭シ此ハノ旅券ヲ納付スヘシ
一　途中天災、疾病其ノ他ノ事故ニ因リ豫定ノ旅行ヲ爲スコト能サルトキ又ハ其ノ虞アルトキハ遲滯ナク其ノ事由ヲ最寄ノ地ノ警察官ニ具申シ證明書ヲ受ケ移轉先ニ到著ノ上監督警察署ニ提出スヘシ
一　此ノ旅券ヲ毀損亡失シタルトキハ速ニ所在地ノ警察署ニ具申スヘシ
一　轉住ヲ止メタルトキハ遲滯ナク此ノ旅券ヲ還納スヘシ

第三號樣式（第九條ニ依リ旅行者ニ交付スルモノ）用紙寸法同上

假出獄者旅券

本籍
住所（假出獄後住居ノ地）
氏　名

年　月　日生

一罪名
一刑名刑期
一假出獄期間　自明治　年　月　日　至明治　年　月　日
一旅行許可　年　月　日
一行先地名
一出發　年　月　日

明治　年　月　日迄ニ(行先地)ニ到著シ同　年　月　日迄ニ歸著スヘシ

假出獄取締規則第八條ニ依リ此ノ旅券ヲ交付ス

警察署名

官氏名　印

年　月　日

注意事項

一途中天災、疾病其ノ他ノ事故ニ依リ豫定ノ旅行ヲ爲スコト能ハサルトキ又ハ其ノ虞アルトキハ遲滯ナク其ノ事由ヲ最寄ノ地ノ警察官ニ具申シ證明書ヲ受ケ歸著ノ上監督警察署ニ提出スヘシ
一此ノ旅券ヲ毀損亡失シタルトキハ速ニ所在地ノ警察官署ニ具申スヘシ
一旅行ヲ止メ又ハ歸著シタルトキハ遲滯ナク此ノ旅券ヲ還納スヘシ

第四號樣式(第十三條ニ依リ朝鮮外轉住者ニ交付スルモノ)用紙寸法同上

證明書

本籍

住所(假出獄後住居ノ地)

氏名

年　月　日生

一罪名
一刑名刑期
一假出獄期間　自明治　年　月　日　至明治　年　月　日
一轉住許可　年　月　日
一移轉先地名
一出發　年　月　日

明治　年　月　日迄ニ(何地「最終地點」)ヲ出發スヘシ

假出獄取締規則第十二條ニ依リ此ノ證明書ヲ交付ス

警察署名

官氏名　印

年　月　日

注意事項

一朝鮮內旅行途中天災、疾病其ノ他ノ事故ニ依リ豫定ノ旅行ヲ爲スコト能ハサルトキ又ハ其ノ虞アルトキハ遲滯ナク其ノ事由ヲ最寄ノ地ノ警察官ニ具申スヘシ
一朝鮮內ニ於テ此ノ證明書ヲ毀損亡失シタルトキハ速ニ所在地ノ警察署ニ具申スヘシ
一轉住ヲ止メタルトキハ遲滯ナク其ノ旨ヲ監督警察署ニ屆出ツヘシ
一再ヒ朝鮮ニ來リタルトキハ遲滯ナク住居ヲ定メ其ノ旨ヲ監督警察署ニ屆出ツヘシ

第五號樣式(第十三條ニ依リ朝鮮外旅行者ニ交付スルモノ)用紙寸法同上

證明書

本籍

住所(假出獄後ノ住居ノ地)

氏　名

年　月　日生

一罪　名

一刑名刑期

一假出獄期間　自明治　年　月　日　至明治　年　月　日

一旅行許可　年　月　日

一旅行ノ事由

一行先地名

一旅行日數

一出　發　年　月　日

明治　年　月　日迄ニ（何地「最終地點」）ヲ出發スヘシ

假出獄取締規則第十二條ニ依リ此ノ證明書ヲ交付ス

警察署名

年　月　日　官氏名印

注意事項

一朝鮮內旅行途中天災、疾病其他ノ事故ニ依リ豫定ノ旅行ヲ爲スコト能ハサルトキ又ハ其ノ虞アルトキハ遲滯ナク其ノ事由ヲ最寄ノ地ノ警察官ニ具申スヘシ

一朝鮮內ニ於テ此ノ證明書ヲ毀損亡失シタルトキハ速ニ所在地ノ警察署ニ具申スヘシ

一旅行ヲ止メ又ハ住居ノ地ニ歸著シタルトキハ遲滯ナク其ノ旨ヲ監督警察署ニ屆出ツヘシ

一六　假出獄及假出場ニ關スル取扱手續

明治四十五年三月
總訓第十六號

第一條　假出獄ノ具申書ニハ假出獄ヲ許スヘキ者ノ氏名、年齡、本籍、住所、罪名、犯數、刑名、刑期ノ起算並終了日、刑期三分ノ一ニ相當スル日、假出獄ヲ許ス事由、出獄後ニ於ケル保護者ノ氏名、職業、住所、生活ノ狀態及保護者ト本人トノ關係ヲ記載スヘシ

第二條　假出場ノ具申書ニハ假出場ヲ許スヘキ者ノ氏名、年齡、本籍、住所、罪名、犯數、刑名、刑期若ハ金額、刑期ノ起算及終了日、假出場ヲ許ス事由ヲ記載スヘシ

第三條　監獄令施行規則第百七十三條ニ依リ假出獄ノ具申書ニ添附スヘキ行狀錄ハ身分帳簿行狀錄最近一年六月分ノ寫ヲ以テ之ニ充テ身上調查書類ハ身上票及公務所其ノ他ノ回答書ニシテ特ニ參考ト爲ルヘキモノノ寫ヲ以テ之ニ充ツヘシ

第四條　刑期三分ノ一ヲ算出スルニハ左ノ例ニ依リ曆ニ從ヒ計算スヘシ

一　刑期三年以下ニシテ年ノミニ係ルトキハ年ヲ月ニ換算シテ之ヲ三分シ其ノ商ニ相當スル期間ヲ刑期起算日ヨリ計算ス

二　刑期三年以上ニシテ年ノミニ係ル場合ニ於テ其ノ儘三分スルコト能ハサルトキハ先ツ年ヲ三分シテ其ノ商ヲ得、年ノ端數ハ之ヲ月ニ換算シテ之ヲ三分シ月ノ商ヲ得、年ト月トノ商ニ相當スル期間ヲ刑期起算日ヨリ計算ス

三　刑期三年以下ニシテ年ト月トニ跨ルトキハ先ツ年ヲ月ニ換算シ之ニ刑期ノ月ヲ加ヘテ其ノ和ヲ三分シ因テ得タル商ニ相當スル期間ヲ刑期起算日ヨリ計算ス

四　刑期三年以上ニシテ年ト月トニ跨ル場合ニ於テ其ノ儘三分スルコト能ハサルトキハ先ツ年ヲ三分シテ年ノ商ヲ得、年ノ端數ハ月ニ換算シ之ニ刑期ノ月ヲ加ヘ其ノ和ヲ三分シテ月ノ商ヲ得、月ノ端數

ハ次ノ方法ニ依リ計算ス

（イ） 先ツ刑期起算日ヨリ年ト月トノ商ニ相當スル期間ヲ暦ニ從ヒ計算シ其ノ期間ノ最終日ヲ定ム

（ロ） 次ニ（イ）號ノ最終日ノ翌日ヲ起算點トシテ月ノ端數ヲ暦ニ從ヒ計算シ其ノ期間ニ相當スル日數ヲ算出ス

（ハ） （ニ）號ニ依リ算出シタル日數ヲ三分シテ日ノ商ヲ得、更ニ（イ）號ノ最終日ノ翌日ヲ起算點トシテ日ノ商ニ相當スル期間ヲ計算シ其ノ最終日ヲ定ム但シ日ノ端數ヲ生スルトキハ商ヲ一日繰上クルモノトス

五 年ト月トニ跨リ其ノ儘三分スルコト能ハサルトキハ四號（イ）（ロ）ノ例ニ準シ日數ヲ算出シ其ノ算出シタル日數ニ刑期ノ日ヲ加ヘ之ヲ三分シテ日ノ商ヲ得、四號（ハ）ノ例ニ依リ計算ス

六 月ト日トニ跨リ又ハ日ノミニ係ル場合ニ於テ其ノ儘三分スルコト能ハサルトキハ前數號ノ例ニ準シ計算ス

七 刑期ニ算入スヘキ日數アルトキハ先ツ全刑期ノ最終日ヨリ遡テ算入スヘキ日數ヲ控除シ其ノ殘期ノ三分ノ一ヲ計算ス

第五條 假出獄證票ハ別記第一號書式ニ依リ之ヲ作成シ假出場證票ハ別記第二號書式ニ依リ之ヲ作成スヘシ

第六條 假出獄又ハ假出場ニ因リ釋放シタルトキハ許可書到達ノ年月日時及釋放シタル年月日時ヲ朝鮮總督ニ報告スヘシ

第一號書式 （用紙厚紙紙質適宜）

假出獄證票

本籍

（表面）

住所（假出獄後住居ノ地）

氏名

年月日生

罪名

刑名刑期

明治　年　月　日ヨリ執行

明治　年　月　日刑期終了

假出獄期間年月日 自明治　年　月　日 至明治　年　月　日

住居ノ地ヲ管轄スル警察署ニ出頭スヘキ期間明治　年　月　日

住居ノ地ニ到著スヘキ期限　明治　年　月　日

假出獄ヲ許サレタルヲ以テ此ノ證票ヲ附與ス

明治　年　月　日

某監獄

朝鮮總督府典獄　氏　名　印

記事及警察官吏ノ認印

（一尺）

（六寸五分）

假出獄者心得事項

一 此ノ證票ニ記載シタル日限ニ住居ノ地ヲ管轄スル警察署（警察分署及警務署ノ事務ヲ取扱フ憲兵分隊、憲兵分遣所ヲ含ム以下同シ）ニ出頭シ證票ニ認印ヲ受クヘシ

二 天災、疾病其ノ他ノ事故ニ因リ前項ノ規定ニ從フコト能ハサルトキ又ハ其ノ虞アルトキハ遲滯ナク其ノ事由ヲ最寄ノ地ノ警察官ニ具申シ證明書ヲ受クヘシ此ノ證明書ハ監督警察署ニ提出スヘシ

三 假出獄中ハ住居ノ地ヲ管轄スル警察署ノ監督ヲ受ク

（裡面）

四　遲滯ナク監督警察署ニ職業其ノ他生計ニ關スル見込ヲ立テ之ヲ届出ツヘシ保護者アルトキハ連署ヲ要ス

五　轉住又ハ十日以上ノ旅行ヲ爲サムトスルトキハ其ノ事由、轉住地又ハ行先地及旅行日數ヲ記載シテ監督警察署ノ許可ヲ請ヒ旅券ヲ受クヘシ第一第二ノ規定ハ此ノ場合ニ準用ス

六　旅行ヲ爲シタル場合ニ於テ轉住ノ地ニ歸著シタルトキハ遲滯ナク監督警察署ニ出頭シ旅券ヲ還納スヘシ轉住又ハ旅行ヲ中止シタルトキ亦同シ

七　朝鮮外ニ轉住又ハ旅行ヲ爲サムトスルトキハ其ノ事由、轉住地又ハ行先地及旅行日數ヲ記載シ監督警察署及釋放シタル監獄ヲ經由シテ朝鮮總督ノ許可ヲ請ヒ監督警察署ヨリ證明書ヲ受クヘシ

八　朝鮮外ニ轉住又ハ旅行ヲ許可セラレタル場合ニ於テ轉住又ハ旅行ヲ中止シ若ハ旅行ヲ爲シ轉住ノ地ニ歸著シタルトキハ遲滯ナク其ノ旨ヲ監督警察署ニ届出ツヘシ

九　朝鮮外ニ轉住ヲ爲シタル場合ニ於テ再ヒ朝鮮ニ來リタルトキハ遲滯ナク住所ヲ定メ其ノ旨ヲ監督警察署ニ届出ツヘシ

右假出獄者心得事項ニ違背シタルトキ又ハ左ニ揭クル事由アルトキハ假出獄ノ處分ヲ取消サルルコトアルヘシ

一　假出獄中更ニ罪ヲ犯シ罰金以上ノ罪ニ處セラレタルトキ

二　假出獄前ニ犯シタル他ノ罪ニ付罰金以上ノ刑ニ處セラレタルトキ

三　假出獄前他ノ罪ニ付キ罰金以上ノ刑ニ處セラレタル者ニシテ其ノ刑ノ執行ヲ爲スヘキトキ

假出獄ノ處分ヲ取消サレタルトキハ出獄中ノ日數ハ刑期ニ算入セラレサルモノトス

第二號書式（用紙厚紙紙質適宜）

假出場證票

本籍

住所（假出場後住居ノ地）

氏名

年月日生

罪名

拘留又ハ勞役場留置期間

明治　年　月　日ヨリ執行

明治　年　月　日滿期

假出場期間　自明治　年　月　日　至明治　年　月　日

假出場ヲ許サレタルヲ以テ此ノ證票ヲ附與ス

明治　年　月　日

某監獄

朝鮮總督府典獄　氏名　印

（八寸）

（五寸五分）

一七　假出獄取締規則ニ關スル件

大正七年三月　官通第四十四號

政務總監

各檢事局ノ長、各監獄ノ長、各警察署（警察ノ事務ヲ取扱フ憲兵分隊憲兵分遣所ヲ含ム）ノ長　宛

假出獄取締規則中ノ地方法院ノ檢事ニハ地方法院支廳ノ檢事ハ之ヲ包含セサル義ト了知相成度爲念此段及通牒候也

一八　刑期三分ノ一應答日算出方ニ關スル件

明治四十三年十月
刑第二百八十九號

刑期三分ノ一應答日算出方ハ假出獄及假出場ニ關スル取扱手續第四條ノ例ニ依リ計算スヘキハ勿論ニ候得共舊韓國法規ニ依リ處刑セラレタルモノニシテ其ノ刑期ノ三分ノ一ニ相當スル期間カ月ノミナルトキ若クハ年ト月トニ跨ルトキハ其ノ月ニ付テハ暦ニ從ハス刑法大全ノ規定ニ依リ一ケ月ヲ三十日トシテ計算シ之ニ依リ三分ノ一應答日ヨリ算出スルコトニ決定候條向後ハ右ニ依リ御取扱相成度此段及通牒候也

追テ右ニ關シ曩ニ元統監府司法廳ヨリ發シタル通牒中牴觸スル部分ハ自然變更アリタルモノト御承知相成度爲念申添候

一九　朝鮮人タル受刑者ニ對スル刑期三分ノ一應答日算出方

明治四十三年十一月
監第四百六十二號

朝鮮人タル受刑者ニ對スル刑期三分ノ一應答日算出方ニ付別紙第一號寫ノ通海州監獄典獄ノ問合ニ對シ第二號寫ノ通リ回答致置候條爲御心得此段及通牒候也

第一號　（四三、一一、九）　海州監獄典獄

司法部長官宛

刑第二八九號ヲ以テ刑期三分ノ一應答日算出方ニ付御通牒相成候處隆熙二年刑法大全改正以前判決ニ係ル刑期年ノミノモノモ矢張暦ニ從フヘキ義ニ有之候哉聊カ疑義相生候ニ付何分ノ御回示煩シ度此段及照會候也

第二號　（四三、一一、一七）　司法部長官

海州監獄典獄宛

本月九日附海收第六八號ノ二ヲ以テ刑法大全改正以前ノ判決ニ係ル刑期年ノミノ者ニ對スル刑期三分ノ一應答日算出方ニ付御問合ノ趣了承右ハ其ノ當時ニ於ケル刑法大全ノ規定（即チ一年ハ三百六十日）ニ依リ計算スヘキ義ニ有之候條此段及回答候也

二〇　二個以上ノ刑ノ言渡ヲ受ケタル者ノ刑期三分ノ一算出ニ關スル件

大正五年十一月
司秘第三百九十六號
司法部長官

各監獄典獄宛

假出獄ニ關シ左記ノ通決定致候條將來右ニ依リ取扱相成度依命此段及通牒候也

記

一　二個以上ノ刑ノ言渡ヲ受ケタル者ノ假出獄ニ關シ刑期三分ノ一ノ算出方法ハ各其執行スヘキ刑期ヲ基本トシテ計算スヘキモノトス

二　二個以上ノ刑ヲ有スル者ニ就キ假出獄ノ申請ヲ爲サムトスルトキハ各刑ニ付刑期ノ三分ノ一ヲ經過スルヲ要スル結果第一ノ刑ニ付三分ノ一ヲ經過シタル後他ノ刑ノ執行ニ移ル必要アリト認メタル場合ニ於テハ當該檢事ニ對シ刑執行順序ノ變更ヲ求ムルノ交渉ヲ爲スヘキコト

（參照）　大正五年十一月　司法部長官

高等法院檢事長
各覆審法院檢事長
各地方法院檢事正　宛

首題ノ件ニ關シ各監獄典獄ヘ別紙寫ノ通通牒致置候條右刑執行順序ノ變更方交渉アリタルトキハ刑事訴訟法第三百十七條第二項但書ニ依リ相當取計相成度候樣致シ度依命及通牒候也

二一　行狀査定ノ標準ニ關スル件

大正二年
典會訓示

監獄ニ依リ假出獄具申ノ割合相異アリ是遇囚方法又ハ行狀査定ノ標準彼是輕視スル所アルニ因ルヘシ遇囚ノ適實行狀視察ノ綿密ヲ要ス

二二　假出獄具申書ノ記載方ノ件

大正三年
典會注意

假出獄具申書ニ添附セル公務所等ノ回答書中受刑者ノ性質素行等ニ付行狀錄ノ記載ト反對ノ記事アルトキハ之ニ對スル意見ヲ行狀錄又ハ具申書中ニ記載スルコト

二三　假出獄具申書記載方ノ件

大正五年
典會注意

假出獄具申書ノ作成ニ付テハ從來屢次注意セシ所ナルモ今尚調査ノ粗漏ナルモノ或ハ誤記脫字アルモノ少カラス殊ニ身上及出獄後ニ於ケル監督保護ニ關スル事項ニ付テハ犯罪ノ種類原因及情狀等ニ依リ調査ノ方法程

度ヲ異ニスルコトナク殆ント千篇一律ニシテ之ニ對シ何等特別ノ注意ヲ加ヘサルモノノ如シ將來特ニ注意セラレタシ

二四　假出獄及假出場ノ具申書作成ノ件

大正七年
典會注意

假出獄及假出場ノ具申書ノ作成ニ當リテハ左ノ諸點ニ注意セラレタシ

（一）身上調査ノ結果判決書記載ノ氏名ト異リタル場合ハ何某事何某ト肩書スルコト

（二）具申書ノ住所ハ歸住地ヲ記載スルコト

（三）共犯者アル場合ハ共犯者ノ狀況（刑期在監獄及行狀等）ヲ記載スルコト

二五　假出獄具申書樣式設定ノ件

大正十年四月
法務局長

各監獄典獄
分監長　宛

假出獄具申書樣式別紙ノ通相定メラレ候條左ニ依リ御取扱相成度依命此段及通牒候也

（樣式）省畧

記載例

一、執行濟期間及殘刑期間欄ニハ各其年月ヲ記載シ日ヲ算定スルヲ要セス

二、犯罪ノ原因欄ニハ本人ノ性格ト生活狀態ヲ極メテ簡單ニ記シ犯罪

ノ近因トナリタル事情ヲ舉示スヘシ
三、入監後ノ行狀欄ニハ主トシテ賞罰ヲ記載シ尚特ニ參考トナルヘキ事實アラハ其旨ヲ附記スヘシ
四、出獄後ノ生計欄ニハ出獄後從事スヘキ職業竝生計ノ見込確實ナル事情ヲ記載スヘシ
(イ) 恩赦ノ關係
(ロ) 刑執行停止逃走其ノ他刑期計算上參考トナルヘキ事項
(ハ) 判決書記載住所氏名及生年月日等ノ相違セル場合ハ其事由
(ニ) 其他參考トナルヘキ事項

二六 短期受刑者ニ對スル假出獄具申ノ件

大正七年
典會指示

從來短期ノ受刑者ニ對スル假出獄ノ具申ハ極メテ小數ナリ是畢竟視察期間ノ短キカ爲其ノ適否ヲ甄別スルノ困難ナルニ因ルヘシト雖彼等ノ中行狀善良改悛ノ狀顯著ニシテ全刑ノ執行ヲ要セサルモノ亦尠カラサルヘシ各位ハ宜シク短期受刑者ニ對スル處遇ヲ一層適實ニシ一面嚴正ナル視察ヲ遂ケ以テ假出獄適用ノ周到ナラムコトヲ期スヘシ

二七 分監ノ假出獄具申ハ典獄ヲ經由シテ分監長爲スモ妨ナキ件

大正六年
典會注意

分監ノ在囚ニ對スル假出獄ノ具申ハ典獄ヲ經由シテ分監長之ヲ爲スモ妨ケナシ

二八 假出獄ノ言渡ニ注意スヘキ件

大正七年一月
監第六十六號
司法部長官

各監獄典獄
分監長 宛

近來假出獄者ニシテ更ニ罪ヲ犯シ又ハ假出獄取締規則ニ違背スル者間々有之候處其ノ原因ヲ調査スルニ假出獄言渡ノ際ニ於ケル訓戒及注意ノ克ク徹底セサルニ由ルモノモ有之哉ニ被認候ニ付釋放後殊ニ假出獄中ノ心得事項ノ說示等ニ付テハ今一層周到ヲ期セラレ度此ノ段及通牒候也

二九 假出獄者官報揭載ニ關スル件

大正七年四月
監第五百五號
司法部長官

監獄典獄宛

假出獄ニ依リ釋放セラレタル者ハ其旨官報ニ揭載致來候處右ハ爾今揭載セサルコトニ決定候條爲念此段及通牒候也

三〇 假出獄及假出場執行報告ニ關スル件

大正七年一月
監第三十五號
司法部長官

監獄典獄宛

假出獄及假出場ニ關スル取扱手續第六條ニ依ル報告ハ爾今別紙書式ニ依リ報告相成度此段及通牒候也

大正　年　月　日

何監獄典獄（又ハ分監長）名

朝鮮總督宛

假出獄又ハ假出場報告濟ノ件報告

指紋番號左右――懲役何年何　某

許可書ノ番號及日附

許可書到着ノ年月日時

釋放年月日時及場所（何監獄又ハ分監）

右及報告候也

（備考）

數名ノ場合ハ連記スルモ妨ナシ

三一　出獄後ノ視察及保護ニ關スル件

大正三年
典會指示

假出獄ハ漸次其數ヲ增加シ且略ホ各監獄ノ均衡ヲモ得ルニ至リタルノミナラス出獄後ニ於ケル成績ノ概シテ良好ナルハ行刑上喜フヘキ現象ナリトス尙益視察ヲ周到ナラシメ之カ具申ヲ爲スニ於テ遺漏ナカラムコトヲ期スヘシ

三二　假出獄出監者再入監ノ場合通報方ノ件

大正六年六月
司秘第百十二號
司法部長官

（抄）

京城監獄提出決議

假出獄者ニシテ再入監ノ場合ハ再入ニ至リシ經路ヲ釋放監獄ニ通報スルコト

決議ニ對スル司法部長官意見

適當ト認ム

三三　假出獄處分取消ニ關スル件

大正九年三月
第六百二十一號
法務局長

高等法院檢事長
各覆審法院檢事長
各地方法院檢事正
各地方法院支廳檢事
（檢事事務取扱ヲ含ム）
各監獄典獄
各監獄分監長
宛

假出獄者中刑法第二十九條第一項第一號乃至第三號ニ依リ該處分取消方申報ノ場合ハ特ニ取消ノ急ヲ要セサル限リ成ルベク判決ノ抄本謄本又ハ犯罪ノ情狀ヲ認ムルニ足ルヘキ書類ヲ添附相成度此段及通牒候也

三四　假出獄具申書ニ添付スヘキ行狀錄ニ關スル件

大正四年七月
監第二百九十一號
司法部長官

典獄提出協議事項決議ニ對スル司法部長官意見

提出監獄	決議	決議ニ對スル司法部長官意見
京城監獄	假出獄及假出場ニ關スル取扱手續第二條ニ依リ具申書ニ添付スヘキ行狀錄ノ寫ハ具申ノ月ヨリ既往一年六月分ノ行狀ヲ特ニ査定シタルモノ一通ヲ以テスルコト	從前ノ通リ行狀錄最近一年六月分ノ寫ヲ添付スルヲ要ス

三五　假出獄具申書ニ添付スヘキ判決書ノ件

大正五年八月
牒監第八百五十九號

司法部長官

先般典獄會同ノ際ニ於ケル提出意見中詮議又ハ調査スヘキ旨內示アリタル分ニ對シ左記ノ通決定相成候條依命此段及通牒候也

左記（抄）

四　假出獄ノ具申書ニ添付スヘキ判決書ハ判決抄本トスルノ件

決定　判決書理由中、假出獄被申立者ノ犯情及其犯罪ニ對スル法律適用ヲ明ニ知リ得ラルノ程度ニ拔抄シ他ハ之ヲ省略スルモ差支ナシ

三六　假出獄具申書ニ添付スヘキ行狀表ニ關スル件

大正十一年四月

法務局長

各監獄典監
各分監長　宛

首題ノ儀ニ付テハ昨大正十年監獄監督官會議ニ於ケル典獄提出意見ニ對シ內示ノ次第モ有之追テ何分ノ通牒可相成候得共同年十一月八日附通牒ニ基ク政治犯者ノ假出獄具申書ニ添付スヘキ行狀表寫ハ其最近一年六月分ヲ綜合シ一通ニ作成相成差支無之此段及通牒候也

三七　假出獄許可者釋放時通報ニ關スル件

大正六年十月
監第千二百四十九號

司法部長官

監獄典獄宛

假出獄取締規則第二條ニ依ル檢事及監督警察署ヘノ通報ハ大要左記事項記載相成度此段及通牒候也

左記

一、本籍地
二、歸住地
三、氏名及生年月日
四、裁判言渡及確定各年月日
五、罪名、刑名、刑期
六、刑ノ始期及終期
七、刑ノ言渡ヲ爲シタル裁判所名
八、假出獄許可及釋放ノ各年月日
九、釋放シタル監獄名
十、假出獄ヲ許サレタル者ノ住居ノ地ヲ管轄スル地方法院名（住居ノ地ヲ管轄スル地方法院ノ檢事宛ニハ之ヲ略ス）
十一、監督警察官署名（監督警察官署宛ニハ之ヲ略ス）
十二、保護者ノ住所氏名

三八　受刑者釋放ノ際所轄警察官署へ通知方ノ件

明治四十四年五月
司刑發第三百二十七號
司法部長官

出獄人ノ氏名年齡等通知方ノ儀ニ付別紙寫ノ通リ警務總長ヨリ照會有之候條自今受刑者釋放ノ際ハ本人歸住地ノ所轄警察署又ハ憲兵分遣所ヘ別紙記載ノ事項御通知相成度此段及通牒候也

（別紙）

保收第三八七一號　警務總長、司法部長官宛　四四、五、二六

犯罪人出獄後ハ其ノ行動ヲ視察スルノ必要有之候ニ付各監獄分監ニ於テ放免ノ場合ハ所轄警察署ヘ居住地氏名年齡罪名刑期放免月日其他參考トナルヘキ事項ヲ通知相成候樣御取計相成度此段及照會候也

三九　受刑者釋放ノ際所轄警察署へ通知ノ件

大正四年十一月
監百十五號
司法部長官

各監獄典獄宛

首題ノ件明治四十四年五月三十日付司法第三二七號ヲ以テ通牒致置候處右ニ關シ別紙寫ノ通警務總長ヨリ照會有之候條本年十二月以降ノ出獄者ニシテ今回ノ恩典ニ浴シタルモノニ對シテハ該通知書ニ其旨附記相成度此段及通牒候也

四〇　出獄者通報ニ關スル件

大正四年十一月照會
警務總長

司法部長官宛

恩赦出獄者ニ對シテ其ノ行動視察上恩赦ニ浴セサル出獄者ト區分スルノ必要アルニ付本年十二月以降出獄者ニシテ明治四十四年五月二十六日附保收第三八七一號照會ニ依リ歸還先所轄警察官署ニ通知ヲ爲ス場合今回ノ恩赦ニ依ル者ハ該通知書ニ其ノ旨附記相成樣監獄及同分監ニ對シ示達方可然御取計相成候樣致シ度此段及照會候也

四一　受刑者釋放ノ際所轄警察官署へ通知ノ件

大正六年三月
監第二百六號
司法部長官

典獄宛

明治四十四年五月三十日附司刑第三二七號ヲ以テ首題ノ件通牒致置候處右釋放通知ノ際ハ其ノ入監年月日言渡官廳名及本人ヲ識別スルニ便宜ナル著シキ特徵並ニ體格身長ヲモ記載スルコトニ取計相成度此段及通牒候也

四二　通知ノ場合ハ面洞里名ヲ記載スルノ件

大正三年
典會注意

警察官署ニ對シ在監朝鮮人ノ民籍謄本ヲ請求シ又ハ釋放者ノ人名ヲ通知スル場合ニ於テハ必ス面及里洞名ヲ記載スヘク若其確實ナラサルモノニ付テハ本人ノ申立又ハ監獄ノ推測ニ係ルモノナル旨ヲ記載スルコト

四三　出獄者通報ニ關スル件

大正九年六月二十八日
監第千三百九十一號
法務局長

各監獄典獄
分監長　宛

別紙寫ノ通警務局長ヨリ依頼越候條愼重ナル審査ヲ遂ケ再犯ノ虞アリト認ムル者有之候節ハ別紙ニ依リ警務局ニ直接通報相成度此ノ段及通牒候也

（別綴）

大正九年六月三十日　法務局長

警務局長宛

大正九年六月二十三日附保二五二二號ヲ以テ首題ノ件御申越ノ趣キ承知右ハ別紙ノ通通牒候條此ノ段回答候也

追テ貴局發行ノ搜査通報ニシテ監獄ニ關係アルモノハ當局ニモ送付被下度申添候

保第二五二二號
大正九年六月二十三日　朝鮮總督府警務局長

法務局長宛

出獄者通報ニ關スル件

從來本局ニ於テ朝鮮全道ニ渉リ搜査ヲ要スル事項ニ關シ毎月二回搜査通報ヲ發行シ來リ候處同時ニ各監獄ニ於ケル毎月ノ出獄者ヲ登載シ一般警察官ニ周知セシムルハ前科者ノ視察並再犯豫防ノ上極メテ必要ナルコトト存セラレ候條自今左記樣式ニ依リ各監獄分監等ノ出獄者ニシテ再犯ノ虞レアリト認メラルル內鮮人及支那人ヲ前月中ニ各監ヨリ本局ニ通報セラルル樣御取計相成度此段及御依頼候也

追テ永登浦分監ヨリ內地人ノミ現ニ通報ヲ得居候ニ付申添候

記

出監日	本籍地 歸住地	罪名	刑名 刑期	犯數	氏名	年齡

四四　羅病者及精神病者ノ釋放時ニ於ル取扱方ニ關スル件

大正十年十月　法務局長

各監獄典獄
各分監長　宛

首題ノ件今回左記ノ通決定相成候條右ニ依リ御處理相成度此段及通牒候也

記

在監人釋放ニ際シ羅病ノ爲步行ニ堪ヘス且引取人ナク相當救護ノ必要アリト認ムル者及精神病者ニシテ看護義務者ナキ者ハ行旅病人ニ準シ取扱フコト

四五　出獄後ニ於ケル保護監督

大正七年
典會指示

長期ノ受刑者ニ在リテハ多年社會ト隔離セラレタル結果其ノ實情ニ暗ク爲ニ出獄後處世ノ方途ニ迷ヒ累ネテ犯罪ニ陷ルノ危險多シ各位ハ此等ノ受刑者ニ對シテハ在監中適當ノ機會ニ於テ社會變遷ノ實情ヲ知悉セシムルト共ニ情狀ノ許ス限リ刑期滿了前假出獄ヲ許シ適當ノ保護監督ノ下ニ漸次社會生活ニ馴致セシムルノ策ヲ講シ以テ豫メ出獄後ニ於ケル處世上ノ用意ヲ爲サシムル等累犯ノ防遏ニ付十分ノ考慮ヲ要ス

第十三章　保護

一　免囚保護事業補助金下付手續

大正二年五月
總內訓第五號

改正　大正八年一第一號

第一條　免囚保護事業ニ付補助金ノ下付ヲ受ケムトスル者アルトキハ本手續第二條及第三條第一項ニ規定スル條件ヲ遵守スヘキ旨ヲ記載シタル願書ヲ提出セシムヘシ

願書ニハ別紙樣式資産表收支豫算書事業成績表及免囚保護ニ關スル規則ヲ添付セシムベシ

願書ヲ提シタル者アルトキハ事業經營及維持ノ方法竝主管者ノ性格等ヲ調査シ意見ヲ附シ之ヲ進達スヘシ

第二條　補助金ノ下付ヲ受ケタル者ハ其ノ事業ノ經營上ニ付典獄ノ指示ヲ受ケシムヘキモノトス

第三條　免囚保護事業ニ付補助金ノ下付ヲ受クル者其ノ事業ノ主管者又ハ免囚保護ニ關スル規則等ヲ變更セムトスルトキハ朝鮮總督ノ認可ヲ受ケシムベシ

前項ノ場合ニ於テハ其認可申請書ヲ調査シ意見ヲ附シ進達スヘシ

第四條　補助金ノ下付ヲ受ケタル者免囚保護事業ノ目的ニ違背スル行爲アリト認ムルトキハ意見ヲ附シテ其狀況ヲ報告スヘシ

第五條　補助金ノ下附ヲ受クル者ヨリ毎年四月十五日迄別紙樣式ニ依リ前年度分ノ事業成績表竝收支計算書ヲ提出セシメ意見ヲ附シ速ニ之ヲ進達スヘシ但シ法人ノ設立及監督ニ關スル規定第三條ニ依ル報告ヲ爲ス場合ハ此ノ限リニアラズ

資産表　　大正　　年三月三十日一現在

一金　　資産高

　　內譯

金　地所

金　保護場敷地何坪

金　耕耘地何坪

金　其ノ他何坪

金　家屋

金　事務所何屋何坪

金　被保護者居室何室何坪

金　工場何室何坪

金　附屬建物何坪

金　什器

金　蒲團何枚

金　被服何枚

金　家具何品

金　雜具何品

金　家畜（名稱ヲ記ス）何頭（何羽）

金　有價證券

金　銀行貯金

金　郵便貯金

金　手元保管金

金　何何

収入計算（豫算）書　大正　何　年度

収入ノ部

科目	金額
前年度繰越高	
本年度収入額	
補助金	
會費及寄附金	
事業収入	
預金利子	
雑収入	
合計	

支出ノ部

科目	金額
事務費	
備品費	
消耗品費	
通信運搬費	

科目	
役員諸給	
其他	
保護費	
食費	
療養費	
被服費	
惠與費	
其ノ他	
作業費	
器具機械費	
借地料	
作業資費	
其ノ他	
營繕費	
新營費	
修繕費	
雜費	

雜費	合計

差引

金　殘額（不足額）

事業成績表　大正　年

種別	收容シテ保護シタル者																					
	場内ニ於テ就業スル者						場外ニ於テ就業スル者						就業不能ノ者						計			
	内地人		朝鮮人		外國人		内地人		朝鮮人		外國人		内地人		朝鮮人		外國人		内地人		朝鮮人	
	男	女	男	女	男	女	男	女	男	女	男	女	男	女	男	女	男	女	男	女	男	女
越人員																						
新保護人員																						
保護ヲ解キタル人員　自活																						
保護ヲ解キタル人員　他ハ引受																						
保護ヲ解キタル人員　親族引渡																						
保護ヲ解キタル人員　退場																						
保護ヲ解キタル人員　逃走																						
保護ヲ解キタル人員　犯罪																						
保護ヲ解キタル人員　何																						
保護ヲ解キタル人員　何																						
保護ヲ解キタル人員　何																						
保護ヲ解キタル人員　何																						
保護ヲ解キタル人員　死亡																						
保護ヲ解キタル人員　計																						
年度末人員																						
一年度内ノ延人員																						

種別	収容セスシテ保護シタル者																									
	獨立シテ一家ヲ立ツル者						他家ニ雇ハレ中ノ者						其ノ他寄食中ノ者						計							
	內地人		朝鮮人		外國人		內地人		朝鮮人		外國人		內地人		朝鮮人		外國人		內地人		朝鮮人		外國人		計	
	男	女	男	女	男	女	男	女	男	女	男	女	男	女	男	女	男	女	男	女	男	女	男	女	男	女
越人員																										
新保護人員																										
保護ヲ解キタル人員　保護ノ必要ナキニ至リタル者																										
親族引渡																										
他人引受																										
犯罪																										
逃走																										
何																										
何																										
何																										
何																										
何																										
死亡																										
計																										
年度末人員																										
一年度内ノ延人員																										

外國人		計	
男	女	男	女

種別		内地人 男	内地人 女	朝鮮人 男	朝鮮人 女	外國人 男	外國人 女	計 男	計 女	計
一時的ニ保護シタル者	職業ノ紹介ヲ爲シタルモノ									
	衣類又ハ旅費ヲ給シタルモノ									
	職業ノ資本ヲ補助シタルモノ									
	療養又ハ宿泊ヲ爲サシメタルモノ									
	何									
	何									
	何									
	何									
	何									
	何									
	何									
	何									
	計									

保護場ニ収容シタル者ノ期間

種別	一年度内ニ保護ヲ解キタル人員						年度末現在人員						總計								備考
	内地人		朝鮮人		外國人		内地人		朝鮮人		外國人		内地人		朝鮮人		外國人		計		
	男	女	男	女	男	女	男	女	男	女	男	女	男	女	男	女	男	女	男	女	
一箇月以内																					
二箇月以内																					
三箇月以内																					
六箇月以内																					
一箇年以内																					
一箇年以上																					
計																					

記載例

一、本表ハ會計年度ニ依リ作成スルモノトス
一、收容保護ヨリ被收容保護ニ移リタル者ハ「收容シテ保護シタル者」ノ項ハ一旦保護ヲ解キタル者トシテ計上シ「收容セスシテ保護シタル者」ノ項ニハ之ヲ朱書ス
一、非收容保護ヨリ收容保護ニ移リタル者ハ「收容シテ保護シタル者」ノ項ニ記入シ「收容セスシテ保護シタル者」ノ項ニハ朱書ス
一、同一人ニ對シ數種ノ一時的保護ヲ加ヘタル者ハ其主タル種類ノ欄ニ計上シ其ノ他數種類ノ欄ニハ其數ヲ朱書ス
一、收容又ハ被收容ノ保護ヲ解ク場合ニ於テ特別保護ヲ加ヘタルトキハ其ノ種類ニ從ヒ「一時的ニ保護シタル者」ノ項內相當欄ニ其ノ類ヲ計上ス
一、刑ノ執行猶豫又ハ微罪不檢擧ニ係ル者ニ對シ保護ヲ加ヘタルモノアルトキハ本表相當欄ニ記入シ仍其ノ人員及保護ノ種類ハ之ヲ備考ニ再掲ス

二　免囚保護會收支計算書ノ件

大正五年
典獄會議注意

大正二年朝鮮總督府内訓第五號免囚保護事業補助金下付手續ニ依リ提出スル收支計算書ノ科目ハ凡ソ左ノ區分ニ依リ作成セシメラレタシ

收入
一　前年ヨリ越高
一　補助金
一　會費及寄附金
一　事業收入
一　預金利子
一　雜收入

支出
一　事務費
一　備品費
一　消耗品費
一　通信運搬費
一　役員諸給
一　其ノ他
一　保護費
　一　食費
　一　療養費
　一　被服費
　一　惠與費
　一　其ノ他

一　事業費
　一　器具機械費
　一　借地料
　一　作業資金
　一　其ノ他
一　營繕費
　一　新營費
　一　修繕費
一　雜費
　一　雜費

三　免囚保護事業成績表ニ關スル件

大正五年
典獄會議注意

前項内訓ニ依ル事業成績表中ニ揭クル在監人員ノ中ニハ島地ニ歸住スル者ノ船待又ハ父兄ノ出迎等ヲ待ツ爲一時保護團體ニ宿泊セシメタル者ヲモ揭記スル向アリ右等ノ如キモノハ附表ニ記載セシメラレタシ

四　免囚保護事業援助ニ關スル件

大正三年
典獄會議指示

免囚保護事業ハ近來續續其計畫ヲ爲スモノヲ生シ今ヤ樞要ノ地ニ於テハ之カ設立ヲ見サルナキニ至レルハ刑事政策上一段ノ進歩ニシテ甚タ滿足スル所ナリ然レトモ其ノ施設尙頗ル幼稚ナルヲ免レサルヲ以テ事業ノ經營者ニ對シテハ相當ノ援助ヲ與フルニ吝ナラサルト同時ニ著實ニ之ヲ指導シ以テ健全ナル發達ヲ遂ケシムルコトニ努ムヘシ

五　免囚保護事業補助金下附手續ニ關スル件

大正三年
典獄會議注意

免囚保護事業、補助金下附手續第五條ニ依リ提出ヲ要スル事業成績表ニハ被保護者中ニ自活其ノ他ノ事由ニヨリ保護ヲ解キタルモノアルトキハ其以後ノ狀況又中途逃走シタル者アルトキハ其當時ノ狀況ヲ附記スルコト

六　免囚保護事業創始發展ニ關スル件

大正四年
典獄會議訓示

免囚保護事業ハ直接ノ關係ヲ有スル官憲自ラ率先シテ發起斡旋スル所アルニ非サレハ之ヲ創始スルニ困難ナル事情アルヲ認メ曩ニ各位ニ委シテ專ラ事ニ膺ラシメタリ爾來鋭意該事業ノ作與助成ニ努メタル結果纔ニ其ノ緒ニ就クヲ得タリト雖施設尙幼稚ニシテ所期ノ效果ヲ收メムカ爲ニハ更ニ各位ノ盡瘁ニ待タサルヘカラサルモノ多大ナリ自今一層ノ熱心ト勵精トヲ以テ之カ營經ヲ助ケ其ノ發展ヲ圖ルヘシ

七　免囚保護方針ニ關スル件

大正四年
典獄會議口頭注意

免囚保護會社ノ基礎鞏固ナラサル時ニ於テハ堅實ナル發達ヲ期スヘク多

額ノ費用ヲ投シテ收容場ノ建設スルカ如キヲ避クヘシ公私團體又ハ個人ニ委託スルノ方法ヲ採ルヘシ改悛ノ見込ナキモノノ保護ハ之レヲ避クヘシ

八　免囚保護會ノ監督ニ關スル件

大正四年
典獄會議指示

免囚保護會ノ發展ニ伴ヒ金品出納ノ頻繁ヲ加ヘ會計事務漸ク多端ニ趣キツツアルヲ以テ監獄職員ヲシテ傍其ノ取扱ヲ爲サシムルモノ及補助金ノ下付アリタルモノニ對シテハ特ニ監督ヲ嚴ニシ萬一ヲノ過誤ナカラシメムコトヲ期スヘシ

九　免囚保護會ノ名稱ニ關スル件

大正四年
典獄會議注意

免囚保護會ノ名稱ニ出獄人或ハ免囚ナル文字ヲ冠スルモノアルモ右ハ時トシテハ世人ノ嫌忌ヲ招クノミナラス被保護者ヲシテ不快ノ念ヲ抱カシムル虞アルヲ以テ此如キ名稱ハ成ルヘク之ヲ避ケシメラレタシ

一〇　免囚保護範圍ニ關スル件

大正七年
典獄會議注意

免囚保護ノ事業ハ其成績年ヲ逐フテ良好ニ趨キツツアリト雖其ノ保護ノ範圍頗ル狹小ニシテ殊ニ出獄時ニ於ケル保護ノミニ限ラルルカ如キ觀アルハ遺憾ナリ是畢竟各保護團体ノ基礎未タ鞏固ナラサルニ因ル所ナルヘシ各位ハ一層保護思想ノ普及ヲ計リテ其ノ基礎ノ鞏固ニ努メ一面保護方法ノ改善ヲ策シテ漸次保護ノ範圍ヲ擴張シ啻ニ釋放時ノミニ止マラス出獄後ト雖其ノ境遇上保護ノ必要アリト認メタル者ニ對シテハ成ルベク之ニ保護ヲ加フル等保護團体ニ對スル指導ヲ適切ニシ以テ累犯防遏ノ目的ヲ達成スルコトヲ期セラレタシ

一一　免囚保護事務ニ付雙互連絡ヲ計ルヘキ件

大正十年
典獄會議指示

免囚保護事業ハ近時稍其發達ヲ見ルニ至リタルモ各免囚保護會ノ內容充實セルモノ少キノミナラス保護事務ニ付雙互ノ連絡不十分ナルヲ免レサレハ各位ハ機會アル毎ニ一般ニ免囚保護思想ヲ鼓吹シ一面各保護會ノ連絡共助ノ途ヲ講シ、特ニ保護會ノ事務ヲ取扱フ者ノ人格及手腕ハ事業ノ進展ニ至大ノ關係ヲ有スルヲ以テ保護會ノ財政ノ狀態ヲ考察シテ其ノ人選ニ意ヲ用ヰ常ニ執務ノ狀況就中保護ノ適否及收支ノ按排ニ付適正ナル監督指導ヲ爲シ全鮮ニ渉リテ其ノ事業ノ成績ヲ擧クルニ努メラレムコトヲ望ム

一二　恩赦出獄人保護ニ關スル件

大正四年十一月
通牒監七三一號

司法部長官

各監獄典獄宛

今回ノ恩赦出獄人ニ對シテハ警察官署ニ於テ相當保護ヲ加フルト共ニ監

獄ニ於テモ保護上十分御注意相成居リ候コトトハ思料候ヘ共特ニ監獄ニ於テハ出獄善後ノ方法ヲ考慮シ或ハ免囚保護會ト連絡ヲ保チ該保護會ヲシテ其ノ本領ヲ十分ニ發揮セシメ以テ恩赦ノ趣旨ヲ貫徹スルニ遺憾ナカラシメラレ度此段及通牒候也

一三 釋放者保護ニ關スル件

大正三年
典獄會議指示

監獄ヨリ釋放スヘキモノニ付テハ豫メ衣服及旅費ノ有無其ノ他保護上ノ關係ヲ調査スヘキコト勿論ナルニ往往其ノ調査ヲ缺如セルモノアルヲ聞ク斯クノ如キハ行刑ノ終ヲ完フスル所以ニアラス殊ニ今回ノ恩典ニ因リ釋放セラルル者爾後益多キヲ加フルヲ以テ更ニ其意ヲ用ヰ釋放時ノ措置ヲ誤ラサラムコトヲ努ムヘシ

一四 釋放者ニ給與スル作業賞與金ヲ浪費セシメサル件

大正四年
典獄會議注意

釋放者ニ對シ作業賞與金ヲ給與スルニ際シテハ適當ノ方法ヲ用ヒテ其ノ浪費ヲ防クト同時ニ成ルヘク有益ノ資ニ充テシムルコトニ注意アリタシ

一五 釋放後ノ保護ニ關スル準備ノ件

大正五年
典獄會議訓示

在監者釋放後ノ保護ニ關スル準備ニ付テハ一層其ノ正確適實ヲ期スル爲刑期滿了ニ迫ラサル以前ニ於テ豫メ調査ヲ遂ケ且平素通信接見等ヲ利用シテ本人ニ對スル親族故舊ノ感情ヲ察シ又其ノ連絡融和ヲ圖リ以テ保護上遺憾ナキヲ期スヘク出監者ニ對シテハ普通ノ保護方法ノ外特別ノ施爲ヲ要シ又ハ社會ノ保安其ノ他ニ關シ注意ヲ要スヘシト認メタルトキハ特ニ當該警察官署ニ通報スル等機宜ノ措置ヲ誤ラサラムコトヲ期スヘシ

第九編　裁判執行　刑期計算

第九編　裁判執行　刑期計算

第一章　裁判執行

一　刑ノ執行指揮ニ關スル取扱規程

大正四年二月
總訓第四號

第一條　拘禁中ノ被告人ニ對シ自由刑ノ裁判確定シタルトキハ檢事（檢事事務取扱者ヲ含ム以下同シ）ハ直ニ樣式第一號ノ書面ヲ以テ監獄ノ長ニ刑ノ執行ヲ指揮スヘシ檢事ハ裁判確定前ト雖樣式第二號ノ書面ヲ以テ刑ノ執行ヲ指揮スルコトヲ得

第二條　拘禁セラレサル被告人ニ對シ自由刑ノ裁判確定シタルトキハ檢事ハ速ニ之ヲ檢事局ニ呼出シ樣式第一號ノ執行指揮書ヲ附シテ監獄ニ護送セシムヘシ

裁判確定後被告人ヲ逮捕シテ引致シタルトキ亦前項ニ同シ此ノ場合ニ於テハ刑期ハ逮捕狀執行ノ日ヨリ起算ス

第三條　闕席裁判ヲ受ケ其ノ裁判未タ確定セサル被告人ヲ逮捕シテ引致シタルトキハ檢事ハ裁判ヲ告知シ其調書ヲ作成スヘシ

前項ノ場合ニ於テハ逮捕狀ニ入監ヲ命スル監獄名ヲ記載シ之ニ認印ノ上其ノ監獄ニ護送セシムヘシ

第四條　第一條第二項ノ規定ニ依リ爲シタル刑ノ執行指揮ハ法定ノ期間內ニ故障又ハ上訴ノ申立アリタルニ因リ其ノ效力ヲ失フ

前項ノ上訴立申カ被告人以外ノ者ニ依リ爲サレタルトキハ檢事ハ速ニ其ノアリ立申タルコトヲ監獄ノ長ニ通知スヘシ

第五條　第一條第二項ノ規定ニ依リ既ニ刑ノ執行ヲ指揮シタル場合ニ於テ故障又ハ上訴ノ權利ノ拋棄アリタルトキハ檢事ハ速ニ其ノ旨ヲ監獄ノ長ニ通知スヘシ但シ其ノ拋棄ノ申立カ監獄ノ長ヲ經由シタル場合ハ此ノ限ニ在ラス

第六條　上訴ノ取下アリタル場合ニ於テ被告人上訴裁判所所在地ノ監獄ニ在監シ且原裁判所ト上訴裁判所ト其ノ所在地ヲ異ニスルトキハ上訴裁判所ノ檢事ハ原裁判所ノ檢事ノ囑託ヲ受ケタルモノトシテ第一條第一項ノ例ニ依リ刑ノ執行ヲ指揮スヘシ

前項以外ノ場合ニ於テ上訴ノ取下アリタルトキハ上訴裁判所ノ檢事ハ速ニ上訴ノ取下アリタルコト及其ノ日ヲ原裁判所ノ檢事ニ通知スヘシ

第七條　故障若ハ上訴ノ權利ノ拋棄又ハ故障若ハ上訴ノ取下アリタルトキハ刑期ハ裁判所ニ於テ其ノ申立ヲ受ケタル日ヨリ起算ス但シ拘禁中ノ被告人監獄ノ長ヲ經由シテ故障又ハ上訴ノ權利ヲ拋棄シタルトキハ其ノ監獄ニ於テ申立書ヲ受理シタル日ヨリ之ヲ起算ス

第八條　數個ノ有期刑ヲ併セテ執行スヘキ場合ニ於テ刑事訴訟法第三百十七條第二項但書ニ依ルノ必要アルトキハ檢事ハ各刑ニ付執行スヘキ順序ヲ定メテ執行ヲ指揮スヘシ

第九條　刑法第五十一條但書末段ノ適用アル場合ニ於テハ檢事ハ各刑ニ付執行スヘキ期間ヲ定メ其ノ執行ヲ指揮スヘシ

第十條　檢事拘禁中ノ受刑者ニ對シ刑ノ執行ヲ停止シタルトキハ樣式第

三號ノ書面ヲ以テ出監ノ指揮ヲ爲スヘシ

第十一條　刑ノ執行停止ノ事故止ミタル者刑ノ執行中逃走シタル者又ハ假出獄ノ許可ヲ取消サレタル者ニ對シ殘刑ノ執行ヲ爲スヘキ場合ニ於テハ檢事ハ第二條ノ例ニ準シ樣式第四號ノ書面ヲ以テ之ヲ指揮スヘシ

第十二條　刑法施行法第五十三條又ハ第五十六條ニ定メタル裁判確定シタルトキハ檢事ハ第一條第一項又ハ第二條ノ例ニ依リ刑ノ執行ヲ指揮スヘシ刑ノ執行猶豫ヲ言渡シタル裁判所以外ノ裁判所ニ於テ刑法施行法第五十六條ニ定メタル裁判アリタルトキハ其ノ裁判所ノ檢事ハ刑ノ執行指揮ニ付執行猶豫ヲ言渡シタル裁判所ノ檢事ノ囑託ヲ受ケタルモノト看做ス

第十三條　再審ノ原由アリトシテ原判決ヲ破毀シタル場合ニ於テハ檢事ハ直ニ其ノ刑ノ執行ヲ止メ更ニ刑ノ言渡アリタルトキハ前ノ執行日數ヲ刑期ニ通算シテ執行スヘキ旨ヲ指揮スヘシ

非常上告ニ付原判決ヲ破毀シ刑ノ言渡アリタル場合ハ前項ニ準ス

第十四條　笞刑ノ裁判アリタル場合ニ於テハ檢事ハ第一條又ハ第二條ノ例ニ準シ刑ノ執行ヲ指揮スヘシ

第十五條　朝鮮笞刑令第三條ニ依リ笞刑ニ換ヘタル場合ニ於テハ檢事ハ樣式第五號ノ書面ヲ以テ第一條第一項又ハ第二條第一項ノ例ニ準シ刑ノ執行ヲ指揮スヘシ

第十六條　勞役場留置ノ執行ヲ爲ス場合ニ於テハ檢事ハ樣式第六號ノ書面ヲ以テ監獄ノ長ニ之ヲ指揮スヘシ

前項ノ場合ニ於テ引致命令ヲ執行シタルトキハ其ノ命令執行ノ日ヨリ留置ノ日數ヲ起算スヘシ

第十七條　檢事刑ノ執行ヲ指揮スルニハ裁判ノ謄本又ハ樣式第七號ノ判決抄本ヲ執行指揮書ニ添附スヘシ

檢事ハ監獄ノ長ノ請求アルトキハ判決謄本ヲ送付スヘシ

第十八條　判決抄本又ハ謄本ヲ添附シテ刑ノ執行ヲ指揮シタル後更ニ其ノ抄本又ハ謄本ニ掲ケタル刑ニ付同一ノ監獄ニ對シ執行ヲ指揮スルトキハ判決抄本又ハ謄本ノ添附ヲ要セス

第十九條　拘禁中ノ被告人ニ對シ死刑ノ裁判確定シタルトキハ檢事ハ直ニ判決謄本ヲ監獄ノ長ニ送付スヘシ死刑ノ裁判確定後拘禁シタルトキ亦同シ

第二十條　無罪、免訴其ノ他ノ事由ニ因リ被告人ヲ出監セシムル場合ニ於テハ檢事ハ樣式第八號ノ書面ヲ以テ之ヲ指揮スヘシ

第二十一條　警察官署ノ長ニ對スル刑ノ執行ニ關スル指揮ハ本規程ニ準シテ之ヲ爲スヘシ

樣式第一號

執行指揮書

刑名	
刑期	
裁判確定年月日	大正　年　月　日
刑期起算日	大正　年　月　日
通算日數	
被告人ノ氏名	
備考	

右者（別紙）（嚢ニ送付シタル判決（決定）本）ノ通裁判確定候條直ニ執行可有之候也

大正　年　月　日

何法院検事局（支廳検事分局）
朝鮮總督府検事
（検事事務取扱朝鮮總督府警視/警部）

何監獄（分監）
朝鮮總督府典獄（看守長）　殿

様式第二號

執行指揮書

刑名		被告人ノ氏名	
刑期			
裁判言渡年月日	大正　年　月　日		
通算日數		備考	

右者別紙ノ通裁判相成候條確定ノ上ハ執行可有之候也

大正　年　月　日

何法院検事局（支廳検事分局）
朝鮮總督府検事
（検事事務取扱朝鮮總督府警視/警部）

何監獄（分監）
朝鮮總督府典獄（看守長）　殿

様式第三號

刑ノ執行停止指揮書

裁判確定年月日	大正　年　月　日	受刑者ノ氏名	
言渡裁判所			
罪名			
刑名刑期			
通算日數		備考	

右者左記ノ事故ニ因リ其ノ刑ノ執行ヲ停止候條出監ノ手續可有之候也

大正　年　月　日

何法院検事局（支廳検事分局）
朝鮮總督府検事
（検事事務取扱朝鮮總督府警視/警部）

何監獄（分監）
朝鮮總督府典獄（看守長）　殿

刑執行停止ノ事故	

様式第四號

殘刑執行指揮書

刑名	
刑期	
殘刑期起算日	
通算日數	
受刑者ノ氏名	
備考	

右者（別紙）（曩ニ送付シタル）判決　本ノ刑大正　年　月　日ヨリ刑期起算執行中　大正　年　月　日

刑執行停止出監ノ處其ノ事故止ミタルニ付
逃走シ刑ノ執行ヲ遁レ居リタルニ付
假出獄許可釋放ノ處取消相成候ニ付

殘刑執行可有之候也

大正　年　月　日

何法院検事局（支廳検事分局）
朝鮮總督府検事
（検事事務取扱朝鮮總督府警視／警部）

何監獄（分監）
朝鮮總督府典獄（看守長）　殿

様式第五號

換刑執行指揮書

執行スヘキ笞數	
受刑者ノ氏名	
備考	

右者別紙命令謄本ノ通換刑候條直ニ執行可有之候也

大正　年　月　日

何法院検事局（支廳検事分局）
朝鮮總督府検事
（検事事務取扱朝鮮總督府警視／警部）

何監獄（分監）
朝鮮總督府典獄（看守長）　殿

注意

朝鮮笞刑令第三條但書ニ依リ未タ執行セサル笞數ニ相當スル罰金、科料ヲ納付セムト申立ツルトキハ適宜ノ書面ニ其ノ金額相當ノ收入印紙ヲ貼付シテ（消印ヲ爲サス）差出サシメ速ニ其ノ書面ヲ添ヘ報告スヘシ

様式第六號

留置指揮書

受刑者ノ氏名	
留置スヘキ日數	
起算日	
備考	

右者（別紙）（嚢ニ送付シタル判決　本）ノ通裁判ヲ受ケ確定シタル處（罰金）（科料）ヲ納付スルコト能ハサルモノニ付勞役場ニ留置可有之候也

大正　年　月　日

何法院檢事局（支廳檢事分局）
朝鮮總督府檢事
（檢事事務取扱朝鮮總督府警視/警部）

何監獄（分監）
朝鮮總督府典獄（看守長）　殿

注意　罰金、科料ヲ納付セムト申立ツルトキハ適宜ノ書面ニ其ノ金額相當ノ收入印紙ヲ貼付シテ（消印ヲ爲サス）差出サシメ速ニ其ノ書面ヲ添ヘ報告スヘシ
但シ幾部ヲ納付スル場合ニ於テハ刑法第十八條ニ照シ留置一日ニ滿タサル金額ハ納付スルコトヲ得ス

指揮書記載例

一　指揮書ハ一人一枚トス
二　備考欄ニ記載スヘキ事項左ノ如シ
第一　闕席裁判ヲ告知シタル場合ニ於テハ其ノ年月日
第二　故障若ハ上訴ノ權利ノ抛棄又ハ故障若ハ上訴ノ取下ノ場合ニ於テハ其ノ旨
第三　上訴裁判所ノ裁判ニ係ルトキ又ハ非常上告若ハ再審ノ裁判ニ係ルトキハ其ノ裁判確定前ニ於ケル各審級ノ裁判所名及其ノ裁判年月日
第四　規程第八條及第九條ニ定ムル事項
第五　以上掲記ノ外執行上必要ト認ムル事項
三　用紙ハ半紙半截トス

様式第七號

何法院（支廳）第　審判決抄本

言渡	大正　年　月　日　對審/闕席
被告人ノ本籍、住所身分、職業氏名、年齡	
罪名	
刑名刑期金額	
通算日數	
法律適用　處斷正條	
法律適用　加重減輕	
累犯ノ原因ト爲ルヘキ前科	
犯罪事實	

大正　年　月　日原本ニ依リ抄拔ス
何法院（支廳）
朝鮮總督府裁判所書記

（注意）　處斷罪名ニハ「　」ヲ附スヘシ

判決抄本記載例

一　罪名及刑名刑期金額ハ判決理由ニ於テ認メタル罪ニ付總テ之ヲ相當欄ニ掲記ス

二　上訴裁判所ノ裁判ニ係ルトキハ刑名刑期金額欄ニ上訴棄却又ハ原判決取消（破毀）ノ旨ヲモ掲記ス

三　刑法第十八條ニ依リ勞役場留置ノ期間ハ刑名刑期金額欄ニ基本タル金額ヲ記載シタル下括弧内ニ之ヲ掲記ス

四　刑法第二十一條ニ依リ未決勾留日數ヲ本刑ニ算入シタル場合ニ於テハ之ヲ通算日數欄ニ掲記ス

五　併合罪中罪名ヲ異ニスルモノニ付テハ各其ノ罪ノ事實ヲ掲記ス

六　併合罪中罪名ヲ同フスル數罪アルトキハ左ノ例ニ依ル

第一　罪數三箇以下ナルトキハ總テ其ノ事實ヲ掲記ス

第二　罪數四箇以上ナルトキハ犯情重シト認ムル三箇ノ罪ヲ選ミ其ノ事實ヲ記載シ其ノ他ノ罪ニ付テハ其ノ數ノミヲ掲記シ事實ハ之ヲ略スルコトヲ得

七　犯罪事實ノ拔抄ニ付テハ犯罪ノ原因、日時、場所、方法、共犯ノ氏名ヲ記載シ其ノ他行刑上參考ト爲ルヘキ事項ヲ記載ス

八　用紙ハ半紙トス

樣式第八號

出監指揮書

罪名	被告人ノ氏名
判決決定年月日	大正　年　月　日
出監ノ事由	

右者直ニ出監ノ手續可有之候也

大正　年　月　日

法院檢事局（支廳檢事分局）

朝鮮總督府檢事

（檢事事務取扱朝鮮總督府警視警部）

何監獄（分監）

朝鮮總督府典獄（看守長）　殿

二　上訴期間内ニ上訴ノ取下ヲ爲シタル場合ノ刑ノ執行方ニ關スル件

明治四十五年五月裁判所及檢事局監督官會決

被告人カ上訴期間内ニ上訴ノ取下ヲ爲シタル場合ハ上訴權ヲ拋棄シタルモノト看做シ直ニ刑ノ執行ヲ爲スコトヲ得

三 管外ノ監獄ニ對スル刑執行又ハ出監指揮ニ關スル件

明治四十五年五月
檢事局監督官會決

檢事ハ其ノ管轄區域外ニ在ル監獄ニ對シテモ刑ノ執行若ハ出監ノ指揮ヲ爲スコトヲ得

四 刑ノ執行停止指揮ニ關スル件

大正二年十月
刑第六百四十九號
司法部長官

典獄宛

別紙寫ノ通刑ノ執行停止指揮ニ關シ高等法院檢事長ヨリ檢事一般ニ訓令シタル旨報告有之候條右御心得ノ上朝鮮監獄令施行規則第十六條ニ依ル檢事ヘノ通報モ該檢事長訓令ノ趣旨ニ依リ御取扱相成可然此段及通牒候也

○高檢發第一三五一號

（別紙）

朝鮮總督府檢事

囚人ノ所在地ヲ管轄スル地方法院檢事正ハ他ノ裁判所ノ檢事ニ於テ刑ノ執行ヲ指揮シタル囚人ニ就キ執行停止ノ事故アルコトヲ認メタル場合ニ於テ其指揮ヲ爲シタル檢事ニ通知スルノ遑ナキトキハ其檢事ノ囑託ヲ受ケタルモノト看做シ刑ノ執行停止ヲ指揮スルコトヲ得此ノ場合ニ於テハ速ニ其ノ旨ヲ刑ノ執行ヲ指揮シタル檢事ニ通知スヘシ

五 刑ノ執行停止ニ關スル件

大正四年六月
發第三千百二十二號
京城地方法院檢事正

監獄典獄宛

○刑ノ執行停止ニ關スル件

刑ノ執行停止ニ關シ別紙ノ通管內各支廳檢事ニ通牒致候條爲御參考及送付候也

（別紙）

○發第三一一〇號 （大正四、六、一〇） 京城地方法院檢事正

京城地方法院管內各支廳檢事宛刑ノ執行停止ニ關スル件

刑ノ執行停止ニ關シ別紙甲號ノ通原州支廳檢事事務取扱ヨリノ伺出ニ對シ乙號ノ通指令致候條此段及通牒候也

（甲號）

○發第八七二號 （大正四、六、五）京城地方法院原州支廳檢事事務取扱

京城地方法院檢事正宛

刑ノ執行停止出監指揮ニ關スル件ニ付伺

當法院支廳ノ判決ニ依リ春川分監在監中ノ既決囚ニ對シ刑執行停止ノ事故アル時ハ同地（春川）法院支廳檢事ノ指揮ニ依リ出監セシムルヲ便宜ト思料シ且ツ同一地方法院管內ノ刑ノ執行停止ニ付テノ急速ヲ要スル事務ハ支廳檢事ノ相互ノ間ニ囑託ノ手續ヲ省略スルモ刑事訴訟法第三百二十條ノ規定ニ抵觸スルモノニアラスト思料スルモ爲念仰御意見候也

（乙號）

○發第三一〇九號 （大正四、六、一） 京城地方法院檢事正

原州支廳檢事事務取扱

本月五日附發第八七二號ヲ以テ首題伺出ノ件左ノ通心得ヘシ

大正二年九月二十九日高檢發第一三五一號高等法院檢事長ノ訓令ノ趣旨ニ準シ囚人ノ所在地ヲ管轄スル支廳檢事ハ覆審法院、他ノ地方法院、其ノ支廳又ハ本廳若シクハ本廳管内ノ支廳タルヲ問ハス他ノ裁判所ノ檢事ニ於テ刑ノ執行ヲ指揮シタル囚人ニ就キ刑ノ執行停止ノ事故アルコトヲ認メ之ヲ其ノ指揮ヲナシタル檢事ニ通知スルノ遑ナキ時ハ便宜其ノ檢事ノ囑託アリタルモノト看做シ刑ノ執行停止ヲ指揮スルコトヲ得ヘク此ノ場合ニ於テハ其ノ旨ヲ刑ノ執行ヲ指揮シタル檢事ニ通知スルト同時ニ右執行停止ニ關スル書類ヲ同檢事ニ送致スヘキモノトス

六 刑事上告取下ニ關スル件

大正四年六月 京城覆審法院長檢事長

監獄典獄宛

刑事上告取下ニ關スル處理方法ノ件通牒

今般首題ノ件別紙ノ通相定メ候條之ニ依リ處理有之度此段及通牒候也

（別紙）

刑事上告取下ニ關スル處理方法

一 拘禁中ノ被告人ヨリ上告趣意書提出前上告取下書ヲ差出シタルトキハ趣意書提出ノ期間内ナルト期間後ナルトヲ問ハス該取下書ハ監獄ノ長ヨリ原裁判所ニ送致スルコト

二 上告趣意書提出後ナルトキハ監獄ノ長ハ該取下書ヲ直ニ上告裁判所ニ送致スルト同時ニ其ノ旨ヲ原裁判所檢事ニ通知スルコト

七 行刑ノ實情調査ニ關スル件

大正三年五月 司法官會議訓示

刑事裁判ノ本旨ハ犯罪人ヲ懲戒シ改過遷善ノ實ヲ擧クルニ在リ故ニ司法官タル者ハ啻ニ罪案ヲ糾彈スルヲ以テ足レリトセス進ンテ其ノ行刑ノ狀態ヲ視察シ果シテ叙上ノ目的ヲ達シ得ルヤ否ニ付不斷ノ研鑽ヲ爲ササルカヘラス職ニ監獄監督ノ任ニ在ル者ハ素ヨリ言フヲ俟タス他ノ一般司法官ト雖親シク監獄ニ就キ其ノ處斷ニ係ル刑罰ハ犯人ニ對シ恰當ノ效果ヲ及ホシタルヤ否ニ注意シ又監獄内部ニ於ケル作業給養等ノ事項ヲモ知悉スルノ必要アリ法制上監獄巡視ノ職權ヲ與フル所以ノモノ蓋シ茲ニ存ス各位ハ宜シク常ニ獄務當局ト聯絡ヲ保チ行刑ノ實情ヲ審ニシ以テ其ノ職責ヲ全フセンコトヲ期スヘシ

八 併科刑ノ執行ニ關スル件

大正三年八月高發第一千百四十八號 高等法院檢事長 典獄宛

併科刑ノ執行ニ關スル件

首題ノ件ニ關シ大邱覆審法院檢事長ヨリ別紙甲號ノ通請訓有之朝鮮總督ノ決裁ヲ經テ乙號ノ通指令候條此段及通牒候也

（甲號）

檢發第二六七三號

大邱覆審法院檢事長

高等法院檢事長宛

請訓

併科刑ノ執行ニ關スル件

首題ノ件ニ關シ大邱地方法院檢事正ヨリ別紙寫ノ通請訓有之候處右ハ丙說ヲ以テ妥當ト思料候ニ付其旨指令致度候條何分ノ御指示相成度此段及請訓候也

（別紙）

發第九五九號

大正三年七月二十一日

大邱地方法院檢事正發

大邱覆審法院檢事長宛

請訓

曩ニ强盜罪ニ付死刑ヨリ減刑シテ懲役十三年ニ處セラレ其ノ執行中餘罪發覺シ是又强盜罪ニ付死刑ヨリ減刑シテ懲役十二年ニ處セラレ其ノ判決確定シタリ此ノ場合ニ於ケル刑ノ執行ニ關シ左ノ三說アリ小官ハ甲說ヲ採ルヘキモノト思料候得共猶疑念有之候ニ付何分ノ仰御訓示候也

記

甲說

一 刑法第五十一條ノ後段ニハ有期ノ懲役又ハ禁錮ノ執行ハ其ノ最重キ罪ニ付キ定メタル刑ノ長期ニ其ノ半數ヲ加ヘタルモノニ超ユルコトヲ得ストアリテ本件强盜罪ノ何レモ死刑ニ該ルモノニ恰當セスト雖モ死刑ヨリ減シテ懲役ニ處スヘキ場合ナルヲ以テ懲役刑ノ最長期十五年ニ其半數ヲ加ヘ二十二年半ノ執行ヲ爲スヘキモノトス

乙說

一 刑法ハ有期ノ懲役又ハ禁錮ニ付テハ二十年ヲ超ヘサルヲ理想トス刑法第十四條ハ加重スル場合ニ付テノミ之ヲ規定シタリト雖モ其法意ハ二十年以上ノ執行ヲ爲ササルモノト看ルコトヲ得ルカ故ニ併科執行ノ場合ニ於テモ二十年ヲ超ユヘカラス

丙說

一 刑法中死刑ヨリ減刑シタル刑ノ併科ニ關シ何等特別ノ規定ヲ設ケサルカ故ニ刑法第五十一條ノ前段ニ基キ併セテ全部執行スヘキモノニシテ本問ノ場合ニ於テハ二十五年ノ執行ヲ爲スヘキハ勿論ナリ

乙號

大正三年八月六日

大正三年七月二十三日附檢發第二六七三號併科刑ノ執行ニ關スル請訓ノ件ハ乙說ヲ可トス

九 執行指揮書ニ添付スヘキ判決書ノ送付方ノ件

大正四年
典獄會議注意

四 刑執行指揮書ニ添附スヘキ判決書ノ送付十數日ヲ遲ルヽモノ少カラサルカ如シ然ルニ判決書ハ行刑開始ノ時ニ於テ先之ヲ査閱スルノ必要アル書類ナルヲ以テ將來其ノ送付ノ遲延セル場合ニ於テハ當該檢

事ニ對シ相當ノ交渉アリタシ

一〇 刑ノ執行指揮書ニ添付スヘキ判決謄本抄本ニ關スル件

大正六年十月
司法官會議注意

刑ノ執行指揮書ニ添附スヘキ判決抄本ノ拔抄方往々粗略ニ流レ前科犯人ノ身分其ノ他重要ナル事項及適用法條ヲ脱漏シ又誤寫セルモノ多ク爲ニ行刑上支障ヲ感スルコト尠カラサルノミナラス恩赦ノ施行ニ方リ錯誤ヲ惹起シタルコト一再ニ止マラス依テ之カ作成方ニ關シテハ監督ヲ嚴ニシ萬一ノ過誤ナキヲ期スルト共ニ檢事ニ於テモ監獄ニ送付前必ス檢閲スルコトニ留意セラレタク又刑ノ執行指揮書ハ一人毎ニ作成スヘキカ故ニ之ニ添附スヘキ判決ノ謄本又ハ抄本亦一人一通ナラサルヘカラス然ルニ共犯ノ關係アル場合ニ於テハ數人ニ對シ一通ノ謄本抄本ヲ添附セハ足ルト思料スル向アルカ如シト雖右ハ相當ナラサルニ付必各別ニ作成添附スルコトニ取扱ハレタシ

一一 刑ノ執行指揮書ニ罪名其他記入方ノ件

大正七年七月
官通牒第百十三號

司法部長官

檢事局ノ長宛

刑ノ執行指揮ヲ爲スニ方リ判決ノ謄本又ハ抄本ヲ添付セス後日ニ至リ之ヲ送付スル向有之候處監獄ニ於テハ之カ爲遇囚上支障ヲ感スルコト尠カラサルニ付斯ノ如キ場合ニ在リテハ指揮書ノ備考欄ニ罪名其ノ他行刑上必要ノ事項ヲ記入シテ送付シ謄、抄本ハ成ルヘク速ニ追送スルコトニ取扱相成候樣致度此段及通牒候也

追テ笞刑ノ執行指揮ニ付テハ本文ニ依ラス必ス判決ノ謄本又ハ抄本ヲ添附セラルル樣致度爲念申添候

一二 殘刑執行指揮書ノ記載方ニ關スル件

大正八年二月
官通牒第十四號

司法部長官

檢事局ノ長宛

刑ノ執行指揮ニ關スル取扱規程第十一條ニ依リ樣式第四號ノ書面ヲ以テ殘刑ノ執行ヲ指揮スルニ方リ刑名刑期欄ニ往往殘刑期ヲ記載シテ送付セラルル向有之候處右ハ全刑期ヲ記載スヘキ儀ニ付御注意相成度爲念此段及通牒候也

一三 刑ノ執行指揮書ニ添付スヘキ判快抄本ノ拔抄方ニ關スル件

大正九年十一月
刑第四十九號

法務局長

各監獄典獄宛

首題件ニ關シ別紙寫ノ通各裁判所及檢事局ノ長ニ通牒候條爲參考此段及通牒候也

（別紙）

刑ノ執行指揮書ニ添付スヘキ判決抄本拔抄方ニ關スル件

大正九年十一月
刑第四十九號
法務局長

裁判所ノ長
檢事局ノ長 御中

刑ノ執行指揮書ニ添付スヘキ判決抄本ヲ作成スルニ方リ法律適用欄中處斷正條ノ部ニ數個ノ罪名中重キ刑ヲ定メタル罪ノ法條ノミヲ掲記セハ足ルトノ見解ノ下ニ往往各罪ニ付適用シタル法條及索罪ノ法條等ヲ記載セサル向有之候處右抄本ノ様式ハ判決ニ於テ適用シタル法條ヲ處斷正條ト加重減輕ニ關スル法條トニ區別掲載セシムル趣旨ナルヲ以テ之カ拔抄ニ付誤解ナキ様取扱ハシメラレ度爲念此段及通牒候也

一四　刑ノ執指揮ニ關スル件

大正十年五月
司會注意

刑ノ執行指揮ヲ爲スニ當リテハ判決ノ謄本又ハ抄本ヲ添附スルコトヲ勵行セラレタシ

一五　內地裁判所ノ檢事ニ對スル刑ノ執行囑託ニ關スル件

大邱覆審法院檢事長代理請訓大正四、一、
高發第一一一號高等法院檢長指令

請訓

大邱地方法院檢長代理ヨリ別紙寫ノ通請訓有之候處朝鮮總督府檢事ノ刑執行指揮ハ同府ノ法權ヲ離レタル內地典獄ニ對シテハ其ノ效ナキヲ以テ內地監獄ニ於テ殘刑ヲ執行セント欲セハ大邱地方法院檢事正代理ノ見解通囑託スルヲ相當ト思料候得共疑義有之差懸リタル事案ニ接シ居候趣ニ付電報ヲ以テ何分ノ御指揮相成度此段及請訓候也

別紙（大邱地方法院檢事正代理請訓）

朝鮮總督府裁判所ニ於テ有期懲役ノ判決ヲ受ケ朝鮮總督府監獄ニ於テ服役中ノ既決囚ニ對シ內地裁判所檢事ヨリ勾引狀執行ノ囑託ヲ受ケ內地ヘ護送スルニ當リテハ司法事務共助法第四條ニ基キ朝鮮總督府檢事ヨリ內地裁判所ノ檢事ニ殘刑ノ執行ヲ囑託スルヲ相當ト思料スルモ反對說トシテハ既ニ監獄ニ執行指揮中ノモノナレハ監獄ト監獄間ノ處置ニ一任シ改メテ檢事ヨリ殘刑ノ執行ニ關與スルノ必要ナシトノ說モ有之候條至急何分ノ義御示指相成度此ノ段及請訓候也

指令

本月十八日附請訓刑ノ執行ニ關スル件ハ見込ノ通計フヘシ

一六　刑執行受託ノ件

大正四年九月
監四百八十號
司法部長官

釜山監獄典獄宛

內地裁判所檢事ノ囑託ヲ受ケタル朝鮮總督府檢事ノ指揮ニ依リ刑ノ執行ヲナスヘシ

刑ノ執行受託ニ關スル件照會

大正四年九月
釜山監獄典獄

司法部長官宛

廣島區裁判所ノ判決ニテ廣島監獄拘禁中ニ係ル懲役四年ノ內地人一人今

般釜山地方法院檢事ノ發シタル勾引狀ニ依リ押送ニ際シ同監典獄ヨリ殘刑執行方ノ囑託有之本人ハ當地方法院檢事局ヘ引致ノ上別罪ノ勾留狀ニ依リ當監ニ收監シタルモノニ有之候處右殘刑執行方付テハ廣島監獄典獄ノ照會ニ應シ當監ニ於テ執行シ得ヘキヤ疑義相生シ候間何分御指示煩度候也

一七　受刑者ニ對スル勾引狀ノ執行ニ關スル件

大正九年九月
監第千九百七十六號　法務局長

釜山監獄典獄宛

首題ノ件ニ關シ質疑有之候處公判裁判所ハ刑事訴訟法第百七十八條ニ依リ何等ノ制限ヲ設クルコトナク被告人ヲ勾引スルノ職權ヲ認許セラレタルモノト認メ得ヘキヲ以テ從テ本件ノ場合ニ於テモ勾引狀ノ發行ニ就テハ法理上敢テ支障ナシト雖モ監獄ニ拘禁中ノ者ニ對シ勾引狀ヲ發スルノ要アルトキハ一應先ツ召喚ノ手續ヲ履踐スヘキ旨曾テ司法官會同ノ際ニ注意ヲ與ヘタル次第ニ有之本件ノ事實ニ對シテモ亦呼出ノ方式ニ依ルヲ相當ト認ムルモ已ニ一且當該判事ニ於テ勾引狀ヲ發シタル事後ノ案件ニ屬スルヲ以テ特ニ認容相成可然儀ト思料候尤モ之カ護送ニ付キテハ移監ノ形式ニ依ラス一時出廷セシムル儀ト了知相成度此ノ段及回答候也

釜監發第一三〇八號　大正九年九月
釜山監獄典獄

法務局長宛

受刑者ニ對スル勾引狀執行ニ關スル件質疑

本月十一日附釜監發第一三〇八號ヲ以テ受刑者移監ニ關スル件質疑ニ對シ同月十七日附監第一九七六號ヲ以テ御指示ノ次第モ有之候處今回更ニ蔚山法院支廳判事ノ勾引狀執行方ヲ當釜山地方法院檢事ニ囑託シ該檢事ハ之カ執行方ヲ釜山警察署ニ指揮セラレ候處此ノ場合當該警察官ノ右命狀執行ヲ監獄ニ於テ認容スヘキモノナリヤ否ヤ及認容スヘキモノトセハ身分帳簿等ノ終結ヲ如何ニ處理可致哉至急何分ノ御指示相成度此段及質疑候也

一八　無期刑ノ恩赦減刑ヲ得タル者ニ係ル他ノ有期刑ノ執行ニ關スル件

大正五、六司秘第二七〇號一般檢事典獄、分監長宛司法部長官通牒

併合罪ニ付キ刑法第五十一條但書ニ該當スル二個以上ノ自由刑ノ一タル無期刑カ恩赦減刑ニ因リ有期刑(二十年以下)ニ變更アリタル場合ニ於テ他ノ有期刑ハ之ヲ執行スヘキヤ否ニ付往々疑義ヲ懷ク向有之候處右ハ執行セサル儀ト御了知相成度若既ニ他ノ有期刑ノ全部又ハ一部ノ執行ヲ了シタルトキハ其ノ執行濟ノ刑期ヲ無期刑ヲ減刑シタル有期刑ノ執行ニ計上スルコトニ御取扱相成度依命此段及通牒候也

一九　累犯加重決定ノ執行ニ關スル件

大正五年十一月
高發第三千十五號　高等法院檢事長

典獄宛

累犯加重決定ノ執行ニ關スル件通知

首題ノ件ニ關シ別紙ノ通下級檢事局一般ヘ通牒候條爲參考此段及通知候也

（別紙）

高發第三〇〇五號　（大正五、一一、八）　高等法院檢事長

檢事長檢事正檢事宛

累犯加重決定ノ執行ニ關スル件通牒

首題ノ件ニ關シ京城覆審法院檢事長ヨリ別紙甲號寫ノ通請訓有之乙號寫ノ通指令候條此段及通牒候也

（甲號）

發秘第九六〇號　（大正五、一一七）

京城覆審法院檢事長　中村竹藏

高等法院檢事長　國分三亥殿

累犯加重決定ノ執行ニ關スル件請訓

支那人　王喜庭

右會寧支廳ニ於テ爲シタル累犯加重決定ニ對シ抗告ヲ爲シタルニ依リ記錄ノ送致ヲ受ケ候處該記錄ニ依レハ被告ハ竊盜被告事件ニ付本年九月十八日同廳ニ於テ懲役一月ニ處セラレ控訴權抛棄ニ依リ直ニ確定シ其ノ刑ノ執行中累犯者タルコト發見シタルニ依リ同月二十五日刑加重請求ヲ爲シ同年十月十日加重決定ニ依リ更ニ懲役七月ニ處セラレ同月十六日抗告申立ヲ爲シタルヲ以テ被告ニ對シテハ前言渡ノ懲役一月ノ刑期滿了ノ理由ヲ以テ同月十八日出監セシメタルモノナリ然ルニ刑加重決定ハ抗告アルモ特ニ其ノ執行ヲ停止スヘキ規定ナキヲ以テ抗告ノ有無ニ拘ハラス直ニ其ノ執行ヲ爲スヘキモノナルニ同廳檢事事務取扱ニ於テ加重決定ノ執行ヲ停止シ被告ヲ出監セシメタルハ不當ノ取扱ナリト思料候條同事務取扱ニ對シ將來右等ノ場合ハ加重決定アリタルトキハ抗告ノ有無ニ拘ハラス直ニ該決定ノ執行ニ着手シ被告ヲ出監セシムルカ如キ不當ノ取扱ヲ爲スヘカラサル旨注意ヲ與ヘ以テ本件ノ局ヲ結ヒ度候處刑加重決定ノ執行ニ關シ確定ノ上ニアラサレハ執行スルヲ得サルモノナリトノ反對說モ有之候條以上何分ノ御指示相成候樣致度此段及請訓候也

（乙號）

指令高發第三〇〇五號

大正五年十一月七日附發秘第九六〇號ヲ以テ累犯加重決定ノ執行ニ關スル請訓ノ件ハ左ノ通心得フヘシ

加重刑決定後其ノ確定前ニ前ノ確定判決ノ刑執行終了スル場合ニハ一時被告ヲ釋放スヘキモノトス

二〇　被告人ノ性格及犯罪ノ因由情狀等ヲ監獄ニ通知ニ關スル件

大正六年十月　司法官會議指示

被告人ノ性格及犯罪ノ因由情狀等ハ受刑者ノ個別處遇ヲ爲スニ付重要ナル參考資料タルヲ以テ檢事ハ刑ノ執行指揮ヲ爲スニ當リ適當ノ方法ニ依リ之ヲ典獄ニ通知シ以テ行刑ノ適實ニ資セムコトヲ期スヘシ

二一　刑ノ執行猶豫者ニ對スル出監指揮

書ノ記載方ニ關スル件

大正七年九月
官通第百五十五號
司法部長官

檢事局ノ長宛

刑ノ執行猶豫ノ裁判確定シ其ノ出監ヲ指揮スル場合ニ於テハ出監指揮書ノ出監事由欄ニ刑名、刑期、猶豫期間及裁判確定年月日ヲ記入スルコト取ニ扱ハシメラレ度此段及通牒候也

三　刑事闕席判決ノ決定日ニ關スル件

大正七年十二月
司秘第千四十八號
司法部長官

典獄分監長宛

首題ノ件ニ關シ各檢事局ノ長ニ對シ別紙寫ノ通及通牒候條御了知相成度此段及通牒候也

（別紙）

刑事闕席判決確定日ニ關スル件

大正七年十二月
司秘千四十八號
司法部長官

高等法院檢事長
覆審法院檢事長
地方法院檢事正
宛

刑事事件ノ闕席判決ニ對スル故障ハ刑事訴訟法第二百三十條ノ規定ニ依リ言渡裁判所ニ其申立書ヲ提出シテ之ヲ爲スヘク假令勾留ヲ受ケタル被告人ト雖モ上訴ノ場合ニ於ケル同法第二百四十五條ノ如キ特別規定存セサルカ故ニ該申立書ヲ監獄署長ニ差出スモ其效力ヲ生スルモノニアラス從テ受訴裁判所以外ノ地ニ於テ判決ノ告知ヲ爲シタル場合ノ故障期間ニハ常ニ刑事訴訟法第十六條第一項ヲ適用シテ里程ノ猶豫ヲ與フヘキモノト思考シ本年六月二十五日附法第二二八號通牒中ニモ其ノ旨趣ヲ表明致置候次第ニ有之候然ルニ過般咸興地方法院檢事正ノ申報スル處ニ依レハ樺太地方裁判所檢事局ニ於テハ同檢事正ヨリ執行方囑託ヲ爲シタル闕席判決ノ故障期間ニハ法定ノ猶豫期間ヲ與ヘスシテ確定セシメ刑ノ執行ニ着手シタル事例アリタル趣ニ付一應司法次官ニ問合セタル處內地ニ於テハ勾留ヲ受ケタル被告人ノ故障ハ刑事訴訟法第二百四十五條ニ準シ申立書ヲ監獄署長ニ差出シテ爲スヲ得ヘキモノトシ闕席判決告知後三日ノ法定期間ヲ經過シタルトキハ該判決ハ確定シタルモノトシテ刑ノ執行ニ着手シ唯身柄ヲ拘束セサル被告人ノ故障ニ付テノミ同法第十六條第一項ニ依リ猶豫期間ヲ與フル取扱例ナル旨回答ニ接シ候右ハ何等法理上ニ根據ヲ有スルモノニ非スシテ全ク便宜上ノ取扱ニ過キサルモノト被思考候得共雙方所見ヲ異ニスル結果兩地域間ニ於ケル共助事務執行上忽チ支吾ヲ來スヘキニ依リ當方ニ於テモ事實上ノ運用トシテハ內地ト同樣ノ取扱ヲ爲ス方妥當ト思考候條今後ハ同趣旨ニ御取扱相成候樣致度此段及通牒候也

追テ本文ニ依リ故障申立書ヲ監獄ニ於テ受理シ得ルコトニ取扱フ結果自然上訴及故障ノ取下ニ付テモ亦同樣ノ取扱ヲ爲スヘキ筋合ト可相成候得共之ニ關シテハ他日御協議ノ上何分ノ儀決定致度候條當分ノ間從前ノ通リト御了知相成度爲念申添候又各管內支廳檢事ニ對シテ檢事正

ヨリ本件ノ趣旨御通達相成度候

二三　軍法會議ニ於テ財産刑ヲ科セラレタル者ノ勞役場留置執行方ニ關スル件

大正七年十二月
法第三百二十八號
司法部長官

検事
典獄　宛

陸軍軍法會議ニ於テ處斷セラレタル罰金又ハ科料ヲ完納セスシテ現役ヲ離レ若ハ軍人軍屬タル身分ヲ失ヒタル者ニ對シ同軍法會議理事ヨリ勞役場留置執行方ノ囑託アリタル場合ニ於テハ之ニ應シテ執行取計相成度依命此段及通牒候也

二四　罰金科料納付方ノ件

大正十一年四月
法務局長

各地方法院検事正
同支廳検事
各監獄典獄
分監長　宛

首題ノ件ニ關シ別紙甲號寫ノ通西大門監獄典獄ヨリ請訓有之乙號寫ノ通回答致置候條右ニ依リ御取扱相成度此ノ段及通牒候也

（甲號）

西監第一三二六號

大正十一年三月二十八日　西大門監獄典獄

法務局長宛

罰金科料納付方ノ件

從來勞役場留置者又ハ其他ノ在監者ニシテ罰金科料ヲ納付セントスル場合ハ金額相當ノ收入印紙ヲ貼付シ書面ヲ以テ當該検事ヘ報告シ其ノ取消又ハ出監指揮ヲ乞フ取扱ニ有之候處遠隔ナル法院同支廳ニ在リテハ其ノ間多ク日數ヲ要シ且手續上不便尠カラス候ニ付將來何レノ法院検事ノ指揮シタルトヲ問ハス刑ノ執行停止ノ取扱例ニ依リ總テ監獄所在地ノ地方法院検事局ヘ納付シ同院検事ニ於テ取消又ハ出監指揮相成候樣致度此段及請訓候也

追テ犯罪即決例施行手續第四條ニ依リ執行囑託ニ係ルモノニ付テモ右同樣取扱致度申添候

乙號

大正十一年四月五日　法務局長

西大門監獄典獄殿

大正十一年三月二十八日附西監第一三二六號ヲ以テ首題ノ件請訓有之候處右ハ急速ノ處分ヲ要スル場合ニ限リ左記ノ通取扱フコトニ決定致候條御了知相成度此段及回答候也

追テ犯罪即決施行例手續第四條ニ依リ即決官署ヨリ執行ノ囑託ヲ受ケタル者ニ付テハ仍從前ノ通御取扱相成度申添候

記

一、監獄地所在外ノ裁判所検事ノ執行指揮ニ係ル勞役場留置執行中ノ者ニシテ罰金科料ヲ納付セントスルトキハ適宜ノ書面ニ其ノ金額相當ノ收入印紙ヲ貼付シテ（消印ヲ爲サス）差出サシメ其ノ監所在地裁判所検事ニ左記事項ヲ通知スルト同時ニ之ヲ送付スルコト但シ急ヲ要スルトキハ電話又ハ其他ノ方法ニ依リ豫報ヲ爲シ置

クコト

記

(一)被留置者ノ氏名年齡職業住所
(二)刑ノ言渡ヲ爲シタル年月日及其ノ裁判所名
(三)罪名、刑名、金額、留置期間
(四)判決確定年月日(判明シ居ルモノノミ)
(五)留置執行年月日
(六)留置執行起算日及終了日
(七)殘日數ニ相當スル金額
(八)他ニ刑ノ執行ヲ爲スヘキ確定判決又ハ現ニ勾留中ノ被告事件アルトキハ其ノ概要
(九)其ノ他參考トナルヘキ事項

二　前項ノ通知ヲ受ケタル檢事ニシテ勞役場留置未執行ノ日數ニ相當スル金額ヲ完納シタルコトヲ認メタルトキハ便宜刑ノ言渡ヲナシタル裁判所ノ檢事ノ囑託アリタルモノト看做シ(此ノ場合ニ於テ支廳言渡ノ分ニ付テハ本廳ヲ以テ刑ノ言渡ヲ爲シタル裁判所ナリト解ス)速ニ出監ノ指揮ヲ爲スコト

三　前項ニ依リ出監指揮ヲ爲シタル檢事ハ速ニ其ノ旨ヲ刑ノ言渡ヲ爲シタル裁判所檢事(本支廳間ニ於ケル支廳檢事又之ニ準ス)ニ通知スルコト但シ徵收金ノ取扱ニ付テハ囑託ノ形式ニ依ルコト

四　前三項ノ規定ハ勞役場留置ノ執行ニ着手セラレサル者(例現ニ自由刑ノ執行中ニ在リテ其ノ刑ノ執行ヲ終ヘムトスル者ニシテ別ニ勞役場留置執行ノ指示アリタル者ノ如シ)ニ準用スルコト

二五　勞役場留置ト刑事訴訟法第三百十七條トノ關係ニ關スル件

大邱覆審法院檢事長請訓大正四、九、
高檢發第二三六四號高等法院檢事長指令

請訓

懲役刑ノ執行中其ノ者ニ對スル罰金刑ノ時效完成セントスルカ如キ場合ニハ刑事訴訟法第三百十七條第二項ニ依リ懲役刑ノ執行ヲ停止シテ勞役場留置ノ執行ヲ爲スコトヲ得ルヤ否ニ付釜山地方法院檢事正ヨリ請訓有之左記二說中乙說ヲ以テ相當ト思料致候(刑事先例彙纂四一九頁甲府地方裁判所檢事正問合民刑局長回答ノ次第ハ有之候得共)就テハ其旨指令致度候條何分ノ御指揮相成度此ノ段及請訓候也

甲說

勞役留置ハ刑ニ非ラサルヲ以テ刑事訴訟法第三百十七條第二項ハ全然適用ナシ從テ懲役刑ノ執行中其ノ者ニ對スル罰金刑ノ時效完成スルニ至ルコトアルヲ免レサルヘシ

乙說

勞役場留置ハ刑ノ執行ニ外ナラサルヲ以テ刑事訴訟法第三百十七條第二項ノ適用アルモノトス但シ勞役場留置ノ執行ヲ指揮スルニ於テハ懲役刑ノ執行ヲ終ルル迄ハ勞役場留置ノ執行ハ停止セラレ從テ刑法第三十三條ニ依リ時效ノ進行ヲ停止セラルルヲ以テ勞役場留置ノ執行ヲ先ニスルノ要ナシ

指令

大正四年八月二十六日附檢發第二五六八號勞役場留置ト刑事訴訟法第三

百十七條トノ關係ニ關スル請訓ノ件ハ甲說ヲ可トス

二六　勞役場留置ニ關スル件

大正六年四月
監第四百二十四號
司法部長官

監獄典獄宛

勞役場留置ノ執行指揮アリタル場合ニ於テ他ノ自由刑執行ニ因リ勞役場留置ヲ執行スルニ至ラスシテ其ノ罰金刑ノ時效完成シタルトキハ右勞役場留置ノ指揮ハ當然效力ヲ失ヒタルモノトシテ之ヲ處理シ（指揮書ハ欄外ニ其事由ヲ記入シテ身分帳ニ編綴シ置クヘキコト）一面當該檢事ニ其ノ旨通報相成度此段及通牒候也

二七　勞役場留置ニ關スル件

大正五年三月
司法部長官

釜山監獄典獄殿

本年二月二十八日附收第二九七號ヲ以テ首題ノ件報告相成候處勞役場留置ハ刑ニアラサルカ故ニ刑事訴訟法第三百十七條第二項ノ適用ナク隨テ本件ノ場合ハ刑法第三十三條ニ該ラサルモノト思料セラル尙勞役場留置ニ付テハ時效ノ制ナキモ其ノ基本刑タル罰金ニ付時效完成シタルトキハ其ノ罰金ニ對スル勞役場留置ノ處分モ亦之ヲ執行スルヲ得サル儀ト思料候條本件罰金刑ノ時效完成ノ有無更ニ取調回報有之度候也

勞役場留置ニ關スル件

大正五年三月
司法部長官

釜山監獄典獄宛

三月十六日附收第二九七號首題ノ件回報ニ依レハ現ニ執行中及未執行ノ勞役場留置ニ對スル基本刑罰金ハ各既ニ時效完成シタルモノニ屬スルヲ以テ勞役場留置ノ執行ハ之ヲ繼續スルコトヲ得サルモノト思料候ニ付テハ該回答書追書ノ次第モ有之候ヘ共迅速當該檢事ノ指揮ヲ得テ出監方取計ハレ度此ノ段及照會候也

二八　加重刑執行ニ關スル件

京城地方法院檢事正代理請訓大正四、十二月
高發第三三四七號高等法院檢事長指令

請訓

大正四年勅令第二百五號ニ依リ減刑ヲ受ケタルモノニシテ其後加重刑ノ決定アリタルモノニ就而ハ加重刑全部ノ執行ヲ爲ス儀ト思料候得共疑義有之候條何分ノ御指示相成度此段及請訓候也

指令

大正四年十一月三十日檢發第二八六四號ヲ以テ加重刑執行ニ關スル稟議ノ件ハ左ノ通心得ヘシ

加重刑ノ減刑セラレタル刑ヲ基礎トシテ言渡スヘキモノト思料スルモ決定書ニ其旨ノ記載ナキトキハ加重刑ヨリ減刑セラレタル日數ヲ控除シ其殘刑ヲ執行スヘキモノトス

二九　刑事判決ノ正本謄本抄本ノ手數料

大正元年八月
總令第三號

刑事判決ノ正本謄本及抄本ヲ求ムル者ハ其ノ用紙一枚ニ付手數料トシテ三錢ヲ納付スヘシ其ノ一枚ニ滿タサルトキ亦同シ

附　則

本令ハ大正元年九月一日ヨリ施行ス

三〇　作業賞與金ヲ以テスル公訴裁判費用支辨ニ關スル件

大正二年七月
刑第四百八十八號
司法部長官

京城監獄典獄請訓

今回當監獄在監者ニ對スル公訴裁判費用ヲ作業賞與金ヨリ徵收方ニ關シ大邱地方法院檢事正ヨリ囑託アリタル趣ヲ以テ裁判費用ヲ償フヲ目的トスル場合ニ於テハ朝鮮監獄令施行規則第七十六條第二項ニ依リ作業賞與金ヲ給與セラルヘキヤ否ヤニ付京城地方法院檢事正ヨリ照會有之候處元來作業賞與金ナルモノハ主トシテ出獄後生業ニ從事スヘキ資タラシムルノ目的ヨリ釋放ノ際給與セラルヘキモノニシテ假ニ同條第一項ニ依ル場合ト雖無制限ニ許可スヘカラサルモノト思料致候從テ本件ノ場合ノ如キハ同條第二項ニ所謂受刑者ノ爲特ニ必要アリト認ムル場合ニ該當セサルモノト思料致候得共各監獄一定ノ取扱ヲ要スル關係モ有之候ニ付一應御指示ヲ得度此段及請訓候也

回答

本月九日附京監第一七〇八號請訓首題ノ件ハ御見解ノ通朝鮮監獄令施行規則第七十六條ニ該當セサル儀ト思考候右及回答候也

第二章　刑期計算

一　逃走又ハ釋放當日ノ刑期算入ニ關スル件

明治四十四年三月
司刑發第百六十七號　司法部長官

典獄宛

受刑者逃走ノ日及假出獄又ハ刑ノ執行停止ニ因ル釋放ノ當日ハ刑期ニ算入スヘキモノニアラス

二　刑法第二十一條ノ未決勾留ノ解釋ニ關スル件

大正二年二月
刑第百十一號　司法部長官

高等法院檢事長問合

光州地方法院管内檢事會同ニ於ケル決議事項ニ關シ大邱覆審法院檢事長ヨリ別紙ノ通請訓有之候處該會同ノ決議ハ蓋シ起訴ノ後ニ非サレハ判決ヲ爲スコト不能ナルヲ以テ起訴前ニ於テハ未決勾留ナルモノナシトノ理由ニ出タルモノナルヘキモ刑法第二十一條ノ未決ナル文字ハ同法第九十七條及第九十八條ノ未決ナル文字ト同シク斯ノ如キ狹義解釋ヲ爲スヘキモノニ非ス苟モ法令ニ基キ發シタル勾留狀ニ依リ被告人ヲ拘禁シタル後判決確定ニ至ルマデノ間ハ之ヲ未決勾留ト解スヘキモノト思料シ其ノ趣旨ヲ以テ指令致度ト存候モ一應貴官ノ御意見承知致度

（別紙）

本年一月光州地方法院管内檢事會同ニ於テ刑法第二十一條ニ未決ノ勾留トアルハ起訴後ノ未決勾留ヲ指シ檢事ノ搜査處分ニ依ル勾留ハ之ヲ包含セスト解スル旨決議シタル趣同院檢事正ヨリ報告有之候處右ハ起訴前ノ勾留ト雖刑法第二十一條ノ未決勾留ニ該當スト解シ候方妥當ナリト思考致候モ聊疑義有之何分ノ御指示相成度

回答

右ハ貴見ノ通ト思考ス

三　加重刑ノ刑期計算ニ關スル件

大正二年六月
高檢發第八百七十五號　高等法院檢事長

大邱地方法院檢事正請訓（一般檢事ヘ通牒）

拘禁囚ニ對シ刑法施行法第五十三條ニ依リ刑ヲ定ムル決定アリタル場合ニ於テ刑期計算方ニ關シ左記二説アリ疑義相生シ候條何分ノ指令相成度

甲説

判決確定ノ日ヨリ刑期ヲ計算シテ決定ニ定メタル刑ヲ執行スヘシ此ノ方法ニヨルトキハ新ニ定メタル決定ヲシテ既往即確定日ニ遡ラシムルカ如キ感ナキニアラスト雖仔細ニ考フルトキハ其ノ然ラサルヲ知ルニ足ラン蓋シ執行濟ニ係ル判決ノ刑モ亦決定ニヨリ定メラレタル刑ノ一部分ナルノミナラス決定確定後ニ於テ決定ノ刑ヲ執行スルニ當リ其ノ刑期計算方法トシテ判決確定ノ日ヨリ之ヲ計算シ以テ執行濟ニ係ル刑期ヲ通算スルニ外ナラサレハナリ然ルニ若乙説ノ如ク執行濟ノ刑期ヲ其ノ日數ニ應シ決定ノ刑期ヨリ控除シテ決定ノ刑ヲ執行スルモノトセハ刑期計算ノ本旨ニ違背シ不測ノ損失ヲ受刑者ニ與フルコトアルヘシ假令ハ二月十日ニ懲役三月ニ處スル判決確定シ刑執行中五月七日ニ至リ懲役五月ニ處ストノ加重刑ヲ定ムル決定確定シタル場合ニ於テ本説ノ如クセハ刑法第二十二條ニ依リ曆ニ從ヒ五ケ月ノ刑ヲ計算スルカ故ニ刑期滿限ハ七月九日ト爲

ルヘキニ拘ラス乙說ノ如クセハ決定確定日ナル五月七日ヨリ五ケ月ノ刑ヲ起算シ十月六日ヲ滿刑日ト假定シ執行濟ニ係ル刑ヲ日數ニ引直シテ得タル八十六日ヲ控除スルコトト爲ルヲ以テ七月十二日ニアラサレハ滿刑セサルヘシ即甲說ニ比シ三日間ノ損失ヲ受刑者ニ蒙ラシムルニ至ル是畢竟執行濟ニ係ル刑期ヲ暦ニ從ヒ計算セサルヨリ生スル結果ニシテ刑期計算ノ本旨ニ副ハサルモノトス

乙說

刑法第五十八條第一項刑法施行法第五十三條ニ依リ言渡ス刑ハ前刑ノ上ニ新ニ加重刑ヲ加添スルニアラス根本ヨリ刑期ヲ更正シタル刑ヲ科スルモノトス（民刑局長回答四一年八月二二日民刑甲第一四二號參照）然ラハ之カ執行ハ其ノ決定確定ノ日ヨリ起算スヘキモノナルコトハ論ヲ待タス（刑法二三條第一項）然レトモ該被告カ已ニ前判決所定刑（即加重以前ノ刑）ノ一部ノ執行ヲ受タル場合ニハ其ノ執行ハ後ノ加重刑ノ一部ト實質ヲ同フスルヲ以テ之ヲ加重刑ニ通算スヘキモノトス（四一年六月民刑秘第一〇四號訓令第九號參照）通算スルニハ他ノ用例（刑法二一條二三條二項）ニ從ヒ日數ニ依ルヘキモノトス從テ時ニ或ハ受刑者ニ多小ノ利不利ヲ生スルコトナキニアラサルモ不得止結果トス

指令

甲說ヲ可トス

刑法第五十二條又ハ第五十八條ハ前ニ言渡シタル刑ノ外更ニ獨立シタル刑ヲ言渡スノ趣旨ニ非スシテ前ニ言渡シタル刑ヲ廢止シ之ニ代ル刑ヲ定ムルモノナリ換言スレハ決定ヲ以テ刑ノ更改ヲ爲スモノナリ故ニ新刑ハ當然舊刑ノ地位ニ代リ既ニ執行シタル舊刑ノ部分ハ同一起算點ヨリ進行

シタル新刑ノ一部分ト看做サヽルヘカラス從テ新刑ノ起算點ハ當然前ニ遡リ舊刑ノ起算點ト一致スヘキモノトス

四　刑期計算ニ關スル件

大正三年十月
刑第八百六十三號　　司法長官

監獄典獄宛

刑ノ執行停止假出獄及逃走等ノ事由ニ依リ一旦刑ノ執行ヲ止メタル後更ニ殘刑ヲ執行スヘキ場合ニ於ケル刑期計算ニ關シ別紙甲號ノ通問合ニ對シ乙號ノ通リ回答致置候條爲參考此段及通牒候也

甲號京監第二二九二號

大正三年八月二十九日　　京城監獄典獄

司法部長官宛

請訓

刑期計算ニ關スル件

刑ノ執行停止、假出獄及逃走等ノ事由ニ依リ一旦刑ノ執行ヲ停止シタル後更ニ殘刑ヲ執行スヘキ場合ニ於ケル刑期計算ニ關シ左記三說アリ疑義有之候條何分ノ御指示相煩度此段及請訓候也

追テ差掛リタル案件モ有之候條至急何分ノ御回示相成候樣致度申添候

記

甲說

一、既ニ執行シタル日數ニシテ暦ニ從ヒ年又ハ月ニ換算シテ殘日數ヲ生セサルトキハ殘餘ノ年又ハ月ノ數ヲ執行再始ノ日ヨリ暦ニ從ヒ

積算シテ刑ノ終期ヲ定ム

二、若シ曆ニ從ヒ月ニ換算スルコトヲ得サル日數ナル場合又ハ曆ニ從ヒ年又ハ月ニ換算シテ尙ホ殘日數ヲ生シタル場合ハ其ノ日數又ハ殘日數ヲ假ニ一月トシテ年又ハ月ノ數或ハ殘餘ノ年又ハ月ノ數中ニ加算シ置キ執行再始ノ日ヨリ年又ハ月ノ數或ハ殘餘ノ年又ハ月ノ數ヲ曆ニ從ツテ積算シテ終期ヲ定メ其終期ヨリ月ニ換算シ得サリシ日數又ハ殘餘ノ日數ヲ曆ニ從ヒ溯テ算入シ刑ノ終期ヲ定ムルコト

計算方設例

一、四十三年十二月一日起算懲役一年六月刑ノ執行中其執行ヲ停止セラレ四十四年四月十五日起算懲役二年刑執行四十六年四月十四日終了同年四月十五日起算停止中ノ懲役一年六月刑ヲ引續執行セシムル場合ニ於テハ四十四年四月十四日迄ニ曆ニ依ル四月ト日數十四日ノ執行ヲ了シ居ヲ以テ四十六年四月十五日起算曆ニ依リ殘餘ノ年月數即チ一年二月目ニ相當スル四十七年六月十四日ヨリ溯テ十四日ヲ算入シタル五月三十一日ヲ終期トス

二、四十三年十二月一日起算懲役四年刑ノ執行中四十四年一月一日刑ノ執行ヲ停止セラレ出監同年五月十五日復監停止中ノ刑ヲ執行セシムル場合ニ於テハ四十三年十二月三十一日迄ニ曆ニ依ル一月ノ執行ヲ了シ居ルヲ以テ四十四年五月十五日ヨリ起算曆ニ依リ殘餘ノ月數即チ三月目ニ相當スル四十四年八月十四日ヲ終期トス

三、假出獄ノ取消ニ依リ復監シタル場合又ハ逃走復監シタル場合ニ於ケル刑期計算方モ一及二ノ場合ニ同シト雖モ更ニ出獄中ニ犯シタル罪又ハ逃走罪ニ因リ處斷ヲ受ケ前刑ノ執行ヲ停止シ後刑ヲ執行スヘキ時ハ稍其體樣ヲ異ニス

四十三年十二月一日起算懲役八月刑ノ執行中四十四年八月十七日（假出獄逃走）同年十月十日復監同日ヨリ起算（出獄中ニ犯シタル罪逃走罪）ニ因ル懲役一年刑ノ執行四十五年十月九日終了同年十月十日起算停止中ノ懲役八月刑ヲ引續キ執行セシムル場合ニ於テハ四十四年四月十六日迄ニ曆ニ依ル四月ト日數十六日ノ執行ヲ了シ居リ同年四月十七日ヨリ四十五年十月九日迄ハ刑ノ執行ヲ爲サヽリシヲ以テ同年十月十日起算曆ニ依リ殘餘ノ月數即チ四月目ニ相當スル四十六年二月九日ヨリ溯テ十六日ヲ算入シタル同年一月二十四日ヲ終期トス

乙說

執行ヲ停止シ又ハ執行不能ノ狀態ニ至リシ當日ヨリ最初ニ定メ置キタル刑ノ終了日迄ノ期間即チ殘刑期ヲ曆ニ從ヒ算出シ置キ（月ニ滿タサル端數ナルトキハ日數ヲ算出スルコト）執行再始ノ日ヨリ右算出ノ年月日數ヲ積算シテ刑ノ終期ヲ定ム

丙說

刑法第二十三條第二項同第二十九條第二項ニ依リ拘禁セラレサル日數及出獄中ノ日數ハ刑期ニ算入セサルモノナルヲ以テ逃走又ハ假出獄等ニ依リ一旦刑ノ執行ヲ停止シタル後更ニ殘刑ヲ執行スヘキ場合ハ最初ニ定メ置キタル刑ノ終期ニ前記刑期ニ算入セラレサル日數即チ逃走、刑事訴訟法第三百十九條第二項ニ因ル刑ノ執行停止又ハ假出獄中ノ日數ヲ追加延長シテ刑ノ終期ヲ定ム然シテ甲

説設例第一及第三ノ場合即チ重キ主刑ヲ執行スルカ爲メ執行中ニ係ル輕キ主刑ノ執行ヲ停止シタル場合及逃走罪ニ因リ又ハ出獄中（執行停止又ハ假出獄中ニ於テ）ニ犯シタル罪ニ因リ處斷ヲ受ケ前刑ノ執行ヲ停止シテ後刑ヲ執行スヘキ場合ニ於テハ最初前刑ニ付定メ置キタル刑ノ終期又ハ前項所載ノ刑期ニ算入セラレサル日數ヲ延長シテ定メタル終期ニ後刑ノ刑期ヲ加算延長シテ前刑ノ終期ヲ定ム

五　殘刑期計算ニ關スル件

大正九年九月
刑第八號
法務局長

咸興監獄典獄問合

刑ノ執行停止ノ事故止ミ逃走ノ復歸及假出獄ノ取消等ニ依リ再入監ノ場合殘刑期計算法ニ就テハ殘刑期執行着手ノ日ヲ起点トシ其ノ全刑期ヲ暦ニ從ヒ計算シ終了日ヲ定メタル上執行濟ニ係ル年月日數ヲ遡テ通算控除シ其ノ終了日ヲ算定スルハ一定ノ例ニ候處左記設例ノ場合ニ於テハ既ニ執行スヘキ日數ナキモ一應收監ノ手續ヲ了シタル上直ニ釋放スヘキモノト存候得共聊疑義相生シ候ニ付之カ取扱及計算方ニ付何分ノ御指示相成度此ノ段相伺候也

記

懲役三月ノ刑大正八年七月二十日起算執行中同年十月十九日刑執行停止出監大正九年二月十五日事故止ミ入監ノ場合

回答

本年八月二十八日附發第五五七號ヲ以テ伺出相成候首題ノ件ニ關シテハ大正三年十月十日附刑第八六三號各監獄典獄宛司法部長官通牒ノ趣旨ニ依據スヘキモ右ハ事實上該理論ヲ適用シ得ヘキ場合ノ取扱方ヲ定メタルモノニシテ伺出ニ係ル設例ノ如キ執行スヘキ殘刑期一日アルニ拘ラス執行再始ノ日ノ如何ニ依リ現實執行スルコトヲ得サル結果ヲ生スル場合ニ在リテハ該通牒ニ準據セス殘刑期一日ノ執行ヲ了スヘキ儀ト思考候條此ノ段及回答候也

六　殘刑起算日ニ關スル件

大正八年九月
高檢第六千百四十三號
高等法院檢事長

平壤覆審法院檢事長請訓

受刑者逃走シ數日後警察官憲ノ手ニ於テ取押ヘラレ逃走罪トシテ事件管轄廳檢事ノ勾留狀ヲ執行セラレタル場合ニ於テ其ノ殘刑勾留狀執行ノ日ヨリ起算スヘキカ又ハ殘刑ニ付判決廳檢事ヨリ執行指揮書監獄ニ到達ノ日ヨリ起算スヘキヤ疑義有之候條何分ノ御指示相成度此ノ段及請訓候也

指令

大正八年八月二十八日附覆檢第二五〇三號請訓逃走囚ニ對スル殘刑起算日ニ關スル件ハ後段見込ノ通取扱フヘシ

七　恩赦ニ浴シタル者ノ刑期計算方ニ關スル件

大正九年十月
官通牒第九十六號
法務局長

各檢局長
各監獄ノ長宛

平壤監獄典獄伺出首題ノ件ハ左記ノ通リ御了知相成度及通牒候也

記

問保安法違反懲役二年大正八年・四月九日刑期起算執行中大正九年勅

令第百二十號ニ依リ減刑ノ恩典ヲ受ケ其ノ刑ヲ懲役一年十八日ニ變更セラレタル結果刑期終了日ニハ大正九年四月二十六日トナリタル者外ニ公私文書僞造行使詐欺懲役一年ヲ有シ引續キ執行ヲ要スル處之カ刑期起算ニ付左記ノ三說アリ

一　變更刑ヲ刑期起算日ヨリ計算スルノ結果刑期終了日ハ大正九年四月二十六日トナルモ事實本文ノ勅令公布前ニ於テ釋放スヘキコトナキヲ以テ勅令公布當日即チ四月二十八日ヲ起算日トス

二　四月二十六日刑期終了シ引續キ第二ノ刑ヲ執行スルモノニ對シ四月二十八日ヨリ刑期ヲ計算スルトキハ穩當ナラサルニ付四月二十七日ヨリ起算ス

三　結果ハ二說ト同樣ナルモ四月二十八日ヲ刑期起算日トシテ四月二十七日ノ一日間ヲ刑期ニ算入ス

答第一說ヲ可トス

八　勞役場留置執行中ニ於ケル殘日數ノ計算方ニ關スル件

大正十年五月
法務局長

監獄ノ長宛

首題ノ件ニ關シ別紙寫ノ通各檢事局ノ長ニ通牒候條爲參考及通牒候也

（別紙）

大正十年五月三十一日
法務局長

高等法院檢事長
覆審法院檢事長
地方法院檢事正　御中

勞役場留置執行ニ於ケル殘日數ノ計算ニ關スル件

大正八年一月三十一日附法第三九號ヲ以テ首題ノ件及通牒置候次第モ有之候處本人ニ於テ納付申出當日以後ノ殘日數ニ相當スル金額ヲ納付セムコトヲ希望スルニ拘ラス强テ當日ノ全部ヲ執行スルニアラサレハ出場セシムルヲ得スト爲スハ甚タ苛酷ニ失スル儀ト思考候條爾今右樣ノ場合ニ在リテハ其當日以後ノ分ヲ徵收シ即時出場セシムルコトニ御取扱相成候樣致度此段及通牒候也

追テ支廳檢事ニハ檢事正ヨリ此旨通達相成度申添候

（參照）

勞役場留置執行中ニ於ケル殘日數ノ計算方ニ關スル件

大正八年一月法第三九號
司法部長官通牒

監獄典獄宛

首題ノ件ニ關シ別紙寫ノ通各檢事局ノ長ニ通牒候條爲參考此段及通牒候也

寫法第三九號　（大正八、一、三一）

高等法院檢事長
覆審法院檢事長
地方法院檢事正　宛

司法部長官

勞役場留置執行中ニ於ケル殘日數ノ計算方ニ關スル件

勞役場留置執行中殘日數ニ對スル罰金又ハ科料ヲ納付セムコトヲ申出タル場合ニ於テ其ノ申出當日分ノ金額ヲ徵收スヘキヤ否ヤニ關シ今般警務總長ヨリ合議ヲ受ケタル處右申出ノ當日ハ既ニ幾部ノ執行ヲ了リタルモノナルカ故ニ假令本人ニ於テ其ノ不利益ヲ忍ヒ全一日分ノ金額ヲ納付スルノ意思アリトスルモ其ノ幾部ニ對シテハ謂レナク留置シタル不法アルコトニ歸スルヲ以テ結局其ノ次日以後ノ殘日數ニ相當スル金額ヲ納付セシメ翌日釋放スルヲ相當トストノ提案ニ同意致置候條御了知ノ上檢事局ニ於テモ右ニ依リ御取扱相成候樣致度此段及通牒候也

追テ地方法院支廳檢事ニハ檢事正ヨリ本文ノ趣旨御通達相成度爲念申添候

九　刑事令施行前刑法大全ノ刑ニ處セラレタル者ノ刑期計算ニ關スル件

明法四十五年五月
高檢發第七百九十八號
高等法院檢查長

平壤覆審法院檢事長宛

（一般檢事ヘ通牒）

刑事令施行前刑法大全ノ刑ニ處セラレタル者ハ同令施行後確定シタル者ト雖刑法大全ノ規定ニ從ヒ刑期ヲ計算スヘキモノトス

大正十二年三月二十五日印刷
大正十二年三月三十一日發行

朝鮮總督府看守教習所編纂

京城府貞洞朝鮮總督府法務局內
發行者 朝鮮司法協會

京城府旭町二丁目十番地
印刷者 天野キヨ

京城府旭町二丁目十番地
印刷所 京城印刷所

韓国併合史研究資料 ⑫

朝鮮刑務提要（下）

2018年4月　復刻版第1刷発行

原本編著者　朝鮮総督府看守教習所
発行者　北村正光
発行所　株式会社 龍溪書舎
〒179-0085　東京都練馬区早宮 2-2-17
TEL 03-5920-5222・FAX 03-5920-5227

ISBN978-4-8447-0478-2
朝鮮刑務提要(上・中・下)　全3冊　**分売不可**
落丁、乱丁本はお取替えいたします。

印刷：大鳳印刷
製本：高橋製本所